À la découverte du **savoir** de nos ancêtres

À la découverte du savoir de nos ancêtres

À la découverte du savoir de nos ancêtres

est une réalisation de Sélection du Reader's Digest

Ont collaboré à cet ouvrage

Conseiller de la rédaction

Frédéric Denhez, écrivain, journaliste scientifique

Auteurs

Raquel Azran-Daninos, journaliste scientifique

Lise Barnéoud, journaliste scientifique

Lise Bollot, journaliste scientifique spécialisée en médecine

Paloma Cabeza, docteur en physique des hautes énergies, journaliste scientifique

Clara Delpas, journaliste scientifique

Philippe J. Dubois, journaliste scientifique

Sophie Fleury, journaliste scientifique

Raquel Hadida, journaliste scientifique

Florence Heimburger, journaliste scientifique

Anne Lefèvre-Balleydier, journaliste scientifique spécialisée en environnement

Emmanuelle Lesquel, journaliste scientifique

Betty Mamane, journaliste scientifique

Marielle Mayo, journaliste

Romain Pigeaud, docteur en préhistoire, journaliste scientifique

Muriel Royer de Véricourt, journaliste scientifique spécialisée en sciences économiques, médecine et biologie

Viviane Thivent, journaliste scientifique

Nous remercions également

Marie-Claude Germain et **Hélène Werner**

Maquette

Michaël Beaucé, Véronique Zonca

Illustrations

Michaël Beaucé, Jacqueline Caulet, Bernard Courtois, Marc Donon, Christelle Forzale, Sylvie Guerraz, Jean-Pierre Lamérand

Effets graphiques

Colman Cohen

Consultant prépresse

Damien Noirot

Iconographie

Nathalie Lasserre

ÉQUIPE ÉDITORIALE DE SÉLECTION DU READER'S DIGEST

Direction éditoriale : **Gérard Chenuet**
Direction artistique : **Dominique Charliat**
Secrétariat général : **Elizabeth Glachant**

Réalisation de l'ouvrage

Responsable du projet : **Anne Grégoire**
Maquette : **Didier Pavois**
Lecture-correction : **Béatrice Argentier, Catherine Decayeux, Emmanuelle Dunoyer, Alain Le Saux**
Iconographie : **Danielle Burnichon**
Fabrication : **Marie-Pierre de Clinchamp, Caroline Lhomme**
Prépresse : **Philippe Pétour**

Nous remercions également

Camille Duvigneau (secrétariat de rédaction)

PREMIÈRE ÉDITION
Premier tirage

© 2005 Sélection du Reader's Digest, SA,
5 à 7, avenue Louis-Pasteur, 92220 Bagneux
Site Internet : www.selectionclic.com

© 2005 NV Reader's Digest, SA
20, boulevard Paepsem, 1070 Bruxelles

© 2005 Sélection du Reader's Digest, SA
Räffelstrasse 11, « Gallushof », 8021 Zurich

© 2005, Sélection du Reader's Digest (Canada), Limitée,
1100, boulevard René-Lévesque Ouest, Montréal,
Québec H3B 5H5

Pour nous communiquer vos suggestions ou remarques sur ce livre, utilisez notre adresse e-mail :
editolivre@readersdigest.tm.fr

ISBN 2-7098-1704-7

Code projet : FR 1575/G

Avant-propos

Rouge couchant, beau temps. La soupe fait grandir. Les volcans d'Auvergne sont éteints. L'air est plus pollué qu'avant. Les médicaments génériques sont moins efficaces que les autres. Le charbon, c'est la révolution industrielle. Un binage vaut deux arrosages…

Nos ancêtres, nos grands-parents, nos parents nous ont transmis des phrases toutes faites, dont le contenu remonte parfois véritablement à la nuit des temps. Véhiculées parce qu'elles rassurent, certaines n'ont aucun fondement. Leur substance mensongère a été validée par l'usage, par le temps – qui, dans nos vieux pays, vaut bien une preuve. Mais la plupart des adages, proverbes et autres idées reçues – dans le bon sens du terme – décortiqués dans ce livre ont une réelle justification. Ils résument en une phrase, assez joliment tournée pour qu'elle soit facile à mémoriser, l'interprétation commune de phénomènes naturels observés au quotidien. Un empirisme de bon aloi, ce fameux « bon sens paysan » dans lequel viennent puiser les scientifiques, tout étonnés de nos jours de constater que l'intuition n'a pas forcément correctement décrit le monde mais a permis d'inventer des merveilles.

La cuisine française est ainsi un pur produit de l'empirisme, redécouvert récemment par physiciens et chimistes. Lesquels ne cessent pas d'être fascinés – et un peu vexés ! – par le sens de l'observation de nos ancêtres : la plupart des choses que nous savons de notre monde n'ont pas été découvertes aux XIXe et XXe siècles, mais ont été imaginées bien plus tôt, essentiellement dans l'Antiquité et entre le XVe et le XVIIe siècle ! Bien souvent, notre époque technologique n'a fait qu'offrir à la science la possibilité de valider ce que l'on connaissait déjà intuitivement.

Les savoirs de nos ancêtres sont un merveilleux moyen d'apprendre notre monde et notre corps, car ils font partie de notre mémoire collective. Y puiser, c'est faire de la science intime, sensible et émotive. C'est aussi se rendre compte à quel point les phrases toutes faites apparaissent vite : ce livre en a recensé quelques dizaines nées il n'y a pas plus de vingt ans. Les savoirs de nos ancêtres ont pris un sérieux coup de jeune.

FRÉDÉRIC DENHEZ

Sommaire

Chapitre I

Sur la Terre comme au ciel

Tout a commencé avec le big bang

Toutes les observations astronomiques le confirment : l'Univers, qui évolue constamment, a connu un commencement que les scientifiques appellent le big bang – l'explosion primordiale, le grand boum du début des temps. Vision purement intellectuelle ou réalité physique ?

L'Univers a longtemps été tenu pour immuable. Œuvre du divin Créateur, il ne pouvait qu'être à son image : parfait et… permanent. Cependant, comme l'observation du ciel le prouve, l'Univers est en constante évolution. Pire : les astronomes se sont aperçus que toutes les galaxies s'éloignaient indéfiniment les unes des autres.

L'astronome Edwin Hubble en a déduit en 1929 que l'Univers est en expansion : il se dilate, tout comme les dessins sur votre ballon de baudruche s'écartent les uns des autres à mesure que vous gonflez celui-ci. L'Univers a donc eu un début, que l'on peut deviner en faisant passer le film à l'envers – en inversant le mouvement de fuite des galaxies. C'est ainsi qu'on arrive à la date approximative de 13,7 milliards d'années, à 1 % près.

Des scientifiques de plusieurs disciplines ont tenté de trouver un scénario expliquant ce commencement. Aujourd'hui, la majorité s'accorde sur le modèle du big bang, que des mesures astronomiques de plus en plus fines corroborent et précisent tout à la fois.

Le modèle du big bang ne décrit pas seulement les premiers instants de l'Univers (voir encadré ci-contre), mais aussi son état actuel et son évolution au cours du temps. Cette évolution dépend notamment de sa masse et de la vitesse de son expansion. Suivant la valeur de celles-ci, l'Univers peut se recontracter après avoir atteint une taille maximale ou bien poursuivre indéfiniment son expansion.

L'esprit humain, qui a besoin d'un début, d'une fin et de réponses à ses pourquoi, préférerait que l'Univers soit un cycle sans fin – naissance, dilatation, contraction, renaissance, dilatation, contraction, etc. Malheureusement, les mesures actuelles laissent penser que l'Univers se dilatera indéfiniment. Quant à la cause originelle de l'existence de l'Univers, elle reste du domaine de la spéculation intellectuelle – ou de la conviction religieuse. ■

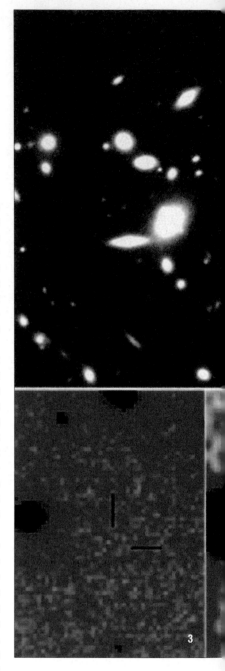

BRÈVE CHRONOLOGIE DU BIG BANG

À l'instant zéro, tout l'Univers, concentré en un point infiniment petit, est libéré. Sa dilatation est tout d'abord immensément rapide puisqu'en une infime fraction de seconde il atteint pratiquement sa taille actuelle. Il n'est alors que pure énergie mais se refroidit vite.

Moins d'un mille-milliardième de seconde après le big bang, l'Univers a assez tiédi pour que l'énergie se transforme en matière (selon le principe d'équivalence d'Einstein). Il ne s'agit encore que de particules libres, pas encore structurées en noyaux atomiques. Il faut « attendre » cent secondes après le big bang pour que la température s'abaisse assez et que ces noyaux se forment – avant tout à partir d'hydrogène, mais aussi avec un peu d'hélium et de lithium.

Trois cent mille ans après l'explosion primordiale, l'Univers affiche une température de 300 000 °C et la lumière peut enfin circuler (elle était auparavant capturée immédiatement par les noyaux atomiques). C'est ce rayonnement premier, identifié par Penzias et Wilson en 1965, que mesurent les sondes actuelles avec une extrême précision. Les premières étoiles, rapidement structurées en galaxies, apparaissent quelques centaines de millions d'années après. Nous arrivons à les observer en scrutant très profondément l'Univers.

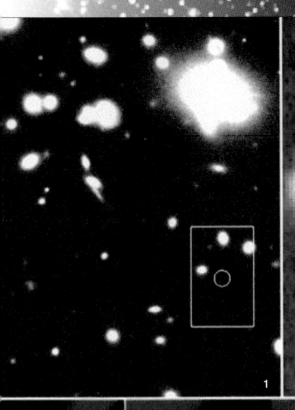

1

2

4   5   6

VOIR LOIN DANS L'UNIVERS, C'EST VOIR LOIN DANS LE PASSÉ

Plus nous regardons loin dans l'espace, plus nous remontons dans le passé. Rien d'inexplicable à cela : la lumière se déplace à la vitesse – très élevée mais pas illimitée – de 300 000 km/s. De ce fait, lorsqu'elle est émise par un objet, elle met un certain temps à nous arriver. Lorsqu'elle nous arrive, nous voyons la lumière de l'objet tel qu'il était au moment où sa lumière est partie – soit l'époque actuelle moins la durée du trajet lumineux. Par exemple, le Soleil est à huit minutes-lumière de nous : cela signifie que la lumière qu'il émet met huit minutes à nous parvenir, ou encore qu'à tout instant on voit le Soleil tel qu'il était il y a huit minutes. De même, les objets situés à treize milliards d'années-lumière nous apparaissent, en fait, tels qu'ils étaient il y a treize milliards d'années – au début de l'Univers !

PENZIAS ET WILSON DÉCOUVRENT L'ÉCHO DU BIG BANG

En 1965, les laboratoires Bell montèrent une antenne conique de près de 7 m à Crawford Hill, dans le New Jersey (États-Unis), pour mesurer le rayonnement micro-onde de l'Univers. Mais, lorsqu'ils commencèrent à la faire fonctionner, les radioastronomes furent confrontés à un ennuyeux bruit de fond. Comme le même signal provenait de tout le ciel, ils réalisèrent que ce devait être le rayonnement résiduel du big bang, appelé de ce fait « bruit de fond cosmologique ». Cette découverte par Arno Penzias et Robert Wilson contribua à confirmer le modèle du big bang et leur valut le prix Nobel de physique en 1978.

1 *Au centre du cercle, voici la galaxie la plus lointaine, donc la plus vieille, de l'Univers observable : Abell 1835-IR 1916. On ne voit rien ! Pourtant, elle est là, détectée par hasard par l'observatoire européen du Chili (ESO, European Southern Observatory) à 13,23 milliards d'années-lumière de nous. Elle est environ 10 000 fois moins massive que notre galaxie.*

2 *Agrandissement de la région cerclée : IR 1916 est une lueur à peine perceptible qui a commencé d'émettre 470 millions d'années après le big bang.*

3 *En lumière normale – celle que nous percevons –, cette galaxie n'est pas visible.*

4 - 5 - 6 *Elle ne l'est qu'en lumière infrarouge. Et encore : IR 1916 a été rendue détectable par l'effet de loupe de l'amas de galaxies Abell 1835, situé à quelques millions de kilomètres devant elle. Cet amas est tellement massif qu'il a détourné la lumière faible de la galaxie IR 1916, la focalisant, en l'amplifiant, jusqu'à nous. Un phénomène très courant.*

▶ L'Atlas du ciel *d'Andreas Cellarius (1661). Planche représentant les constellations interprétées par l'Ancien Testament. La Terre est au centre.*

Les **trous**

Imaginés dès le XVIIIe siècle puis modélisés en 1915, les trous noirs auraient pu rester du domaine de l'hypothèse mathématique. Ils sont pourtant bien réels : on en a découvert tant dans notre galaxie que dans le reste de l'Univers – et on tente même d'en créer en laboratoire !

L'Univers est infini

Notre Univers perceptible, autrefois cantonné à la voûte céleste, s'est agrandi au fil de nos connaissances pour occuper aujourd'hui des dimensions inouïes que l'homme peine à concevoir. Mais il n'est pas pour autant infini, même s'il n'a pas de limites à proprement parler.

Bien qu'elle défie l'esprit humain, la notion d'infini s'est imposée peu à peu. Elle ne nous est, d'ailleurs, pas si étrangère ou si peu naturelle que cela, comme le prouve le simple dénombrement. Commencez à compter – un, deux, trois, et ainsi de suite : la série de nombres obtenus est illimitée, vous pourrez toujours continuer même si les mots vous manquent pour exprimer les grands nombres.

Dénombrez maintenant les étoiles du ciel d'une nuit d'été – une, deux, trois… Elles sont des myriades ! Et dès lors que l'homme a compris qu'il ne s'agissait pas de petits trous percés dans le velours noir de la voûte céleste mais d'autres soleils, tellement lointains qu'ils apparaissent comme des points, il s'est aperçu que l'Univers devait être – vraiment – très grand pour tous les contenir.

La science, grâce à des télescopes au sol ou dans l'espace et à des instruments qui mesurent d'autres rayonnements que la seule lumière visible, a posé de nouvelles limites à la taille de l'Univers. Et celui-ci s'est révélé si vaste qu'il a fallu inventer de nouvelles unités de mesure pour en parler, telle que l'année-lumière (en une année, la lumière parcourt 9 460 milliards de kilomètres, soit plus de 63 000 fois la distance Terre-Soleil).

Mais si l'Univers n'est pas infini, peut-on en atteindre la limite et, si oui, qu'y a-t-il derrière ? En fait, les astronomes ont récemment prouvé, grâce au télescope spatial Hubble, que l'Univers se dilatait continuellement, et ce probablement pour l'éternité. Il ne faut donc pas s'imaginer l'Univers comme un grand sac au bout du bras d'un dieu mais plutôt comme un ballon gigantesque qui se gonfle peu à peu – et nous sommes des fourmis à la surface de ce ballon. Peu importe sa taille, nous pouvons tourner sans fin à sa surface, nous n'en verrons jamais les bords. ■

DERNIÈRES MESURES DE L'UNIVERS

Lancée en 2001 par la Nasa, la sonde WMAP a mesuré le rayonnement micro-onde de l'Univers pendant deux ans. Provenant de toutes les directions avec une intensité quasi identique, ce rayonnement est une lumière fossile datant des tout premiers instants de l'Univers. Son étude permet aux astronomes de déduire l'âge de l'Univers, le rythme de sa dilatation (ou expansion) depuis sa naissance et sa composition. L'âge de l'Univers est aujourd'hui estimé à 13,7 milliards d'années (avec une marge d'erreur de 1 %), et son rythme d'expansion (plus précisément la constante de Hubble) appuie l'hypothèse d'une dilatation sans fin.

noirs avalent tout

En 1686, Isaac Newton formulait sa loi de la gravitation universelle : *Deux corps massifs s'attirent avec une force proportionnelle à leurs masses respectives et inversement proportionnelle au carré de leur distance.*

L'existence d'un astre géant immensément pesant qui attirerait à lui tout ce qui passe à proximité découlait naturellement de cette loi d'attraction et fut, de fait, imaginée dès la fin du XVIIIe siècle par le Britannique John Michell et le mathématicien français Pierre Simon de Laplace.

Cependant, la conception moderne du trou noir – expression inventée en 1967 par l'astronome John Wheeler – est issue de la théorie de la relativité générale d'Einstein, formulée en 1915. Selon celle-ci, la force d'attraction qu'exerce tout objet massif agit non plus seulement sur la matière mais sur l'espace et le temps, devenus indissociables.

Pour visualiser l'action de cette force (ou gravité) sur l'espace-temps, imaginez un poids (l'objet massif) posé sur une membrane élastique (l'espace-temps), qu'il déforme sous sa masse. Si l'objet est assez lourd et que sa masse est concentrée dans un très petit volume, il creuse un puits sans fond dans la membrane. Si de la matière ou de la lumière s'approche à moins d'une certaine distance de cet objet, la vitesse nécessaire pour échapper à son attraction gravitationnelle devient plus grande que la vitesse de la lumière – ce qui est impossible – et lumière et matière sont donc irrémédiablement happées. C'est ce puits infiniment profond qu'on nomme trou noir – noir parce que même la lumière ne peut s'enfuir…

Le trou noir d'Einstein est donc bien un objet extraordinairement massif mais, contrairement à la vision classique du XVIIIe siècle, ce n'est pas un astre géant mais un objet infiniment petit. Et il ne s'agit pas seulement d'une curiosité mathématique !

Dans la réalité, un trou noir se forme quand une étoile très pesante (faisant plus de 45 fois la masse du Soleil) s'effondre sur elle-même à la fin de sa vie, au point que sa gravité devient supérieure aux forces de cohésion de la matière. Notre galaxie abriterait environ un million de ces « petits » trous noirs (dits stellaires), dont à peine une vingtaine a été détectée.

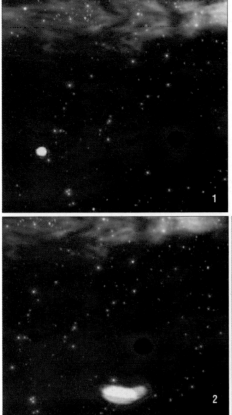

1 *Film imaginaire de la digestion d'une étoile (à gauche) par un trou noir (à droite). Des images très proches de trous noirs ont été obtenues par les satellites Chandra et Rosat.*

2 *L'étoile est attirée par le puits gravitationnel du trou noir. Les tensions gravitationnelles l'étirent : sa matière commence à s'échapper.*

3 *L'étoile n'existe plus. Elle se vide comme l'eau dans un siphon et va de plus en plus vite, gagnant en énergie. Sa matière se résout petit à petit en énergie lumineuse, en rayons X notamment, visibles depuis la Terre.*

4 *De l'étoile, il ne reste que des reliefs de repas : un nuage de matière qui, en diffusant la lumière des étoiles, trahira sa présence.*

Mais comment peut-on repérer un trou noir puisqu'il est, par définition, invisible ? Un trou noir est, tout d'abord, détectable par les mouvements de la matière qu'il attire. Cette matière se répartit en un disque d'accrétion tournoyant autour du trou noir à la manière des anneaux autour d'une planète géante… invisible. À l'intérieur du disque d'accrétion, la matière est si comprimée et déformée par la gravité qu'elle s'échauffe énormément ; elle émet alors des rayonnements intenses (détectables) avant de disparaître dans le trou noir.

Il existe aussi des trous noirs géants (galactiques) au centre de presque toutes les grandes galaxies. Ils résultent de la fusion de milliers, voire de millions d'étoiles – très rapprochées et très nombreuses – dans le noyau des galaxies. Notre Voie lactée abrite un trou noir de ce genre, repéré dans la constellation du Sagittaire grâce à ses puissantes émissions de rayons X et radio. En effet, les trous noirs galactiques accélèrent parfois la matière sous forme d'immenses jets de gaz détectables par leurs émissions radio.

Que deviennent les trous noirs ? Le cosmologiste Stephen Hawking a montré qu'après avoir avalé tout ce qui était à leur portée ils finissent par s'évaporer très lentement en émettant des particules et des rayonnements particuliers. Pour d'autres scientifiques, un trou noir pourrait déboucher, via un « trou de ver », sur une « fontaine blanche » par laquelle ressortiraient toute la matière et toute la lumière avalées – dans ce même Univers, ou dans un autre ! ∎

Il pleut des étoiles filantes

Ce n'est qu'à partir de 1833 que l'on s'intéressa véritablement aux étoiles filantes. Car, cette année-là, un véritable déluge de feu embrasa le ciel des États-Unis. Terrorisée, la population était sans doute plus occupée à prier qu'à faire des vœux. Mais que sont ces mystérieux bolides porte-bonheur ?

Les étoiles filantes n'ont d'étoiles que le nom. En réalité, ce sont des météores, corps célestes rocheux voyageant dans l'espace et déviés de leur trajectoire par l'attraction de la Terre. Rien à voir, donc, avec des étoiles ! En rentrant dans l'atmosphère à près de 60 km/s, ils s'embrasent à cause des frottements. Observés depuis la Terre, ils ressemblent à des boules de feu traversant le ciel. Si des fragments sont assez gros pour résister à la traversée de l'atmosphère, ils peuvent alors s'écraser : voici des météorites ! Ce n'est pas un phénomène rare : la Terre est alourdie chaque année par la chute de 100 000 tonnes de matériel météoritique.

Aujourd'hui, il est de coutume de faire un vœu lorsqu'on observe un tel bolide dans le ciel. Sans doute tenons-nous cette tradition des bergers : ébahis par le spectacle féerique d'une pluie lumineuse dans les alpages, et voyant que ce spectacle ne présentait pas de danger, ils auraient forgé diverses superstitions.

Mais, autrefois, ces boules de feu n'étaient pas synonymes d'heureux présages. Bien au contraire... Dans la Bible, les étoiles filantes étaient même annonciatrices de catastrophes. Selon la culture chaldéenne, les dieux s'amusaient à lancer des tisons sur la toile qui recouvrait la Terre. Lorsqu'ils arrivaient à faire passer une braise, une étoile filante tombait. Dans la culture provençale, on parle d'âmes en transit ; et en Chine, de messagers célestes. Alors, on fait un vœu ? ■

POUSSIÈRES DE COMÈTES

La nuit du 12 au 13 août est certainement la nuit de l'année la plus attendue par les amateurs d'étoiles filantes. Ce soir-là, l'essaim de météorites des Perséides – appelées ainsi parce qu'elles semblent provenir de la constellation de Persée – atteint son maximum de visibilité. Sa découverte officielle est attribuée à Adolphe Quételet (le fondateur de l'observatoire de Bruxelles) en août 1835. Mais c'est en 1862 que l'astronome italien Giovanni Schiaparelli relia ce phénomène au passage de la Terre à travers l'orbite d'une comète : Swift-Tuttle. L'intensité des Perséides varie selon les années de 4 à 200 étoiles filantes par heure.

Aujourd'hui, on sait qu'aux environs du 12 août la Terre traverse un essaim de poussières et de petits blocs de roches de quelques millimètres laissés par le passage régulier, tous les 120 ans, de Swift-Tuttle. Le retour de la comète en 1992, par les nouveaux débris qu'elle a laissés sur son orbite, est responsable de l'intensité actuelle des Perséides. Quant aux Léonides, autres étoiles filantes, observables le 18 novembre, ce sont des poussières de la comète Temple-Tuttle, qui, elle, repasse tous les 33 ans.

La comète traîne une queue

La comète de Halley est, sans doute, la première à avoir été reconnue, en 240 av. J.-C. Depuis lors, près de 1 400 de ces objets périodiques ont été identifiés. Pendant longtemps, on a cru que la queue était faite de matières arrachées par le Soleil à la comète. Ce n'est vrai qu'en partie, car cette queue en cache d'autres, bien plus complexes...

La queue d'une comète n'a rien à voir avec le déplacement de ce corps glacé : elle est générée par le rayonnement solaire. En s'approchant du Soleil, une comète se réchauffe et s'entoure d'une atmosphère temporaire, constituée de gaz et de poussières. Ces derniers forment les deux queues visibles d'une comète. L'une, issue des gaz ionisés par les rayons ultraviolets du Soleil, est bleutée et se prolonge dans la direction opposée au Soleil. On l'appelle queue de plasma. Elle est aussi fine que rectiligne. Et pour cause : elle n'a pas le temps d'être déviée par le mouvement de la comète. Sous la pression de radiations solaires, les ions atteignent en effet des vitesses colossales : 400 km/s contre quelques dizaines de kilomètres par seconde seulement pour une comète. La deuxième queue, jaune orangé et

Vénus est notre planète sœur

De loin, l'étoile du Berger ressemble tant à la Terre ! Mais Vénus n'est pas la jumelle de notre planète : elle s'avère être un monde hostile et brûlant où la vie est impossible.

Observée à l'œil nu dès la plus haute antiquité, Vénus est l'objet le plus brillant de notre ciel après le Soleil et la Lune. Les premiers astronomes grecs, trompés par son apparition le soir et le matin, pensaient qu'il s'agissait de deux corps célestes distincts qu'ils nommèrent respectivement Hesperos (le crépuscule) et Phôsphoros (celle qui apporte la lumière). La planète doit son nom actuel à la déesse romaine de l'Amour et de la Beauté, mais aujourd'hui encore on l'appelle, selon l'heure, l'étoile du soir ou l'étoile du matin (ou du Berger).

Vénus est une planète rocheuse située entre Mercure et la Terre. Comme sa taille, sa masse, sa composition interne et sa distance au Soleil sont voisines de celles de la Terre, Vénus a longtemps été considérée comme une sœur jumelle de notre planète – mais la réalité est bien différente ! Dépourvue de satellites et de champ magnétique, tournant à l'inverse de la Terre autour du Soleil, Vénus est encore plus brûlante que Mercure, pourtant plus proche de l'étoile : c'est la plus chaude planète du système solaire, avec une température au sol d'environ 470 °C, suffisante pour faire fondre le plomb.

L'origine d'une telle fournaise est une épaisse atmosphère, composée principalement de gaz carbonique, à l'effet de serre bien connu. La lumière solaire

◀ *Paysage de Vénus reproduit informatiquement à partir des images radar de la sonde Magellan. Au centre, le volcan Sapas Mons, « vu » à 4 km de distance (400 km de diamètre, 4 500 m d'altitude). Au fond, Maat Mons, un autre volcan. Les traînées blanches sont des coulées de lave anciennes.*

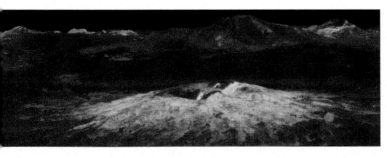

qui n'est pas réfléchie par les nuages d'acide sulfurique de la haute atmosphère est piégée par le gaz carbonique atmosphérique ; l'effet de serre est amplifié par une couche nuageuse de vapeur d'eau proche de la surface. Au sol, où ne parvient que 2 % de la lumière solaire, règne une pénombre fréquemment trouée par des pluies d'acide sulfurique et d'eau. La pression atmosphérique y est 92 fois plus élevée qu'à la surface de la Terre.

On comprend mieux pourquoi, sur les 38 sondes envoyées vers Vénus entre 1961 et 1990 pour un survol, une satellisation ou un atterrissage, seules 21 ont rempli leur objectif. La sonde russe Venera 7 réussit le premier atterrissage en 1970, mais elle ne survécut que quelques minutes à l'atmosphère brûlante, corrosive et écrasante de Vénus. L'enfer a le visage de l'amour ! ■

de poussières

composée de poussières, est bien plus lente à se former : les grains de poussière qui la composent atteignent à peine quelques centaines de mètres par seconde et ont le temps d'être attirés par la force gravitationnelle du Soleil. Résultat : si cette queue de poussières, très visible, s'éloigne bien du Soleil, elle est quand même légèrement incurvée. Son aspect évasé et sa courbure résultent de la diversité des tailles des poussières dans la queue et du déplacement de la comète sur son orbite. À noter qu'en avril 1997 une troisième queue a été découverte sur la comète Hale-Bopp. Cette queue, invisible car formée de sodium neutre, serait environ trois fois moins longue que les deux autres. ■

EDMUND HALLEY

Né en 1656 à Londres, Edmund Halley est l'une des figures emblématiques de l'astronomie. Scientifique voyageur, il part à 20 ans sur l'île de Sainte-Hélène pour effectuer la première cartographie d'un ciel de l'hémisphère Sud. De retour en Angleterre, il devient à 22 ans le plus jeune membre élu de la Société royale. En 1684, il s'intéresse aux orbites des planètes et au phénomène de gravitation. Il découvre alors qu'un de ses contemporains, un certain Isaac Newton, a résolu la plupart des questions sur lesquelles il bute. Cela lui permet d'inscrire son nom dans l'histoire de l'astronomie... Halley est en effet le premier à s'apercevoir que les comètes ont une orbite elliptique. Après lui avoir appliqué les lois de Newton, il affirme que la comète de 1682 est celle qui a été observée en 1531 et en 1607. Et qu'elle apparaît donc dans le ciel tous les 76 ans. Halley n'aura cependant jamais confirmation de sa théorie puisqu'il décède en 1742. La preuve ne viendra que 16 ans plus tard, avec le passage de la comète... de Halley.

La Lune est née de la Terre

Sans être certaine, l'origine de l'unique satellite naturel de notre Terre est mieux établie depuis son exploration par les cosmonautes des missions Apollo.

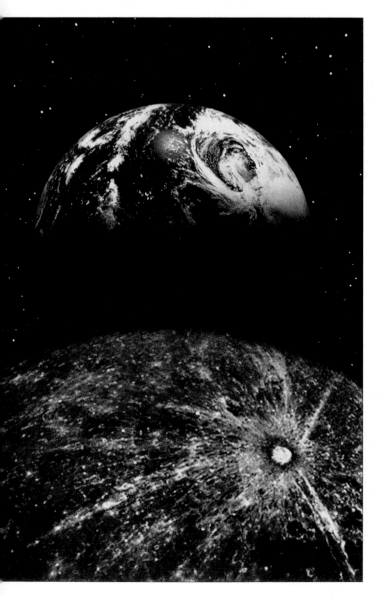

◄ Le cratère Tycho est l'un des plus vastes de la Lune. Visible depuis la Terre avec de simples jumelles, c'est un cratère dont les traces d'éjectats (les traînées blanches) signalent la jeunesse.

Seul astre dont le disque peut être distingué à l'œil nu, la Lune a depuis toujours été attentivement observée. Dès le IVᵉ siècle av. J.-C., le savant grec Anaxagore avait déduit que ses phases étaient dues aux variations d'illumination par le Soleil.

Grâce à sa lunette astronomique, Galilée décrivit dès 1610 sa surface nue et tourmentée.

Au XXᵉ siècle, de nombreuses missions d'exploration spatiale ont permis de photographier toute sa superficie, y compris sa face cachée. Puis l'homme se posa à six reprises à la surface de ce satellite entre 1969 et 1972. Les échantillons de roches lunaires qu'il rapporta alors ont permis d'affiner nos idées sur l'origine de la Lune. Grâce à ces nouvelles données, il est établi que les théories sur la formation de notre satellite doivent vérifier les conditions suivantes : la Lune a le même âge que les autres corps du système solaire ; sa densité moyenne et la composition chimique de sa surface sont très similaires à celles de la croûte terrestre ; la Lune était bien plus proche de la Terre il y a 2 milliards d'années ; elle s'est formée dans la même région de la nébuleuse primitive qui a donné naissance au système solaire.

Ces conditions ont définitivement exclu l'ancienne hypothèse de la capture, selon laquelle la Lune était un corps errant formé dans une région différente de la nébuleuse primitive puis capturé par la Terre, car les deux corps n'auraient pas eu des compositions chimiques aussi semblables.

La Lune serait-elle une « goutte » échappée de notre planète sous l'effet de sa rotation rapide alors que celle-ci n'était pas encore solidifiée ? La taille importante de la Lune comparée à celle de la Terre (le diamètre de la Lune fait plus du quart de celui de la Terre alors que les plus grosses lunes du système solaire font au mieux 1/18 du diamètre de leur planète mère) rend cette hypothèse improbable.

La Lune pourrait-elle s'être formée indépendamment de la Terre mais dans la même région, sur une orbite proche mais instable ? Avec une masse 81 fois plus faible que celle de la Terre, la Lune aurait facilement été capturée par la gravité terrestre. Cependant, le fait que sa composition soit plus proche de celle de la croûte que de celle du manteau terrestre fait pencher pour un autre scénario.

Après des simulations informatiques plus que convaincantes, l'hypothèse aujourd'hui admise est que, dans les 500 000 premières années de la formation du système solaire, une protoplanète de la taille de Mars a heurté la Terre nouvellement formée. Sous le choc, les noyaux de la protoplanète et de la proto-Terre auraient fusionné tandis que les débris vaporisés du manteau et de la croûte des deux corps étaient éjectés dans l'espace. Ces débris se seraient ensuite rapidement agrégés en orbite autour de la nouvelle Terre pour former en moins de 24 heures la Lune, alors beaucoup plus proche de la Terre qu'aujourd'hui. En refroidissant, la Lune s'est structurée en un noyau ferreux et un manteau basaltique – une différenciation déjà achevée quand a eu lieu l'intense bombardement météoritique qui a martelé tous les corps du jeune système solaire entre – 4 et – 3 milliards d'années, car, d'après leur datation, les terrains lunaires les plus anciens ont au moins 4 milliards d'années.

La Terre et la Lune ne sont pas les seuls témoins des débuts chaotiques du système solaire, comme l'attestent, par exemple, l'inclinaison anormale de l'axe de rotation de la planète Uranus ou la présence de lunes d'origine manifestement étrangère autour de Neptune. ∎

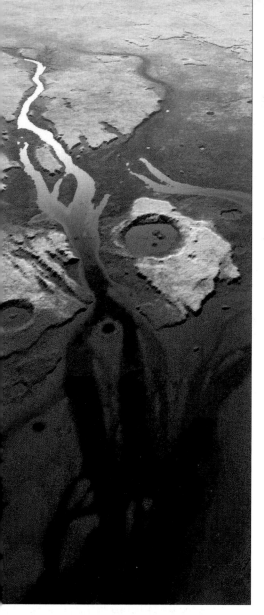

▲ *Paysage martien reconstitué d'après des données de la sonde Mars Global Surveyor. Voici Kasei Vallis, probable canyon, ancien lit d'un fleuve disparu il y a 3,5 milliards d'années. Une troublante ressemblance avec la Terre qui nourrit l'espoir d'une vie sur Mars...*

Les Martiens
ont existé

Loin d'être l'œuvre d'une civilisation disparue luttant contre l'aridité, les canaux martiens sont en fait d'immenses canyons creusés naturellement par l'eau, qui fut – et reste peut-être – abondante sur la planète rouge.

Petite étincelle sanglante dans le ciel, Mars a fasciné l'homme dès la plus haute antiquité. En 400 av. J.-C., les Babyloniens associaient déjà la planète rouge à la violence ; d'ailleurs, ne porte-t-elle pas le nom du dieu romain de la Guerre ?

Aux temps modernes, Mars a continué d'inspirer les mythes autant que la science. En 1877, l'astronome Giovanni Schiaparelli observa d'étranges traînées sur la planète, œuvres de la nature qu'il appela *canali* (chenaux), ce qu'on traduisit incorrectement par canaux – terme qui désigne une œuvre artificielle et alimenta l'idée que Mars était habitée par une race extraterrestre les ayant construits. Le mythe des Martiens se popularisa via la littérature, notamment avec la célèbre *Guerre des mondes* de H. G. Wells. Bien sûr, ces Martiens-là n'existent pas – alors pourquoi toujours tant de bruit autour de Mars ?

Située à près de 228 millions de kilomètres du Soleil, Mars (6 800 km de diamètre, soit une demi-Terre) est la quatrième planète du système solaire, juste après la Terre. Elle tourne sur elle-même en un peu plus de 24 heures et son axe de rotation a presque la même inclinaison que l'axe terrestre mais, du fait de son plus grand éloignement, l'année y est presque deux fois plus longue (687 jours) que sur la Terre.

Du fait de sa masse dix fois plus faible, Mars ne retient qu'une atmosphère ténue (qui exerce une pression d'environ 1/100 de la pression atmosphérique terrestre), composée principalement de gaz carbonique. La planète est froide, avec des températures oscillant entre 0 et – 140 °C. Pour ces raisons, l'eau ne peut y rester qu'à l'état de glace ou de vapeur. Cependant, bien que constituant un environnement hostile pour l'homme, c'est sans doute la seule planète du système solaire à pouvoir abriter une forme de vie. C'est pourquoi Mars a motivé l'envoi de 33 missions spatiales depuis 1960, dont seulement un tiers est parvenu à remplir ses objectifs.

Oublié, le monde désertique révélé en 1964 par Mariner 4, première sonde ayant réussi à prendre des images de la planète ! Les calottes polaires, qu'on pensait composées de glace carbonique, s'avèrent constituées principalement d'eau gelée – et les indices d'un passé où l'eau libre abondait s'accumulent. Les sondes Viking puis Mars Global Surveyor ont montré d'innombrables canyons et vallées sinueuses creusés par des flots tantôt torrentiels, tantôt calmes et constants. Les dernières missions, Mars Odyssey en 2001 et Mars Express en 2004, recherchent de l'eau... et en trouvent.

Pour autant, la vie existe-t-elle ou a-t-elle un jour existé sur Mars ? La détection récente de petites quantités de méthane dans l'atmosphère martienne relance la possibilité que des micro-organismes vivent aujourd'hui sur la planète. Le méthane est, en effet, un sous-produit de la vie, mais il peut aussi être produit par des processus non biologiques tels que le volcanisme. ■

UN OCÉAN SUR MARS

Depuis le début de l'année 2004, les robots Spirit et Opportunity de la mission américaine 2001 Mars Odyssey, toujours à pied d'œuvre sur le sol martien, ont trouvé des preuves indiscutables de la présence passée d'eau liquide. Opportunity, débarqué dans la région de Meridiani Planum, a tout de suite découvert abondance d'indices, notamment de nombreux galets érodés : une masse d'eau plus grande que la mer Baltique aurait occupé autrefois cette région. En revanche, Spirit, débarqué dans le cratère Gusev, a attendu près d'un an avant de trouver de la goethite, un minéral qui ne se forme qu'en présence d'eau.

Existe-t-il aujourd'hui de l'eau ailleurs que dans les calottes polaires? Oui, d'après les dernières données récoltées par la sonde spatiale européenne Mars Express, en orbite autour de la planète depuis 2004. Son radar a détecté des échos révélant la présence d'une masse d'eau gelée recouverte de cendres, juste sous la surface de la plaine Elysium, près de l'équateur martien. Cette mer de glace souterraine ferait 800 km sur 900 pour 45 m de profondeur (comme la mer du Nord) et aurait 5 millions d'années environ. Elle pourrait conserver des traces d'une vie primitive si celle-ci s'est un jour développée sur Mars.

La Terre est menacée par la chute d'une météorite

Un énorme objet extraterrestre se dirige droit sur notre planète. En percutant la Terre, il déclenche la fin de l'espèce humaine. Simple scénario catastrophe pour Hollywood ou menace réelle?

Ce n'est pas pour rien que les Gaulois craignaient que le ciel ne leur tombe sur la tête. En effet, depuis sa formation, voici 4,5 milliards d'années, la Terre a été régulièrement la cible d'objets célestes. Mais, à la différence de la Lune ou de Mercure, tout autant bombardées, la Terre est protégée par son atmosphère, qui a détruit par échauffement la quasi-totalité des bolides interplanétaires avant qu'ils n'arrivent au sol.

Des traces impressionnantes de collision subsistent néanmoins sur notre planète, comme le cratère de Charlevoix, au Québec (56 km de diamètre), formé par l'impact d'une météorite de 2 km de diamètre. Il y a même plus gros encore : la météorite tombée à Chixculub, au Mexique. Selon les scientifiques, le violent impact de cet objet d'une dizaine de kilomètres de diamètre a entraîné l'émission de poussières dans toute l'atmosphère, obscurcissant pour longtemps la lumière du Soleil et entraînant, probablement par effet domino, l'extinction des dinosaures, voici 65 millions d'années. En effet, sans lumière, plus de plantes, et sans plantes, plus d'animaux !

Selon les astronomes, quelques 30 000 météorites, dont une petite dizaine de fort calibre (plus de 1 m de diamètre), déboulent chaque année sur notre planète. La plupart d'entre elles se désintègrent à peine entrées dans l'atmosphère et arrivent sous forme de poussières, voire de petits cailloux (jusqu'à 100 000 tonnes par an !). Le reste a toutes les chances de finir dans l'eau de mer, qui recouvre les trois quarts de la surface planétaire.

La probabilité qu'un bolide de 10 à 100 m de diamètre (donc capable de détruire une ville entière) vienne s'écraser sur la Terre reste faible : elle est de 1 tous les 200 à 500 ans. La dernière en date serait tombée à Tunguska en 1908 (voir encadré).

Si le risque de collision avec un objet extraterrestre est toujours réel, il n'est hélas guerre prévisible : ainsi, le 27 septembre 2003, un objet d'environ 10 m de diamètre (nommé SQ 222) a croisé l'orbite de notre planète à 82 000 km à peine sans pouvoir être détecté par l'observatoire de Lowell, en Arizona, pourtant spécialisé dans ce domaine. Ce n'est que le lendemain que les scientifiques ont vu le bolide s'éloigner de la Terre et pu mesurer à quel point nous l'avions échappé belle ! ■

LA MÉTÉORITE DE TUNGUSKA

Le 30 juin 1908, en Sibérie (Russie), dans la région inhabitée de Tunguska, une gigantesque explosion s'est fait entendre à des centaines de kilomètres à la ronde. Les photos aériennes ont montré que, sur un territoire de 2 200 km², quelque 60 millions d'arbres avaient été soufflés, comme par une bombe 1 000 fois plus puissante que celle d'Hiroshima ! Les expéditions scientifiques menées dans les années 1930, puis en 1991 et en 1998, n'ont pas permis de détecter de cratères ni même de fragments de météorite ; l'absence d'impact ou de débris a fait émettre l'hypothèse que l'explosion était probablement due à la désintégration d'une comète d'une soixantaine de mètres de diamètre à 6 km au-dessus du sol. En 2004, des scientifiques russes de la Fondation sibérienne pour l'étude du phénomène spatial de Tunguska ont trouvé une pierre métallique de 50 kg. Ce fragment provenant probablement de la météorite est en cours d'analyse.

Le Soleil est une boule de feu qui va s'éteindre

Le Soleil, qui nous éclaire, nous réchauffe, voire nous éblouit et nous brûle, est-il pour autant une boule de feu ? Et va-t-il s'éteindre un jour ?

Le Soleil, notre plus proche étoile, a beau briller de tous ses rayons, il ne saurait être comparé à un simple feu. C'est plutôt une bombe H qui explose en permanence… et finira par ne plus savoir le faire, dans 5 milliards d'années environ.

Que le Soleil ne soit pas en train de se consumer est une découverte récente, qui remonte au siècle dernier, plus précisément à 1939, année où deux physiciens allemands – Carl von Weizsäcker à Berlin et Hans Bethe aux États-Unis – travaillaient à la mise au point de la bombe atomique : le feu du Soleil provient, comme celui de toutes les autres étoiles, de réactions nucléaires.

Le Soleil, bombe thermonucléaire naturelle, aurait été allumé, à l'origine, par l'effondrement d'un nuage d'hydrogène sur lui-même : le gaz, en se comprimant, s'est échauffé d'autant plus rapidement que le nuage était très important. Très vite, la température du centre est passée de quelques degrés à plusieurs millions de degrés, le minimum pour déclencher une réaction de fusion. Les noyaux d'hydrogène, constitués d'un proton et d'un neutron, ont commencé à fusionner, formant des noyaux d'hélium (deux protons et deux neutrons). Des réactions dites de fusion nucléaire tout à fait comparables à celles d'une bombe à hydrogène (bombe H)…

Pourquoi le Soleil n'explose-t-il pas ? Parce que c'est une étoile et non une bombe. Du fait de sa nature, il est en effet soumis à la gravitation. Ainsi, s'il est le siège de réactions explosives, la masse d'hydrogène qu'il contient continue de s'effondrer sur elle-même du fait de la gravitation. Les forces de contraction qui en résultent viennent ainsi contrebalancer les forces de dilatation qu'entraînent les réactions nucléaires.

Toute l'énergie produite par les réactions nucléaires est transportée vers l'extérieur par les photons. La lumière que nous voyons est celle qui rayonne à la partie la plus externe du Soleil, la photosphère : dans cette couche, épaisse d'environ 400 km, la température moyenne s'élève à 5 500 °C – alors qu'à l'intérieur du Soleil elle dépasse 10 millions de degrés.

Un jour, le Soleil, à court de combustible, finira par s'éteindre (voir encadré)… et avec lui toute vie sur la Terre. Sa fin devrait bien évidemment entraîner aussi celle du système dont il est le centre. Et les planètes qui tournent autour de lui finiront peut-être lancées comme des billes dans l'espace… ■

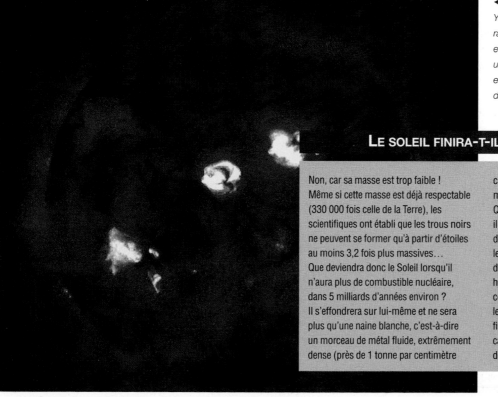

◄ *Photo du Soleil prise par le satellite Yohkoh, qui ne tient compte que des rayons X. Plus c'est clair, plus c'est chaud et énergétique : notre étoile n'est pas un astre calme ! Sa surface est agitée en permanence. Mais, dans 5 milliards d'années, elle aura enfin droit au repos.*

LE SOLEIL FINIRA-T-IL EN TROU NOIR ?

Non, car sa masse est trop faible ! Même si cette masse est déjà respectable (330 000 fois celle de la Terre), les scientifiques ont établi que les trous noirs ne peuvent se former qu'à partir d'étoiles au moins 3,2 fois plus massives… Que deviendra donc le Soleil lorsqu'il n'aura plus de combustible nucléaire, dans 5 milliards d'années environ ? Il s'effondrera sur lui-même et ne sera plus qu'une naine blanche, c'est-à-dire un morceau de métal fluide, extrêmement dense (près de 1 tonne par centimètre cube), faisant plusieurs millions de degrés mais guère plus grand qu'une planète. Quelques milliards d'années plus tard, il aura refroidi à quelques milliers de degrés, ressemblant aux naines blanches les plus froides observées aujourd'hui dans notre galaxie. La suite est plus hypothétique : les naines blanches étant composées majoritairement de carbone, le processus de refroidissement devrait finir par réorganiser les atomes de carbone en un réseau cristallin, une sorte de diamant géant appelé naine noire.

Le Soleil a ses cycles

L'activité du Soleil connaît des hausses et des baisses périodiques : c'est le cycle solaire, dont l'impact sur la vie terrestre semble toutefois limité.

Dès l'Antiquité, les astronomes chinois ont rapporté l'existence de petits points noirs visibles sur le disque solaire – les taches solaires – dont le nombre variait d'une année à l'autre. Les taches sont la manifestation visible de l'activité solaire. Ce dernier terme désigne un ensemble de phénomènes très énergétiques et éphémères tels que les éruptions solaires (qui se manifestent par d'immenses langues et protu-

bérances de gaz incandescents s'élevant au-dessus du disque solaire) et de brusques augmentations du « vent » de particules et de rayonnements émis en permanence par le Soleil. Ces phénomènes sont liés au réajustement cyclique des lignes du champ magnétique que la rotation du Soleil, plus rapide à l'équateur qu'aux pôles, déforme continuellement.

Durant les pics d'activité (maxima solaires), les taches sont très nombreuses car le champ magnétique du Soleil est très déformé. Quand le champ a repris sa forme normale, l'activité solaire est faible (minimum solaire) et les taches sont quasi absentes. Deux minima (ou deux maxima) se suivent à onze ans d'intervalle en moyenne. Mais le cycle complet dure vingt-

deux ans (en plus de ce que l'on voit, tous les onze ans le champ magnétique solaire se reconfigure en inversant sa polarité).

Les taches solaires sont en fait des régions de la couche visible du Soleil (la photosphère) plus froides que les régions environnantes (environ 1 500 °C de moins) : c'est pourquoi elles semblent sombres. Apparaissant par paires vers 40° de latitude solaire quand l'activité de l'astre croît, elles correspondent à la sortie et à la rentrée de lignes de champ magnétique qui forment localement une boucle éphémère. Au pic d'activité, les nouvelles taches apparaissent en grand nombre vers 15° de latitude, puis, avec l'approche du minimum, elles deviennent rares et se forment près de l'équateur.

Les taches sont comptées méthodiquement depuis 1755, mais les années où elles ont été particulièrement nombreuses sont relevées depuis des siècles. On a ainsi corrélé les maxima solaires avec une recrudescence des aurores boréales et des perturbations radioélectriques qui brouillent les émissions radiotélévisées, saturent les antennes des satellites et peuvent même gêner le bon fonctionnement des circuits électroniques (notamment des ordinateurs et des satellites). Ces phénomènes sont liés à l'intensification du flot de particules chargées très énergétiques émis par le Soleil et dont le champ magnétique terrestre nous protège en majeure partie. Cependant, l'analyse des carottes glaciaires semble montrer qu'au cours des derniers millénaires l'activité solaire n'a pas influencé le climat de notre planète. Le minimum de Maunder – un mini-âge glaciaire survenu entre 1645 et 1715, au moment où l'activité du Soleil et, surtout, sa luminosité ont été particulièrement faibles – n'est peut-être qu'une coïncidence. ∎

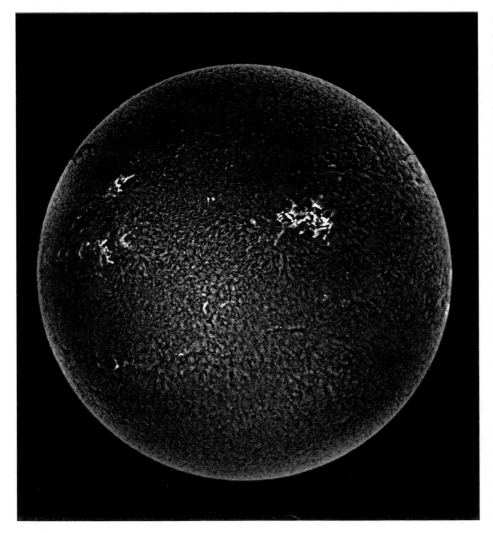

◀ *Le Soleil en négatif. Les taches (blanches sur cette image) sont visibles à l'œil nu dès que leur diamètre dépasse 40 000 km, ce qui survient pendant quelques années tous les onze ans. L'intense activité magnétique qui y règne donne naissance aux fameuses éruptions solaires.*

Le ciel est bleu

Les anciens Perses pensaient que la Terre reposait sur un saphir dont l'éclat bleuté se reflétait dans l'atmosphère. Malheureusement moins poétique, l'explication de la couleur du ciel est liée aux phénomènes physiques qui accompagnent la diffusion de la lumière.

Le Soleil émet une lumière blanche, mélange de toutes les couleurs de l'arc-en-ciel, c'est-à-dire de toutes les longueurs d'ondes lumineuses. Alors pourquoi le ciel nous paraît-il bleu ? L'explication du phénomène date de 1870 et porte le nom du physicien qui l'a découverte : la diffusion de Rayleigh. Selon sa couleur, la lumière interagit plus ou moins avec l'atmosphère. La lumière bleue subit un traitement particulier. En effet, la longueur d'onde de cette couleur est du même ordre de grandeur que la taille des molécules d'air qu'elle rencontre sur son chemin. Elle est pour cette raison absorbée par ces parti-cules, qui réémettent ce rayonnement dans toutes les directions. La lumière bleue est ainsi diffusée, c'est-à-dire éparpillée dans l'atmosphère. De ce fait, en regardant le ciel, on voit beaucoup de rayons bleus (les plus soumis à la diffusion de Rayleigh), et peu de rayons rouges (les moins soumis à la diffusion de Rayleigh) : le ciel paraît bleu.

Par ailleurs, quand on regarde le Soleil, il semble jaune : les rayons bleus ayant été diffusés 16 fois plus que les autres couleurs, il ne reste dans son axe d'éclairement que les autres couleurs. C'est leur mélange qui donne de la lumière jaune. ∎

DANS LE NOIR DE L'ESPACE

Avec la multitude d'étoiles qu'il y a dans l'Univers, le ciel devrait être plus éclairé la nuit, non ? Ce paradoxe évoqué pour la première fois par Kepler au XVIIᵉ siècle a été expliqué par un écrivain : Edgar Poe. En 1848, son poème intitulé *Eureka* disait en substance que les étoiles de l'arrière-plan sont trop lointaines pour que leur lumière ait eu le temps de nous parvenir. Cette explication repose sur deux piliers importants de la physique et de l'astrophysique modernes. D'abord, l'Univers n'a pas toujours existé. C'est un des fondements de la théorie du big bang : il a environ 15 milliards d'années et est en expansion. Ensuite, la lumière ne se propage pas à une vitesse infinie : dans le vide, elle va à 300 000 km/s. Ainsi, la luminosité du ciel est due à celles des galaxies dont la lumière a eu le temps de parvenir jusqu'à nous, les galaxies plus lointaines demeurant encore invisibles. D'autres phénomènes contribuent à l'obscurité du ciel nocturne. Par exemple, en raison de l'expansion de l'Univers, la lumière émise par les étoiles lointaines est décalée vers le rouge et l'infrarouge. Elle n'est plus dans le domaine visible et notre œil ne peut la percevoir.

Voilà pour les astres peu visibles. Mais pourquoi les étoiles visibles ne rendent-elles pas notre ciel plus brillant ? Certes, la lumière se propage dans toutes les directions, mais chaque émission lumineuse doit couvrir une surface de plus en plus grande. Théoriquement, l'intensité lumineuse devrait être divisée par le carré de la distance à la source. C'est-à-dire qu'une bougie située à 1 km est 1 million de fois moins lumineuse qu'une autre située à 1 m. Or la luminosité d'une étoile diminue plus vite que le carré de la distance. Cela peut s'expliquer par l'expansion de l'Univers et par la présence de nuages interstellaires qui absorberaient une partie de ce rayonnement.

Conclusion : la nuit serait blanche si le ciel était plus près de nous !

LA LUMIÈRE DIFFUSÉE PAR LE SOLEIL

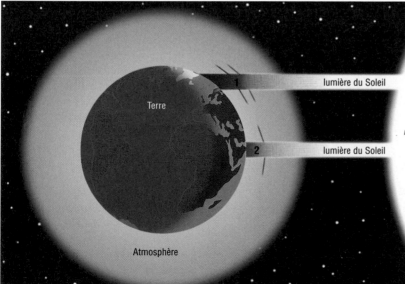

lumière du Soleil

lumière du Soleil

Terre

Atmosphère

1 *Lorsque le Soleil se couche, la couche d'air entre l'astre et l'observateur est beaucoup plus épaisse qu'à midi : la lumière perd donc par diffusion plus de ses composantes (les longueurs d'onde), en particulier ses teintes bleues et vertes. Raison pour laquelle elle apparaît rouge, couleur correpondant aux longueurs d'onde restantes.*

2 *À l'inverse, à midi, le trajet des rayons du Soleil est minimal. Seules les longueurs d'onde les plus énergétiques, correspondant aux teintes bleues, sont rapidement diffusées. Le ciel paraît donc bleu, et le Soleil... jaune (couleur que prend la lumière blanche quand on retire le bleu).*

Le Soleil
a rendez-vous avec
la Lune

La dernière éclipse solaire visible en France a eu lieu en août 1999. À quelques mois de l'an 2000, certains – derniers témoins des peurs ancestrales qu'a toujours suscité la disparition en plein jour de cet astre vital – y ont vu l'annonce de la fin des temps.

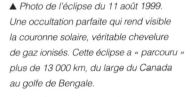

▲ *Photo de l'éclipse du 11 août 1999. Une occultation parfaite qui rend visible la couronne solaire, véritable chevelure de gaz ionisés. Cette éclipse a « parcouru » plus de 13 000 km, du large du Canada au golfe de Bengale.*

Que l'on se rassure ! Les éclipses solaires ne sont pas des phénomènes surnaturels, mais des événements astronomiques survenant périodiquement, lorsque la Terre, la Lune et le Soleil se trouvent parfaitement alignés. Par le jeu des diamètres apparents, le disque lunaire a, vu depuis la Terre, exactement le même diamètre que le disque solaire. La Lune a beau être 400 fois plus petite que le Soleil, comme elle est aussi 400 fois plus proche, lorsqu'elle passe devant le Soleil, elle le cache totalement.

Tous les ans ont lieu dans le monde une ou deux éclipses totales de Soleil. Elles durent de quelques secondes à quelques minutes. Mais, en un même point du globe, cela reste rare : la prochaine éclipse totale de Soleil visible en France aura lieu le 3 septembre… 2081 ! On pourra en voir une avant au Québec, en avril 2024. En effet, trois conditions doivent être réunies : la Lune doit passer entre le Soleil et la Terre ; elle doit aussi croiser le plan de l'orbite terrestre ; enfin, elle doit être suffisamment proche pour que son ombre atteigne la Terre.

Si l'on sait aujourd'hui parfaitement les prédire, les éclipses de Soleil ont longtemps entraîné l'exécution des astronomes qui ne les avaient pas vues venir. Car la croyance que leur prédiction remonte à la plus haute antiquité est aussi fausse qu'elle est tenace ! De fait, si le mathématicien grec Thalès de Milet, au VIIe siècle av. J.-C., a prédit une éclipse de Soleil, c'est plus par chance que par science !

En revanche, les éclipses de Lune, tout aussi fréquentes mais un peu moins étonnantes, sont bien plus prévisibles : cette fois, c'est le Soleil, la Terre et la Lune qui sont parfaitement alignés. En résulte, dans le ciel, l'impression que la Lune est posée comme une bille de couleur rougeoyante. L'éclipse lunaire du 29 février 1504, dite éclipse de Colomb, est ainsi restée dans les annales. Lors de son quatrième voyage, Christophe Colomb échoua en Jamaïque. À la suite d'une mutinerie, des réserves avaient été dérobées et Christophe Colomb se trouvait à court de vivres. Aux Indiens qui refusaient de l'approvisionner, Christophe Colomb prédit, probablement sur la base des tables astronomiques qu'il avait à bord, que la Lune disparaîtrait trois jours après, signe du mécontentement divin. L'éclipse eut effectivement lieu, ce qui conduisit les Indiens à ravitailler Christophe Colomb et son équipage jusqu'à l'arrivée des secours, quatre mois plus tard ! ■

IL NE FAUT JAMAIS REGARDER UNE ÉCLIPSE SOLAIRE À L'ŒIL NU

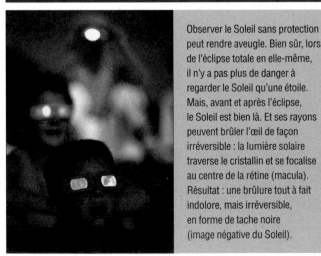

Observer le Soleil sans protection peut rendre aveugle. Bien sûr, lors de l'éclipse totale en elle-même, il n'y a pas plus de danger à regarder le Soleil qu'une étoile. Mais, avant et après l'éclipse, le Soleil est bien là. Et ses rayons peuvent brûler l'œil de façon irréversible : la lumière solaire traverse le cristallin et se focalise au centre de la rétine (macula). Résultat : une brûlure tout à fait indolore, mais irréversible, en forme de tache noire (image négative du Soleil).

Suivie quelques heures après de violents maux de tête, imposant de consulter au plus vite un ophtalmologiste. Si la brûlure est bénigne, le cerveau pourra compenser la perte d'acuité induite. Mais si elle est plus importante, on peut devenir aveugle. Les lunettes de Soleil ne protègent pas assez efficacement : seules des lunettes spéciales, en film aluminisé et couvrant très largement les yeux, permettent de filtrer tous les rayonnements du Soleil (lumière visible, ultraviolets, infrarouges).

Le battement d'ailes d'un **papillon** au Brésil peut déclencher une **tornade au Texas**

C'est par cette phrase étonnante et sans doute plus parlante qu'un long discours que l'on a posé les termes de la théorie du chaos. Mais ce n'est qu'une métaphore !

Aucun cyclone n'a encore jamais pu être directement attribué à un vol de lépidoptère, et il est à gager que l'immense majorité des papillons ne provoquent pas de tornades ! L'image n'est bien sûr pas à prendre au pied de la lettre. En fait, cette phrase – formulée sous forme de question – est le titre de la conférence qu'un météorologue américain, Edward Lorenz, donna en 1972 pour présenter sa théorie du chaos, très en vogue depuis le début des années 1960. Cette théorie, qui a émergé au début du XXᵉ siècle grâce aux travaux du mathématicien français Henri Poincaré, a introduit un changement majeur dans la pensée scientifique.

Auparavant, on estimait que, en étudiant les conditions initiales d'un système, il était possible de prévoir ce qu'il allait devenir. Il suffisait de connaître les lois mathématiques auxquelles obéissait son évolution, comme le voulait la logique déterministe classiquement utilisée par la communauté scientifique depuis Isaac Newton.

Une logique à laquelle n'échappait pas Edward Lorenz, qui avait entré toutes les équations de la circulation atmosphérique dans un modèle informatique de météorologie à quelques variables (air, vitesse du vent, température…). Mais, un jour, en cherchant à refaire un calcul commencé la veille, il introduisit par mégarde dans l'ordinateur un chiffre arrondi à la sixième décimale… et aboutit à une prédiction complètement différente ! Son erreur n'était que de trois décimales, et pourtant… Il venait de découvrir par hasard qu'une toute petite incertitude sur les conditions initiales (qu'il compara à un battement d'ailes de papillon que l'on aurait oublié de prendre en compte) pouvait avoir de très grandes conséquences.

Ce qui explique le comportement étonnant de certains phénomènes physiques, climatiques par exemple : alors que l'on pense pouvoir les prévoir, force est de constater qu'ils échappent souvent aux lois, prenant l'apparence de phénomènes chaotiques.

L' « effet papillon » révèle que l'inattendu est toujours possible, même s'agissant des phénomènes les plus ordonnés, tout simplement parce que l'on ne maîtrise pas toutes les données de départ. Nous ne sommes plus vraiment sûrs de rien, pas même que la Terre reste éternellement sur son orbite, comme l'a démontré l'astronome français Jacques Laskar au milieu des années 1980.

En somme, le chaos est plus synonyme d'imprévisibilité que de désordre : curieusement, en effet, il existe au sein des turbulences du chaos un ordre certain que l'on appelle « l'émergence du chaos » et qu'illustrent notamment les très médiatiques fractales, découvertes par le mathématicien français Benoît Mandelbrot dès les années 1980. ■

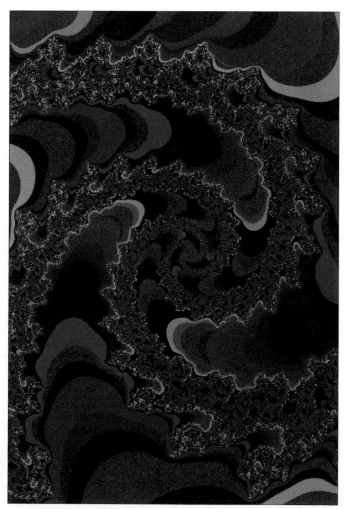

▼ *Big Twister, image emblématique de la théorie des fractales. Une fractale est un objet mathématique identique à lui-même quelle que soit l'échelle à laquelle on l'observe : la fougère, le tournesol, les rivages bretons et le flocon de neige ont une structure fractale (chaque partie ressemble au tout).*

Le mouvement de la Terre est immuable

Pour les Anciens, la Terre parfaite, créée par Dieu, pivot de l'Univers, était immuable. *Et pourtant, elle tourne*, dira Galilée – sur elle-même, mais aussi autour du Soleil et du centre de la Voie lactée. Elle oscille et ralentit également. Que d'imperfections passionnantes !

Depuis Galilée, nous le savons : ce n'est pas le ciel qui tourne autour de nous mais la Terre qui, comme tous les corps célestes, tourne sur elle-même autour de son axe de rotation. Un tour complet définit la période de rotation, ou jour sidéral, qui est d'à peine moins de 24 heures. La rotation de la Terre induit l'alternance du jour et de la nuit.

L'axe de rotation de la Terre définit les pôles géographiques Nord et Sud. Cet axe est incliné de 23,45° par rapport à la perpendiculaire au plan de son orbite. Une telle inclinaison modifie l'ensoleillement de la Terre au fil de l'année, produisant le phénomène des saisons. C'est aussi à cause d'elle que le Soleil est plus ou moins haut sur l'horizon selon la latitude du lieu.

Le pôle Nord géographique pointe actuellement vers l'étoile Polaire, dans la constellation de la Petite Ourse, mais il n'en a pas toujours été ainsi. Par exemple, 3 000 ans av. J.-C., il pointait vers l'étoile Thuban, dans la constellation du Dragon ; il pointera vers l'étoile Véga (constellation de la Lyre) dans 11 000 ans. L'axe de rotation terrestre décrit en effet un cône dont un tour est bouclé en 25 800 ans – c'est la précession.

LA MÉCANIQUE CÉLESTE INFLUENCE LE CLIMAT TERRESTRE

L'épaisseur des glaces terrestres (calottes polaires et glaciers permanents des montagnes) est liée à la quantité d'énergie reçue par le Soleil ; elle augmente quand l'énergie reçue diminue. Le niveau des glaces influence à son tour le climat terrestre en retenant (lors du gel) ou en libérant (lors du dégel) de grandes quantités d'eau.

Dans les années 1920, le géophysicien serbe Milutin Milankovitch a calculé que le niveau des glaces était influencé par trois paramètres cycliques du mouvement de la Terre : la précession (cycle de 25 800 ans), la variation de ± 1,5° de l'inclinaison de l'axe de rotation par rapport au plan de l'orbite terrestre (cycle de 41 000 ans) et la variation de l'excentricité de l'orbite terrestre (cycle de 95 000 ans). Pris individuellement, ces cycles ont un effet modéré sur le niveau des glaces et des mers. Ce n'est, en revanche, plus le cas lorsque ces cycles coïncident et que leurs effets s'ajoutent. Ainsi, si l'inclinaison de l'axe de rotation de la Terre est minimale, si la Terre est au plus loin du Soleil en été et si l'excentricité de l'orbite de la Terre (l'aplatissement) est maximale, notre planète reçoit bien moins d'énergie du Soleil et le volume des glaces augmente. Par suite, le niveau des mers baisse, ce qui diminue les effets océaniques modérateurs sur le climat ; la réduction de la surface et de la température marines freine l'évaporation des océans, et donc de la pluviosité, d'où un développement des zones arides ; enfin, l'accroissement des déserts et des calottes polaires augmente la quantité de lumière solaire réfléchie par la Terre vers l'espace, ce qui entraîne une perte de chaleur : la température globale baisse de 2 à 4 °C, ce qui est suffisant pour induire une ère glaciaire.

La périodicité des ères glaciaires déterminée par Milankovitch a d'abord été rejetée par la communauté scientifique, mais, dès les années 1970, les fluctuations du niveau des mers qu'il avait prédites pour le quaternaire ont été confirmées de façon éclatante par des datations absolues très précises de carottes glaciaires.

La Terre tourne aussi autour du Soleil le long de son orbite. Elle accomplit ce tour, ou révolution, en un peu plus de 365 jours – c'est l'année solaire. L'orbite terrestre n'est pas circulaire mais légèrement elliptique. L'excentricité de cette orbite – c'est-à-dire la mesure du degré d'aplatissement de l'ellipse – varie cycliquement entre 0 (circulaire) et 6 % sur une période de 95 000 ans. La distance minimale de la Terre au Soleil (son périhélie) est actuellement de 147,1 millions de kilomètres, sa distance maximale (aphélie) de 152,1 millions de kilomètres, et l'excentricité de son orbite de 1,7 %. Contrairement à ce que nous dicte le bon sens, la Terre est aujourd'hui plus proche du Soleil en hiver qu'en été.

Enfin, la Terre accompagne le Soleil dans sa révolution autour du centre de la Galaxie, qu'il accomplit en environ 200 millions d'années.

À ces mouvements précis viennent s'ajouter de petites oscillations de l'axe de rotation dues à l'influence gravitationnelle conjuguée du Soleil et de la Lune, qui prennent la Terre en tenaille – c'est la nutation. Ces tensions gravitationnelles sont aussi responsables de certaines déformations de la surface terrestre et, bien sûr, des marées océaniques. Elles ont deux autres effets : elles ralentissent peu à peu la rotation de la Terre et augmentent insensiblement la distance Terre-Lune. La Terre est moins que jamais un astre immuable ! ■

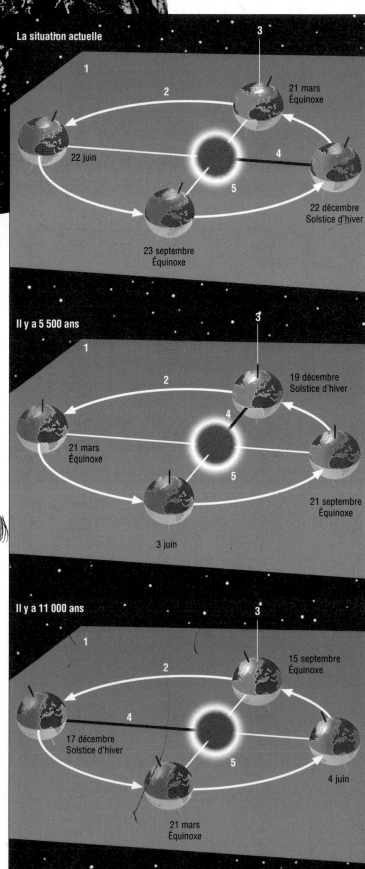

La situation actuelle

21 mars
Équinoxe

22 juin

23 septembre
Équinoxe

22 décembre
Solstice d'hiver

Il y a 5 500 ans

19 décembre
Solstice d'hiver

21 mars
Équinoxe

3 juin

21 septembre
Équinoxe

Il y a 11 000 ans

15 septembre
Équinoxe

17 décembre
Solstice d'hiver

21 mars
Équinoxe

4 juin

LES OSCILLATIONS DE LA TERRE

◄ *La précession des équinoxes : non seulement l'axe de rotation de la Terre tourne autour d'une droite imaginaire perpendiculaire au plan de son orbite (en 25 800 ans), mais celle-ci tourne aussi autour du Soleil (en 22 000 ans) ! L'axe de rotation varie également de 22° 02' à 24° 30' en 41 000 ans. Enfin, la forme de l'orbite est déformée périodiquement (cycles de 100 000 et 400 000 ans). Résultat : ces différentes oscillations modifient en profondeur la quantité d'énergie solaire reçue par la Terre, et donc les saisons. En haut, la situation actuelle ; au milieu, il y a 5 500 ans ; en bas, il y a 11 000 ans.*

1 *Plan de l'orbite*

2 *Orbite*

3 *Perpendiculaire imaginaire au plan de l'orbite*

4 *Distance Terre-Soleil lors du solstice d'hiver*

5 *Soleil*

Sommes-nous seuls dans l'Univers ?

En 1600, Giordano Bruno était condamné au bûcher par l'Inquisition. Dans son ouvrage l'Infini, l'Univers et les mondes, *il remettait en question le fait que notre planète, créée par Dieu, fût la seule habitée. Le doute était désormais permis. Mais, pour déceler ailleurs un quelconque signe de vie, la référence reste l'émergence de la vie sur la Terre.*

D'où vient la vie ?

Dans la Chine ancienne, les bambous étaient censés engendrer les pucerons. Et, dans l'Égypte antique, on croyait dur comme fer que le limon du Nil donnait naissance aux crapauds et aux grenouilles. En France, pareilles croyances ont persisté jusqu'à ce que, au milieu du XIXᵉ siècle, les expériences de fermentation de Louis Pasteur mettent fin à cette idée de génération spontanée. Toutefois, sur les origines de la vie, le mystère demeure entier. On définit en effet le vivant comme une entité matérielle qui, à la manière des supports de l'hérédité (ADN et ARN), se réplique en faisant des erreurs de copie transmises à ses descendants ; mais aussi comme un assemblage de molécules complexes ne pouvant s'accroître qu'en tirant du milieu des molécules plus petites et de l'énergie, d'où la nécessité d'un confinement en milieu aqueux. Dans les années 1920, le Russe Oparine et l'Indien d'origine anglaise Haldane ont supposé que trois éléments avaient été nécessaires à la formation des molécules qui nous constituent : des réactifs (issus du Soleil ou du dégazage de la Terre), un réacteur (l'atmosphère terrestre) et de l'énergie (rayons solaires et éclairs). Trente ans plus tard, l'Américain Stanley Miller a cru en apporter la preuve : en faisant passer des éclairs électriques sur un mélange d'eau, de méthane, d'ammoniac et d'oxygène, il a réussi à produire des acides aminés. On sait désormais qu'il aurait fallu remplacer le méthane par du gaz carbonique pour reproduire les conditions régnant sur la Terre à ses débuts. Or, même si on les respecte, l'expérience échoue. Sans relâche, mais en vain jusqu'à présent, les chimistes tentent de reconstituer en laboratoire les molécules indispensables au fonctionnement d'une cellule vivante. Est-ce la preuve que la vie est venue d'ailleurs ?

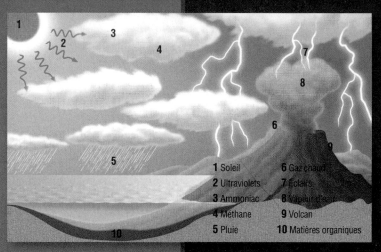

1 Soleil
2 Ultraviolets
3 Ammoniac
4 Méthane
5 Pluie
6 Gaz chaud
7 Éclairs
8 Vapeur d'eau
9 Volcan
10 Matières organiques

LA SOUPE PRIMITIVE

◄ *Une lagune tapissée d'argile ou des sources hydrothermales abyssales, quel fut le creuset de la vie terrestre ? Si la vie semble probable dès lors que certains ingrédients sont rassemblés dans un volume restreint, il y a très peu de chances pour que ces conditions soient réunies. Alors, la vie est-elle venue de l'espace, sous forme d'acides aminés transportés par des météorites ?*

La vie sur la Terre

Voilà environ 4,5 milliards d'années que la Terre s'est formée. Mais la vie ne s'y est installée que bien plus tard. Ses plus anciennes traces, laissées par des cyanobactéries, datent de 3,5 milliards d'années. Grâce à l'analyse de gisements de fer, on suppose que ces bactéries ont dû « inventer » la photosynthèse il y a environ 2,5 milliards d'années. Elles ont alors contaminé leur environnement en oxygène, ce qui a permis la formation d'une couche d'ozone protégeant la surface de la Terre des rayons ultraviolets, tout en obligeant les organismes à se convertir à la respiration aérobie. C'est à cette époque, il y a 1,9 milliard d'années, qu'apparaissent les premières cellules dotées d'un noyau qui maintient l'ADN à l'abri des agressions, et, avec elles, la reproduction sexuée. L'étape suivante est celle des premières algues vertes voilà 1,3 milliard d'années, des premiers

À la recherche de planètes habitables

Sur quelles autres planètes la vie pourrait-elle s'être développée ? Pour le savoir, les chercheurs étudient les conditions de son émergence sur la Terre, puis sondent l'Univers pour repérer les meilleures candidates. Sur notre planète, toutes les molécules du vivant sont construites sur un squelette de carbone, lequel est tétravalent, c'est-à-dire capable d'établir quatre liaisons fortes avec d'autres atomes. On imagine donc qu'ailleurs la vie doit également s'organiser autour d'atomes tétravalents. Mais le choix est restreint : hormis le carbone, il ne peut s'agir que du silicium. Or seules 6 % des molécules identifiées dans les nuages interstellaires en contiennent. De plus, chez les Terriens, c'est dans l'eau que s'opèrent toutes les réactions chimiques du vivant. Et, pour l'heure, c'est le seul milieu liquide où une vie carbonée semble pouvoir se développer. Supposons maintenant qu'une planète possède comme la nôtre un milieu liquide à sa surface. Il faut qu'elle soit assez massive pour le retenir par gravité ; qu'elle ait une température de surface telle que l'eau liquide soit présente tout ou partie de l'année ; et donc qu'il existe un apport constant d'énergie provenant de la planète elle-même ou d'une étoile proche. En conclusion, rares sont pour l'instant les planètes candidates : au-delà de Mars, les regards se portent aujourd'hui sur les trois lunes de Jupiter (Callisto, Ganymède et Europe), voire sur Titan (lune de Saturne). Mais, les techniques de recherche de l'exobiologie s'affinant, la liste pourrait fort bien s'allonger…

▲ Le 14 janvier 2005, sept ans après avoir quitté la Terre, la sonde européenne Huygens est arrivée sur Titan, la plus grande des lunes de Saturne.

▶ En 1976, une photo de la surface de Mars prise par l'orbiteur Viking et montrant un rocher en forme de visage suscita des débats quant à sa possible origine extraterrestre. Il a été démontré depuis que le Visage de Mars n'est en fait qu'un caprice de la nature.

ne longue histoire

animaux pluricellulaires aux alentours de – 600 millions d'années, puis de quasiment tous les grands groupes d'animaux actuels il y a 540 millions d'années. S'étant d'abord développés dans l'eau, les végétaux puis les animaux commencent à s'aventurer sur la terre ferme il y a 430 millions d'années. D'adaptation en adaptation, ils vont alors conquérir tous les types de milieux naturels, malgré des catastrophes (glaciations, chutes d'astéroïdes, éruptions volcaniques…) qui, à de nombreuses reprises, mettent les vivants à l'épreuve. Leur longue histoire est jalonnée d'énigmes – l'explosion du règne animal il y a 540 millions d'années, ou encore la disparition brutale des dinosaures voilà 65 millions d'années. Mais elle est néanmoins riche d'enseignements pour qui cherche les conditions propices à l'émergence de la vie sur une autre planète que la nôtre.

À la recherche de nos pairs

Le 24 juin 1947, Kenneth Arnold, un pilote privé, affirme avoir vu dans le ciel des objets en forme de boomerang *se déplaçant comme des soucoupes qui ricochaient sur l'eau*. La chasse aux ovnis – objets volants non identifiés – est lancée. Ce sont, depuis lors, des dizaines de milliers de témoignages similaires qui ont été enregistrés, culminant par pics (en 1952 dans l'est des États-Unis, en 1954 en France, au début des années 1970 et à la fin des années 1980 en Belgique, etc.). Ces observations sont interprétées de différentes façons. Pour certains, il ne peut s'agir que d'hallucinations, de méprises, d'illusions, voire de faux souvenirs. D'autres avancent l'idée d'une réalité parallèle ou d'entités ne pouvant être perçues que par des humains réceptifs. Pour d'autres encore, les ovnis seraient la manifestation d'intelligences extraterrestres venues visiter notre planète. Les scientifiques penchent en général pour la première interprétation. Mais ils n'en restent pas moins à l'écoute de l'Univers, au cas où… Créé en 1984 et financé par la Nasa, le programme américain Search for Extraterrestrial Intelligence (Seti) analyse ainsi les ondes radio provenant de l'espace pour repérer d'éventuels signes d'activité intelligente.

Dans l'hémisphère Sud, l'eau des lavabos s'écoule dans l'autre sens

Mon grand-père m'a souvent dit que c'est parce que la Terre tourne que l'eau tourne aussi quand elle s'écoule dans un siphon. Mais le sens change-t-il selon les hémisphères ?

En toute bonne foi, chacun a longtemps cru que les lavabos se vidaient dans le sens des aiguilles d'une montre au nord de l'équateur et dans le sens inverse au sud. Mais s'il est une chose dont on peut être sûr, c'est que cela ne dépend que… de la forme du siphon ! Pour s'en convaincre, il suffit de se demander dans quel sens peut bien s'écouler l'eau lorsque l'on se trouve à l'équateur…

À l'origine de cette idée fausse se trouve la force de Coriolis, du nom de l'ingénieur français Gustave Gaspard Coriolis (1792-1843), qui l'a énoncée en 1836. En fait, ce n'est pas une vraie force au sens physique du terme, mais un théorème mathématique fort utile pour calculer la trajectoire des objets qui se déplacent dans un système de référence en rotation. Ceux-ci sont alors comme soumis à une force perpendiculaire à leur trajectoire, qui s'incurve dans un sens ou dans l'autre, selon le sens de rotation du système de référence. La force de Coriolis s'exerce sur tous les corps en mouvement à la surface de la Terre, c'est-à-dire aussi bien les courants aériens que les autres grands phénomènes météorologiques tels que les tourbillons cycloniques ou encore les courants marins : ceux-ci tournent plutôt vers la droite dans l'hémisphère Nord et plutôt vers la gauche dans l'hémisphère Sud…

C'est aussi à cause de la force de Coriolis que les grands fleuves russes coulent du sud vers le nord et que leur rive droite s'érode plus rapidement.

En revanche, si certains ont pu voir des variations de sens giratoire dans l'écoulement de l'eau de leur lavabo, force est de constater que l'échelle est trop petite pour que ces variations soient dues à la force de Coriolis ! ∎

Les montagnes naissent du choc de

C'est ce que pensaient au début du XXᵉ siècle les géologues dits « horizontalistes », s'opposant ainsi aux « verticalistes », pour qui les montagnes résultaient de forces verticales. La théorie de la tectonique des plaques les a réconciliés. Mais nombreux sont ceux qui ne voient encore que la compression latérale…

Pourtant, il suffit d'observer les roches des montagnes. Toutes n'ont pas été transformées par compression. On y trouve aussi du calcaire et de l'argile, issus de dépôts marins, ou des ophiolites, typiques du plancher des océans. La théorie de la tectonique des plaques l'explique parfaitement. Car deux plaques qui s'affrontent ne supportent pas forcément un continent : elles se trouvent souvent sous un océan. Or leurs planchers océaniques plongent l'un sous l'autre, créant au passage des volcans. Ce mouvement de tapis roulant finit par amener ces volcans au contact d'un continent (cordillère des Andes, montagnes du Japon) ; ils peuvent aussi se retrouver coincés entre deux continents (Alpes, Himalaya) si les deux plaques en portaient. Dans ce dernier cas, le glissement prend fin. Et l'érosion ayant accumulé de nombreux dépôts dans la mer qui les séparait, ceux-ci se soulèvent lors du rapprochement. Ils se mêlent alors aux autres roches, dans un savant mélange de plis et de failles. Pour évoluer finalement sous l'action de l'eau et du vent, donnant leur aspect définitif aux montagnes. ∎

LES DORSALE

▶ *À Thingvellir, en Islande, émerge la dorsale atlantique – chaîne de montagnes sous-marines qui partage l'océan. Cette faille sépare les plaques nord-américaine et eurasiatique.*

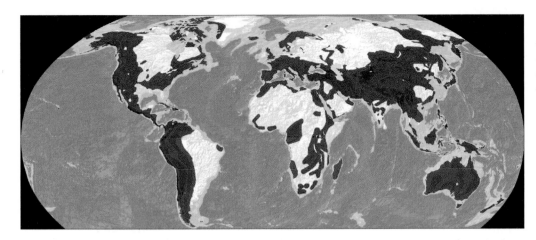

◄ *Carte mondiale de localisation des zones à forte activité sismique établie par le satellite Demeter. Du rouge au vert, le risque sismique décroît.*

Les tremblements de terre sont prévisibles

S'il est vrai que le changement de comportement des animaux annonce souvent les séismes, la prédiction reste extrêmement difficile.

Dès l'Antiquité, des témoins comme Pline l'Ancien ont remarqué que les séismes étaient précédés de certains signes. Ceux-ci – secousses préliminaires, anomalies du comportement animal (aussi bien chez les mammifères que chez les serpents ou les oiseaux), variation du niveau de l'eau dans les puits, augmentation de la teneur en radon de la nappe phréatique… – ont été définis dans les années 1970. Avec, à la clé, un premier succès : le 4 février 1975, certains de ces signes permirent, quelques heures avant un violent séisme, d'évacuer la population de la province chinoise de Lianing. Hélas, les nombreux séismes meurtriers qui se sont produits depuis ont démontré les limites de ce type de pronostic…

Trente ans plus tard, où en est-on ? Les zones à risque, soumises à une forte activité sismique, sont répertoriées : la faille de San Andreas, en Californie, les marges de l'océan Pacifique… Dans les décennies à venir, des séismes pourraient s'abattre sur des mégalopoles comme Tokyo, Los Angeles ou Istanbul. Mais où et quand se produira le prochain ? Mystère…

En attendant, on ausculte le moindre frémissement du globe terrestre. Les réseaux de surveillance sismiques, les stations GPS et certains satellites alimentent des bases de données, passées à la moulinette de logiciels qui analysent l'implication des différents facteurs de risque. Mais, les calculs restent très complexes et tout au plus parvient-on à estimer les risques en termes de probabilités (en général, de 30 à 70 %). ■

continents

ONT DES MONTAGNES SOUS LA MER

Si par endroits les plaques s'affrontent, donnant naissance à des chaînes de montagnes, il est aussi des lieux où elles s'écartent. Or ce mouvement a un moteur, situé en profondeur dans le manteau de la Terre. Là, le thermomètre grimpant plus qu'alentour, la lave remonte à la surface de la croûte étirée et forme de longues chaînes de montagnes : les dorsales. C'est au niveau de ces dorsales que se forme le plancher des océans. Et c'est en effet sous la mer qu'on les a d'abord repérées : celle de l'Atlantique est connue depuis le XIXᵉ siècle. Mais, depuis que la théorie de la tectonique des plaques a dévoilé leur origine, on sait qu'elles peuvent aussi apparaître au sein d'un continent. C'est ainsi que l'Atlantique est né, voici 150 millions d'années, au milieu des États-Unis et de l'Europe, alors soudés. C'est également ainsi que le Rift est-africain, fait de grandes failles qui témoignent de l'étirement de la croûte, annonce l'ouverture d'un futur océan.

LA TERRE TREMBLE

La Terre ne tremble pas, elle est secouée. Cela est dû le plus souvent au relâchement brutal de tensions accumulées aux frontières des plaques de la croûte terrestre lorsque celles-ci, par exemple, glissent l'une contre l'autre ou l'une sous l'autre. La magnitude, définie par l'Américain Charles Richter, mesure l'énergie libérée au foyer du séisme. À chaque fois qu'on s'élève d'un degré sur l'échelle de Richter, elle est multipliée par 30. Les séismes de faible magnitude peuvent être imperceptibles. À partir des magnitudes 6 ou 7, les dégâts risquent d'être très importants : glissements de terrain, effondrements de bâtiments… Quant aux tsunanis engendrés par des séismes au fond de la mer ou à proximité de la côte, ils peuvent se révéler extrêmement destructeurs, comme ce fut le cas en décembre 2004.

Un volcan,
c'est comme une
Cocotte-Minute

Chaque année, une cinquantaine d'éruptions – parfois fort spectaculaires – fournissent à l'imaginaire la vision d'une Terre en perpétuel bouillonnement. Les émissions sporadiques de gaz nous font voir les volcans comme des soupapes de sûreté : notre planète serait-elle une Cocotte-Minute géante sur le point d'exploser ?

Point de passage vers les entrailles de la Terre, image symbolique des enfers, les volcans inspirent à la fois méfiance et fascination. Pour beaucoup, les 1 500 points actuellement actifs sont comparables à des soupapes permettant de libérer sporadiquement un peu de pression accumulée à un endroit précis. Cette analogie n'est pas fausse. Mais, en revanche, l'image d'une planète tourmentée par un bouillonnement intérieur incessant et prête à exploser n'est pas vraiment exacte. En fait de bouillonnement, ce sont de lents mouvements de convection qui ont lieu sous la croûte terrestre, épaisse de seulement quelques dizaines de kilomètres, recouvrant le globe. Au centre se trouve le noyau et, entre la croûte et le noyau, le manteau. Au niveau du manteau, sous l'effet de la pression et de la chaleur dégagée par le noyau, la fusion partielle des roches forme un magma qui monte vers la croûte terrestre en changeant de densité. Une fois refroidi, le magma redescend en profondeur pour se réchauffer de nouveau, créant ainsi ces mouvements de convection. Au cours de la remontée, il arrive parfois que, à l'approche de la croûte terrestre, sous l'effet de la diminution de la pression, des gaz auparavant dissous dans le magma se libèrent. Si l'action conjuguée de la montée du magma et de la surpression ainsi développée atteint le seuil de résistance de la croûte, celle-ci peut se fracturer : un volcan se forme ou entre à nouveau en éruption.

C'est le plus souvent aux fragiles frontières entre deux plaques lithosphériques qui fractionnent la surface de la planète que les volcans apparaissent. Parfois, comme à Hawaii avec le Kilauea ou le Mauna Loa, des cônes peuvent aussi percer la croûte à l'intérieur d'une plaque. Les mouvements de convection, principaux régulateurs de la chaleur dégagée par le centre de la Terre, sont aussi responsables d'autres phénomènes comme de brusques séismes ou la lente formation de chaînes de montagnes. ∎

L'intérieur
de la Terre est
liquide

**D'où vient cette lave que crachent les volcans ?
Des entrailles de la Terre, répondent bien des gens.
Ils se trompent, certes. Mais il est vrai que le noyau
de notre globe est à moitié liquide...**

Pour le jésuite Athanasius Kircher, il n'y avait aucun doute : la Terre, qu'il décrit en 1665 dans son *Mundus subterraneus,* abrite en son cœur une grosse boule de feu, qui communique par des réservoirs intermédiaires avec les volcans. La science a, depuis, montré qu'il en va tout autrement, grâce à l'observation de la vitesse de propagation des ondes sismiques. Dès 1906, l'Irlandais Richard Oldham a ainsi révélé l'existence de deux milieux très différents à l'intérieur de la Terre. Et, six ans plus tard, en analysant plus finement les données, l'Allemand Beno Gutenberg a montré que la frontière entre ces deux zones, appelées manteau et noyau, se trouve à 2 900 km de profondeur. C'est toutefois en étudiant les déformations de la Terre sous l'attraction de la Lune et du Soleil qu'en 1926 le Britannique sir Harold Jeffreys en est revenu à l'idée d'un noyau liquide. On sait aujourd'hui qu'il ne l'est qu'à moitié, étant composé d'un alliage de fer et d'éléments plus légers pour partie liquide (entre 2 900 et 5 100 km de profondeur) et pour partie solide (de 5 100 à 6 380 km). Mais le plus grand flou règne encore sur la zone où il est en contact avec le manteau. Reste qu'il est désormais clair que la lave ne vient pas du noyau, mais de la fusion des roches du manteau : elle en est d'ailleurs un moyen d'observation... ■

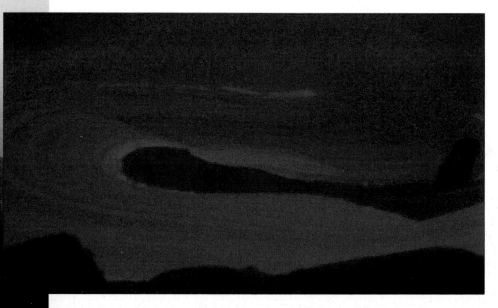

▲ *La lave ne sort pas de la Terre comme la vapeur s'échappe d'une Cocotte-Minute : elle en suinte comme d'une plaie là où affleurent les fractures de l'écorce terrestre.*

Les volcans
d'Auvergne
sont éteints

Le Massif central abrite une grande variété d'édifices volcaniques anciens ou récents. De mémoire d'homme, tous sont inactifs. Mais ceux de la chaîne des Puys pourraient bien se réveiller un jour...

Il est vrai que leur apparence est paisible… Le tempérament volcanique de l'Auvergne ne semble plus qu'un lointain souvenir inscrit dans le paysage. Les derniers soubresauts de colère des massifs anciens du Cantal et du Mont-Dore, nés il y a 15 millions d'années, ont été enregistrés il y a respectivement 2 millions d'années et 200 000 ans. Plus jeune, la chaîne des Puys, qui a connu ses premiers épisodes éruptifs il y a 80 000 ans, s'est endormie il y a 7 000 ans.

Est-ce définitif ? Rien n'est moins sûr… Le danger subsiste tant que les conditions thermiques et géologiques liées à l'activité interne de la Terre (tectonique des plaques ou anomalies profondes) demeurent les mêmes ; il doit s'apprécier à l'échelle des temps géologiques et non de la courte mémoire des hommes. Les géologues considèrent toutefois qu'un volcan qui n'a pas montré de signes d'activité depuis 10 000 ans est éteint.

Compte tenu des variations possibles de l'intervalle moyen entre deux éruptions des volcans de la chaîne des Puys, qui est de 1 000 ans, il n'est donc pas exclu de les voir se réveiller après une mise en sommeil de 7 000 ans. Ce risque est pris au sérieux par l'institut français de physique du globe de Clermont-Ferrand, qui s'est doté d'un réseau régional de surveillance sismique. Selon les scientifiques, les signes précurseurs d'une éventuelle éruption devraient pouvoir être détectés des semaines à l'avance, laissant le temps de prévenir les conséquences d'éruptions qui devraient prendre la forme de coulées de lave probablement peu dangereuses. ■

Les mers ont été créées
juste après la Terre

Tel est le mythe de la Création. En réalité, l'eau de notre planète a peut-être 4 milliards d'années, mais ses océans sont loin d'être aussi vieux !

Comparés aux continents, les océans sont même très jeunes : les premiers peuvent atteindre l'âge vénérable de 2 à 3 milliards d'années, quand la naissance des seconds ne remonte jamais à plus de 200 millions d'années. Et si on leur attribue à tort un grand âge, c'est parce qu'on pense non pas aux océans, mais à l'eau qui les remplit.

Cette eau est certes très ancienne, bien que ses origines, et donc son âge, fassent encore l'objet de recherches. Selon les dernières hypothèses, elle aurait été apportée par les bombardements de météorites qui ont sévi sur la Terre au cours des 700 premiers millions d'années de son existence. Le refroidissement de la planète, et par conséquent celui de son atmosphère, aurait ensuite entraîné un véritable déluge, donnant naissance aux premiers océans. Mais, la température étant encore élevée, ces derniers seraient apparus et se seraient volatilisés plusieurs fois avant de se stabiliser, voici environ 3,9 milliards d'années. Reste que, cette fois, leur durée de vie s'est trouvée limitée par la tectonique des plaques.

C'est en effet par leur plancher que les océans se forment – souvent d'ailleurs à l'intérieur d'un continent. Celui-ci prend naissance dans des zones de fracture de l'écorce terrestre (comme celle du Rift africain) et fonctionne un peu à la manière d'un tapis roulant. Si bien qu'après s'être ouverts, puis étalés, les océans finissent toujours par se refermer en faisant plonger leur plancher sous les continents. Les très vieux océans ont donc disparu à jamais… ■

Le sel de table vient de la mer

Pas vraiment. D'abord parce que la salière ne renferme souvent que du chlorure de sodium, quand l'océan est composé de nombreux autres sels. Lesquels se trouvent d'ailleurs également sous terre…

Si le sel vient de la mer, celle-ci en contient d'autres que celui qui, raffiné pour n'être plus que du chlorure de sodium (NaCl), se retrouve sur nos tables. Dans une eau de mer salée à 35 ‰ (soit 35 g/l), ce NaCl constitue près de 78 % de la quantité totale des sels dissous, à côté du chlorure de magnésium (10,9 %), des sulfates de magnésium (4,7 %), de calcium (3,6 %) et de potassium (2,5 %), du carbonate de calcium et du bromure de magnésium (0,5 % à eux deux), etc. Et c'est en la faisant évaporer dans des marais salants que l'on obtient du sel marin.

Les sels sont néanmoins issus du lessivage de la terre et sont donc également présents dans les fleuves et les rivières. Mais, au total, leur teneur n'y dépasse jamais 1 %. Cela rend l'eau douce potable et explique qu'on ne suspecte pas le sel

▲ *Récolte du sel à Taoudenni, au Niger. Les salines sahariennes sont d'anciennes mers et lagunes évaporées. Le sel est une roche mêlée d'argile, le natron.*

de venir de la terre. On l'extrait pourtant du sol ou du sous-sol depuis des temps très reculés – au moins dès le néolithique (6 000 à 2 000 ans av. J.-C.). Car, au cours des temps géologiques, les mers, en reculant, ont laissé derrière elles quantité de sels qui ont été par la suite recouverts de sédiments. Ce sel gemme est aujourd'hui exploité dans des mines qui fournissent les deux tiers de la production mondiale. Mais le sel présent dans le sol peut aussi être dissous par l'eau qui s'infiltre ou que l'homme injecte volontairement : il se forme une saumure dont on récupère le sel en la faisant évaporer dans des réservoirs souterrains. ■

▲ *Dans les premiers stades de la colonisation de Mars, l'homme vivra enfermé. Et puis il sortira quand il aura transformé Mars en une nouvelle Terre…*

La mer peut monter à la vitesse d'un cheval au galop

Telle est la légende au Mont-Saint-Michel. Il est vrai que l'endroit est réputé pour l'amplitude de ses marées… Mais il n'est pas le seul. Et la vitesse de la mer n'y dépasse pas celle d'un homme marchant d'un bon pas.

▲ *Le Mont Saint-Michel fut une île, que les marées très basses permettaient d'atteindre à pied. C'est un des rares endroits du monde où la différence entre deux marées dépasse allègrement 10 m.*

En réalité, la baie du Mont-Saint-Michel ne fait pas figure d'exception. D'ailleurs, en termes de marnage, elle ne détient pas le record mondial. C'est en effet dans la baie de Fundy, au Canada, que les services hydrographiques observent les plus forts marnages : entre marée haute et marée basse, la différence de niveau peut dépasser les 16 m. Le phénomène s'y explique par la longueur et la forme en entonnoir de la baie, tout comme à proximité du Mont-Saint-Michel. Ici, la marée qui arrive du large rebondit sur le littoral du Cotentin. Et, à l'image d'une vague qui déferle sur la plage, la faible profondeur des fonds marins accroît son amplitude. Résultat : l'eau peut grimper de 13 m en six heures. Soit des vitesses proches de 4 km/h, si l'on tient compte des 20 km à franchir pour atteindre ce niveau. Reste qu'un tel marnage n'est pas quotidien. Il est en effet tributaire des phases de la Lune. Pourquoi ? Tout simplement parce que la marée est due à l'attraction de la Lune, et dans une moindre mesure du Soleil.

Cette attraction est telle que, sur la Terre, un bourrelet d'eau se forme face à la Lune. Mais, par compensation, un bourrelet se forme également au point le plus éloigné de la Lune. Ces déformations se propagent en raison de la rotation du globe, à un rythme qui suit celui du mouvement apparent de la Lune. C'est ainsi qu'apparaissent les ondes de marée. Et leur amplitude varie en fonction de la position de la Lune et du Soleil par rapport à la Terre. Cette amplitude est plus forte quand la Lune et le Soleil sont alignés, au moment de la pleine Lune et de la nouvelle Lune (vives-eaux). Elle est plus faible quand les deux astres forment un angle droit, lors du premier et du dernier quartier lunaire (mortes-eaux). Mais elle augmente aussi dès que la Lune atteint dans son orbite le point le plus proche de la Terre. Et c'est quand ce moment coïncide avec des vives-eaux que l'on peut s'attendre à des marnages exceptionnels qui sont aujourd'hui prédits au centimètre près, en tenant compte des facteurs astronomiques, de la configuration des lieux, de la profondeur de l'eau, mais aussi de la météo, qui peut générer décotes ou surcotes… ∎

LES MARÉES

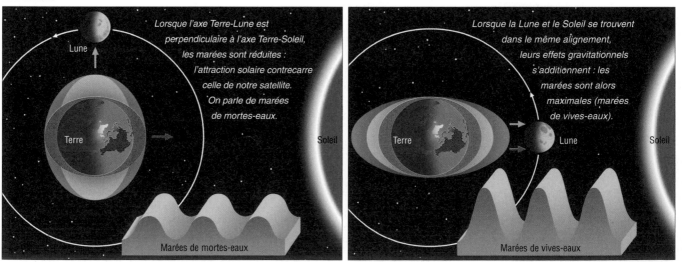

Lorsque l'axe Terre-Lune est perpendiculaire à l'axe Terre-Soleil, les marées sont réduites : l'attraction solaire contrecarre celle de notre satellite. On parle de marées de mortes-eaux.

Lune

Terre

Soleil

Marées de mortes-eaux

Lorsque la Lune et le Soleil se trouvent dans le même alignement, leurs effets gravitationnels s'additionnent : les marées sont alors maximales (marées de vives-eaux).

Terre

Lune

Soleil

Marées de vives-eaux

La vague monstre existe

Hantise des marins depuis des temps immémoriaux, les vagues géantes étaient tenues pour des légendes par les scientifiques. Ce n'est plus le cas aujourd'hui.

Distinctes des tsunamis, qui ne s'élèvent qu'à proximité des côtes, les vagues monstres, encore appelées vagues scélérates, sont des vagues solitaires au profil très abrupt, deux à trois fois plus hautes que la houle moyenne. Les marins qui ont survécu à pareilles rencontres ne manquent pas d'histoires étonnantes à raconter. Ainsi, en février 1995, le paquebot de croisière *Queen Elizabeth II* a trouvé sur son chemin, dans l'Atlantique Nord, une vague scélérate de 29 m de haut que le capitaine, Ronald Warwick, a décrite comme *un immense mur d'eau*, ajoutant : *On aurait dit que nous foncions tout droit sur les falaises blanches de Douvres.*

Pour démontrer l'existence de ces vagues, des océanographes allemands du projet européen MaxWave ont entrepris de dépouiller les données radar fournies par les deux satellites ERS d'observation de la Terre de l'Agence spatiale européenne. Ces satellites mesurent notamment la hauteur et la vitesse des vagues, la température de l'eau et le sens des courants.

En analysant seulement trois semaines d'observations durant le mois de mars 2001 dans l'Atlantique Sud, les chercheurs ont identifié et localisé les vagues gigantesques qui ont frappé à cette époque deux paquebots, le *Bremen* et le *Caledonian Star*. Malgré la période relativement courte couverte par les données, l'équipe MaxWave a identifié au total plus de dix vagues géantes dépassant 25 m de haut dans le monde. La preuve scientifique de leur existence est enfin établie.

Après ce succès, l'équipe dépouille maintenant les treize années de données ERS afin d'établir une carte mondiale des vagues géantes. L'objectif est de comprendre leur formation, d'établir les éventuelles zones et périodes dangereuses et, dans l'idéal, de les prévoir. ■

L'Europe est à l'abri d'un

Fréquents sur les rivages de l'océan Pacifique, les tsunamis peuvent aussi frapper la Méditerranée. On comprend bien aujourd'hui comment ils se forment, et les techniques de détection des séismes sous-marins sont au point : alors pourquoi une catastrophe comme celle qui s'abattit sur l'Asie du Sud-Est en décembre 2004 ?

En japonais, *tsunami* signifie « vague de port ». Ce mot désigne une ou plusieurs grosses vagues qui s'abattent sur les côtes à la suite d'un séisme en mer. Le dernier tsunami important ayant touché l'Europe est celui de 1755 : en février, un séisme au large du Portugal généra sur Lisbonne trois vagues dépassant une dizaine de mètres de hauteur. Vingt mille personnes périrent des effets directs du séisme, du tsunami associé et des incendies qui se déclarèrent dans la ville. Mais quel est donc le mécanisme qui crée de telles montagnes liquides ?

Ces énormes vagues sont la manifestation matérielle de la propagation d'une onde de choc engendrée par un séisme dans la masse d'eau océanique. Contrairement à ce qui nous disent nos sens, ni une vague ordinaire ni un tsunami ne se déplacent au sens propre. C'est l'eau qui, en se soulevant de proche en proche et de façon continue, donne cette impression. L'eau se soulève parce que l'océan est parcouru d'ondes. Celles qui donnent naissance aux vagues ordinaires sont engendrées par le vent.

Un tsunami résulte, lui, de l'onde de choc produite par un séisme sous-marin qui soulève puis abaisse le fond océanique – un peu comme quand vous soulevez puis abaissez un tapis pour le secouer : des ondulations s'y forment. Plus la dénivellation du sol est grande, plus grande est l'amplitude de l'onde et plus la vague est élevée. Plus le fond sous-marin parcouru par l'onde est profond (et lisse), plus la vitesse de l'onde

est grande – et plus vite le tsunami arrive sur les côtes.

Le 27 décembre 2004, un séisme de magnitude 9 sur l'échelle de Richter s'est produit dans une faille au sud-ouest de Sumatra. Sur 500 à 600 km de long, la plaque lithosphérique de l'océan Indien a glissé horizontalement de 15 m sous la plaque eurasiatique, elle-même soulevée de 4 à 5 m – ce qui est énorme. D'un côté de la faille se trouvaient les hauts fonds du talus continental, où l'onde s'est propagée « lentement » (soit à environ 70 km/h), mais à l'ouest se trouvait la plaine océanique, avec des fonds de 4 000 m, et l'onde s'y est propagée à des vitesses de 500 à 800 km/h.

En se rapprochant des côtes indonésiennes où le fond remonte brusquement, l'onde, freinée, a ralenti et, du fait de la conservation de son énergie, elle a raccourci horizontalement et gagné en hauteur. Selon le relief des côtes (abrupt ou en pente douce), le freinage est plus ou moins important et le tsunami frappe comme une vague immense ou comme une crue rapide. Alors que la vague ne faisait qu'une cinquantaine de centimètres de haut sur 300 km de long en pleine mer, elle s'est dressée à 20 m de hauteur lorsqu'elle ne s'est plus trouvée qu'à 5 m

de la côte de Sumatra. Là où l'onde a été peu freinée, elle a engendré une crue.

Certaines plages indonésiennes ont, en outre, été le théâtre d'un phénomène spectaculaire : le retrait de l'eau, juste avant que ne s'abatte la vague elle-même. Pourquoi ces plages et pas les autres ? C'est une question de hasard et de mécanique ondulatoire. Qu'elle se propage dans le vide ou dans l'eau, une onde est une succession de creux et de crêtes ; la distance entre deux creux (ou deux crêtes) est la longueur d'onde. Dans le cas du tsunami de Sumatra, la longueur d'onde était de 600 km en pleine mer mais, à l'approche des côtes, l'onde s'est contractée tout en s'élevant du fait de son ralentissement par la remontée des fonds, et ce diversement en chaque point de la côte.

Selon le nombre de longueurs d'onde entre le lieu du séisme et la côte, c'est le creux ou la crête de l'onde qui touche en premier la côte. Si c'est le creux, le niveau de la mer s'abaisse – c'est le retrait observé sur certains rivages, dévastateur dans les ports. Mais si c'est une crête, le tsunami commencera par une vague, qui sera éventuellement suivie d'un retrait et d'une seconde vague, avant que l'onde ne perde toute son énergie dans le choc.

LA FORMATION D'UN TSUNAMI

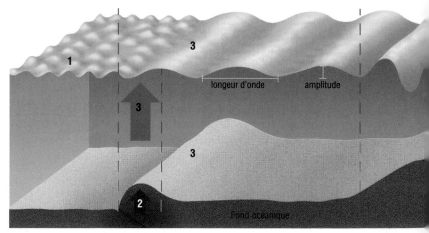

longueur d'onde amplitude

Fond océanique

1 *Houle normale.*
longueur d'onde : 50 à 200 m ;
amplitude : 10 à 50 cm.

2 *Séisme.*

3 *Soulèvement du fond océanique.*
Formation de l'onde géante :
grande longueur d'onde (environ 500 km) ;
faible amplitude (environ 50 cm).

sunami

En France, seule la côte méditerranéenne est réellement exposée à un tsunami. La Méditerranée, en effet, est une mer profonde et sujette aux séismes. Depuis l'Antiquité, elle a connu une vingtaine de tsunamis. Le plus célèbre est celui qui a détruit la civilisation minoenne il y a 3 500 ans, quand l'éruption du Santorin généra des vagues de 50 m de haut. Et, en 365, la Grèce – qui abrite une faille similaire à celle de Sumatra – a subi un tsunami qui a fait des dizaines de milliers de morts jusqu'en Sicile et en Égypte. Plus récemment, en 1979, une vague haute de 3 m atteignait la côte d'Azur entre Nice et Antibes, faisant onze victimes et détruisant une digue près de l'aéroport de Nice.

L'intensité d'un séisme sous-marin doit dépasser la magnitude 7 sur l'échelle de Richter pour engendrer un tsunami ravageur. Si donc vous passez vos vacances dans un pays sujet aux tremblements de terre, évitez les plages en période de secousses sismiques. Et si d'aventure, après avoir senti une secousse, vous voyez la mer se retirer soudainement, fuyez le plus loin possible à l'intérieur des terres. Vous échapperez ainsi peut-être à la crête d'un tsunami. ■

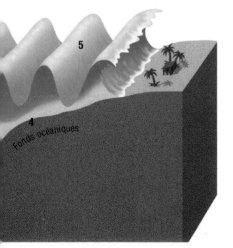

4 - 5 *Les fonds océaniques qui remontent freinent l'onde, qui se concentre (tsunami) : la longeur d'onde diminue, l'amplitude augmente (environ 30 m).*

Ce sont les vents qui créent les courants

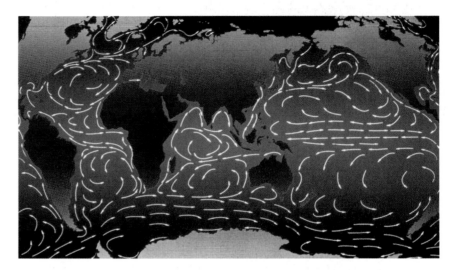

Les hommes les exploitent depuis au moins 6 000 ans. Pourtant, comme nous le savons depuis l'aube du XXᵉ siècle, les vents n'agissent pas seuls…

▲ *Les courants de surface, générés par les vents, s'organisent en de grands gyres (ellipses) dans chaque moitié d'océan. Entre l'équateur et les latitudes moyennes, leur circulation fait naître des courants contraires en profondeur.*

Les marins le savent bien : si le vent fait des vagues à la surface de l'eau, il y crée aussi des courants. Mais ce qu'ils ne s'expliquent peut-être pas, c'est que ces courants sont parfois contraires à la direction du vent. Car la rotation de la Terre et la topographie des océans ont leur mot à dire : le système d'océanographie opérationnelle Mercator est là pour les écouter. Depuis 2001, il permet de savoir, du moins dans l'Atlantique, « quel courant il fera demain ».

Tout comme les vents sont déviés par la rotation de la Terre, les courants créés sous leur impulsion subissent à leur tour ces déviations, dites de Coriolis. Entre les tropiques et les moyennes latitudes, leur circulation se résume ainsi à de grandes boucles (les gyres) qui transportent l'eau dans le sens des aiguilles d'une montre au sein de l'hémisphère Nord, et dans l'autre sens au sud. Au niveau de l'équateur, le rayonnement solaire est intense. Durant son voyage, l'eau poussée par les alizés va donc se réchauffer et se dilater. Elle finit par s'accumuler à l'ouest de chaque bassin océanique (Atlantique Nord, Atlantique Sud, Pacifique Nord, Pacifique Sud, océan Indien Nord et Sud), où son niveau peut atteindre 50 cm de plus qu'à l'est. Alimentant ainsi les courants chauds faisant cap vers les hautes latitudes, dont elle augmente le débit (il atteint 130 000 000 m³/s dans le Gulf Stream). Elle redescend ensuite vers le sud à cause de la force de Coriolis, puis repart vers l'est, sous les moyennes latitudes, poussée par les vents d'ouest. Et c'est ainsi que la boucle est bouclée. Là où cela se produit, c'est-à-dire là où l'eau équatoriale est poussée par les alizés, un appel d'eau apparaît. Ce phénomène, appelé upwelling, est connu de longue date des pêcheurs : il remonte en effet à la surface une eau froide venue des abysses, dont la richesse en sels nutritifs fait proliférer le phytoplancton, et en bout de chaîne, les poissons… ■

El Niño est responsable
de la sécheresse au

Le phénomène d'El Niño a fait couler beaucoup d'encre au cours des quinze dernières années. Est-il, comme on l'a parfois dit, responsable de bien des dérèglements climatiques ?

El Niño n'est pas un phénomène climatique récent. Il existe depuis des milliers d'années. Il se produit généralement sur les côtes pacifiques de l'Amérique du Sud aux environs de Noël, d'où son nom, l'Enfant (sous-entendu Jésus) en espagnol. En situation normale, les alizés poussent, dans le Pacifique, les eaux chaudes vers l'ouest, où elles s'accumulent au large de l'Australie. Cela permet, à l'est, la remontée des eaux froides (phénomène d'upwelling) du fond de l'océan. Cette eau froide, riche en éléments nutritifs, favorise la croissance du plancton et donc la reproduction des poissons. À l'ouest, où l'eau atteint 30 °C, se forment des nuages qui entraînent des précipitations abondantes en Australie et en Asie tropicale.

Quand survient El Niño, tout change. Les alizés, plus faibles, ne parviennent pas à pousser l'eau chaude vers l'ouest de l'océan. Celle-ci s'étale alors jusqu'au milieu du Pacifique et le régime des pluies en est tout bouleversé : il fait sec sur l'Australie et l'Asie tropicale alors que des pluies diluviennes s'abattent sur les côtes occidentales de l'Amérique du Sud, d'ordinaire épargnées. Par ailleurs, l'eau chaude présente dans cette région empêche l'eau froide et nutritive des abysses de remonter à la surface. Le plancton se raréfie, les poissons crient famine : les pêcheries péruviennes s'effondrent... À l'inverse, la situation

---

L'OSCILLATION NORD-ATLANTIQUE

Dans l'océan Atlantique, un phénomène influe sur le climat européen. Il s'agit de l'oscillation nord-atlantique (appelée NAO, pour *North Atlantic Oscillation*).
Il s'agit d'un régime atmosphérique qui court d'ouest en est. Globalement, dans l'Atlantique Nord, les vents sont commandés, en automne et en hiver, par deux phénomènes météorologiques : une zone de hautes pressions au large des côtes africaines (l'anticyclone des Açores) et une zone de basses pressions au sud de l'Islande (dépression islandaise).
Dans la phase positive de cette variation climatique, la différence de pression entre l'anticyclone et la dépression s'accroît, ce qui fait que les côtes d'Europe de l'Ouest sont davantage exposées aux vents

d'ouest, apportant pluies et douceur. La Méditerranée et l'Afrique du Nord bénéficient, en revanche, d'un temps sec. À l'inverse, quand la NAO devient négative, les différences de pression existant entre Açores et Islande diminuent : les vents d'ouest faiblissent et sont dirigés davantage vers le sud. La région méditerranéenne connaît alors des hivers humides et plus venteux. Tandis qu'en Europe du Nord-Ouest, profitant de la diminution des vents d'ouest, des masses d'air froid pénètrent dans cette partie du continent et donnent des hivers en général plus froids et secs.
On constate néanmoins depuis quelques décennies un accroissement de la NAO positive qui pourrait fort bien être lié au réchauffement global de la Terre.

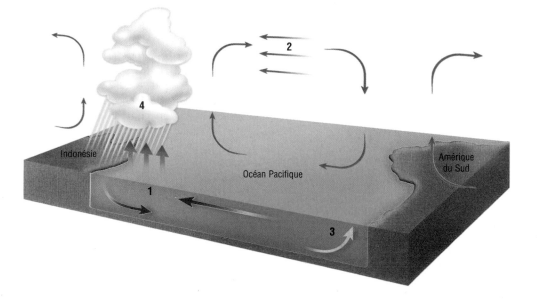

EL NIÑO

◄ *Il existe une pente entre le Pacifique équatorial oriental et le Pacifique occidental. L'eau de surface, chaude, glisse et s'accumule à l'ouest (1), dans un mouvement entretenu par les alizés (vents d'est) (2). De l'eau froide remonte à l'est (3), des pluies tombent à l'ouest (4) : c'est la situation normale.*

► *Quand les alizés faiblissent, la pente s'annule. L'eau chaude s'écoule vers l'est (5), pour compenser, et l'eau froide n'a plus de raisons de remonter : il pleut alors au centre du Pacifique (6) et sur les côtes péruviennes, tandis que la sécheresse s'installe en Indonésie.*

Sahel

climatologique normale peut s'amplifier (on parle alors de La Niña) : il pleut encore plus sur l'ouest du Pacifique, il fait toujours plus sec à l'est et les pêches sont miraculeuses au Pérou !

Il est probable qu'El Niño ait des conséquences sur une grande partie de la planète. Son influence sur le climat européen reste cependant à démontrer. La question actuelle est de savoir si, avec les bouleversements climatiques, l'intensité de cet événement majeur va augmenter. Les avis divergent sur ce point. A priori, non, car le réchauffement des températures océaniques diminuerait les écarts entre le réservoir d'eau chaude à l'ouest du Pacifique et celui des eaux froides à l'est, calmant ainsi les ardeurs d'El Niño. En réalité, on manque encore de recul sur ce point. Même problème en ce qui concerne la fréquence de ce phénomène (actuellement de deux à sept ans) : les scientifiques ne disposent pas encore des données nécessaires pour affirmer quoi que ce soit de définitif. ■

La foudre tombe du ciel

On parle souvent des foudres du ciel, comme si la foudre venait d'en haut. Oui mais voilà, faut-il se fier aux apparences ?

Le phénomène électrique qui survient au cours d'un orage est aujourd'hui bien connu. Lorsque la foudre frappe, dans 80 % des cas, elle ne descend pas du ciel. La foudre monte au contraire du sol vers le ciel. Manifestation spectaculaire qui survient entre le sol et un nuage, le coup de foudre était déjà bien décrit dans les travaux de Benjamin Franklin, l'inventeur du paratonnerre, au milieu du XVIIIᵉ siècle. Il est l'aboutissement d'une succession de mécanismes électriques.

Le nuage orageux est un cumulonimbus. Assez bas – situé à 2 à 3 km du sol –, gigantesque, il peut atteindre une bonne dizaine de kilomètres de haut tout en s'étendant sur des dizaines de kilomètres carrés. Il est donc le siège de mouvements d'air verticaux très intenses, qui vont bousculer tous les éléments qu'il contient : de l'air humide, mais aussi des particules de glace et des gouttelettes d'eau. Suite au frottement de ces éléments, des électrons sont arrachés aux particules les plus fines que sont les cristaux de glace. Chargés positivement, ceux-ci ont tendance à se retrouver en haut du nuage, puisque les éléments plus lourds (eau, grésil, grêlons) vont se retrouver plutôt en bas, avec les électrons arrachés.

Le nuage devient en quelque sorte une énorme batterie, qui crée, avec le sol chargé positivement, un champ électrique. Sous l'effet de ce champ, les mouvements des charges négatives, qui se trouvent au bas du nuage, sont soudain accélérés : ces charges entrent en collision avec les molécules d'air et leur arrachent des électrons qui vont, à leur tour, être accélérés et heurter d'autres molécules (phénomène d'avalanche). Les électrons dessinent alors un chemin faiblement lumineux, appelé traceur, qui se propage par bonds.

Au voisinage du sol, les aspérités présentes (arbres, toits…) jouent le rôle de pointes, desquelles partent autant de traceurs ascendants. Lorsque l'un d'eux rencontre un traceur venant du ciel, un pont conducteur s'établit entre le nuage et le sol. C'est ce canal ionisé que les charges du sol vont emprunter pour neutraliser les charges du nuage. Ainsi va circuler, du sol vers le nuage, un courant positif d'une intensité considérable de plusieurs millions de volts : c'est l'arc en retour, le fameux coup de foudre souvent suivi d'autres décharges électriques, de moins en moins intenses (quatre allers-retours en moyenne) mais que l'œil humain, du fait de la persistance rétinienne, perçoit sous la forme d'un seul éclair. ■

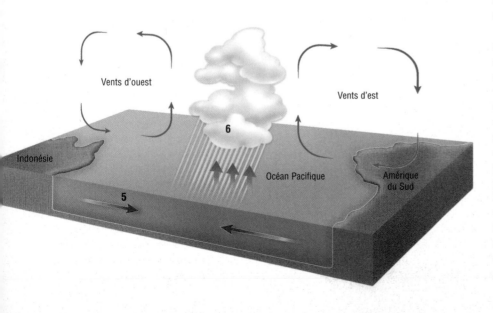

Vents d'ouest

Vents d'est

Indonésie

6

Océan Pacifique

Amérique du Sud

5

Quand l'orage gronde, un pied sous l'arbre, c'est un pied dans la tombe

Assimilé par les Anciens à la colère des dieux, l'orage a été de mieux en mieux compris au fil du temps. Si bien qu'on a pu formuler des conseils pour s'en protéger, comme celui de ne pas s'abriter sous un arbre.

La sagesse populaire véhicule depuis longtemps cette recommandation qui repose sur un simple constat : de façon générale, l'arc électrique de la foudre prend toujours le plus court chemin entre la terre et le ciel. Ce qui signifie qu'un éclair frappe toujours le point le plus haut du relief qui se trouve sous l'orage. Et ce point culminant peut aussi bien être la cime d'un arbre (de grande taille ou isolé) que le clocher d'une église, le sommet d'un massif ou le mât d'un bateau.

Fasciné par les phénomènes naturels, le physicien américain Benjamin Franklin eut l'idée, en 1753, d'inventer un dispositif de protection, le paratonnerre. Constitué d'une ou de plusieurs tiges métalliques fixées aux toits et reliées au sol, le paratonnerre canalise les charges électriques des éclairs vers la terre. Il évite ainsi les dommages liés à l'écoulement du courant à travers la structure. Mais il faut se tenir à l'écart des descentes de paratonnerres.

Quelques dizaines d'années plus tard, le physicien et chimiste britannique Michael Faraday trouve un autre moyen de protection : la cage qui porte son nom. Il montre qu'un conducteur creux fait écran aux forces électriques. Ainsi, une voiture avec une carrosserie en métal est une bonne cage de Faraday. Elle constitue donc un abri potentiel contre la foudre, à condition toutefois de ne pas toucher les parties métalliques, de rabattre son antenne radio – qui peut faire paratonnerre – et de ne pas stationner à côté d'un arbre !

Mais que faire sans voiture ? Il faut essayer d'atteindre un abri, rester à l'écart des terrains surélevés et des champs. Et si l'on se trouve dans un champ, s'accroupir, si possible dans un trou, sans s'allonger. En groupe, on essaiera de s'éloigner les uns des autres. À ces précautions s'en ajoutent de nombreuses autres : éviter de courir, de faire de la bicyclette, du cheval, de se baigner ou d'utiliser un appareil électrique, en particulier le téléphone. Autant de conseils à appliquer pour ne pas faire partie des vingt à quarante personnes qui chaque année meurent foudroyées sur le territoire français. ∎

Quand les hirondelles l'orage est en chemin

Les paysans le savent bien. Quand les hirondelles font du rase-mottes, il est temps de rentrer les vaches : l'orage approche… Grenouilles et coqs indiquent aussi que le temps se met à la pluie. Que faut-il penser de ces baromètres naturels ?

Bien souvent, au cœur de l'été, on voit voler très bas des hirondelles au-dessus des chemins et des champs. L'air est étouffant. Pourquoi donc ces oiseaux, qui chassaient encore il y a quelques instants en altitude, font-ils à présent du rase-mottes ? En fait, les hirondelles chassent les insectes dont elles se nourrissent. À l'approche d'un orage, ou plus généralement d'une dépression, la pression atmosphérique de l'air baisse. L'air, riche en humidité, est alors moins porteur pour les insectes. Leurs ailes s'humidifient et deviennent plus lourdes. Les insectes volants ont donc tendance à descendre plus bas, voire à se poser au sol. C'est pourquoi les hirondelles les accompagnent dans leur mouvement.

Dans la même veine, on a souvent utilisé la grenouille comme baromètre – un mythe qui a la peau dure. La réalité, c'est que, lorsque nos insectes sont contraints à l'atterrissage forcé, les grenouilles, voyant cette manne tomber du ciel, sortent de l'eau pour s'en repaître !

Le coq a lui aussi été pris pour un présentateur météo. Ne dit-on pas que si le coq chante

Il fait un froid de canard

Cela dure sans doute depuis la nuit des temps. Soudain, des centaines de canards traversent le ciel et s'abattent sur un étang. Poussés par une vague de froid, ils volent vers le sud. Assurément, ces canards annoncent l'arrivée de l'hiver !

On parle à peu près aussi souvent d'un froid de canard que d'un temps de chien. Mais qu'est-ce que les canards viennent faire dans la météorologie ? La réponse est pourtant simple. L'automne venu, des centaines de milliers de canards (et d'oies) ayant niché en Scandinavie ou en Sibérie migrent vers le sud pour passer l'hiver en Europe du Nord-Ouest (principalement de la mer Baltique au Benelux). Que survienne un épisode de froid vif – vent, glace, neige, gel – et tous ces oiseaux sont obligés de déguerpir et de filer plus au sud pour trouver des terres d'accueil plus clémentes (et notamment moins gelées pour trouver leur nourriture). Et, subitement, des milliers d'oiseaux déboulent dans nos contrées.

De nos jours, chasseurs comme ornithologues savent bien que lorsque arrivent, en plein hiver, des bandes importantes d'oiseaux d'eau (et notamment de canards), c'est qu'il se passe, plus au nord, un « accident » météorologique tel qu'il force les oiseaux à quitter leurs quartiers d'hiver habituels. C'est en général un moment difficile pour ces oiseaux, qui, victimes du froid et de la faim, souvent affaiblis, deviennent chez nous des cibles faciles pour les chasseurs. Heureusement, la loi interdit aujourd'hui la chasse par temps de neige ou de grand froid. ■

volent bas,

le soir, c'est signe qu'il va bientôt pleuvoir ; s'il chante à midi, signe d'un temps de paradis ? En réalité, il semble que les activités vocales du coq soit liées d'abord et avant tout à la présence de… poules ; ces dernières ayant tendance à se coucher tôt par beau temps et à tarder quand il pleut, il y a donc fort à parier que c'est tout simplement la recherche de vers de terre, prompts à sortir sous la pluie, qui justifie un tel comportement ! ■

Rouge couchant, beau temps

Les dictons météorologiques sont souvent validés par des siècles d'observation. La couleur du ciel au coucher du soleil permet-elle vraiment de prédire le temps du lendemain ?

Un coucher de soleil rougeoyant annonce une belle journée. À l'empirisme des paysans répondent les physiciens de façon on ne peut plus scientifique : compte tenu des propriétés optiques de l'atmosphère, voir un ciel rouge quand le Soleil est bas sur la ligne d'horizon signifie que le ciel est parfaitement dégagé de nuages, ce qui est un signe à peu près sûr de beau temps !

Pour parvenir jusqu'à nous, la lumière du Soleil doit traverser l'atmosphère qui entoure la Terre sur une épaisseur de 10 km environ. Ce faisant, elle se décompose comme si elle passait au travers d'un prisme de verre, allant du bleu au rouge, en passant par le vert, le jaune et l'orange. De plus, l'atmosphère est composée de milliards de molécules en mouvement qui ont la propriété de diffuser la lumière, c'est-à-dire de la réémettre dans toutes les directions et sans modification (c'est la diffusion de Rayleigh). Parce qu'elle est décomposée en toutes les couleurs de l'arc-en-ciel et diffusée dans toutes les directions, la lumière du Soleil donne une certaine couleur à l'atmosphère. Selon l'axe d'éclairement dans lequel se trouve le Soleil, la dominante nous paraîtra plutôt bleue (le Soleil est en haut) ou plutôt rouge (le Soleil est sur l'horizon).

Naturellement, lorsqu'il y a des nuages, le ciel est plutôt gris. Voir un ciel rouge au couchant signifie donc simplement qu'il est bien dégagé à l'ouest. Ce qui est, bien sûr, a priori plutôt de bon augure, sauf si le vent se lève ! ■

S'il fait **beau,** c'est grâce à l'anticyclone

Un anticyclone est une zone de haute pression atmosphérique qui favorise la dissipation des nuages. Grâce aux progrès de la météorologie, on comprend désormais mieux pourquoi…

▲ Par son mouvement tourbillonnant, un anticyclone rejette l'air qu'il capte en son milieu. Cet air dissipe les nuages. Un anticyclone est formé d'air froid (il est alors stationnaire) ou chaud (en altitude, comme l'anticyclone des Açores).

Tous, nous savons que les conditions anticycloniques nous permettent de ranger les parapluies au placard, sans toujours comprendre exactement pourquoi. Nous savons également que l'anticyclone correspond à une zone de haute pression atmosphérique (de l'ordre de 1 020 à 1 050 hPa). Cette pression n'est pas uniforme : elle est plus élevée au centre et décroît vers la périphérie. Ce qui signifie que, dans l'œil d'un anticyclone, le poids de la colonne d'air est plus important. De l'air froid et sec (intrinsèquement plus lourd) provenant des couches supérieures de l'atmosphère s'affaisse donc en direction du sol puis s'écoule vers l'extérieur. Il est ensuite dévié par la force de Coriolis : un anticyclone se présente finalement comme une masse d'air relativement stable et animée d'un mouvement en spirale (dans le sens des aiguilles d'une montre dans l'hémisphère Nord et inverse dans l'hémisphère Sud)

Or les conditions qui règnent dans un anticyclone sont contraires à celles qu'on observe dans une dépression. Cette dernière provoque l'ascension d'air chaud et humide qui se refroidit en altitude, avec à la clé condensation de la vapeur d'eau, formation de nuages et pluies. À l'inverse, l'air qui descend au cœur de l'anticyclone s'échauffe et se dilate, tandis que la densité de vapeur d'eau diminue, ce qui limite la probabilité de formations nuageuses. Le temps est donc le plus souvent dégagé et ensoleillé. En été, sous un régime anticyclonique, il fait chaud, avec des contrastes de température importants entre le jour et la nuit, et parfois des orages. L'hiver, l'anticyclone entraîne souvent un froid glacial, la chaleur emmagasinée par la Terre n'étant pas maintenue au sol par une chape de nuages. Plus rarement, des brouillards et des nuages bas dus à une condensation stagnante peuvent apparaître. ■

L'ANTICYCLONE DES AÇORES EST-IL IMMUABLE ?

En Europe occidentale, ce sont principalement l'anticyclone des Açores, situé au-dessus de l'Atlantique, et la dépression d'Islande, positionnée au sud du Groenland, qui font la pluie et le beau temps.
L'extension et la position de ces centres d'action météorologiques, qui régissent la circulation de la basse atmosphère, varient en fonction de la quantité de chaleur reçue par la Terre.
En hiver, l'anticyclone des Açores se replie vers les basses latitudes (sous le 40ᵉ parallèle), tandis que la dépression d'Islande s'aventure vers le sud.

Le mouvement s'inverse en été et l'anticyclone étend parfois son influence au-delà du 60ᵉ parallèle. Ce pas de deux est modulé par de nombreux facteurs : position de l'anticyclone de Sibérie, variations de l'ensoleillement (éruptions volcaniques, pollution…), oscillation de la zone de convergence intertropicale (ZIC, là où se rejoignent les alizés des deux hémisphères). Dans les années à venir, il pourrait être troublé par le réchauffement climatique. L'anticyclone des Açores continuera-t-il alors à étendre sur nous son aile protectrice ?

▲ Au centre d'une dépression (ou cyclone), l'air chaud s'élève. La dépression créée au sol suffit à aspirer l'air environnant, ce qui contribue à la formation des nuages.

Le Gulf Stream nous apporte un climat tempéré

Oui, mais contrairement à une idée très répandue, il n'agit pas seul. Car, pour réguler le climat, océan et atmosphère agissent en duo, via leurs courants respectifs.

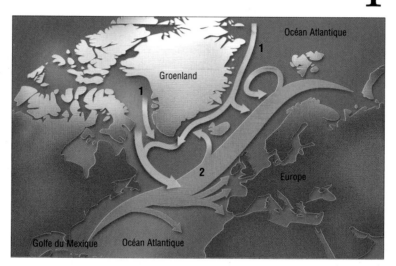

C'est sans doute Benjamin Franklin qui, dans les années 1770, a eu le premier l'idée de mesurer la température de l'air et de l'eau pour suivre le parcours du Gulf Stream. Un siècle plus tard, personne ne doute de l'effet bénéfique de ce « plus grand fleuve de la mer » dont les eaux chaudes baignent l'ouest du Royaume-Uni et de la France. Né de l'union du courant de Floride et d'un courant antillais, le Gulf Stream est d'abord chaud (30 à 35 °C). Après avoir longé les côtes américaines, il est certes refroidi par le courant du Labrador ; mais sa température est encore de 25 °C quand il bifurque en direction de l'Europe pour devenir la dérive nord-atlantique. D'après des chercheurs de l'université américaine de Columbia, la douceur de notre climat en hiver s'explique néanmoins autrement. Le déstockage de la chaleur accumulée en mer via les précipitations (pour se condenser en vapeur, l'eau émet de la chaleur) et le réchauffement de certains vents circulant d'ouest en est au-dessus de l'Atlantique apporteraient plus de calories à l'Europe de l'Ouest que le Gulf Stream ! Sans ces vents provenant des Rocheuses, les températures en Europe seraient même inférieures de 27 °C.

Qu'en sera-t-il avec le réchauffement climatique (1,4 à 5,8 °C de plus d'ici 2100) ? L'Europe, et en particulier la France, ne sera pas épargnée. Ce qui veut dire qu'en été nous aurons probablement des périodes caniculaires et

que les hivers seront à la fois doux, pluvieux et venteux du fait de l'accroissement des dépressions transatlantiques. Sauf que les choses pourraient bien ne pas se passer ainsi…

En effet, la fonte de la calotte glaciaire arctique, accélérée par l'élévation de ces températures, entraîne un largage considérable d'eau douce dans les eaux salées de l'océan. Ce qui provoque un enfoncement, un véritable plongeon de ces eaux froides et salées, plus denses, vers le fond. Cela a pour conséquence de ralentir le gigantesque tapis roulant que constituent les courants marins profonds à travers les océans de la planète et, dans le cas qui nous intéresse, l'océan Atlantique. Avec le ralentissement, voire l'arrêt, de ce tapis roulant, le fameux Gulf Stream, qui court de l'Amérique à l'Europe, pourrait lui aussi être modifié. Son ralentissement, ou même son déplacement vers le sud, ne prémunirait plus l'Europe du Nord-Ouest contre les rigueurs hivernales. Ainsi, au lieu d'avoir des hivers plus doux et humides, l'Europe de l'Ouest se trouverait confrontée à un froid redoutable, à peu près équivalent à celui que l'on endure au Canada. N'oublions pas que Paris est à la latitude de Montréal.

Si cela se produisait, ce ne serait pas la première fois. Il y a 13 500 ans, un coup de froid s'est abattu sur l'ensemble du globe, interrompant brutalement, pour quelques dizaines d'années seulement, la fonte des glaciers qui venait de commencer. Les théories pour l'expliquer ne manquent pas, mais ce pourrait être justement l'apport d'eau douce dans les océans du fait de la fonte des glaces qui aurait modifié la circulation des courants marins. Aujourd'hui, si pareil événement se reproduisait, seul l'homme pourrait être accusé. C'est le thème du film *The Day after*, qui a rencontré un succès planétaire en 2004. ■

LE GULF STREAM

◄ *À chaque courant majeur, son contraire : les très froids courants du Labrador (à l'ouest du Groenland) et du Groenland (à l'est et au sud)* **(1)** *se rejoignent pour compenser l'eau de l'Atlantique Nord que le Gulf Stream pousse devant lui* **(2)**. *Le Gulf Stream, né dans le golfe du Mexique, est un courant chaud. Là où il rencontre les courants froids, il se divise en plusieurs branches. Sa branche principale, la dérive nord-atlantique, se dirige vers la mer du Nord. Les autres viennent libérer leur chaleur au large des Açores, des côtes de l'Angleterre, du Portugal, de l'Espagne et de la France. Dans son mouvement, le Gulf Stream entraîne le tapis roulant océanique, au rôle climatique décisif.*

KUROSHIO, L'ÉQUIVALENT PACIFIQUE

Le Gulf Stream n'est pas le seul courant à remonter vers le bord ouest d'un océan. On trouve son homologue dans l'océan Pacifique avec le Kuroshio (en japonais, « courant noir ») qui transporte des eaux chaudes depuis la mer de Chine et les Philippines jusqu'au Pacifique central, en longeant l'archipel japonais. Tous deux résultent des interactions entre la direction du vent, la rotation de la Terre et la forme de leur océan respectif. Et ils naissent pareillement de la convergence de plusieurs courants qui font cap vers les pôles. Mais on ne trouve leur équivalent dans l'océan Indien qu'en été, avec le courant de Somalie. Car là le régime des vents s'inverse d'une saison à l'autre, ce qui bouleverse totalement la donne.

À haute altitude, le vent est plus rapide

C'est effectivement le constat qu'ont fait les bombardiers américains pendant la Seconde Guerre mondiale, alors qu'ils survolaient le Japon. Depuis lors, les pilotes ont appris à en tenir compte.

Pour éviter les turbulences, les avions circulent très haut. Précisément à une dizaine de kilomètres d'altitude, entre deux couches très différentes de notre atmosphère : la troposphère, en contact avec la terre ferme et les océans, et la stratosphère qui la surmonte. Or, aux moyennes latitudes, on y trouve de véritables couloirs de vents, larges de 100 à 200 km, circulant d'ouest en est à une vitesse moyenne de 80 km/h en été, et de 150 km/h en hiver : les courants-jets, ou jet-streams. On comprend donc pourquoi les avions mettent moins de temps à atteindre l'Amérique du Nord qu'à en revenir. Du reste, c'est grâce à l'aviation que ces vents ont été en partie découverts.

En 1944, ils posent en effet de gros problèmes aux bombardiers survolant le Japon : leurs avions volant plus vite que prévu, ils sont plusieurs à rater leur cible. La guerre finie, les météorologistes vont donc étudier ces vents de plus près. Et reprendre en considération non seulement les travaux de l'Anglais George Hadley, qui en 1735 imagine que les vents circulent en s'élevant à l'équateur pour redescendre aux pôles. Mais aussi ceux du Japonais Wasaburo Oishi, qui en 1926 démontre l'existence du jet-stream par l'intermédiaire de ballons-sondes, et dont les travaux étaient restés largement méconnus.

On sait aujourd'hui que l'air circule de manière un peu plus compliquée que ne le pensait Hadley. Ainsi, l'air chaud et humide s'élève bien en altitude au niveau de l'équateur pour prendre la direction des pôles. Mais il redescend en partie vers le sol avant d'avoir atteint son but, retournant vers l'équateur par les alizés et fermant ce qu'on appelle une cellule de Hadley. En partie seulement : il reste en effet en altitude un flux d'air d'autant plus rapide et dévié par la rotation de la Terre qu'il s'approche des pôles. Et c'est lui qui forme les courants-jets. Par ailleurs, des cellules identiques à celle de Hadley existent près des pôles (cellules polaires), où l'air a tendance à prendre de l'altitude au fur et à mesure qu'il s'en éloigne. Mais aussi entre 30 et 60° de latitude, cette fois en sens inverse (cellule de Ferrel). Reste que seules les cellules de Hadley sont à l'origine de courants-jets assez puissants pour non seulement déranger les avions, mais aussi jouer un rôle majeur dans la formation des dépressions. ■

LES VENTS AUTOUR DE LA TERRE

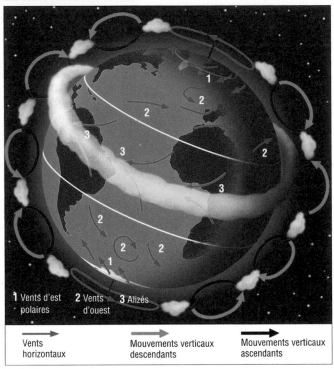

1 Vents d'est polaires 2 Vents d'ouest 3 Alizés

Vents horizontaux — Mouvements verticaux descendants — Mouvements verticaux ascendants

▲ *Les calories emmagasinées par l'air entre les deux tropiques animent toute l'atmosphère. Telles des roues d'engrenage, d'immenses cellules les distribuent jusqu'aux pôles. À haute altitude, leur mouvement accélère celui des jet-streams.*

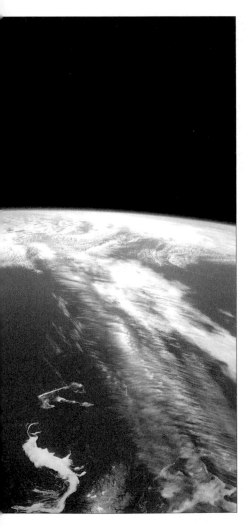

▲ *Vu depuis l'espace, un jet-stream est une autoroute aérienne dont savent profiter les avions.*

LES SAINTS DE GLACE CHEVAUCHERAIENT-ILS LES JET-STREAMS ?

Dans l'hémisphère Nord, les jet-streams se situent en hiver vers le 40e parallèle, mais descendent en été vers le 30e. Or ces vents agissent sur la trajectoire et l'activité des dépressions. De là à conclure que, au mois de mai (en particulier les 11, 12 et 13, les fameux saints de glace), les courants-jets laissent pénétrer des masses d'air froid du Grand Nord... Reste que les dépressions ont aussi une action sur le courant-jet, en le déformant, l'incurvant et le repoussant vers le nord. En bref, bien des incertitudes...

Les ouragans s'épuisent en arrivant à terre

De nombreux mythes associent ouragans et cyclones à des dieux maléfiques qui, tel Typhon, dieu de l'Ouragan dans la mythologie grecque, ne semblent s'apaiser qu'après avoir tout ravagé à terre. Une menace face à laquelle l'homme se sent impuissant.

Les images satellite permettent désormais de suivre la progression des ouragans. Ils naissent au-dessus des océans et, effectivement, s'affaiblissent et meurent à terre, non sans avoir causé de terribles dégâts. Les vents extrêmement violents (entre 118 et 300 km/h, parfois plus), les pluies diluviennes, les marées de tempête ainsi que les inondations qui les accompagnent en font des phénomènes naturels parmi les plus meurtriers.

D'où leur vient cette énergie dévastatrice ? Un cyclone est une dépression qui se forme au-dessus des mers tropicales, dans des zones où la température de l'eau est supérieure à 26 °C sur environ 60 m d'épaisseur, ce qui provoque une évaporation intense et un dégagement d'énergie thermique. Lorsque l'air de la haute atmosphère est froid, l'air chaud s'élève en aspirant l'humidité. Ce phénomène permet d'évacuer le trop-plein d'énergie accumulé par les océans, comme si le cyclone jouait le rôle d'une énorme soupape.

La force de Coriolis, due à la rotation de la Terre, imprime un mouvement tourbillonnaire à cette masse d'air instable, dans le sens des aiguilles d'une montre dans l'hémisphère Nord et dans le sens inverse dans l'hémisphère Sud. Contrairement aux tornades, qui sont des phénomènes tourbillonnaires locaux de courte durée, un ouragan évolue le plus souvent pendant six à dix jours, parfois jusqu'à trois semaines. Au centre du cyclone, dans l'œil, règne un calme relatif. Autour se

LES CYCLONES NE FRAPPENT QUE LES PAYS CHAUDS

Baptisés typhons dans le Pacifique Ouest, ouragans dans les Caraïbes ou willy-willies en Australie, les cyclones se développent entre 5 et 30° de latitude environ. Trop près de l'équateur, la force de Coriolis est trop faible ; au-delà de 30°, les eaux ne sont pas assez chaudes. Un cyclone sur quatre frappe l'Asie du Sud-Est. Exposé aux inondations et aux raz de marée, le Bangladesh, en particulier, leur paie un lourd tribut. Les Caraïbes sont aussi très touchées. Les zones tempérées ne sont pas totalement épargnées. Un cyclone tropical peut venir mourir sur les terres nord-américaines. Il peut aussi s'aligner sur les alizés puis traverser l'Atlantique Nord et atteindre l'Europe sous la forme d'une perturbation, voire d'une tempête. De violentes tempêtes naissent aussi sous les latitudes tempérées, comme celles qu'a connues la France en décembre 1999. Mais si on a pu les qualifier d'ouragans en raison de la force des vents (pointes à près de 200 km/h), elles n'en possédaient toutefois pas la structure tourbillonnaire caractéristique.

forme progressivement un mur de nuages (des cumulonimbus) sur une hauteur d'une quinzaine de kilomètres, siège de vents dont la vitesse augmente à mesure que la dépression centrale se creuse. À maturité, le diamètre du cyclone atteint souvent entre 300 et 600 km. Les vents et les précipitations en périphérie sont très violents.

Le cyclone voyage au gré des vents dominants et des courants locaux. Sa trajectoire est capricieuse, avec parfois des retours en arrière. Il s'affaiblit lorsqu'il est privé de son carburant – l'évaporation –, soit parce qu'il arrive au-dessus d'eaux froides, soit parce qu'il évolue au-dessus de terres émergées. Il s'y épuise en dissipant son énergie sous forme d'énergie mécanique, arrachant du sol sur son passage arbres, toitures et véhicules… ■

◀ *Ouragan, cyclone, typhon, trois noms pour la même machine à vapeur. Plus le cyclone aspire d'air, plus il y a de condensation, plus le cyclone est énergétique, plus il grossit, plus il aspire...*

Dans le désert, la nuit on gèle

45 °C le jour, 10 °C la nuit. En plein désert, la chute de température est difficile à supporter : l'air y est tellement sec qu'aucun nuage ne retient la chaleur.

On a beau y suffoquer toute la journée, la chaleur ne s'accumule pas dans le désert : les nuits d'hiver, la température peut chuter brutalement de 35 °C. Imaginons que le désert est une casserole de pâtes. La journée, le Soleil chauffe le désert comme le gaz chauffe les pâtes : le sol emmagasine l'énergie et devient brûlant. La nuit, le Soleil disparaît : on éteint le feu. Que se passe-t-il si on ne met pas de couvercle ? Les pâtes refroidissent vite. Sur la Terre, le couvercle, ce sont les nuages. Et comme, dans le désert, l'air est trop sec pour créer des nuages, toute la chaleur est renvoyée dans l'espace.

En fait, les rayons du Soleil, une fois qu'ils ont traversé l'atmosphère et la couche nuageuse, atteignent la Terre avec 50 % de l'énergie de départ. Ensuite, la Terre absorbe cette énergie et réémet des rayons infrarouges, partie invisible du rayonnement solaire. Si tous les infrarouges repartaient vers l'espace, la température de la planète serait de − 18 °C. Heureusement, la vapeur d'eau des nuages (qui recouvre la moitié de la surface terrestre) capte une partie de ces infrarouges et les renvoie vers le sol, ce qui le réchauffe. Ainsi, le jour, les nuages font écran, réfléchissant une partie des rayons solaires vers l'espace ; et la nuit, ils font couvercle, gardant la chaleur accumulée : c'est l'effet de serre naturel. Comme, dans le désert, l'air est rarement saturé d'humidité (environ 30 %), peu de nuages se forment : il n'y a donc aucun obstacle pour les fortes températures diurnes et le refroidissement nocturne. Une amplitude thermique à laquelle ont dû s'adapter les plantes et les animaux des déserts. ■

▲ *Contrairement à la mer, le sol perd rapidement toute sa chaleur dès que le Soleil se couche. Sans nuages pour lui en renvoyer au moins une partie, la température de l'air chute. C'est pourquoi, la nuit, on peut avoir très froid au cœur du Sahara !*

Le réchauffement climatique

Le niveau de la mer n'a jamais cessé de monter ou de descendre. Il y a 18 000 ans, il se trouvait 120 m plus bas qu'aujourd'hui. Depuis, les océans remontent, dans un mouvement qui s'accélère depuis deux siècles. On accuse le réchauffement climatique…

Entre 9 et 88 cm : tel est l'intervalle dans lequel devrait se situer l'élévation du niveau des mers d'ici la fin du siècle. L'augmentation générale des températures en sera la première responsable. D'abord par la dilatation des eaux marines. Du fait de l'augmentation de la tempé-

▶ *En mai 2005, la station suisse d'Andermatt a décidé d'envelopper 2 500 m² du glacier du Gurshen afin d'en limiter la fonte, continue depuis quinze ans. Épaisse de 3,8 mm, la toile bloque les rayons UV qui cassent les cristaux de glace. Si l'expérience est concluante, la toile sera retirée pour l'hiver et reposée au début de l'été 2006.*

Le CO$_2$ est le principal gaz à effet de serre

Entre le XIIe et le XIVe siècle, le climat en Europe s'est tellement réchauffé qu'il a permis de meilleures récoltes. Puis il s'est refroidi jusqu'au début du XIXe siècle. Depuis lors, il se réchauffe à nouveau, et l'on accuse le gaz carbonique d'en être le responsable. Pourtant, ce gaz est naturellement présent dans l'atmosphère…

L'atmosphère ne laisse passer qu'une partie des rayonnements solaires. Globalement, une moitié est absorbée par le sol, tandis que l'autre est réfléchie par les nuages ou absorbée par l'atmosphère. Puis, à son tour, la Terre émet de la chaleur, sous forme de rayonnement infrarouge. Une partie part dans l'espace tandis que l'autre est retenue par la couche atmosphérique et, notamment, les gaz qui y sont présents naturellement, comme la vapeur d'eau et le gaz carbonique. Comme dans la serre du jardinier, ces gaz renvoient alors la chaleur ainsi captée vers la Terre. C'est d'ailleurs grâce à ces gaz que la température sur notre planète est vivable, sinon il ferait beaucoup plus froid (– 18 °C).

Tout tournait rond jusqu'à ce que l'homme ne s'en mêle. Avec l'avènement de l'ère industrielle, à partir des années 1860, le taux de gaz carbonique rejeté dans l'atmosphère a commencé à croître (d'environ 30 %), du fait des activités telles que l'industrie et les transports. D'autres gaz à effet de serre, comme le méthane et le protoxyde d'azote, ont également pris de l'importance, le premier notamment à cause de l'agriculture. D'où un réchauffement global de la Terre. Selon les estimations les plus sérieuses, la température va augmenter de 1,4 à 5,8 °C d'ici la fin du XXIe siècle, entraînant une modification du climat de la planète.

Le gaz carbonique (aussi appelé dioxyde de carbone) est pourtant un gaz de vie. Sans lui, nous ne pourrions pas respirer. Incolore et inodore, il est difficile à mesurer. Paradoxalement, en Europe, de 70 à 90 % des émissions de gaz carbonique proviennent de la combustion des carburants d'origine fossile (charbon, mais surtout pétrole).

Moins connu que le gaz carbonique, le méthane est aussi un gaz a effet de serre non négligeable. Certes, il y en a 150 fois moins dans l'atmosphère, mais comme il absorbe 20 à 30 fois plus de rayonnements infrarouges que le CO$_2$, sa part dans le phénomène d'effet de serre atteint les 20 %. Les zones arctiques recèlent de grandes quantités de méthane dans le permafrost (c'est-à-dire la partie souterraine du sol gelée en permanence). L'augmentation des températures prévue, nettement sensible dans cette partie du monde, conduira à la fonte d'une partie de ce permafrost, et donc à la libération d'une grande quantité de méthane dans l'atmosphère. Ce qui ne fera qu'accroître l'effet de serre. Douloureuse perspective pour notre planète… ∎

...a faire fondre les glaciers

rature de l'eau, le volume de celle-ci tend à s'accroître. C'est cette expansion volumétrique, lente mais inexorable, qui va jouer, dans les décennies à venir, le premier rôle dans cette montée des eaux.

La fonte des calottes glaciaires et des glaciers (eau douce) tiendra le second rôle : elle n'explique qu'environ 20 % de l'augmentation du niveau des mers constatée de nos jours. Cette fonte n'est par ailleurs pas toujours directe : si, depuis 150 ans, les glaciers alpins reculent, c'est d'abord parce que le réchauf-

fement a fait diminuer l'enneigement de 25 %. La fonte directe de la glace sous l'effet de la chaleur n'est enregistrée que depuis peu.

Pour ce qui est de la banquise (glace d'eau de mer), qui augmente en hiver et régresse en été, la fonte n'affectera pas le niveau des mers. C'est le « paradoxe du glaçon » : mettez un glaçon dans un verre d'eau et laissez-le fondre, vous verrez que la hauteur de l'eau dans le verre n'augmente pas. Il en va de même pour une banquise fondant dans l'eau de mer. ∎

L'ANTARCTIQUE EST-IL EN TRAIN DE FONDRE ?

C'est la grande question que l'on commence à se poser en haut lieu. Des morceaux gigantesques de la calotte glaciaire antarctique se sont récemment détachés, certains atteignant la superficie de la Corse ! Est-ce dire que le grand continent blanc est appelé à disparaître ? On n'en est pas encore là. Dans l'ouest de l'Antarctique, il faudrait une augmentation des températures de 8 °C pour que cette région contribue à une élévation de 3 mm/an du niveau des eaux. Pour que les glaces de cette région disparaissent totalement, il faudrait une augmentation de 10 °C… et plusieurs millénaires. Quant à la fonte totale de la partie orientale de l'Antarctique, il faudrait bien plus de temps encore et une augmentation de la température de 20 °C. Des conditions qu'aucun scénario n'est en mesure de réunir pour l'instant.

Chapitre II

Le bonheur est dans le pré

Un **binage** vaut deux **arrosages**

Jusqu'au début du XXᵉ siècle, quand il fallait au printemps nettoyer les champs, les propriétaires engageaient des journaliers. Équipés de binettes, ils sarclaient les mauvaises herbes en respectant les jeunes tiges des céréales. Et cela permettait de beaucoup économiser sur l'arrosage…

Habit de Jardinier,
Paris, Chez N. de l'Armessin Rue S. Jacq à la Pôme d'or.

Aujourd'hui, dans les pays riches, les désherbants chimiques ont le plus souvent remplacé les outils manuels et les tâches répétitives. Mais le binage garde pourtant des adeptes. Car une binette bien affûtée peut non seulement couper les mauvaises herbes, mais aussi les déraciner. Par ailleurs, le binage permet de briser la croûte superficielle du sol qui se forme à la suite des arrosages et des précipitations. Pour cette raison, il est conseillé de le pratiquer quarante-huit heures après une forte pluie. L'air comme l'eau pénètrent alors plus facilement la terre meuble pour parvenir jusqu'aux racines des plantes. Autre vertu du binage : la remontée de l'eau par capillarité va se trouver réduite et l'évaporation divisée par deux. Ces principes anciens trouvent aujourd'hui leur application dans l'emploi des bineuses produites industriellement – bineuses thermiques ou électriques pour travailler la terre des jardins et imposantes machines destinées aux professionnels de l'agriculture. ■

Plantez **vos melon**

Nos ancêtres ne cultivaient pas le sens de l'uniformité qu'a imposé aux paysages l'agriculture du XXᵉ siècle. Leurs potagers mêlaient toutes sortes de plantes de tailles différentes, à l'instar des foisonnants jardins paysans ou des proverbiaux jardins de curé.

Autrefois, les paysans et les jardiniers reproduisaient sur leur terre, en y mélangeant diverses plantes, ce qu'ils observaient en milieu naturel. Les associations qu'ils pratiquaient ne devaient cependant rien au hasard. Elles tendaient au contraire à favoriser au maximum la croissance des végétaux qu'ils sélectionnaient. Cette pratique des cultures associées, qui reste très répandue dans les oasis et en milieu tropical, effectue aujourd'hui son grand retour dans nos potagers.

Pour augmenter le rendement d'une petite parcelle, son propriétaire doit faire cohabiter des plantes qui s'accordent entre elles. Il faut par exemple veiller à associer des fruits ou des légumes qui ont des besoins nutritifs similaires, comme les carottes et les haricots, ou des exigences d'humidité comparables, comme

Qui sème clair récolte épais

Tout jardinier a tendance, pour se rassurer, à mettre trop de semences. Pourtant, nos aïeux savaient qu'une plante a surtout besoin d'espace pour s'épanouir.

Pour ne pas faire pousser de rachitiques radis ou de malingres carottes, il est sage de faire attention à la quantité de semence apportée. Transmis de génération en génération, ce conseil plein de bon sens s'adresse aux jardiniers qui seraient tentés de mettre plus de graines pour augmenter leur récolte. Or trop semer est loin d'être rentable et s'avère même contre-productif. Pour un rendement optimal, un végétal a en effet besoin d'espace pour s'étendre et il doit aussi bénéficier de suffisamment d'eau, de lumière et d'éléments nutritifs.

Aux agriculteurs et aux jardiniers de trouver le bon équilibre pour obtenir le maximum de production tout en perdant le moins de place possible entre les plants. Depuis plusieurs années, des expérimentations sont menées afin de trouver pour chaque culture la distance de plantation la plus appropriée. Il a ainsi été admis que le meilleur rendement pour le maïs correspondait à une distance de 13 cm entre deux pieds d'une même rangée. Pour les céréales, la rentabilité optimale est mesurée en pieds par mètre carré – elle tourne autour de 200 pour le blé. En ce qui concerne le potager, il faut également trouver les distances idéales. Pour certains légumes comme les betteraves, les jardiniers ont parfois recours à un semis serré (les graines se touchent) pour produire de petits plants. Ces plants seront ensuite repiqués à une distance suffisante les uns des autres pour laisser aux racines la place de s'épanouir. Il est donc important de suivre les conseils donnés sur les emballages de graines et qui précisent la quantité à apporter et/ou l'espacement nécessaire. Pour les agriculteurs, des semoirs très perfectionnés permettent d'obtenir des rendements optimaux grâce au réglage au millimètre près de l'écartement des semis. ■

▲ *L'écartement des plants de maïs est précisément calculé, au demi-centimètre près, afin de maximiser les rendements en fonction des conditions de culture.*

à proximité de vos courgettes

les choux et les épinards. Aligner des plantes de tailles différentes a aussi une raison d'être. Ainsi, les anciens Amérindiens semaient d'abord du maïs, puis des haricots, afin que le premier serve de tuteur aux seconds. L'expérience apprend en outre à éviter les rapprochements entre plantes dites ennemies. Ainsi, le fenouil ralentira le développement de tous les autres légumes, hormis le poireau et le céleri. D'autres plantes favorisent en revanche la croissance de leurs voisines. Les melons gagneront à être plantés à proximité de radis, de maïs ou de courgettes, tandis que les choux apprécieront la compagnie des betteraves, des concombres et des pommes de terre. Des associations très subtiles aboutissent même à l'amélioration des saveurs de certains produits. Ainsi, la proximité de l'ail donnera un goût plus prononcé à la betterave et celle du basilic produira le même effet sur la tomate. D'autres permettent de former de véritables réseaux d'entraide. Les plantes aromatiques, par exemple, éloignent les insectes ravageurs de leurs victimes en perturbant leur système olfactif par la sécrétion de substances chimiques. Le thym, la sauge ou la menthe tiennent ainsi à distance la piéride du chou ; le romarin, l'oignon, la sauge et la coriandre découragent les assauts de la mouche de la carotte. À l'inverse, la capucine, en attirant les pucerons, les empêchera de nuire aux autres végétaux du jardin. Quant aux légumineuses (trèfle, luzerne, lupin…), elles fixent l'azote de l'air et le retiennent dans leurs racines, pour le plus grand profit des autres espèces. ■

COPIER LA NATURE

Pour fabriquer de nouveaux pesticides, la science s'inspire des substances que les végétaux élaborent pour se défendre. Le champignon *Strobilurus* est ainsi à l'origine de la strobilurine, aujourd'hui le fongicide le plus utilisé au monde. De même, les pyréthrinoïdes, des insecticides, sont l'imitation du pyrèthre, produit par certains chrysanthèmes. Plus récemment, un nouvel herbicide, le Callisto, s'est inspiré d'une substance issue des racines de *Callistemon citrinus*, un arbuste aux fleurs très décoratives qui empêche d'autres végétaux de pousser à proximité.
Oui, l'homme copie la nature, mais en libérant des molécules polluantes et toxiques...

Au moins, quand on jardine, c'est bio !

Ah ! les tomates du jardin, enfin du pur, du sain, du bio ! Sauf lorsque les envies de nature se transforment en pollution aux pesticides…

Les légumes du jardin ressemblent aux bons légumes de nos grands-mères : ils ont du goût, sentent le naturel et ce sont des aliments sains !

Pour deux jardiniers sur trois, jardiner est une façon de redécouvrir la nature et le meilleur moyen de manger des fruits et des légumes sains. Pourtant, sur les 13 millions de jardiniers amateurs en France (60 % des foyers possèdent un jardin), près de la moitié emploient des produits phytosanitaires, soit 10 000 tonnes de pesticides par an, c'est-à-dire 10 % des pesticides employés par l'agriculture, estimée responsable d'un quart de la pollution des eaux. Les trois quarts de ces produits, surdosés et appliqués sans tenir compte des conditions climatiques

BIEN UTILISER LES PRODUITS CHIMIQUES

Si on tient à utiliser des produits chimiques pour traiter le jardin, plusieurs précautions s'imposent. Il faut stocker ces produits dangereux dans une armoire fermée et respecter les dosages prescrits. Pour éviter les projections sur la peau, combinaison imperméable, bottes, gants et masque s'imposent. Et autant se placer dos au vent. Mieux vaut d'ailleurs éviter le vent (dissémination), la pluie (le produit ruisselle sans être efficace), les fortes chaleurs (évaporation) et les pulvérisations sur les pentes. Enfin, il faut rincer le matériel et les emballages sur la surface à traiter, pour éviter de rejeter des déchets toxiques ailleurs.

ou topographiques, se diffuseraient ainsi directement dans l'environnement, contribuant à déséquilibrer les milieux et à intoxiquer les chaînes alimentaires. On les tient aussi pour responsables de la destruction des agents pesticides naturels que sont, par exemple, les coccinelles. Par ailleurs, les excès d'engrais peuvent rendre les plantes plus sensibles aux maladies. Tous ces produits chimiques sont par ailleurs toxiques pour leurs utilisateurs et restent à l'état de traces dans les fruits et légumes.

Bref, le jardinage n'a rien à voir avec l'agriculture biologique, qui prohibe l'utilisation de substances de synthèse en vue de préserver l'environnement. Mais n'oublions pas que l'agriculture biologique intègre des méthodes applicables au jardin. En mélangeant déchets ménagers et débris de jardin, frais ou secs, on peut par exemple réaliser soi-même un compost. Vers de terre et micro-organismes vont le digérer en quelques mois : ce sera alors un engrais naturel parfait (pas plus de 1 à 5 kg/m^3). Autre geste : le paillage. Pour étouffer les mauvaises herbes, mais aussi conserver l'humidité de la terre en été, on peut recouvrir le sol entre les rangs avec des copeaux, du lin ou de l'herbe, ou réaliser un mulch en laissant l'herbe tondue sur le sol. Dans le domaine des produits destructeurs, les purins (plantes macérées dans l'eau) d'ail et d'ortie sont souverains contre les acariens et les pucerons ; celui de fougère, contre les cochenilles. La nicotine ou la fleur du pyrèthre, une plante voisine du chrysanthème, sont également d'excellents insecticides naturels. Le cuivre et le soufre ont quant à eux des propriétés fongicides bien connues des vignerons (la bouillie bordelaise) contre le mildiou et la tavelure des fruits.

Enfin, n'oubliez pas nos amis animaux : lorsqu'il ne sont pas empoisonnés, taupes, oiseaux, araignées, crapauds peuvent avaler quantité d'insectes et de limaces. Pensez à les préserver ! ■

Mauvaise

Hantise des cultivateurs et des jardiniers, les mauvaises herbes ont le défaut de se multiplier et de jouer les pique-assiette sans être invitées. Portrait d'opportunistes de choc, à déloger avec raffinement.

Dent-de-lion, gaillet gratteron, chiendent, rumex (« pointe de dard » en latin), chardon des champs, ortie, pissenlit : leur nom révèle le peu de sympathie qu'on leur porte. Mais pour peu qu'elles soient jolies, les appellations sont plus douces : adonis d'été, miroir-de-Vénus, pensée des champs, renouée des oiseaux, véronique, liseron, coquelicot, pâquerette, bouton-d'or, queue-de-cheval, folle avoine… Depuis les débuts de l'agriculture, l'homme connaît par cœur ces plantes banales, mais nuisibles, adaptées à l'éco-

herbe croît toujours

système cultivé au point d'en devenir les ennemies intimes. Avides de lumière, donc de terres en friche, mais aussitôt délogées, ces pionnières ont rapidement adopté des stratégies de défense. La nielle des blés ou le riz adventice, par exemple, miment la plante cultivée en se développant au même rythme : à maturité, ils seront fauchés avec elle, et pourront facilement se disséminer ou seront replantés avec les semences l'année suivante. D'autres peuvent mettre leurs graines en dormance pendant vingt ans. Les plus sournoises, comme le chiendent ou la stellaire, ont choisi la résistance en formant des réseaux de rhizomes (tiges souterraines) qui se multiplient lorsqu'on les coupe ! Le séneçon vulgaire se réimplante à partir d'un bourgeon : une plaie pour la vigne. Autre exemple, les opportunistes, comme la bourse-

à-pasteur. Pour survivre, elles germent vite et se dépêchent de fleurir pour se reproduire, ou prennent le temps de grandir suivant les cas. Quant aux pâquerettes, plus basses que les autres, elles se sont simplement adaptées à la tonte !

Cette capacité d'adaptation à l'environnement a permis aux mauvaises herbes de suivre les cultures à travers les climats et les continents. Et, sans relâche, de leur faire concurrence pour la lumière, l'eau, les minéraux nutritifs. Ces adventices peuvent aussi servir de relais aux ravageurs et aux champignons. Ainsi, au Soudan, une cinquantaine de mauvaises herbes donnent refuge à *Bemisia tabaci*, ravageur du cotonnier. Lors de la récolte, elles bourrent également les machines, se mélangent aux graines… ou retournent dans le sol pour mieux germer ensuite. Dans les pays en

développement, ces pertes dues aux adventices représentent 25 % de la récolte, contre 5 % dans les pays développés.

Pour lutter contre ces indésirables, l'homme a créé les herbicides de synthèse, efficaces mais pouvant induire des résistances. Ils sont aussi peu biodégradables et toxiques pour l'environnement. Bien conduites, certaines pratiques peuvent amener à se passer de ces produits (comme dans l'agriculture biologique). Si le sol est suffisamment recouvert toute l'année, la lumière ne passe pas et les mauvaises herbes ne peuvent proliférer. Pour ce faire, on peut recouvrir le sol de paille, faire alterner les cultures avec des plantes à larges feuilles comme

les cucurbitacées (courge, etc.), faire pousser de la moutarde sur les sols nus d'hiver, ou encore semer serré du sarrasin en juin (d'autant que ses profondes racines bloquent l'alimentation des mauvaises herbes). Un labour précoce (méthode du faux semis) permet de faire lever les plantes indésirables et de les détruire avant de lancer la culture. La succession de différentes cultures entrave également le développement des mauvaises herbes spécifiques. Et si l'on ne supporte toujours pas l'épinard sauvage, l'ortie ou le pissenlit, autant leur faire un sort gastronomique : la cuisine aux mauvaises herbes, c'est tendance ! ∎

◄ *Ces jacinthes d'eau, qui obstruent un lac à Llanos (Venezuela), sont une plaie à l'échelle du globe. Non seulement elles empêchent la navigation et étouffent les biotopes aquatiques, mais le poids de leurs colonies rend les eaux vives suffisamment stagnantes pour accueillir les moustiques vecteurs du paludisme.*

Il n'y a pas meilleur engrais que le fumier

Dès la plus haute antiquité, les sols où poussaient les céréales étaient fertilisés par les déjections du bétail. Au Moyen Âge, ce matériau était devenu si précieux que l'abbé de Saint-Denis acceptait de ses paysans qu'ils paient leur redevance avec des pots de fiente de pigeon !

L'utilisation du fumier, mélange de diverses déjections animales, se confond avec les origines de l'élevage et de l'agriculture. Souvent associé à la paille et aux chaumes, il est resté jusqu'au XIXᵉ siècle l'unique moyen de fertiliser les sols. Avec en moyenne 5 à 6 g d'azote, 2 à 3 g de phosphore et 6 à 9 g de potassium par kilo, il recèle les éléments essentiels à la croissance des végétaux. Avec la croissance démographique, l'évolution des connaissances agronomiques et les progrès de l'industrie chimique, il a largement été supplanté par les engrais artificiels, qui présentent l'avantage de contenir des éléments nutritifs adaptés aux exigences de l'agriculture intensive. Ceux-ci sont en outre directement assimilés par les plantes aux moments et aux doses désirés, tandis que le fumier met plusieurs années à libérer ses propres substances minérales. Malgré ces différents inconvénients, il conserve des avantages sur les fertilisants chimiques en raison de son rôle bénéfique sur la structure et la qualité des sols. Cet atout irremplaçable en fait un partenaire privilégié de l'agriculture extensive, qui combine culture et élevage, et de l'agriculture biologique, qui bannit tous les fertilisants susceptibles de porter atteinte à l'environnement. ■

FUMIER ET COMPOST

Déjà connue des Mésopotamiens, comme l'attestent des tablettes d'argile gravées sous l'Empire akkadien (v. 2300-2100 av. J.-C.), la technique du compostage s'inspire de ce qui se produit en milieu naturel. En forêt, par exemple, les feuilles et les branchages tombés à terre nourrissent le sol en se décomposant. Ce mélange de résidus végétaux, ou compost, s'enrichit au fil du temps de matériaux divers, susceptibles de fournir à la terre des substances minérales. On peut aussi lui apporter divers éléments fertilisants : tontes de gazon et marc de café (riches en azote), cendres de bois (potasse), os et coquilles d'œuf (calcium), paille (carbone). Parfois mélangé à du fumier et recouvert de terre, le compost doit être mis en tas dans un milieu aéré et humide et fermenter au minimum six mois avant d'être incorporé au sol. On obtient ainsi un produit peu odorant et facile à stocker (il perd la moitié de son volume en quelques mois), qui complète efficacement l'action fertilisante du fumier.

La jachère

Pendant six années, tu sèmeras la terre et tu en recueilleras le produit. Mais, la septième, tu la laisseras en jachère et tu en abandonneras les fruits (Exode, chap. 23). Depuis la nuit des temps, l'homme a pratiqué la jachère, qui, pendant des siècles, a organisé les paysages.

Le principe biblique selon lequel tout ce qui participe de la Création doit se reposer s'applique également à la terre agricole. Pour accomplir sa fonction nourricière, cette dernière doit cesser de produire à intervalles répétés, afin de se régénérer. Partant sans doute d'observations essentiellement empiriques, les Grecs pratiquaient pour leur part une jachère biennale (une année sur deux), en alter-

Année de sécheresse n'a jamais provoqué disette

La véracité de cet adage populaire s'est souvent vérifiée au cours des siècles. Les années pluvieuses, en revanche, peuvent avoir des conséquences désastreuses sur les récoltes.

Le monde paysan a été de tout temps confronté à des aléas climatiques extrêmes, aux effets souvent ravageurs sur les récoltes et sur sa propre survie. Mais, contrairement à ce que l'on pourrait croire, la sécheresse vaut mieux que la pluie. Des épisodes de forte chaleur sont même à l'origine de bonnes récoltes de blé, de vendanges précoces, souvent abondantes et de qualité, ou encore d'un durcissement du bois. Ils ont donc souvent été synonymes d'années prospères pour les paysans, à condition de ne pas se prolonger. Dans ce cas, la population pouvait souffrir de

« disettes de chaleur », dont les conséquences étaient en général moins graves que celles des « famines de pluie ». Le proverbe gascon « année de foin, année de rien » en rend d'ailleurs compte : quand la récolte en fourrage est bonne, c'est-à-dire que de fortes précipitations ont permis une bonne pousse de foin, les autres moissons seront maigres. Une grande quantité de pluie n'est, en effet, pas propice au développe-

ment des autres végétaux. Lorsque les précipitations sont continuelles, elles empêchent d'abord l'agriculteur de creuser des sillons dans lesquels placer la semence, ce qui occasionne des retards de semis et donc une baisse du rendement. Un sol détrempé ou mal drainé entraînera l'asphyxie des racines, qui pourriront. La récolte est alors perdue. Il se peut encore que lors des moissons les mauvaises

herbes et l'ivraie, moins sensibles aux intempéries, aient recouvert les surface cultivées.

Ces épisodes de précipitations intenses ont donc régulièrement été à l'origine de mauvaises récoltes céréalières et, par là, de graves famines, telles celles qui ont marqué le Moyen Âge. En Europe, la longue durée des pluies de printemps et d'été a constitué la principale cause de famine aux IXe et Xe siècles. De la même façon, les pluies désastreuses du printemps et de l'été 1315 provoquèrent la grande famine que ce continent connut les années suivantes. ∎

repose les sols

nance avec la culture du blé. Les terres laissées au repos étaient fertilisées par les déjections du bétail, qui leur fournissaient les matières minérales utiles à leur reconstitution. Adapté aux régions arides et aux sols pauvres, ce système de jachère perdura en Europe du Sud jusqu'au XIXe siècle. Les Celtes avaient recours à un système de rotation des cultures qui, poussé à l'extrême, pouvait donner une alternance de terres cultivées sur quatre ans et de jachère sur douze ans. La terre épuisée reconstituait alors ses réserves nutritives. Transformée en prairie spontanée, elle recevait des apports d'azote et de phosphore provenant des plantes et du fumier.

Au Moyen Âge, le système de la jachère triennale aboutit à un accroissement de la production agricole. Il fut institutionnalisé au XIIIe siècle, quand l'assolement triennal fut rendu obligatoire. Mettant à profit des précipitations devenues régulières, il reposait sur un système de répartition saisonnière des

cultures. Divisées en trois parcelles, les terres cultivables produisaient en alternance des céréales de printemps (avoine, orge) et des céréales d'hiver (blé, seigle), puis étaient mises en jachère. Son extension en Europe occidentale et septentrionale permit de doubler la production de céréales et d'accroître d'un sixième, sur une centaine d'années, les surfaces cultivées. Au début du XVIIe siècle, l'agronome Olivier de Serres recommanda de remplacer la jachère morte par une prairie artificielle (plantation de luzerne, de sainfoin), afin d'obtenir l'année suivante de meilleures récoltes et d'offrir plus de nourriture au bétail. Cette technique, ainsi que la culture des légumineuses (fèves, lentilles, pois), reçut le nom de jachère cultivée.

Avec le développement de la monoculture intensive, la jachère disparut quasiment du monde occidental. Or, depuis les années 1990, elle opère un retour paradoxal en Europe. C'est en effet pour limiter la surproduction

▲ *L'assolement triennal dans les* Très Riches Heures *du duc de Berry (début du XVe siècle).*

agricole dans l'Union européenne que la PAC (politique agricole commune) a institué un système de jachère obligatoire, dont le taux est fixé chaque année. En contrepartie, les agriculteurs reçoivent des primes à l'hectare pour les céréales et les oléagineux. Et le repos permet de ménager la structure des sols. ∎

On peut faire verdir le désert

Dans le Kyzylkoum, désert de l'Ouzbékistan et du Kazakhstan, des cités-oasis aujourd'hui en ruine connurent une existence prospère grâce à l'irrigation. Au Sahara, les routes des caravanes passaient par des oasis gigantesques. Avec des moyens dérisoires, l'homme a su faire verdir le désert.

Il y a environ 3 000 ans s'élevait, près de la cité de Ma'rib (Yémen), un barrage long de 620 m et haut de 16. Retenant les eaux du wadi Dahana et recevant les pluies des moussons, il permettait, grâce à un réseau complexe de canaux d'irrigation, de cultiver près de 10 000 ha d'oasis et de nourrir une dizaine de milliers de personnes. Sa rupture, en 572, restitua la région au désert d'Arabie et signa la mort du royaume de Saba.

Autre lieu, autre époque. Occupé à plus de 50 % par des zones désertiques, Israël n'évoque que très imparfaitement la « terre de blé, d'orge, de vignes, de figuiers, d'oliviers et de dattiers » décrite dans l'Ancien Testament. Et pourtant, çà et là, des poches de culture jalonnent le désert du Néguev. On y cultive des fruits et des légumes et on y produit du vin, grâce à l'eau acheminée depuis le nord du pays et à un système de goutte-à-goutte géré par ordinateur. Exigeant trois fois moins d'eau que l'irrigation classique, cette technique a permis de doubler la production alimentaire du pays en vingt ans, sans pour autant augmenter sa consommation d'eau. Nécessitant d'importants investissements, le goutte-à-goutte n'est cependant utilisé que dans un nombre limité d'États (Chili, Arabie saoudite, Égypte, Liban). Outil miracle, l'irrigation doit être parfaitement maîtrisée sous peine d'entraîner des effets pervers. Ainsi, la dérivation d'une grande partie des eaux fluviales de l'Amou-Daria et du Syr-Daria (fleuves de l'Asie centrale), pour irriguer riz et coton, a provoqué une importante baisse des nappes phréatiques et la désertification de zones autrefois fertiles. En Libye également, le pompage intensif de réserves aquifères enfouies sous le Sahara laisse présager leur tarissement à court terme. Plus globalement, on estime que 25 % des cultures de céréales de la planète sont menacées par l'épuisement des eaux souterraines qui les alimentent. ■

Les volcans sont fertiles

De tout temps, les hommes se sont installés aux abords des volcans, au mépris du danger, pour bénéficier d'un sol quasi miraculeux. Les habitants de Pompéi faisaient ainsi pousser des vignes dans le cratère du Vésuve avant son éruption, en 79.

C'est vrai, les alentours des volcans sont extrêmement appréciés des agriculteurs. Et pour cause : la terre y est d'une fertilité sans égale. Aux Philippines, pays jonché de volcans comme le Pinatubo, Mayon ou le Taal, et grâce à un bon système d'irrigation, les hommes récoltent le riz tous les cinq mois. Au Viêt Nam, avec le même arrosage, sous le même climat, mais sans volcan, six mois sont nécessaires entre deux récoltes.

En quoi les monstres de feu modifient-ils le sol ? Grâce à leurs projections. Des fragments de verre, riches en fer, en magnésium et en potassium, jaillissent à chaque éruption. Certes, sur le coup, ils tuent toute la végétation. Mais peu à peu, ces particules s'altèrent et libèrent leurs précieux minéraux : c'est l'argilisation. Un don du ciel pour les plantes !

Bien sûr, quelques conditions sont nécessaires : un climat chaud et humide pour accélérer la dégradation des projections, qui doivent être de petite taille. Car les grosses coulées de lave sont trop compactes pour devenir fertiles. Ainsi, en Islande, pays du volcanisme, les sols restent stériles car il fait trop froid : les particules ne s'altèrent donc pas.

Le palmarès de la fertilité revient aux volcans sortis des mers chaudes. Éruption et argilisation sont en effet quasiment synchrones du fait de la chaleur et de l'humidité. La fertilisation est immédiate, la végétalisation rapide. Comment ? Des bois flottés apportent des graines, des oiseaux déposent des mousses, des bactéries. Sur les premiers lichens poussent des fougères puis des plantes rampantes. Comme en Indonésie, archipel dont l'exceptionnelle fécondité est due à l'alliance des volcans et des pluies tropicales, et où chaque éruption détruit les sols en en créant de nouveaux, mis en culture en quelques années. ■

▶ *Archipel surgi des eaux grâce au bon vouloir de la tectonique des plaques, les Canaries n'ont jamais connu la famine : le sol volcanique est si fertile qu'avec de simples aménagements et beaucoup d'eau, la vigne pousse sur le basalte.*

Les plantes ont besoin de terre

La culture sans terre, dite aussi hors sol, était déjà connue dans l'Antiquité. Elle fut à l'origine des jardins suspendus de Babylone et des jardins flottants de Chine, décrits par Marco Polo.

L'existence de techniques de culture hydroponique très anciennes a démontré que les plantes sont susceptibles de pousser dans toutes sortes de milieux, à condition qu'elles disposent des conditions propices à leur croissance. Il aura pourtant fallu attendre les travaux du grand chimiste Justus von Liebig, au XIXe siècle, pour réfuter l'idée d'Aristote selon laquelle les plantes sont nourries par le sol sur lequel elles poussent. Leur nutriment n'est pas non plus l'eau d'arrosage, comme l'affirmaient certains scientifiques du XVIIe siècle. Celle-ci sert d'abord à acheminer une partie des sels minéraux (azote, phosphore, potassium, soufre ou calcium) puisés dans le sol par les racines vers les feuilles, lesquelles piègent le carbone de l'air, leur aliment principal. Grâce à l'énergie solaire et à une réaction liée à l'eau (la photosynthèse), la plante assemble ces différents éléments pour façonner son propre matériel de construction, la matière organique, qui passe ensuite pour partie dans le sol. Ce dernier ne servant donc qu'à ancrer les végétaux et à stocker les sels minéraux, il est remplacé, dans le cadre de la culture hydroponique, par un substrat inerte d'origine le plus souvent minérale (sable, argile expansée, laine de roche, fibre de coco), dont la structure poreuse permet une bonne aération des racines et un drainage efficace. Quant aux plantes, elles se développent grâce à une solution nutritive, mélange d'engrais et d'eau, généralement fournie par une centrale qui gère cette alimentation au gré des conditions climatiques, de l'heure de la journée et de la maturité des intéressées.

Cette technique de culture, qui concerne aujourd'hui la majorité des légumes de serre, offre de multiples avantages. Elle permet de réduire l'espace de travail, d'obtenir des économies d'engrais et d'eau, de résoudre le problème des parasites et de diminuer la durée de croissance des plantes, facteurs qui aboutissent à des gains de production significatifs. Les tomates, par exemple. Leur rendement passe de 200 kg en moyenne à l'are (100 m²) en pleine terre à 1 500 kg, voire 7 400, hors sol !

Une telle rentabilité explique le succès de la culture hydroponique en Amérique du Nord et en Australie. En France, elle couvre environ 1 600 ha et, dans l'Union européenne, quelque 6 000 ha. Quant aux pays pauvres, ils doivent se contenter de leurs sols pauvres. ∎

▼ *Laitues hors sol dans un parc d'attractions de Disney, en Floride.*

LA COLONISATION DE L'ÎLE DE SURTSEY

Surgie des eaux le jeudi 14 novembre 1963, l'île volcanique de Surtsey fait depuis partie du paysage marin de l'Islande.

Le premier habitant de l'île est une roquette de mer (une fleur blanche) dès l'été 1965. Sa graine, flottante, a simplement traversé la mer. Peu à peu, des lichens, des fougères, des mousses, des plantes supérieures (comme les matricaires, les mertensias ou le pourpier de mer) occupent l'île. Leurs racines fixent ce sol fragile et le modifient, le rendant fertile pour de nouvelles espèces. L'eau et les oiseaux apportent respectivement 43 % et 47 % de ces colonisatrices.

Quant au vent, il est responsable de l'arrivée des 10 % restants. Mais ce n'est qu'au cours de l'été 1970 que Surtsey connaît ses premiers oiseaux natifs des lieux. Un couple de pétrels glacials et un autre de guillemots y construisent leurs nids. Actuellement, six espèces de volatiles s'y sont installées. Une aubaine, car leurs déjections enrichissent le sol. Des centaines d'espèces d'insectes, portés par le vent ou par d'énormes mottes de terre détachées d'autres rivages, sont déjà là. Les fonds sous-marins aussi sont colonisés : 34 espèces d'algues ont élu domicile là où le fond de l'océan était désert en 1963.

Le maïs nous vient des Mayas

De nombreuses statuettes mayas représentent une divinité dont la tête est ornée d'un ou de plusieurs épis de maïs entourés de feuilles. Il s'agit du dieu maya protecteur du maïs, Yum Kaax, symbole de la vie et de la résurrection...

▲ *Céramique de la culture Mochica (Pérou) représentant la déesse du Maïs.*

Apparus dans la péninsule du Yucatán, au Mexique, vers 2600 av. J.-C., les Mayas abandonnèrent le nomadisme un siècle plus tard environ, quand ils se mirent à cultiver le maïs. Grâce à un système d'irrigation complexe et au développement de la culture en terrasses, ils obtinrent des récoltes abondantes, et cette céréale, dont les épis revêtaient alors différentes couleurs, devint le pivot de leur vie économique.

Base de leur alimentation, le maïs servait à confectionner de la farine, de la bouillie, des galettes, une sorte de pâte sucrée extraite de ses tiges et une liqueur fournie par ses grains. L'importance du maïs dans la vie des Mayas lui conférait un caractère sacré. Chaque étape de maturation de ce cadeau des dieux faisait l'objet de célébrations religieuses. Le maïs était l'objet de tous les soins. Des offrandes étaient faites pour qu'il bénéficie de pluies favorables, ses champs étaient sarclés, ses prédateurs combattus. Ces attentions répondaient en outre à une exigence biologique – le maïs dépend en effet entièrement de l'homme pour sa croissance et sa reproduction.

La domestication du maïs ne fut cependant pas l'œuvre des Mayas. Apparue vers 5000 av. J.-C. dans le sud du Mexique, elle est le résultat d'une longue séquence de sélection de plants, commencée deux à trois mille ans auparavant. L'ancêtre probable du maïs est le téosinte, à partir duquel ces opérations furent réalisées. Le maïs fut ensuite introduit en Europe par Christophe Colomb, qui le mentionne pour la première fois dans son journal de bord sous le nom de *mahiz*, transcription d'un terme de la langue des Indiens Arawaks d'Haïti. Devenu *maíz* en espagnol, le maïs se répandit en Europe à partir de 1494 et atteignit le Moyen-Orient en 1520. En Amérique centrale, il demeure aujourd'hui encore l'aliment de base des populations descendant des Mayas. ■

Les Gaulois ont inventé le vin

Des fioles d'environ 7 000 ans, contenant des pépins de raisin fermentés, ont été mises au jour dans le Caucase et l'ancienne Perse. Plantée par Noé, la vigne a une histoire... antédiluvienne.

Au Ve siècle av. J.-C., les Phocéens plantèrent des vignobles à proximité de leurs comptoirs d'Agde et de Massalia. À cette époque, les vins grecs étaient cuits, additionnés de fruits, de miel, d'épices ou d'aromates, ainsi que de résine chargée d'assurer leur conservation. Très épais, ils étaient le plus souvent bus dilués. Par la suite, les Romains adoptèrent les mêmes procédés. Ils prirent en outre l'habitude de filtrer les vins et continuèrent à les couper. Ils élaborèrent aussi les techniques de la taille et de la greffe. Au IIe siècle av. J.-C., la production vinicole atteignit en Italie des sommets inégalés.

À cette époque, les Gaulois commencèrent à importer du vin, leur propre production étant encore peu développée. Puis, vers 50, les Bituriges Vibisques, établis dans la région de Gaillac, importèrent avec succès de l'actuelle Albanie un cépage adapté au climat pluvieux. Les Allobroges de la région de Vienne réussirent pour leur part à sélectionner une variété de vigne qui résistait aux gelées. Grâce à ces tentatives réussies, la culture de la vigne put s'étendre à l'ensemble du monde romain.

Les Gaulois n'ont donc pas inventé le vin. Mais ils ont inventé le tonneau. Apparues vers 50 av. J.-C., les barriques de bois cerclées de fer pouvaient contenir 1 000 litres. Ainsi conservé, le vin gaulois envahit l'Italie. Il menaça à tel point la production locale que l'empereur Domitien ordonna en 92 la destruction de la moitié du vignoble gaulois. Cet ordre ne sera que très imparfaitement exécuté... Finalement, c'est l'Église qui fit la richesse du vin français. En cultivant leurs propres vignobles, monastères et abbayes multiplièrent dès le début du Moyen Âge les crus et les terroirs. ■

La pomme de terre
fut découverte par Parmentier

Un soir de 1785, Antoine Parmentier osa demander à Leurs Majestés Louis XVI et Marie-Antoinette de ne dîner que de « parmentière ». Ce légume, bientôt connu sous le nom de pomme de terre, ne se popularisa cependant vraiment qu'à partir de 1789, lors d'une sévère disette.

Devenue l'un des aliments de base des Français au XIXᵉ siècle, la pomme de terre avait cependant été introduite trois siècles auparavant en Europe. Les Espagnols l'avaient en effet rapportée d'Amérique du Sud, où elle était cultivée par les Incas sous le nom de *papa* depuis environ 7000 av. J.C. Présente à l'état sauvage sur le littoral péruvien, elle se répandit une fois domestiquée sur les hauts plateaux andins. Elle passa en Espagne à bord des galions, puis en Italie, et fut introduite par des marins anglais en Grande-Bretagne. De là, elle gagna l'Irlande, où elle commença à être cultivée au XVIIᵉ siècle, puis la Lorraine et l'Allemagne.

En France, elle fut semble-t-il plantée pour la première fois en 1600 par Olivier de Serres, qui la nommait « cartoufle ». Malgré quelques autres tentatives, elle ne connut guère de succès – improprement préparée, elle n'était pas appréciée. En raison de sa ressemblance avec d'autres plantes de la même famille, on lui prêtait des propriétés hallucinogènes. Comme elle n'est pas mentionnée dans la Bible et qu'elle pousse facilement, on la considérait même comme une création du diable, l'accusant en outre de donner la lèpre...

Étudiée par les botanistes et les pharmaciens, qui lui attribuent les vertus les plus diverses, elle intéresse aussi les paysans, qui l'utilisent pour nourrir le bétail. En 1757, pendant la guerre de Sept Ans, Antoine Augustin Parmen-tier, jeune pharmacien militaire, est fait prisonnier par les Prussiens. Au cours de sa captivité, il découvre les propriétés nutritionnelles exception-nelles de l'*Erdapfel*, la pomme de terre, qui constitue son ordinaire. De retour en France, il participe à un concours portant sur les végétaux susceptibles de remplacer en cas de disette les aliments de base de la population. Sa thèse, consacrée comme celle de sept autres candidats à la pomme de terre et à ses modes de préparation, rem-porte le premier prix. Afin de vaincre les préventions qui entourent ce légume, il multiplie, avec l'aide de Louis XVI, les initiatives. Quand le roi lui octroie 2 ha de terrain à Neuilly pour réaliser des plantations, il les fait garder le jour par la troupe, espérant ainsi susciter les convoitises noctur-nes. Son pari réussit : *Chaque larcin fait un nouveau prosélyte à la culture et à l'emploi de la pomme de terre.* Alors qu'elles n'occupent que 5 000 ha en 1793, les plantations de pommes de terre en couvriront 1 500 000 un siècle plus tard. ∎

▼ *Vendeur de pommes de terre sur un marché de Pisac, au Pérou. Chacune des nombreuses variétés est adaptée à un type de cuisson.*

Les OGM
sont dangereux

Agronomie, écologie, santé, économie : espoir pour les uns, angoisse pour les autres, les organismes génétiquement modifiés divisent avec passion experts et consommateurs.

Plus productifs, plus résistants : dès la domestication, agriculteurs et éleveurs ont sélectionné les plantes et les animaux en cherchant à améliorer leurs qualités. La sélection est ensuite passée aux mains des agronomes dans des organismes spécialisés. Lesquels, depuis la fin des années 1980, se sont résolument tournés vers les organismes génétiquement modifiés (OGM).

Du colza résistant aux herbicides, du riz enrichi en vitamine A, des saumons résistant au froid qui grandissent deux fois plus vite, du tabac qui produit de l'insuline, du coton plus doux grâce à un gène de lapin : les chercheurs en biotechnologie arrivent à créer d'étranges variétés en insérant artificiellement dans le patrimoine génétique d'une espèce existante un gène utile provenant d'une autre espèce. Cette modification du génome, ou transgenèse, d'abord appliquée aux bactéries pour des usages industriels, a gagné les plantes puis les animaux ; les expérimentations, qui ont commencé en laboratoire à partir de 1983, se poursuivent aujourd'hui dans les champs. Cultivés activement en Amérique du Nord, plus prudemment en Europe, les organismes génétiquement modifiés gagnent les pays en développement, notamment en Amérique du Sud.

Pour la compagnie américaine Monsanto, qui commercialise des plantes résistant aux herbicides et aux insecticides qu'elle-même produit, les OGM signifient « nourriture, santé, espoir ». En effet, la modification génétique d'une plante peut théoriquement améliorer sa résistance (au froid, à la sécheresse, aux insecticides, aux herbicides, à un insecte, à une maladie...), ses qualités gustatives, nutritionnelles, sa conservation et même produire des molécules importantes pour la santé humaine (la lipase pancréatique, par exemple, indispensable aux personnes handicapées par la mucoviscidose). Les rendements et la rentabilité agricoles pourraient aussi augmenter, sans affecter l'environnement et en améliorant la qualité des produits. Plus de famine dans les pays pauvres, une production accrue et de meilleurs aliments dans les pays riches...

Mais créer des chimères n'est pas sans dangers. Si le gène transféré dans une espèce se transmet à des plants non modifiés de la même espèce, le risque est grand d'assister à la destruction de cette espèce façonnée par des siècles d'agriculture et étroitement adaptée aux conditions locales (tel le maïs). L'introduction du gène Terminator (stérilisateur) viserait à empêcher cette transmission. Mais comme il est associé au brevet de l'OGM, les paysans doivent racheter systématiquement leur semence, ce qui les lie économiquement aux multinationales de la biotechnologie.

Dans le cas où le gène se transmet à des plantes sauvages d'autres espèces, il peut rendre indestructibles des plantes indésirables, comme cela est arrivé pour des mauvaises herbes du colza et du soja. La toxine produite par un OGM pour nuire à certains insectes peut également tuer d'autres insectes – comme l'a fait un maïs génétiquement modifié sur la chenille du monarque. Par ailleurs, des études menées au Canada et aux États-Unis montrent que les OGM induisent plutôt une stagnation, voire une augmentation des traitements pesticides.

Les OGM peuvent aussi poser problème pour la santé humaine. Des gènes introduits risquent d'affecter les personnes allergiques, comme l'a récemment fait un gène de noix placé dans un soja non commercialisé. Des gènes de résistance aux antibiotiques (introduits dans le maïs Bt pour vérifier le succès de la transgenèse) pourraient aussi se transmettre aux animaux, dont l'homme, rendant certains soins impossibles. Et seules des études à long terme peuvent évaluer les risques... Quant à nourrir le monde, une étude de 2003 sur le coton évoque un rendement presque doublé, alors que pour le soja les rendements augmenteraient au mieux de 10 %. ■

LES OGM POURRONT-ILS SE PASSER D'INSECTICIDES ?

Certains organismes génétiquement modifiés ont la capacité de résister à un insecte ravageur en synthétisant eux-mêmes une protéine toxique. Un espoir de se passer des pesticides industriels ? Pas forcément. Certes, un tel OGM pourrait éviter de tuer les prédateurs de l'insecte incriminé, et favoriser une meilleure régulation des populations de ravageurs. Mais un OGM n'est résistant qu'à un seul ou une poignée d'insectes : il doit encore se protéger contre les autres. Utiliser un OGM résistant à un insecte suppose donc de lui associer d'autres moyens de protection des cultures.

D'autre part, la molécule délivrée par la plante risque d'entraîner la sélection d'insectes résistants. Comme tous les insectes qui ont consommé la plante transgénique ont été en contact avec la toxine, le risque est plus grand qu'avec un insecticide chimique. Se reproduisant très vite, les insectes (et d'autant plus les virus et les bactéries) peuvent rapidement opérer des mutations génétiques avantageuses pour eux : ils possèdent une capacité d'adaptation étonnante. La lutte serait alors rendue encore plus difficile.

Les vaches sont devenues folles parce qu'on les a rendues carnivores

▲ *Froment transgénique cultivé en tube à essais. Les céréales intéressent beaucoup les chercheurs en OGM, de par leur importance commerciale et leurs qualités nutritives.*

LA SÉLECTION ASSISTÉE PAR MARQUEURS

Deux fois plus rapide que la sélection classique, la sélection par marquage des gènes utiles au sein de l'espèce est une alternative aux OGM, moins médiatique, mais efficace et beaucoup moins risquée. Cette méthode se base sur la présence de molécules proches des gènes contrôlant les caractères recherchés dans le génome de la plante ou de l'animal. En effet, même si les gènes ne sont pas identifiés, leurs marqueurs moléculaires sont facilement repérés sur une carte génétique : on peut les visualiser à partir d'échantillons d'ADN de plantes très jeunes. Ainsi, le sélectionneur peut remarquer les plantes intéressantes dans la descendance d'un croisement sans attendre les résultats des essais de culture (taille, qualité, résistance…). Par ce moyen, on améliore la qualité du colza et, à Angers, l'Inra crée des variétés des pommes résistant à la tavelure, une maladie due à des champignons microscopiques.

En 1998, l'affaire de la vache folle nous a fait découvrir que nos vaches étaient nourries aux farines animales…

Les farines animales, dites aussi de protéines carnées, sont, comme leur nom l'indique, des farines constituées de restes d'animaux abattus, de viandes avariées ou de carcasses d'animaux d'équarrissage. Peut-on pour autant qualifier de carnivore un animal qui en consomme ?

En zoologie, l'ordre des carnivores se caractérise par une mâchoire et une dentition qui leur permettent de chasser et de manger d'autres animaux. Cela n'a assurément jamais été le cas de nos bonnes vieilles vaches, que l'on ne peut d'ailleurs pas imaginer chassant ni s'attaquant à des carcasses ! Les vaches nourries aux farines animales ne sont donc pas devenues carnivores…

C'est en 1986 que des vétérinaires anglais ont signalé l'apparition d'une maladie jusqu'alors inconnue chez les vaches : celles-ci se mettaient à se cogner partout et à tomber. La maladie dite de la vache folle, ou encéphalopathie spongiforme bovine (ESB), était née. Comme le cerveau des vaches décédées ressemblait à celui des moutons atteints d'une maladie connue depuis le XVIIIe siècle, la tremblante du mouton ou scrapie, on en a déduit que c'était certainement en mangeant des farines de moutons malades que les vaches avaient été contaminées.

Cependant, les farines animales ont été un peu vite rendues directement responsables de la maladie, car elles ont commencé à être données aux vaches voici plus d'un siècle… et sans qu'aucun animal ne tombe malade ! En fait, le problème est venu après que les fabricants eurent décidé, en 1981, de diminuer les températures de cuisson des farines pour réduire leurs coûts fixes. Du coup, les agents contaminants de la tremblante du mouton, qui étaient auparavant éliminés par la chaleur, ont été ingérés par les vaches.

Au-delà de la crise de la vache folle, les farines animales, interdites en France depuis 2000, ont eu le grand mérite d'éveiller les consciences aux aberrations de l'élevage intensif. ■

LIEBIG, INVENTEUR DU BOUILLON-CUBE ET DES FARINES ANIMALES

L'industrie des farines carnées est née en Amérique du Sud, sur une idée allemande. Dans les années 1860, des dizaines de milliers de vaches paissaient librement dans la pampa d'Argentine et d'Uruguay, chassées par les gauchos pour leur peau, leur graisse ou leur carcasse… La viande, à l'époque trop abondante pour trop peu d'hommes, n'était même pas consommée et nourrissait les vautours, jusqu'à ce que le baron Justus von Liebig, chimiste et père fondateur de la marque du même nom, ait l'idée de recycler cette viande abandonnée sous forme de deux aliments : l'un destiné aux hommes, l'« extrait de viande », le fameux bouillon en tablette ; l'autre destiné aux bêtes, la « poudre de viande », qui, dès la fin du XIXe siècle, va être exportée vers l'Europe et contribuer au développement de l'élevage bovin.

La pollution : une histoire ancienne

L'homme ne pollue pas seulement depuis la révolution industrielle, mais depuis qu'il est sur la Terre ! Toutes les activités qu'il a entreprises pour exploiter les ressources de son environnement ont été génératrices de pollution.

Pollutions antiques

Près de 2 000 ans avant la révolution industrielle, il a été établi que les Grecs et les Romains polluaient déjà à grande échelle l'atmosphère de l'hémisphère Nord en exploitant des mines de métaux lourds comme le plomb et le cuivre. C'est ce qu'une équipe française du Laboratoire de glaciologie et géophysique de l'environnement de Grenoble a démontré en 1993, après avoir prélevé des carottes de glace à Summit, au Groenland : les glaces gardent en effet au fil des ans les traces des métaux lourds qui s'y accumulent. Leur analyse a notamment révélé que les retombées de cuivre ont été, entre 500 ans av. J.-C. et la révolution industrielle, plus de dix fois supérieures à ce qu'elles représentent depuis la seconde moitié du XIXᵉ siècle.

Les concentrations de cuivre ont commencé à s'élever au-dessus des niveaux naturels (évalués sur des carottes de plus de 7 000 ans) il y a environ 2 500 ans – ce qui correspond bien aux civilisations grecque et romaine antiques. Elles doublent pendant toute l'époque gréco-romaine et restent à ce niveau jusqu'à la révolution industrielle.

C'est aussi à partir de prélèvements de glace effectués au Groenland qu'une équipe australienne de l'université technologique de Curtin a établi un constat du même type : les premières traces de pollution atmosphérique au plomb de l'hémisphère Nord remontent au début du IVᵉ siècle. Les responsables ? Les mines du río Tinto, dans le sud de l'Espagne, exploitées par les Carthaginois et les Romains de 535 à 410 av. J.-C. Il aura fallu près de huit siècles pour que le plomb passe dans l'atmosphère et se dépose au Groenland.

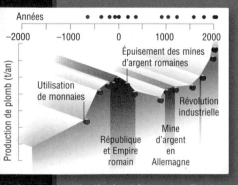

▲ *Le plomb est devenu un polluant dès lors que les quantités arrachées à la terre ont dépassé les capacités du recyclage naturel.*

▲ *Plus de 80 % de la pollution de Mexico provient de la circulation automobile : l'altitude de la mégalopole (2 200 m) fait que la concentration d'oxygène est réduite d'un tiers et que la circulation des 3,2 millions de véhicules de l'agglomération produit deux fois plus de gaz carbonique qu'au niveau de la mer.*

▼ *Ce sont les Romains qui commencèrent à utiliser le plomb, notamment pour fabriquer les tuyaux servant à transporter l'eau.*

Pollution atmo les pops envahisser

Il est à présent établi que certains produits chimiques, qu'il s'agisse de métaux lourds ou de pesticides comme le fameux DDT, mettent très longtemps à se décomposer. Pire, ces polluants organiques persistants (pops), comme on les appelle, se disséminent dans toute l'atmosphère. Les émanations polluantes investissent les latitudes basses et sont véhiculées sur des milliers de kilomètres par les flux atmosphériques, avant de se diriger vers le nord : elles finissent par redescendre au niveau des calottes glaciaires, et retombent sur la Terre via les précipitations (pluie, neige, brouillard…), notamment juste au-dessus de l'Arctique, sur le territoire des Inuits. Ce qui explique que ces Amérindiens au mode de vie on ne peut

Les lois, une vieille idée

La pollution a toujours existé, mais l'écologie n'est apparue qu'au XIXe siècle (le terme date de 1866). Pourtant, la législation en matière d'environnement n'est pas née d'hier ! En regardant d'un peu plus près l'histoire des déchets en France, par exemple, on se rend compte que les mesures antipollution remontent à la Renaissance. C'est en effet au XVIe siècle que Louis XII propose aux Parisiens le premier service royal d'éboueurs. Mais la mesure est impopulaire car financée par une taxe. Il faudra attendre la fin du XVIIIe siècle pour qu'une ordonnance de police impose aux propriétaires et aux locataires parisiens de balayer chaque jour devant leur logis. Le non-respect de cette obligation voit peu après la mise en place d'une taxe spécifique, dite de balayage, s'imposer. Enfin, à la fin du XIXe siècle, un arrêté signé du préfet de la Seine Eugène Poubelle oblige tous les propriétaires parisiens à fournir à chacun de leurs locataires un récipient de 120 litres muni d'un couvercle pour leurs déchets ménagers. Le préfet Poubelle avait même imaginé la collecte sélective, car ce n'était pas une, mais trois boîtes qui étaient proposées : une pour les matières putrescibles, une pour les papiers et les chiffons, et une dernière pour le verre, la faïence et les coquilles d'huîtres ! Les actuelles campagnes menées pour le tri des déchets sont donc loin d'être des idées neuves…

▼ Dans les pays en développement, les tanneries traditionnelles comptent parmi les activités industrielles les plus polluantes.

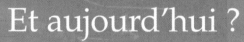

◄ Lors du sommet de Kyoto de 1997, 159 pays, dont les États-Unis, ont signé un accord pour réduire de 6% les émissions de gaz à effet de serre entre 2008 et 2012.

Et aujourd'hui ?

Depuis la révolution industrielle, les émissions polluantes se sont multipliées dans l'air, dans la terre et dans l'eau. La pollution environnementale est devenue de plus en plus importante, au point que l'on a pu établir des liens entre polluants et troubles de la santé. Les scientifiques et l'opinion s'alarment de cette dégradation. Le bon sens voudrait bien sûr que les politiques réagissent, afin que les pollueurs paient au moins les travaux de dépollution dans les zones qu'ils ont empoisonnées. Au niveau européen, le programme Reach (enregistrement, évaluation et autorisation des produits chimiques) a été lancé en 2004 par la Commission européenne afin d'examiner la toxicité humaine et environnementale de toutes les substances chimiques dont les effets sur la santé sont encore inconnus. Il devrait s'appliquer à partir du second semestre 2006. En France, les marées noires telle celle du pétrolier *Erika* et la pollution des rivières ont démontré que le principe du pollueur payeur n'était encore qu'un vœu pieux. La charte de l'environnement ajoutée en mars 2005 au préambule de la Constitution française changera-t-elle la donne ?

...hérique :
...a planète

...plus sain, puisqu'ils ne se nourrissent que des produits de leur chasse et de leur pêche, présentent dans leur sang vingt fois plus de pops que les Occidentaux.

Une telle contamination de leur environnement les a poussés à se mobiliser pour exiger l'interdiction des pops les plus dangereux. Ce qui a abouti à la rédaction de la convention de Stockholm, ratifiée en 2002 par une centaine de gouvernements, dont tous ceux de l'Union européenne.

► L'Arctique est de plus en plus exposé à la pollution atmosphérique originaire des pays industrialisés de l'hémisphère Nord.

La forêt perd du terrain

Les cartes nous montrent qu'à la préhistoire la forêt s'étendait sur près de 90 % du territoire européen. Depuis, elle n'a cessé de se réduire comme une peau de chagrin. Une évolution semblable, mais beaucoup plus rapide, a été imposée par l'homme aux forêts tropicales. Que restera-t-il de nos forêts à la fin de ce siècle ?

En France, le sentiment que la forêt régresse à mesure que l'urbanisation se développe est aujourd'hui très répandu. Or la période des grands défrichements, entamée à l'époque médiévale, a pris fin au début du XIXᵉ siècle, point de départ en Europe occidentale d'importantes campagnes de reboisement. Ainsi, la forêt française, qui ne couvrait que 15 % du territoire national en 1825, va doubler de superficie en près de deux siècles, pour retrouver la surface de 15 millions d'hectares qu'elle occupait à la fin du Moyen Âge. Elle reste encore dynamique, avec un accroissement d'environ 85 millions de mètres cubes par an. Cette progression est plus particulièrement marquée dans les régions touchées par l'exode rural, et sur le pourtour méditerranéen, qui subit pourtant régulièrement de violents incendies. Dans certains départements à grande tradition forestière, comme ceux du nord-est de la France, la forêt a plutôt tendance à se stabiliser ou à reculer. Il n'en demeure pas moins que la densité de la forêt française est supérieure à la moyenne européenne et qu'elle présente une très grande biodiversité, avec ses 126 espèces d'arbres et ses 27 types d'écosystèmes (sur les 50 recensés).

Alors qu'entre 1990 et 1995 la forêt a progressé de 8,8 millions d'hectares dans les pays les plus riches, sur cette même période, elle a perdu 65,1 millions d'hectares dans les pays en développement. Selon le rapport de la FAO (Organisation pour l'alimentation et l'agriculture, institution spécialisée de l'ONU), ce sont les régions tropicales qui connaissent le taux de déboisement le plus élevé. Ainsi, en Asie et en Océanie, la superficie des forêts naturelles (non façonnées par l'homme) a diminué de 1 % par an dans les années 1990 et, dans la zone Amérique latine-Caraïbes, elle a été amputée d'une étendue supérieure à celle de l'Équateur. Entre 2003 et 2004, le Brésil a perdu une surface de forêts égale à la superficie de la Belgique, tandis qu'entre 1990 et 2000, la déforestation annuelle a atteint en Afrique les 5 millions d'hectares, ce qui équivaut à la superficie du Togo.

Pour que la forêt puisse continuer à jouer ses rôles écologique (régulation du climat, maintien de la biodiversité, stabilisation des sols) et économique (fourniture de matières premières pour le chauffage et l'industrie), une politique de gestion durable de ses ressources doit être rapidement mise en place au niveau de la planète. Ainsi, dans la zone intertropicale, des campagnes de reboisement ont été lancées, entraînant la plantation d'environ 1 million d'hectares de forêts chaque année. Dans les pays de la zone tempérée, les plantations de forêt atteignent en moyenne 1,5 million d'hectares par an. Des mesures y ont par ailleurs été prises pour favoriser le recyclage du papier et du carton ; et en Europe comme en Amérique du Nord, une certification du bois a été établie, garantissant qu'il n'est pas issu d'un massif forestier menacé. ■

LA FORÊT FRANÇAISE APRÈS LA TEMPÊTE DE 1999

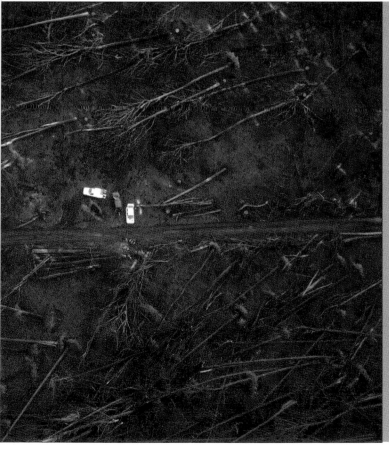

Les 26 et 27 décembre 1999, des vents atteignant par endroits 200 km/h ravageaient la forêt française.
En quelques heures, ils abattirent 140 millions de mètres cubes de bois, représentant en moyenne près de quatre années de récolte. Aujourd'hui, la forêt a bien récupéré de ce désastre. Après avoir déblayé les arbres tombés (les chablis), qui risquaient de tasser le sol, les forestiers en ont laissé d'autres sur place, afin de favoriser la régénérescence naturelle de la forêt. Pour les nouvelles plantations, ils ont privilégié la diversité des espèces, en prenant mieux en compte la nature des sols et en diminuant la densité des arbres. D'ailleurs, selon les spécialistes, c'est plutôt à une mauvaise gestion sylvicole qu'à la tempête qu'il faut attribuer la catastrophe de 1999.
La préférence donnée aux plantations de futaies régulières, dont les grands arbres ont le même âge, plutôt qu'à celles des taillis sous-futaie, au peuplement mixte, a par exemple favorisé l'exposition directe au vent d'une plus grande surface d'arbres.

◄ En Thaïlande, la sécheresse est plutôt rare. Sauf dans les régions où la déforestation intensive a transformé le sol, mis à nu, en une croûte stérile et imperméable.

Quand on coupe une forêt, le désert s'installe

Au cœur du Sahara, des peintures rupestres figurent des autruches, des antilopes et des éléphants dans des paysages boisés. C'était 4 000 ans avant notre ère. La déforestation a-t-elle créé le désert ?

Au Sahara comme ailleurs, l'avancée de l'agriculture a conduit à éliminer une partie de la forêt pour libérer de la surface et produire du bois de chauffe (comme en Europe de l'Ouest au Moyen Âge). Sous la pression démographique de sociétés dont les besoins augmentaient, la déforestation s'est accentuée.

Aujourd'hui, 200 000 km² de forêt, soit environ la surface du Royaume-Uni, sont détruits chaque année. Les deux tiers sont destinés au bois de chauffe, le reste au bois d'œuvre ou à l'agriculture. Lorsque l'on coupe une forêt, l'équilibre de l'écosystème est rompu. Alors que l'air et le sol du sous-bois, humides et sombres, subissent de faibles variations de température, une coupe brutale éclaire le sol et réchauffe l'air. L'humus, ce tapis de matière organique qui recouvre le sol, se décompose alors très rapidement en minéraux. Les plantes de lumière à croissance rapide, comme les ronces et les clématites, envahissent alors l'espace.

D'autre part, par évapotranspiration, la forêt rejette dans l'air l'eau qu'elle a puisée dans le sol. Une coupe a donc pour effet d'assécher localement le climat, rendant plus difficile la repousse.

Par son sol rugueux et poreux, la forêt freine également le ruissellement et permet à l'eau de s'infiltrer dans le sol. Une fois la forêt coupée, les précipitations s'écoulent donc directement vers les cours d'eau, entraînant le sol et ses éléments nutritifs (nitrates, calcium, potassium) dans sa course. Ainsi, glissements de terrain et inondations peuvent se succéder, décapant encore plus le sol nutritif originel et polluant les eaux. À l'érosion créée par les pluies s'ajoute celle du vent, que la forêt ne freine plus. Toutes les conditions sont dès lors réunies pour la transformation en un paysage plus aride et venteux, au sol dégradé, où la forêt devient maigre et arbustive. En Europe occidentale, la chênaie laisse la place aux bouleaux, puis à la lande à bruyère.

Outre le Sahel, où le déboisement fait avancer le désert, en zone méditerranéenne, les feux, les défrichements et le surpâturage de chèvres et de moutons ont transformé les forêts de chênes-lièges ou verts en forêts de pins d'Alep, puis en garrigue ouverte ou en maquis impénétrable poussant sur le calcaire.

Dans ces écosystèmes dégradés, de nouveaux équilibres s'établissent. Des espèces de plantes et d'animaux adaptées aux sols fins, acides ou salés, à plus de lumière et moins d'humidité, colonisent le milieu, mais le rendent moins naturellement productif (un désert contient moins de masse biologique – biomasse – qu'une forêt, même sèche). ■

LE CYCLE DE L'EAU

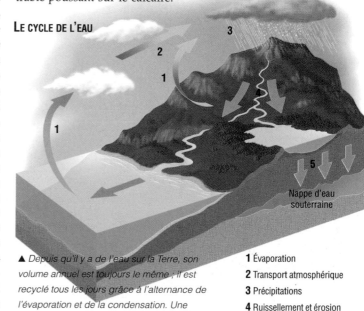

▲ Depuis qu'il y a de l'eau sur la Terre, son volume annuel est toujours le même ; il est recyclé tous les jours grâce à l'alternance de l'évaporation et de la condensation. Une alternance très énergétique, qui anime l'atmosphère et les climats...

1 Évaporation
2 Transport atmosphérique
3 Précipitations
4 Ruissellement et érosion
5 Infiltration

Fabriquer du **papier** détruit les forêts

Une édition de journal égale une forêt dévastée ? Le massacre des arbres à la tronçonneuse semble faire des ravages. Mais pas dans les forêts destinées à la pâte à papier.

Le cœur de Marguerite Yourcenar saignait chaque fois qu'elle écrivait un livre, en pensant *aux forêts qu'il faudra abattre pour en faire le papier*. Mais la réalité est moins tragique. Engloutissant chaque année une surface boisée équivalente à la Suède, avec une croissance de 3 % par an, la pâte à papier a mauvaise presse. Packs de lait, livres, billets de banque : un Américain en consomme plus de 320 kg par an (deux fois plus qu'un Européen), contre 7 kg pour un Africain. Pourtant, 72 % des fibres utilisées pour fabriquer le papier sont des fibres de rebut (la moitié issue de papier récupéré, plus des copeaux de bois et des déchets de scierie). Si 16 % du papier provient encore des forêts naturelles du Canada, de Scandinavie, de Russie, du Brésil et d'Indonésie, la déforestation tropicale résulte surtout des défrichements pour l'agriculture, le bois de chauffe et le bois d'œuvre tels l'acajou ou le teck. En France, la forêt progresse et l'industrie papetière ne consomme que 10 % de la production de bois. Dans les forêts exploitées, ce ne sont pas les gros arbres mais les rondins d'éclaircie qui sont coupés et transformés. L'édition d'un grand quotidien permet ainsi d'éclaircir (couper les arbres chétifs pour favoriser la croissance des autres) 4 ha par jour, soit environ 1 200 ha par an. Dans les plantations d'arbres à croissance rapide (peupliers, pins…), les parcelles abattues sont replantées. Mais ces plantations, vulnérables aux maladies, n'affichent pas une grande biodiversité. Alors, pour favoriser des forêts gérées de manière plus écologique, plusieurs systèmes de certification, comme le Programme européen de forêts certifiées, garantissent, depuis les années 1990, un usage limité de pesticides, l'implantation d'essences variées et le développement d'une végétation de sousbois propice à l'équilibre de la faune. Vers des mouchoirs en papier plus durables ? ■

RECYCLER LE PAPIER, C'EST SAUVER LES FORÊTS ?

Pour produire 1 tonne de papier, il faut 2 à 3 tonnes de bois, mais seulement 1,2 tonne de vieux papiers. Éliminant les déchets, le recyclage est aussi moins gourmand en eau et en énergie, et le papier peut se recycler jusqu'à cinq fois. Cependant, croire que récupérer 1 tonne de vieux papiers sauve quinze arbres ou qu'écrire sur du papier recyclé sauve la forêt est un leurre. En fait, papier ou pas, le cycle forestier ne peut se passer de l'éclaircissement des forêts, pour éliminer les arbres faibles au profit des plus beaux, destinés à l'ameublement ou à la construction.

Les **bambous** meurent tous en même temps

« Quand le bambou fleurit, la famine, la mort et la destruction ne sont jamais loin », dit un vieux dicton indien. Cette herbe géante peut en effet fleurir puis dépérir totalement en une seule fois. Un vrai mystère pour la science.

Heureusement pour la survie de cette graminée, la mort de tous les individus d'une même espèce, après une floraison ayant eu lieu en même temps dans le monde entier, est un fait avéré mais très rare. En Inde, les dernières floraisons du bambou muli ont eu lieu en 1911-1912 et 1959-1960. Cela s'est traduit par des famines, car les graines produites lors de la floraison ont attiré les rats, qui s'attaquèrent ensuite aux autres cultures. Voilà pourquoi le gouvernement prévoit un abattage préventif de cette graminée avant la future floraison, prévue entre 2005 et 2007.

Cette floraison particulière est dangereuse pour le bambou luimême car, après, le rhizome s'épuise progressivement. Or c'est grâce à cette tige souterraine que se développent les racines et la partie extérieure de l'herbe. Si la floraison a lieu simultanément sur l'ensemble des chaumes (les tiges), l'espèce peut s'éteindre.

Outre les famines qu'elle entraîne, cette extinction peut se révéler dramatique pour les pandas. Depuis 2004, en Chine, la disparition de 7 420 ha de bambou flèche menace la vie de cent pandas géants. Mais la floraison peut aussi induire la perte de caractères distinctifs des espèces, comme la couleur des chaumes.

Les études scientifiques actuelles ont pour but de mieux appréhender la classification de ce végétal. Certains individus n'ayant jamais été observés en floraison, la hiérarchisation entre les 2 000 espèces et les genres, basée en partie sur la morphologie de l'inflorescence, n'en est rendue que plus délicate. ■

Les forêts, pharmacie de demain

**Les propriétés calmantes du pavot étaient connues il y a 6 000 ans. Jadis, chacun puisait ainsi ses remèdes dans la nature.
La pharmacopée moderne refait de même depuis peu.**

Pour soigner ses maux de tête et ses douleurs, ma grand-mère avait l'habitude de se faire une infusion d'écorce de saule. Par ce geste, elle bénéficiait d'un savoir séculaire de plus de 2 400 ans. Au temps d'Hippocrate, d'autres avaient le même réflexe et utilisaient, sans le savoir, les vertus de la salicine, aujourd'hui produite sous forme d'aspirine. La majorité des médicaments consommés dans le monde et presque la moitié des nouveaux remèdes sont issus, plus ou moins directement, de substances naturelles et particulièrement des plantes. Ainsi, comme une immense pharmacie à ciel ouvert dont toutes les notices auraient été égarées, les forêts tropicales regorgent de médicaments aux propriétés encore inconnues – à peine 1 % des espèces de végétaux ont déjà été étudiées dans un but thérapeutique. Le potentiel que recèlent les forêts tropicales et équatoriales, dont beaucoup d'espèces n'ont pas encore été répertoriées, est donc immense. Rien qu'en Guyane française, c'est une quarantaine d'espèces de plantes qui sont découvertes chaque année. Dans la seconde moitié du XXe siècle, l'apparition de techniques nouvelles a permis l'explosion des recherches concernant les molécules spécifiques produites par les plantes. Fruits de millions années d'évolution, elles représentent une véritable mine de remèdes inconnus.

Pour identifier de nouvelles matières actives, il y a trois façons de faire. La première consiste à rechercher les molécules en fonction de l'appartenance botanique des plantes, certaines familles renfermant fréquemment des substances intéressantes. La deuxième consiste à observer le comportement des plantes et leurs interactions avec le milieu naturel. Enfin, la dernière utilise les savoirs ancestraux des populations vivant encore près de la nature pour orienter les recherches.

L'observation des usages populaires a notamment permis de développer la quinine (à partir du quinquina) ou la digitaline (extraite de la digitale pourpre). Dans les forêts tropicales, il arrive que les laboratoires pillent les savoirs traditionnels et les ressources naturelles pour déposer ensuite de lucratifs brevets sans aucune contrepartie pour les populations locales – pratique baptisée « bio-piraterie ». Des accords commencent cependant à être passés pour une exploitation concertée de ces inestimables ressources. Quand une plante est jugée intéressante, le chemin menant au médicament reste toutefois encore long et incertain. Généralement, une seule molécule est validée sur 10 000 composés analysés. Au total, il faut attendre quinze à vingt ans entre la collecte en forêt et la mise sur le marché d'un médicament. Mais si la recherche pharmaceutique est lente et incertaine, les menaces qui pèsent sur la biodiversité progressent, elles, de manière rapide et irréversible. ∎

▼ *Cette Malgache s'apprête à cueillir un remède. Dans la pervenche de Madagascar, en effet, les chercheurs occidentaux ont su isoler la vinblastine et la vincristine, deux molécules d'usage courant dans le traitement des leucémies et de la maladie de Hodgkin.*

LES ANIMAUX SE SOIGNENT AVEC DES PLANTES

Pour obtenir de précieuses indications sur les plantes médicinales, certains scientifiques analysent de près la façon dont se soignent et s'alimentent les animaux. Cette technique est appelée la zoopharmacognosie. Les chimpanzés ainsi observés en Tanzanie et en Ouganda ont révélé des comportements très intéressants. Par exemple, ils ont l'habitude de consommer, à des moments précis, les feuilles rugueuses d'un petit arbuste aux fleurs jaunes, l'aspilia, qu'ils sélectionnent et avalent ensuite sans les mâcher. L'analyse du végétal a révélé la présence d'un composé abondant baptisé thiarubrine-A, très actif contre certains champignons et levures et toxique pour les vers intestinaux. Ces résultats sont utilisés pour guider la recherche vers de nouvelles molécules potentiellement utilisables en médecine humaine.

Les petits ruisseaux
font les grandes rivières

En 1743, le mathématicien Alexis Clairaut et le naturaliste Georges Buffon mettent en évidence le cycle de l'eau. C'est bien la même eau qui circule partout, recyclée sans cesse depuis plus de trois milliards d'années. Elle s'écoule, forme des ruisseaux et va vers la mer.

L'eau tombée au sol, attirée par la gravité, ne cesse de descendre jusqu'à atteindre le point le plus bas possible : généralement le niveau de la mer. Pour cela, elle emprunte des cours d'eau successifs, de plus en plus gros. D'abord des ruisseaux, souvent affluents d'une rivière, d'un lac ou d'un étang. Ensuite une rivière, plus abondante, qui s'écoule dans un lit, puis se jette dans un cours d'eau plus important. Et enfin dans un fleuve. Ses caractéristiques : très grande longueur et largeur imposante ; débit abondant et nombreux affluents ; se jette le plus souvent dans la mer. Fin du voyage.

Mais pourquoi une goutte de pluie atterrit-elle dans une mer plutôt que dans une autre ? Sur terre, des lignes de partage des eaux dessinent des puzzles invisibles : chaque pièce est un bassin versant. C'est-à-dire l'ensemble d'un territoire où toutes les eaux reçues coulent vers le même fleuve, puis la même mer. Un bassin versant a des frontières naturelles qui suivent la crête des montagnes. Autrement dit, les gouttes de pluie qui tombent sur un versant de la montagne s'en vont rejoindre une rivière. Celles qui tombent sur l'autre versant vont alimenter une rivière voisine. Et, de rivière en fleuve, une mer différente : la frontière entre les deux versants est, pour les hydrologues spécialistes de l'écoulement de l'eau, une ligne de partage des eaux.

La France compte six grands bassins versants : Rhin-Meuse, Adour-Garonne, Artois-Picardie, Loire-Bretagne, Rhône-Méditerranée-Corse et Seine-Normandie. Le Canada compte cinq principales régions hydrographiques : la baie d'Hudson, l'océan Atlantique, l'océan Pacifique, l'océan Arctique et le golfe du Mexique. Une goutte de pluie tombant à Mackensie finira sa course dans l'océan Arctique. Celle qui tombera à Fort Saint James, à environ 100 km, atterrira dans l'océan Pacifique ! ∎

LES CINQ GRANDS BASSINS VERSANTS DU CANADA

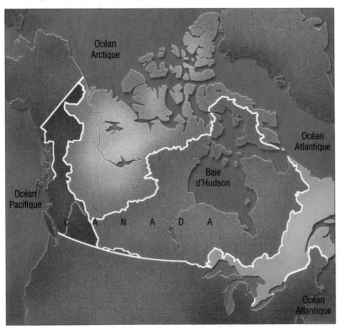

Océan Arctique

Océan Atlantique

Baie d'Hudson

Océan Pacifique

C A N A D A

Océan Atlantique

- Océan Pacifique
- Baie d'Hudson
- Océan Atlantique
- Océan Arctique
- Golfe du Mexique

Les plages reculent

On en sait quelque chose dans le golfe de Gascogne. C'est en effet à la remontée de la mer, il y a 6 000 ans, que le littoral aquitain doit ses dunes. Et c'est pour freiner leur recul qu'en 1857 Napoléon fit planter des pins.

Le propre d'une plage, c'est de changer constamment d'apparence, sous l'action des marées, de la houle et des tempêtes. En effet, le matériel qui la constitue est tout à fait libre de bouger, n'étant lié par aucune force ni retenu par aucune végétation. Il peut donc aller et venir au rythme de la mer. Les vagues qui déferlent amènent ainsi sur le littoral des galets, voire de plus gros blocs de roche arrachés au sol par leur tourbillon. Puis, en se retirant, elles en emportent les éléments les plus fins, abandonnant sable et galets en amont.

Cet « engraissement » contribue à augmenter la pente. En fonction des sédiments apportés, un équilibre s'installe toutefois : une plage a ainsi une pente plus forte avec des galets (en Provence) qu'avec du sable (comme dans les Landes). Quant aux tempêtes, elles peuvent amplifier l'effet de la houle et creuser la plage, participant alors à son « démaigrissement », qui est un phénomène naturel. Quand une plage s'engraisse quelque part, c'est qu'une autre est en train de maigrir !

L'homme, en multipliant digues, brise-lames et autres constructions bétonnées, mais aussi en privant l'océan de sédiments (extraction de granulats, barrages sur les fleuves), a accentué le phénomène de démaigrissement, qu'il prétendait limiter. Résultat, en France, 48 % des 5 500 km de littoraux de plages et de dunes sont déjà touchés par cet amaigrissement devenu érosion : au nord de la Gironde, le trait de côte a ainsi reculé par endroits de 250 m en 140 ans. Pour tenter de limiter la casse, on fixe les dunes par la végétation, ou bien l'on fournit aux plages le sable ou les cailloux qui leur manquent. Ailleurs, dans les régions où la vase domine (Charente-Maritime, Vendée, Calvados...), la tendance est inverse : 64 % de ce littoral tend en effet à gagner vers le large. Cela ne concerne néanmoins que 740 km de côtes en France. ■

Tous les fleuves vont à la mer

N'est-ce pas ce qu'on nous apprend à l'école ? Pourtant, certains cours d'eau ne parviennent pas à destination. La chaleur et l'évaporation peuvent en effet contrarier leur ambition, les obligeant parfois à une vie en pointillé...

◀ *L'Okavango, petit fleuve d'Afrique australe, ne se jette plus dans la mer. Depuis un accident tectonique, il s'étale dans le Kalahari en un vaste delta saisonnier qui alimente un des écosystèmes les plus riches et sauvages de la planète.*

Comme le Gange, l'Amazone, le Nil ou le Mississippi, la plupart des grands fleuves prennent leur source dans les hauteurs et finissent par déverser leurs eaux dans l'océan, auquel ils apportent quantité de sels. Mais il est aussi des fleuves qui n'atteignent jamais la mer, à l'image du Zeravchan, un cours d'eau autrefois entouré de marécages qui se perd désormais dans les sables d'Ouzbékistan. Ou encore de l'Okavango, troisième fleuve en importance de l'Afrique australe. Long de 1 500 km, il prend sa source dans les hauts plateaux de l'Angola, puis coule en direction de la Namibie, descend en cascade les chutes de Popa, avant d'entrer au Botswana. Ses 15 km³ d'eau annuels s'étalent alors largement en un vaste delta de 16 000 km², attirant une faune riche et variée. Mais ses bras ne parviennent pas à toucher la mer, l'air sec et chaud du désert de Kalahari faisant s'évaporer l'eau. Reste que la Namibie peut en être jalouse. Car aucun fleuve stable n'irrigue ce pays, qui ne peut compter que sur des fleuves éphémères. Ils surgissent avec une extrême violence après une bonne pluie, coulent quelques heures, quelques jours, voire au mieux quelques semaines, puis disparaissent sans crier gare dans les sables rouges du désert ou l'herbe haute de la savane. ■

Il n'y a **pas de fleurs** dans **la mer**

La mer semble être la chasse gardée des algues et on imagine difficilement des fleurs y pousser. Pourtant, en y regardant de plus près, certaines plantes peuvent réserver de petites surprises fleuries.

QU'EST-CE QU'UNE ALGUE ?

Les algues (9 000 espèces et plus de 120 000 espèces planctoniques) se différencient des autres plantes par le fait qu'elles ne possèdent ni racines, ni tiges, ni feuilles, ni vaisseaux conducteurs de sève. Elles vivent en milieu très humide et absorbent les éléments nutritifs directement dans le milieu environnant. Hormis cette particularité, le terme algues regroupe des organismes végétaux extrêmement variés tant par la taille et la forme que par la structure cellulaire. Du point de vue de la classification, une algue verte est ainsi plus proche d'un sapin que d'une algue brune ou rouge. Les nombreuses espèces d'algues n'ont en fait rien en commun depuis 2,6 milliards d'années, précisent les spécialistes, qui estiment que, pour cette raison, le mot algue, trop vague, est à proscrire. Ces organismes possèdent tout de même de la chlorophylle, pigment vert contenu dans les cellules qui leur permet d'effectuer la photosynthèse. Les algues vertes (laitue de mer) vivent près de la surface pour bénéficier au mieux des rayons lumineux. Les algues brunes (fucus, laminaires) possèdent en plus de la chlorophylle un pigment brun, la fucoxanthine, qui permet de capter la lumière bleutée parvenant en eau plus profonde. Les algues rouges, quant à elles, contiennent deux autres pigments capables de capter les radiations solaires pénétrant plus bas encore.

En mer, aussi surprenant que cela paraisse, poussent des plantes à fleurs et à racines : les phanérogames. Cependant, comme ces fleurs aquatiques ne cherchent pas à attirer les insectes, elles n'ont ni les couleurs éclatantes ni les parfums de leurs consœurs terrestres. Seul un œil aguerri peut apercevoir ces espèces pâlottes et de petite taille. Pour compliquer la tâche, elles possèdent une floraison irrégulière aux mécanismes encore mal connus.

Une soixantaine de plantes à fleurs cohabitent ainsi avec les algues, qui représentent tout de même l'écrasante majorité du règne végétal des milieux marins. Posidonies et cymodocées en Méditerranée, zostères dans les eaux froides, cymodocées ou thalassias dans les eaux tropicales, ces végétaux descendraient d'un ancêtre terrestre, assez proche des joncs, qui se serait progressivement adapté à la vie maritime il y a une centaine de millions d'années. *Posidonia oceanica*, qui vit exclusivement en Méditerranée, est la plus menacée de ces plantes aquatiques en raison d'une vitesse de croissance extrêmement lente.

Comme les autres phanérogames, les posidonies forment d'immenses prairies sous-marines vert foncé, baptisées herbiers, qui colonisent les fonds sableux sur lesquels les algues n'ont pas de prise. Leur reproduction peut s'effectuer par le

biais de fleurs jaunâtres à verdâtres qui donnent des fruits ressemblant énormément à des olives vertes. Peu d'entre elles, qui voyagent au gré des vents et des courants, réussissent cependant à germer. L'essentiel de la reproduction se fait donc de manière asexuée, par bouturage des rhizomes (tiges horizontales faisant office de racines). De tels herbiers se rencontrent depuis la surface jusqu'à 30-40 m de profondeur. Ils jouent un rôle majeur dans l'équilibre des milieux marins et littoraux. La fixation des sédiments par les rhizomes permet par exemple d'atténuer la violence de la houle et des vagues. Par ailleurs, 1 m^2 d'herbier de posidonies offre une surface foliaire de 20 à 50 m^2 et produit d'importantes quantités d'oxygène (le bilan serait de 10 à 14 litres d'oxygène par mètre carré et par jour). Cette étrange prairie qui ondule au gré des courants fournit ainsi un abri, une nursery et une importante source de nourriture pour la faune – on y voit même paître des troupeaux de poissons ! Cependant, partout dans le monde, les herbiers régressent. Sont en cause la pollution, les aménagements portuaires et l'action mécanique des ancres. La disparition de ces prairies si discrètement fleuries menace le fragile équilibre des fonds océaniques et pourrait bien modifier irrémédiablement leur ambiance. ∎

◄ Les herbiers de posidonies recouvrent les petits fonds de gravier du littoral méditerranéen. Ces plantes fleurissent entre août et novembre dans l'est de la Méditerranée.

Les régions marécageuses sont insalubres

En 323, Alexandre le Grand mourut d'une mauvaise fièvre à Babylone, après s'être rendu dans les marais de l'Euphrate. Lors de la construction du château de Versailles, la fièvre des marais fut la cause d'une mortalité considérable parmi les ouvriers affectés au chantier. Le roi Louis XIV lui-même en fut atteint.

Jusqu'à peu, les régions marécageuses, terres gorgées ou recouvertes d'eau stagnante, étaient synonymes de brouillard, de froid, de misère et de refuge pour les marginaux. Leurs habitants ne disposaient que de faibles ressources. Selon les lieux, ils exploitaient la tourbe ou le sel, chassaient, pêchaient, cultivaient le lin et le chanvre. En France, ils souffraient d'un mal appelé fièvre des marais sous l'Ancien Régime, ou encore fièvre tierce ou quarte, selon la fréquence de ses accès. Cette fièvre prit le nom de paludisme (de *palus*, marais) à la fin du XIXᵉ siècle, quelques années avant l'identification de son vecteur, un moustique, dont les zones humides constituent l'habitat naturel. En Italie, elle était connue depuis le Moyen Âge sous le nom de *malaria*, « mauvais air », ce qui l'associe aux effluves du marais. Dans *la Divine Comédie*, Dante évoque ainsi la plainte de Pia dei Tolomei, dont il fut épris, et que son mari jaloux fit enfermer dans une demeure située au cœur des marais de la Maremme, pour qu'elle y meure à petit feu.

L'assainissement et la mise en valeur des marais furent traditionnellement l'œuvre de moines, comme dans le marais de la Brenne, de soldats, comme dans celui de Rochefort, ou de prisonniers déportés, qui élevèrent par exemple des digues et creusèrent des canaux de drainage en Louisiane, alors française. Laissés à l'abandon, les marais retrouvaient leur dangerosité. Aménagé par des moines pour y cultiver des terres, le Marais poitevin redevint ainsi une zone hautement insalubre après les guerres de Religion. Ce même conflit interrompit en Sologne jusqu'au second Empire l'entretien d'étangs voués à la pisciculture.

Alors que la France compte aujourd'hui trois fois moins de zones marécageuses qu'il y a un siècle et que la planète en a perdu la moitié depuis 1900, des scientifiques mettent en avant leur rôle bénéfique. Elles constituent en effet un excellent régulateur du débit des cours d'eau, en protégeant leurs berges contre l'érosion, en absorbant l'eau de pluie lors de violentes précipitations et en la restituant en période sèche. Elles favorisent aussi un assainissement des eaux en jouant, grâce à leurs sols et à leurs végétaux, le rôle de filtre à polluants. Ainsi la zone marécageuse qui s'étend à l'est de Calcutta est-elle utilisée pour traiter les eaux usées de la ville, tandis qu'en Afrique et dans le Pendjab des zones humides artificielles ont même été créées dans ce but. Elles présentent enfin un immense intérêt biologique en abritant des milliers d'espèces de plantes et d'animaux propres à leur milieu. ∎

▶ *Sorte de mangrove tempérée, le Marais poitevin est une gigantesque zone humide posée entre terre et mer, sur la façade atlantique française. Son existence est menacée par l'irrigation agricole qui l'assèche.*

Si les abeilles venaient à disparaître, l'homme n'aurait plus que quelques années à vivre

L'extinction des dinosaures, il y a 65 millions d'années, est sans doute responsable de la diversité des mammifères, donc de l'apparition de l'homme. Celle des abeilles pourrait-elle entraîner la fin de l'humanité ?

Si l'abeille venait à disparaître, l'homme n'aurait plus que quelques années à vivre, prophétisait Einstein. Dans le monde, la survie ou l'évolution de plus de 80 % des espèces végétales et la production de 84 % des espèces cultivées en Europe dépendent directement de la pollinisation par les insectes. En passant d'une plante à une autre, ceux-ci favorisent la fécondation croisée entre plantes de même espèce ou variété mais ayant un patrimoine génétique différent. Cet enrichissement génétique entraîne une amélioration qualitative et quantitative de la production. Or l'abeille est un pollinisateur très efficace – seuls les bourdons présentent une efficacité similaire, les autres pollinisateurs transportant 10 à 100 fois moins de pollen. En effet, une colonie de 10 000 abeilles visite **2** à 30 millions de fleurs chaque jour.

Pour toutes les plantes entomophiles, si la fécondation n'est plus assurée par l'intermédiaire d'insectes qui transportent le pollen, il ne peut y avoir ni fruits ni graines. Même si quelques-unes parviennent à se reproduire en s'autofécondant (quand il n'y a pas d'auto-incompatibilité) ou en s'interfécondant grâce au vent, l'absence d'insectes pollinisateurs entraînerait une diminution terrible du taux de reproduction de nombreuses espèces de plantes. Notamment chez les arbres fruitiers, dont le pollen est trop lourd pour être dispersé par le vent.

Le rendement de beaucoup de cultures (colza, tournesol, pommiers ou fraisiers par exemple) est ainsi en lien direct avec l'efficacité des insectes pollinisateurs, et notamment des abeilles. Sans elles, la pollinisation des plantes cultivées serait presque nulle. Du coup, les rendements agricoles chuteraient, des plantes disparaîtraient… Si le paysage botanique se désertifiait à ce point, il y aurait peu de chances pour que la population humaine trouve à se nourrir : la famine s'installerait. De plus, la disparition d'espèces végétales entraînerait celle d'autres espèces animales. Cette suite de causes et d'effets affecterait la santé et la survie de l'espèce humaine.

Mais avant d'imaginer la cascade de catastrophes découlant de la disparition des abeilles, il faut s'interroger sur l'agent responsable de cette disparition. Car si ce quelque chose est capable d'éradiquer les abeilles, ce quelque chose aura sans doute fait disparaître également beaucoup d'autres êtres vivants. L'abeille, de par son côté symbolique, est un peu comme le sommet de l'iceberg… ∎

DU TRÈFLE À LA MARINE ANGLAISE : UN EXEMPLE D'EFFET DOMINO

Les plantes, les animaux, leurs habitats et l'être humain entretiennent des rapports complexes. En voici un exemple amusant, donné par Roger Dajoz, professeur au Muséum national d'histoire naturelle de Paris. Selon Darwin, le bourdon assure seul la pollinisation du trèfle rouge parce que les autres abeilles ne peuvent en atteindre le nectar. Par ailleurs, le nombre de bourdons dépend des mulots, qui détruisent leurs nids. Or plus il y a de chats, moins il y a de mulots. Les chats assurent donc la survie du trèfle rouge. Ensuite, le trèfle rouge sert de nourriture au bétail, qui lui-même est mangé par les marins. Bref, plus il y a de trèfle, et plus les marins sont bien nourris. Les chats contribuent donc à faire de l'Angleterre une grande puissance maritime. Mais ce n'est pas fini. Selon Thomas Huxley, un biologiste du XIXe siècle, *les vieilles filles anglaises, en raison de leur amour immodéré pour les chats, seraient à l'origine de la puissance de la marine anglaise.* Une interdépendance existe donc entre le trèfle rouge, les bourdons, les mulots, les chats, les bœufs, les marins et les vieilles filles anglaises !

Tous les jours, des milliers d'espèces qu'on ne connaîtra jamais disparaissent de la surface de la Terre

Chasse, destruction des habitats, pollution : la faune et la flore disparaissent à un rythme spectaculaire, alors qu'on n'en connaît encore qu'une espèce sur dix. Provoquée par les hommes, la probable « sixième extinction » massive de l'histoire de la Terre est en marche.

Observer un dodo se dandinant sur l'île Maurice est impossible depuis la fin du XVIIᵉ siècle. Et nombreux sont les animaux prêts à rejoindre ce drôle d'oiseau dans le cimetière très encombré des espèces éteintes. Selon l'Union mondiale pour la nature (UICN), plus de 800 espèces ont disparu au cours des cinq derniers siècles. Et sur les 1,8 million d'espèces connues à ce jour, un quart des reptiles et des mammifères, un tiers des poissons et un huitième des plantes et des oiseaux sont menacés d'extinction. Des chiffres alarmants qui explosent lorsque les calculs prennent en compte les espèces inconnues et restant à découvrir, car il en existerait 11 millions non recensées. Autrement dit, on connaît à peine plus de 10 % des espèces vivant sur notre planète !

Pour parvenir à ces chiffres, les chercheurs se réfèrent aux études menées dans les milieux les plus riches en termes de biodiversité : les forêts tropicales. Grâce à des modèles mathématiques, ils extrapolent à grande échelle les résultats obtenus sur de petites parcelles. La même méthode permet d'estimer le taux d'extinction des espèces à partir du rythme de disparition de ces forêts. Et même si ces résultats restent approximatifs, il est impossible de nier la crise actuelle.

À l'échelle géologique, la disparition des espèces constitue un phénomène naturel, concentré autour de crises d'extinction. Au cours des 3 milliards d'années de l'évolution, environ 99 % des espèces ont disparu, notamment suite aux cinq crises d'extinction massive (par exemple celle qui a mis fin au règne des dinosaures). Cela donne une durée de vie de dix millions d'années pour une espèce vivante.

Cependant, le taux actuel de disparition serait de 100 à 1 000 fois supérieur aux taux naturels observés lors des crises paléolithiques (soit environ trois espèces condamnées par heure). Et, contrairement aux précédentes, liées à des catastrophes naturelles, la vague actuelle d'extinctions est causée par la seule activité de l'homme. Spécifique à notre ère, la destruction irrémédiable des biotopes empêche l'apparition de nouvelles formes de vie. La surexploitation des ressources naturelles (comme la pêche intensive), l'invasion d'un milieu par des espèces étrangères, la chasse, la pollution (à laquelle les milieux d'eau douce sont très vulnérables) et le réchauffement climatique sont autant de fléaux qui accélèrent la disparition de la biodiversité. ■

▲ *Seule l'imagination permet de rencontrer encore le dodo, exterminé par les hommes. Alice sait-elle que le pays des merveilles de la nature est un grand cimetière d'espèces ?*

Rien ne se perd, rien ne se crée, tout se transforme

Tu es né poussière et tu retourneras poussière : **la nature recycle automatiquement les éléments vitaux pour permettre à la vie de se perpétuer. Mais c'est compter sans l'homme, qui vient mettre son grain de sel dans un équilibre bien installé...**

Oxygène, azote, carbone, eau, phosphore, calcium, potassium s'échangent constamment entre l'air, le sol, les océans et les êtres vivants, alternent entre l'état minéral et l'état organique. Un organisme vivant absorbe des nutriments par l'alimentation et la respiration, et rejette des déchets par la respiration et ses excrétions. Sa matière devient aliment pour son prédateur. Lorsque celui-ci meurt, les détritivores, comme les champignons, les vers, les bactéries, dégradent ses molécules complexes et renvoient ses composés simples dans l'air, l'eau ou le sol. Cette décomposition reconstitue les réserves de minéraux qui, lors de la photosynthèse seront utilisées par les plantes avec le CO_2 de l'air et l'énergie du Soleil afin de fabriquer de la nouvelle matière organique. Et ainsi de suite.

Une partie des éléments produits par la décomposition est stockée dans les roches ou dans la matière organique fossile (charbon, pétrole, tourbe) accumulée depuis des millions d'années. Par l'érosion et la combustion, les minéraux passent dans l'air ou l'eau et deviennent alors disponibles pour compenser les pertes des écosystèmes.

Une fois utilisés, les éléments chimiques retournent dans les écosystèmes pour y être recyclés ; sinon, les réserves s'épuiseraient vite et la vie s'arrêterait : les cycles biogéochimiques permettent ainsi à la biosphère de se régénérer et de se perpétuer.

Comme un grain de sable dans une horloge, l'intervention de l'homme, même minime, peut déstabiliser ce mécanisme bien réglé. Il pollue par l'accumulation de matières que la nature a bien du mal à recycler et qui se dispersent loin de leur source par le jeu des vents, des courants et des chaînes alimentaires. Par exemple, l'agriculture exporte de la matière organique, conduisant à l'épuisement des sols. Il faut alors rajouter de l'engrais, et ainsi altérer le cycle de l'azote. Les nitrates s'accumulent dans les plantes, ce qui constitue un danger pour leurs consommateurs. Les phosphates en excès provoquent une prolifération d'algues qui absorbent l'oxygène nécessaire aux poissons dans les lacs : c'est l'eutrophisation. Les substances synthétiques et toxiques, elles, se concentrent le long des chaînes alimentaires et peuvent déséquilibrer un écosystème pendant des dizaines, voire des centaines d'années, comme le DDT, pesticide désormais interdit, les plastiques ou des métaux lourds... ∎

Il y a un trou dans la couch

Utilisés de 1935 à 2000, les chlorofluorocarbures ont dangereusement élargi le trou dans la couche d'ozone.

En 1985, Joe Forman, un scientifique du comité de surveillance de l'Antarctique, le British Antarctic Survey, a révélé l'existence d'un trou dans la couche d'ozone au-dessus du pôle Sud. La couche d'ozone forme une sorte de couverture naturelle contre les ultraviolets. À l'idée qu'il y avait une ouverture dans cette protection, le monde entier s'est alarmé. On trouve de l'ozone depuis la surface de la Terre jusqu'à 40 km d'altitude, avec une concentration plus forte au-dessus de 15 000 m, d'où l'image de la couche. L'ozone est également produit directement par le rayonnement solaire au-dessus de 20 km d'altitude par cassure des molécules d'oxygène.

La diminution de la quantité d'ozone au-dessus du pôle Sud, mais aussi du pôle Nord, est un phénomène naturel qui s'explique par le fait que, là où le rayonnement solaire est moindre, des nuages stratosphériques se forment. L'eau et l'acide nitrique de ces nuages activent d'autres composés chimiques tels que le chlore, capable de détruire massivement l'ozone (un atome de chlore peut anéantir des milliers de molécules d'ozone). Mais ce phénomène naturel s'est aggravé après un

Les lessives sans phosphates ne polluent pas

Les innovations incessantes dans le domaine des lessives nous rappellent qu'il est bien loin le temps des lavandières… et que les industriels des détergents savent désormais jouer sur la corde sensible de l'environnement.

Les lavandières battaient le linge sur les rivières après l'avoir plongé dans des cendres chaudes pour le nettoyer. Elles n'auront transmis de leur technique ancestrale que le mot lessive (en ancien français, *lixiva* signifie « eau coulée sur les cendres ») !

L'industrie chimique des détergents a peu à peu remplacé les savoir-faire ancestraux. Et l'on voudrait nous faire croire que les lessives ne sont pas polluantes. Mais rien n'est plus faux, car toutes polluent, même lorsqu'elles ne contiennent pas de phosphates.

Dans les années 1960, les lessives et autres détergents contenaient trop de tensioactifs. Ces substances nettoyantes, qui avaient le mauvais goût de mousser jusque dans les rivières et les mers, ont été remplacées dès les années 1970 par les phosphates, qui, eux, ne faisaient pas de mousse et pouvaient même être considérés comme parfaitement écologiques. En effet, les phosphates proviennent de sources naturelles telles que les déjections humaines (10 %), les lisiers des élevages de porc ou les composts utilisés comme engrais en agriculture (50 %), ou encore l'érosion (10 %). L'industrie chimique en apporte près de 20 %, dont 10 % via les lessives. Les phosphates, un engrais ? Eh oui ! Mais, à fortes doses, ils constituent un véritable excès de nutriments et les rivières ont commencé à être colonisées par des algues vertes si envahissantes qu'elles recouvraient l'eau d'une couche opaque et consommaient tout l'oxygène disponible. Cette eutrophisation des rivières a rendu l'eau totalement invivable pour les poissons, qui se sont mis à flotter par centaines, morts, le ventre à l'air. Comme il était plus facile de retirer le phosphate des lessives que de limiter son utilisation dans l'agriculture ou de restreindre les déjections humaines, des produits de substitution ont été proposés. Mais ces produits ne sont pas sans danger : ainsi, l'acide nitriloacétique (NTA) est une petite molécule qui ressemble à un acide aminé relativement biodégradable, mais dont les résidus sont beaucoup plus toxiques. Ou encore les zéolites, ces petites billes d'argile présentées comme des minéraux sans danger, mais qui s'avèrent à l'usage former des boues obstruant les canalisations et tapissant les fonds aquatiques. Par ailleurs, ces zéolites contiennent de l'aluminium, une substance toxique pour le système nerveux.

Les adeptes d'un vrai retour à la nature peuvent essayer, outre l'ancestrale lessive de cendres, des infusions à base de racines de saponaire ou de luzerne, de marrons d'Inde décortiqués ou de feuilles de lierre. À moins qu'ils ne fassent confiance aux progrès de la recherche. Des chercheurs d'une université australienne ont en effet annoncé, début 2005, avoir découvert un procédé susceptible de remplacer les lessives : l'eau « dégazée ». Capable de dissoudre même les substances huileuses (ce sont en effet les toutes petites bulles d'air présentes dans l'eau qui empêchent les substances graisseuses de se dissoudre…), elle pourrait devenir un détergent efficace 100 % écologique ! ■

'ozone

apport massif de chlore dans l'atmosphère, principalement dû à une pollution par les CFC (chlorofluorocarbures), qui en sont de grands pourvoyeurs. Leur interdiction en 2000 a permis une baisse du taux de chlore dans l'atmosphère mais, du fait de leur longévité (cent ans environ), ils ne disparaîtront que progressivement. Ce n'est que vers 2040-2050 que l'atmosphère sera revenue à une situation similaire à celle des années 1980, juste avant la découverte du trou dans la couche d'ozone. ■

L'air est plus pollué qu'avant

Au début du XXe siècle, la pollution était due à l'industrie et au chauffage au charbon. Les villes enfumées, polluées par des émissions de soufre et de métaux lourds, étaient les symboles d'une révolution industrielle réussie.
En 1810, la première réglementation nationale sur les installations polluantes fut appliquée. Aujourd'hui, la pollution a changé de nature, et les voitures sont devenues son agent principal.

LONDRES, 1952 : 3 000 MORTS EN TROIS NUITS

Entre le 5 et le 9 décembre 1952, à Londres, 3 000 à 4 000 personnes, sur les 8 millions que comptait la ville, décédaient de bronchites, de pneumonies et d'accidents cardio-vasculaires. Pendant dix jours, un anticyclone stable s'était installé sur la ville. L'atmosphère, au lieu de se refroidir avec l'altitude, s'était réchauffée jusqu'à un certain niveau, le niveau d'inversion. À cette hauteur se forma une couche d'air plus chaude, la couche d'inversion. Les substances provenant du chauffage au charbon, des industries et du trafic automobile s'accumulèrent dessous, comme sous un couvercle. Il n'y avait plus de brassage vertical. Le vent étant faible, la concentration des polluants, en particulier le dioxyde de soufre, a augmenté alors très rapidement, jusqu'à atteindre treize fois les concentrations habituelles ! Un an après, le maire de Londres conseilla à ses administrés de porter un masque en prévision d'un nouveau smog. Les usines furent ensuite déménagées... en banlieue.

Tous polluants confondus, la pollution de fond, constituée par les gaz et particules qui présentent une gêne ou un risque pour la santé et l'environnement, est sans doute plus faible qu'il y a cinquante ans. L'amélioration des carburants et le traitement des fumées des usines ont largement contribué à cette diminution. Ainsi, les concentrations de dioxyde de soufre ont baissé de 10 % par an depuis 1999, d'après un bilan de mai 2004 des Associations agréées pour la surveillance de la qualité de l'air (Aasqa). La situation reste pourtant préoccupante dans les agglomérations très industrialisées comme Le Havre et la zone industrielle Lacq-Lagor.

Grâce aux pots catalytiques, les concentrations de dioxyde d'azote ont été réduites d'environ 20 % sur les six dernières années, celles de monoxyde d'azote d'environ 30 %. La suppression du plomb dans l'essence depuis le 1er janvier 2000 a permis de diviser par trois les émissions de ce métal dans l'air.

En revanche, les pics du taux d'ozone, favorisés, paradoxalement, par la lutte contre les fumées noires, ont augmenté. Ce polluant secondaire apparaît lors d'un fort ensoleillement, car une réaction se produit alors entre la lumière solaire et les gaz d'échappement : schématiquement, le dioxyde d'azote laisse échapper une molécule d'oxygène sous l'effet des ultraviolets, qui se combine à l'oxygène de l'atmosphère (O_2) pour former de l'ozone (O_3). L'absence de vent et la chaleur des couches d'air élevées plaquent au sol ce gaz très agressif pour les muqueuses respiratoires et oculaires.

Or il n'est pas anodin d'avaler quotidiennement tous ces polluants, sachant que chacun de nous inhale chaque jour quelque 15 000 litres d'air. L'Ademe (Agence de l'environnement et de la maîtrise de l'énergie) a répertorié 31 692 décès en 1996 dus à la pollution. En 1999, l'INVS (Institut de veille sanitaire) a conclu que 265 personnes meurent prématurément lorsque les niveaux de pollution de fond augmentent de 50 g/m^3. On connaît mal les effets de la pollution à long terme. Des études épidémiologiques menées aux États-Unis ont montré que les personnes exposées à un risque moyen (villes polluées) pendant dix à vingt ans auraient une espérance de vie réduite de dix ans par rapport aux habitants de villes moins polluées. Seul réconfort : en 2020, avec le renouvellement du parc automobile, les émissions de polluants hors CO_2 devraient avoir baissé. ∎

L'air est plus pur en montagne

Chacun pense que l'air des montagnes est pur. Or si, là-haut, l'air est bien différent de celui des villes, ce n'est pas à cause de sa pureté, mais de sa sécheresse et de sa pauvreté en oxygène.

Le 13 août 2003, en Suisse, une couche d'air très polluée en ozone s'est développée jusqu'à une altitude de 4,5 km. Que ce soit en plaine ou en montagne, personne n'a donc échappé à cette pollution. Et ce n'était pas la première fois : en 2002, à Davos, le taux d'ozone relevé à 1 640 m d'altitude s'est maintenu durant cinquante et un jours au-dessus de la valeur limite de 120 mg/m^3 – la concentration a même dépassé cette valeur au Jungfraujoch (3 580 m). Il faut bien le reconnaître, le vent transporte l'air pollué des villes, et les courants chauds de montagne (les thermiques) prennent le relais pour élever cet air vicié en altitude...

Aux abords du tunnel du Mont-Blanc, il a fallu adopter une réglementation en 2002 pour limiter le trafic des poids lourds et leurs émissions de dioxyde d'azote. Quant à Mexico, c'est la ville la plus polluée de la planète selon l'ONU – elle se trouve pourtant à 2 200 m d'altitude.

Une équipe internationale de chercheurs a mené, sous la conduite de l'institut Paul-Scherrer, une étude sur la quantité d'air transportée en altitude. Elle a procédé à des mesures dans la Leventina, au sud du Saint-Gothard, et sur le versant sud du San Bernardino (Misox). Un planeur à moteur a parcouru, niveau après niveau, la transversale des vallées à de nombreux endroits et à des heures différentes. Combinées à

d'autres mesures faites par avion ou depuis le sol, ces données ont permis aux scientifiques de se faire une image précise de l'action des thermiques dans une vallée. Ils ont pu ainsi évaluer le transport des polluants dans l'ensemble de l'arc alpin : 50 % des polluants produits dans l'avant-pays sont apportés dans les montagnes par les vents de vallée, puis dans l'atmosphère libre des sommets par les thermiques. Ce qui correspond à 200 tonnes environ d'oxydes d'azote par jour. À titre de comparaison, les voitures et les camions en dégagent à eux seuls quotidiennement quelque 130 tonnes !

L'air des montagnes serait-il donc le même brouet que celui des villes ? Non ! D'abord, là-haut, il fait plus sec. Car avec la baisse de la pression atmosphérique diminue également la pression de la vapeur d'eau. À 4000 m d'altitude, elle ne représente plus qu'environ 60 % de celle du niveau de la mer : la pression de l'oxygène diminue dans les mêmes proportions. Du coup, le nouvel arrivant en altitude respire plus fort et plus vite : il permet ainsi à ses alvéoles pulmonaires d'absorber davantage d'oxygène. Malgré cela, le sang a plus de mal à se charger complètement en molécules. Pour augmenter la vitesse de circulation du sang, le cœur bat plus vite. Au bout de quelques jours de ce régime, l'organisme produit plus de globules rouges et d'hémoglobine.

Par exemple, en quatre jours à 4 000 m, le nombre d'hématies (globules rouges) peut augmenter de plus de 500 000 par mm^3 de sang. De retour des sports d'hiver, on a donc un peu plus de souffle. ∎

▲ *L'air des montagnes fut aussi pollué par les éléments radioactifs du nuage de Tchernobyl. Par le jeu des vents, aucune pollution ne demeure longtemps locale.*

Depuis Tchernobyl, il ne fau<sup>

Depuis la catastrophe de Tchernobyl, des mesures de radioactivité montrent que certains champignons présentent une contamination importante. Cela ne signifie pas pour autant qu'il faille renoncer à la joie de la cueillette.

▲ *Des chercheurs russes étudient l'impact – positif – de la pollution radioactive sur la croissance des tomates.*

Les champignons ont la particularité, encore mal expliquée, d'accumuler dans leurs cellules la radioactivité due au césium 137, métal qui est une des principales sources radioactives des déchets des réacteurs nucléaires. Cette caractéristique, due notamment à leur sensibilité aux métaux lourds, explique pourquoi, vingt ans après la catastrophe du 26 avril 1986, certains restent encore près de 1 000 fois plus contaminés que les autres produits agricoles. Cependant, malgré cette particularité, seule une ingestion

Autrefois, on ne laissait rien perdre

Dans le temps, on ne consommait pas autant et on réutilisait tout. Avec la généralisation des produits industriels et l'augmentation de la population, le recyclage est à l'ordre du jour, à l'échelle du pays.

Tout est bon dans le cochon… Optimisation de la consommation, zéro déchet, telle était la norme de l'économie domestique de nos anciens. Les Inuits sont capables d'utiliser un morse à la fois pour sa viande, ses os et ses défenses (outils et bijoux), sa peau (bottes et vêtements), sa graisse (combustible). Il n'en reste rien. En revanche, les activités industrielles sacrifient un organisme entier pour n'en prélever que l'élément de valeur, les fanons d'une baleine pour les corsets, ou la peau des bébés phoques pour les toques en fourrure, par exemple. Le reste devient déchet.

Alors, le monde moderne a « inventé » le recyclage… découvert par les archéologues en Égypte sous la forme de matières fécales et de verre récupérés il y a 3 500 ans dans des amphores. En Europe, la pratique a semble-t-il été oubliée depuis la naissance des villes au Moyen Âge, car leur densité la rendait difficile à mettre en œuvre. Ensuite, dès le XIXe siècle, l'industrialisation et l'élévation du niveau de vie ont permis à chacun de se

fournir aisément en objets manufacturés et donc d'accumuler les déchets. Depuis, dans les pays riches, les déchets organiques ont cédé la place aux papiers, aux emballages… et aux produits toxiques, difficiles à traiter soi-même. En France, 60 % des déchets proviennent de l'agriculture et de la sylviculture, mais la majorité est enfouie ou valorisée sur place. Les déchets industriels sont quant à eux réutilisés au cas par cas. Le problème posé par les déchets est en fait posé par nous tous, à la maison. Croissance de la population aidant, depuis 1975, tous les déchets ménagers augmentent chaque année de 2 % en poids (1 kg par jour et par personne en 2003).

Collectés pour le tri, déposés directement à la déchetterie ou compostés, 41 % de ces déchets sont incinérés. Certes, la chaleur de la combustion est en partie récupérée, mais les fumées et les cendres produites concentrent des produits toxiques, dont les fameuses dioxines. D'autre part, le recyclage fonctionne mal : 13 % seulement des ordures ménagères ont été ainsi recyclées en 2001 alors qu'on

pourrait en traiter facilement 30 %. La moitié des emballages sont quand même recyclés. Refondre du verre broyé dans des fours demande moins d'énergie que porter du sable à haute température pour fabriquer du verre. Les métaux comme l'acier apportent 35 % des besoins en métaux des fonderies. L'aluminium des canettes se transforme en pièces moulées pour voiture. Réduits en fibres et désencrés, les papiers et cartons recyclés composent les nouveaux cartons à 80 %, les nouveaux journaux à 60 %. Mais le plastique, issu du pétrole, n'est recyclé qu'à 14 %. Si les thermoplastiques, comme le polyéthylène (sacs, bouteilles), le PVC (fenêtres) et l'acrylique deviennent fibres de rembourrage, vêtements, mousses, tuyaux, bidons, bacs, les plastiques thermodurcissables, comme les époxydes (sèche-cheveux, casques), sont en revanche trop rigides pour être recyclés.

Que faire pour améliorer le recyclage ? Favoriser la collecte sélective, la thermolyse (combustion sans air) ou la méthanisation des décharges (pour produire du gaz). À une échelle locale, des « ressourceries » récupèrent déjà les objets pour en fabriquer et en revendre de nouveaux. Des stylistes créent aussi des lignes de vêtements originaux en réutilisant et en assemblant des morceaux de vêtements délaissés par leur propriétaire… ■

...lus ramasser de champignons

massive de cette gourmandise pourrait entraîner un risque pour la santé. De plus, de grandes disparités de contamination existent en fonction des lieux de cueillette et des espèces ramassées. Cette hétérogénéité s'explique par le fait que certaines zones, comme l'est de la France, ont été plus touchées que d'autres par le nuage radioactif. La qualité des sols joue également un rôle, puisque dans ceux chargés en humus, comme dans les bois, les dépôts radioactifs pénètrent plus difficilement en profondeur, laissant ainsi aux champignons tout le loisir de les absorber.

Par ailleurs, le type de champignons a une grande importance. Le champignon de Paris, le coprin chevelu ou encore la morille sont par exemple très peu sujets à l'accumulation. En revanche, d'autres spécimens, comme la chanterelle jaunissante ou le petit gris, ont déjà dépassé à plusieurs reprises les 1 000 Bq/kg (le becquerel est l'unité de mesure de la radioactivité), alors que la limite de consommation est fixée pour un adulte à 600 Bq/kg. Cependant, l'ingestion de 1 kg de champignons contaminés à 1 000 Bq/kg conduirait tout juste à une dose reçue de

0,01 mSv (le sievert est l'unité de mesure de notre exposition aux rayonnements), limite en dessous de laquelle le risque est jugé ridicule. Malgré leur contamination, ces champignons ne semblent pas souffrir de mutations génétiques. En règle générale, plus un organisme est simple du point de vue biologique, moins il est vulnérable aux rayonnements ionisants. Les êtres humains, qui relèvent d'une organisation particulièrement complexe, sont en revanche très sensibles à la radioactivité. ■

Les marées noires sont des catastrophes écologiques

Tel est le sentiment général depuis la première marée noire, celle du *Torrey Canyon* au large des îles Scilly en 1967. Les images d'oiseaux mazoutés et de plages souillées renforcent cette idée. Pourtant, les traces des marées noires s'effacent.

À chaque marée noire sa particularité. Celle de l'*Amoco Cadiz* (1978) en Bretagne a libéré 230 000 tonnes d'un fioul rapidement biodégradable, qui n'en a pas moins tué en baie de Morlaix 30 % des coquillages vivant sur les rochers, 90 % de ceux présents sous le sable, 50 % des crabes, etc. Celle de l'*Erika*, en 1999, toujours en Bretagne, n'a rejeté « que » 20 000 tonnes, mais d'un fioul plus lourd qui a rapidement touché quelque 150 000 oiseaux marins. Aujourd'hui, il ne reste pratiquement plus une trace de la

première catastrophe. Et en dépit d'une trentaine d'études menées après le naufrage de l'*Erika*, les chercheurs n'ont pas relevé d'impact particulier, si ce n'est l'hécatombe des guillemots. Comment l'expliquer ?

Il faut environ sept ans pour que s'effacent les traces d'une marée noire sur le littoral. Suivant sa nature, le pétrole est en effet plus ou moins vite dégradé par des bactéries. Quant aux populations d'animaux marins, leurs effectifs se reconstituent suivant un nouvel équilibre. Mais il n'en va pas de même pour le pétrole déposé sur les fonds marins. Les analyses chimiques effectuées pour mesurer la pollution due à l'*Erika* ont ainsi révélé des traces de pétrole issu du *Gino*, qui a fait naufrage près d'Ouessant en 1979.

En réalité, les conséquences d'une marée noire dépendent de nombreux facteurs : nature du pétrole, ensoleillement (qui influence la viscosité du pétrole et donc sa vitesse de dispersion), salinité de la mer (plus l'eau est salée, plus les hydrocarbures flottent), vents, courants, géographie du littoral, etc. Du reste, on ne sait pas encore bien évaluer leur incidence sur nombre d'organismes marins. Enfin, il faut relativiser l'effet des marées noires. Entre 1967 et 2002, elles ont jeté plus de 1,2 million de tonnes d'hydrocarbures dans les eaux européennes. Mais en comparaison des dégazages sauvages, ce n'est qu'une goutte d'eau : chaque année, environ 1 million de tonnes de fioul sont ainsi déversées rien qu'en Méditerranée ! Sans compter qu'en dehors des hydrocarbures il y a bien d'autres polluants qui ont aussi un impact sur la faune marine : pesticides, métaux lourds, produits chlorés. Mais ils ne laissent pas de traces visibles… ■

◄ *Pour les supertankers, l'accès aux eaux de l'Alaska est périlleux. Les otaries à fourrure, décimées par la marée noire de l'*Exxon Valdez*, en 1989, ont à peu près reconstitué leurs populations. Mais survivraient-elles à d'autres catastrophes ?*

Chapitre III

Pas si bêtes

Un appétit d'oiseau

Les oiseaux semblent souvent picorer çà et là, attraper un ver ou une graine et s'en satisfaire pour la journée. Alors, on parle depuis longtemps d'« appétit d'oiseau » pour évoquer celui qui n'avale presque rien.

▲ *Le grand héron bleu se nourrit aussi bien d'amphibiens, de petits mammifères et de serpents que de gros poissons (ici, un poisson-chat).*

rreur ! Les oiseaux mangent plutôt beaucoup. Proportionnellement à leur taille, ce sont même de gros mangeurs comparés aux autres animaux. Le goéland et le martin-pêcheur avalent des poissons entiers ; et que dire des roitelets, mésanges et autres petits volatiles, qui absorbent chaque jour 30 % de leur poids en nourriture ? C'est comme si une personne de 60 kg engloutissait en une journée 20 kg d'aliments ! Quant aux colibris, ils doivent quotidiennement ingurgiter la moitié de leur poids en nectar, soit 1,5 g.

Il faut dire que les colibris sont les animaux à sang chaud qui dépensent le plus d'énergie. Mais, d'une manière générale, les oiseaux ont un métabolisme très élevé, leur température interne se situant entre 40 et 41 °C. En hiver, la quantité de calories dépensées pour maintenir cette température est considérable, surtout chez les petits oiseaux, qui se refroidissent très rapidement. Chez eux, le rapport surface/volume est très grand : ils perdent donc beaucoup de chaleur par la peau.

Les grands volatiles comme la buse mangent relativement moins que les espèces de petite taille : leur ration quotidienne équivaut à un sixième de leur poids. Certains sont même capables de jeûner. Pour couver, le manchot empereur se passe lui aussi de nourriture pendant plusieurs semaines. Enfin… apparemment ! En 2003, une chercheuse du Cepe (Centre d'écologie et physiologie énergétiques) de Strasbourg a en effet montré que ce dernier stockait les poissons dans son estomac. Il sécrète pour cela une protéine antimicrobienne, la sphéniscine, qui empêche la décomposition des aliments à la température interne du manchot. Et il n'a plus qu'à digérer, petit à petit, pendant sa période de couvaison. Une sorte de garde-manger interne et personnel ! Cette molécule intéresse beaucoup l'industrie agroalimentaire, qui l'étudie de près : elle permettrait, d'après les scientifiques, de conserver des aliments à température ambiante… ■

▲ *Ce serpent de la famille des colubridés (dont font partie les couleuvres) avale une grenouille vivante.*

Les serpents peuven

Ces visiteurs familiers des étables viennent-ils téter les vaches et les dévorer, comme on le croyait au Moyen Âge ? Difficile d'accorder foi à une telle assertion ! Les couleuvres ne mangent pas de proies plus grosses que des grenouilles…

es serpents sont tous des carnassiers, mais aucun n'est capable d'avaler une vache pour autant. Un python de grande taille peut venir à bout d'une proie de 75 kg – un petit veau, par exemple –, mais on est bien loin des 500 kg en moyenne que pèse un bovin. Cependant, la nutrition de ces reptiles est spectaculaire, car ils avalent leurs proies en une seule

Le dromadaire
a de l'eau
dans sa bosse

Pour survivre dans le désert, le dromadaire peut se passer d'eau pendant plusieurs jours. Mais sa bosse contient en fait de la graisse, ce qui lui évite d'avoir trop chaud… et trop soif.

Le dromadaire peut effectivement se passer de boire pendant dix jours en saison sèche, et deux mois durant la saison des pluies en utilisant l'humidité des plantes qu'il a ruminées. Mais sa bosse ne constitue pas un château d'eau portatif. Comme celle du zébu, elle contient essentiellement de la graisse – de 92 à 98 % en fonction de son âge. Celle-ci sert de réserve énergétique en fondant en cas de disette. Mais, surtout, concentrée ainsi dans la bosse, la graisse ne s'accumule pas sous la peau de l'animal. Ainsi, point de couche isolante : la chaleur interne s'évacue facilement.

D'autre part, le dromadaire est capable d'augmenter sa température interne de 6 °C (jusqu'à 42 °C), réduisant la différence avec la température extérieure : il économise ainsi 5 litres d'eau par jour ! Il peut aussi réduire sa production de salive, ainsi que sa transpira-tion, grâce à l'action d'une hormone particu-lière. Enfin, comme chez de nombreux animaux du désert, son urine est très concen-trée et plus salée que l'eau de mer.

Lorsqu'il se déshydrate, le dromadaire trans-fère l'eau contenue dans et entre ses cellules vers ses vaisseaux sanguins, ce qui permet à la femelle de continuer à donner du lait. Ce camélidé est capable de résister à une déshy-dratation importante – il perd 30 % de son poids –, alors que la plupart des animaux domestiques ne supportent pas une perte d'eau supérieure à 15 %. Ensuite, il peut absorber jusqu'à 100 litres d'eau (soit un cinquième de son poids) en quatre minutes, grâce à des globules rouges résistant à une forte variation de salinité : or cette réhydra-tation ferait exploser les cellules de n'importe quel autre animal !

Tous ces astucieux mécanismes font du dromadaire le roi du désert et l'animal de prédilection des nomades du Sahara. D'autres animaux, tels l'oryx ou l'addax (des anti-lopes), sont dotés d'une teinte claire réflé-chissant la lumière solaire et résistent à la déshydratation, mais avec des performances moindres. Quant aux rongeurs (gerbilles, gerboises, rats du désert) et aux fennecs, ils ont adopté une vie nocturne, profitant la journée du microclimat plus frais d'un terrier. ■

CHAMEAU ET DROMADAIRE

Le dromadaire (une bosse) et le chameau de Bactriane (deux bosses) appartiennent tous deux à la famille des camélidés, qui comprend aussi le lama, le guanaco, la vigogne et l'alpaga des Andes. Plus laineux, le chameau occupe les déserts froids d'Asie centrale (de l'Anatolie jusqu'en Mandchourie), le dromadaire vivant dans les déserts chauds, du Proche-Orient et du Moyen-Orient jusqu'en Afrique de l'Ouest. Le turkoman, un hybride de ces deux espèces, n'a qu'une bosse, mais légèrement subdivisée. Ce qui perturbe nombre de scientifiques, c'est que cet animal est fertile, alors qu'en théorie un hybride est réputé stérile. Dromadaire et chameau ne seraient-ils alors que deux variétés géographiques d'une même espèce ? Cette question reste aujourd'hui sans réponse. Domestiqué depuis l'époque romaine pour son lait, sa viande, sa peau et son endurance, qui fit de lui le principal moyen de transport dans le désert, le dromadaire sauvage n'existe plus – sauf en Australie, où il est retourné à l'état sauvage après y avoir été introduit. Les chameaux restés à l'état sauvage, comme le chameau de Tartarie, dans le désert de Gobi, pourraient, eux, être en train d'évoluer vers une autre espèce.

avaler des vaches

bouchée. Par quel prodige ? Chez les boas, la mâchoire est divisée en deux parties reliées par un ligament élastique et qui se déplacent séparément. En septembre 2004, un groupe du CNRS a même montré que la taille des mâchoires d'un serpent tigre adulte pouvait varier en fonction de la taille des proies qu'on lui présentait… mais en restant toutefois dans les limites de la déter-mination génétique.

Les autres os de la tête ne sont rattachés au crâne que d'une manière lâche. Cela permet au reptile d'ouvrir largement la gueule. De plus, les écailles de sa tête, disposées comme des tuiles, glissent les unes sur les autres pour permettre à la peau de se distendre au maximum. Pendant ce temps, trois poumons stockent de l'air, tour à tour, pour éviter à l'animal de s'étouffer. Le diamètre du corps du boa peut ainsi tripler de volume. Bien sûr,

digérer une proie pesant jusqu'à une fois et demie son poids demande du temps – géné-ralement une à deux semaines. Du coup, un serpent ne déjeune que toutes les trois semaines.

Et sa digestion est si lente que si, comme dans *Tintin*, un de ces reptiles avale votre chien, il n'est pas impossible qu'en lui ouvrant le ventre vous retrouviez votre animal… un peu groggy, certes, mais vivant ! ■

Fier
comme un paon

C'est vrai qu'il a fière allure quand il se pavane en faisant la roue ! Mais n'y voyez nulle coquetterie : il s'agit d'une parade nuptiale, un de ces comportements innés nécessaires à la reproduction, dont tout le règne animal est coutumier.

▲ *Les grandes plumes colorées de ce paon en parade nuptiale tomberont après la période de reproduction.*

Vénéré dans l'Inde ancienne, le paon force l'admiration lorsqu'il déploie sa longue traîne, qui comprend quelque 150 plumes suscaudales recouvrant celles, plus petites, de la queue. On aurait tort, toutefois, de le taxer de vanité, car il ne fait que se plier à la dure loi de la survie de l'espèce. Ses chances de se reproduire dépendent en effet de sa capacité à attirer les femelles en affichant des signes de vigueur et de bonne santé, gage de sa condition de bon géniteur. Couleurs vives et nombreux ocelles (taches en forme d'œil) sur sa traîne font de lui un père acceptable !

Le rituel de la parade nuptiale est codifié : le paon déploie sa traîne en éventail, agite ses ailes, se rengorge en poussant des cris stridents… C'est un comportement inné, propre à l'espèce, qui prépare l'accouplement de deux partenaires mais permet aussi d'éloigner les concurrents et de signaler l'occupation du territoire par un couple. D'autres oiseaux adoptent des stratégies différentes. Ainsi, le martin-pêcheur est un champion du

vol acrobatique. Galant, il offre un poisson à la femelle avant l'accouplement. Le pigeon se lisse les plumes avec le bec, les grues mâles et femelles élaborent des ballets complexes… Les parades nuptiales se retrouvent dans tout le règne animal. Le chant d'appel sexuel du crapaud, la danse de l'araignée mâle devant la femelle, la livrée colorée du poisson guppy en période reproductrice en sont quelques exemples.

Physiologiquement, la reproduction n'est possible que pendant la saison des amours : chez la plupart des espèces, la femelle n'est réceptive qu'au moment de l'œstrus (ovulation). Lors de la parade nuptiale, les signaux visuels (mouvements, postures, couleurs…), acoustiques (cris, chants, grognements…) et tactiles (frottements…) déclenchent les modifications neuro-hormonales préalables à l'accouplement, permettant aux mâles et aux femelles de synchroniser leur activité sexuelle. Comment ? C'est ce que les éthologues cherchent à comprendre. Ainsi, Konrad Lorentz a

montré que, si la posture typique de la cane prête à se reproduire déclenche la parade nuptiale chez le canard de Barbarie, on ne peut y voir nul érotisme. Il ne s'agit que d'une réaction stéréotypée à un stimulus : un canard de Barbarie élevé parmi les hommes réagit de la même façon à une main tendue à bonne hauteur ! Autre piste de recherche fructueuse : les phéromones sexuelles, des substances découvertes en 1959 chez le ver à soie par le prix Nobel allemand Adolf Butenandt, qui jouent le rôle de signaux chimiques attractifs. Chez les mammifères, les sécrétions vaginales des femelles en chaleur attirent le mâle, tandis que les sécrétions des glandes sudoripares et préputiale du mâle augmentent la réceptivité de la femelle. En est-il de même chez l'homme ? C'est un grand débat ! ■

Chez les oiseaux, Madame couve et Monsieur chasse

Comme c'est la femelle qui pond, il est tentant de croire que c'est toujours elle qui s'assoit sur ses œufs pour les incuber. Or des observations récentes ont mis en lumière ce que nombre de chasseurs savaient intuitivement depuis longtemps : la femelle ne fait pas tout, loin de là…

◀ *Le manchot royal ne fait pas de nid. L'œuf unique est posé sur les pattes de l'adulte, où il est protégé par un repli de peau duveteux. Le mâle et la femelle se relaient pour couver.*

Chez les canards, sitôt la parade et l'accouplement achevés – les mâles arborent à cette occasion un brillant plumage coloré –, c'est à la femelle que revient la tâche de construire le nid (en général sommaire) puis, surtout, de couver les œufs de longues heures durant. Le mâle, lui, s'en va et entame une mue qui transforme subitement son beau costume de noces en un habit beaucoup plus modeste, où dominent les teintes brunâtres. La fête est finie ! Pendant ce temps, Madame doit élever ses rejetons – ces derniers étant nidifuges, c'est-à-dire capables de quitter immédiatement le nid après la naissance. Mais s'occuper seule de sa couvée présente des risques, les canetons se trouvant alors plus exposés aux prédateurs… Ce que les oies, elles, évitent puisque le mâle, certes, ne couve pas, mais il monte la garde !

Chez beaucoup d'oiseaux, cependant, mâle et femelle s'occupent de la reproduction : élaboration du nid, couvaison et, surtout, élevage des jeunes. C'est le cas notamment des espèces où les petits sont nidicoles, c'est-à-dire qu'ils naissent nus et aveugles et qu'ils doivent rester plusieurs semaines au nid avant de pouvoir prendre leur envol. Il est donc nécessaire que les deux parents puissent se relayer pour les nourrir. En général, la femelle couve davantage que le mâle, mais, parfois, celui-ci est plus actif pour nourrir les jeunes. Chez les manchots, dont certaines espèces doivent accomplir de longs trajets sur la banquise et en mer pour chercher provende, le travail est équitablement partagé. Question de survie !

Il existe pourtant des espèces où ce sont les femelles qui font le travail des mâles. Parmi les petits échassiers de la toundra arctique, certaines espèces de phalaropes ou encore le pluvier guignard ont inversé les rôles. C'est la femelle qui possède le plumage rutilant, normalement l'apanage du mâle. C'est elle aussi qui dirige la parade, n'hésitant d'ailleurs pas à choisir plusieurs partenaires. Enfin, c'est le mâle – et lui seul – qui s'occupe de couver les œufs. Et c'est même lui qui, tout seul encore, assurera l'élevage des jeunes. Pendant ce temps, la femelle ira faire la belle ailleurs. ∎

Les oiseaux sont unis pour la vie

L'image du couple de cygnes ensemble pour la vie est si ancienne que, dans la mythologie déjà, cet oiseau est un des animaux préférés de Vénus et un symbole de loyauté et d'amour. Pourtant, dans la nature, on n'est pas toujours fidèle…

Fidélité : voici un terme qui passionne les éthologues. Si les oies restent un modèle du genre, mâle et femelle semblant unis pour la vie, bien d'autres espèces d'oiseaux ne s'embarrassent pas de ce genre de considérations. La formation du couple n'a pour but que de pérenniser l'espèce et, selon les espèces, ce « contrat » peut durer plus ou moins longtemps. Les corbeaux et les corneilles, comme les oies, sont fidèles à leur partenaire. Les sternes et sans doute les goélands forment des couples qui durent parfois quelques années, voire toute la vie (sterne arctique), mais qui peuvent aussi se séparer subitement. Chez les canards, le couple se maintient tout au long du cycle reproducteur, mais pas au-delà. Les grandes espèces de rapaces (aigles, milans) constituent en général des couples inséparables. Ce qui n'est pas le cas chez les éperviers ou les vautours, qui ne reconduisent pas toujours le bail de leur partenaire d'année en année !

Chez les passereaux, en revanche, rares sont ceux qui sont unis pour plus d'un an. De plus, la monogamie n'est pas forcément de mise. Un mâle peut s'accoupler avec plusieurs femelles au cours d'un même printemps. Comme une femelle peut s'accoupler avec plusieurs mâles. Ce sont les progrès de la génétique qui ont dévoilé le pot aux roses : chez des couples d'oiseaux réputés monogames, on s'est en effet aperçu qu'il y avait souvent un pourcentage important de poussins dans le même nid qui étaient en fait de pères différents ou n'étaient pas tous de la même femelle… ∎

C'est une vraie mère poule !

L'amour entre une mère et ses enfants semble naturel, même chez les animaux. Il s'agit en fait d'un attachement à la fois inné et acquis, qui permet leur apprentissage, donc leur survie.

En file indienne, les canetons suivent leur mère et ne la lâchent pas d'une palme. Un comportement essentiel à la survie des jeunes : leur mère sait où trouver de la nourriture et comment éviter les prédateurs ; elle en profite pour leur enseigner le monde. La manière dont se manifeste l'attachement – ici, une réaction de poursuite – est génétique. Mais comment les petits reconnaissent-ils celle qu'ils doivent suivre, comment s'effectue le choix de l'objet de l'attachement ? Ce phénomène a été surtout étudié chez les oies, les canards et les poules, mais il concerne aussi de nombreux mammifères : cerfs, bisons, chevaux…

Il s'agit en fait d'un comportement instinctif modifiable par l'expérience, « l'empreinte », que Konrad Lorentz a découvert en 1935. Le chercheur prit quelques œufs d'une oie cendrée et les plaça dans un incubateur. Les oisons passèrent donc les premières heures de leur vie avec Lorentz et non avec leur mère. Ils suivaient fidèlement le chercheur et ne reconnaissaient ni leur mère ni les autres adultes de leur espèce. Devenus adultes, ils préféraient la compagnie des humains à celle de leurs congénères – et il leur arrivait même de tenter de s'accoupler avec eux ! Lorentz a démontré ainsi qu'un jeune caneton tentera de suivre le premier objet assez gros qui bouge, voire émet un son, dans son

▲ *Le zoologiste Konrad Lorenz (1903-1998) et ses canetons. Son étude des comportements animaux est à l'origine d'une discipline nouvelle, l'éthologie.*

environnement immédiat durant les quelques jours qui suivent sa naissance – sa mère à l'état naturel, un leurre ou le chercheur lui-même en milieu expérimental. En fait, d'après certaines études menées en 1975, il

Les animaux n'ont pas conscience de la **mort**

La conscience de la mort est-elle une spécificité humaine ? On raconte qu'une femelle gorille apprivoisée manifesta clairement des signes de tristesse le jour où le chaton qu'elle avait adopté mourut. Et on a vu des éléphants caresser avec leur trompe un congénère mort…

La mort, certains animaux la perçoivent. Les bêtes de boucherie, à l'abattoir, la ressentent d'un point de vue physiologique, et leurs battements cardiaques s'accélèrent. Un instinct de survie les incite à tenter de fuir.

On a constaté que les singes et les éléphants étaient très perturbés par la mort de l'un des leurs, parfois au point de se laisser mourir à leur tour. Diane Fossey et Jane Goodall ont constaté qu'une femelle gorille ou chimpanzé qui venait de perdre son bébé refusait cette fatalité et conservait son cadavre au cours de ses déplacements jusqu'à un état de décomposition avancée. Les mères éléphants restent aussi longtemps auprès de leur bébé mort-né, essayant de le relever. Face à la mort d'un des leurs, certaines espèces perçoivent le corps mort de l'autre, mais ne peuvent se représenter la mort, c'est-à-dire donner un sens abstrait à leur perception.

Nombre d'insectes n'ont, eux, aucune conscience du décès de leurs congénères, dont ils piétinent les corps. Selon une étude menée en 2002, certains, comme les fourmis, déplacent les cadavres de façon à former des tas d'animaux morts. Et, chez les abeilles, de véritables « croque-mort » sont chargés de dégager les cadavres de la ruche. Mais il n'existe pas de rites funéraires chez les animaux. Pas plus que de cimetières d'éléphants. Que les animaux aient une véritable conscience de la mort et puissent s'interroger sur le sens de cet événement n'est sans doute qu'un fantasme humain. ∎

s'agirait plutôt d'une période de sensibilité pendant laquelle l'empreinte est facilitée. C'est grâce à elle que les membres de l'espèce se reconnaîtront entre eux et pourront trouver un partenaire sexuel ; c'est aussi elle qui conditionne l'apprentissage du chant chez les oiseaux, par exemple. Une période propice à la becquée de l'albatros et à la tétée du chamois… ou encore du petit d'homme. ∎

Avoir une mémoire d'éléphant

Depuis peu, la science s'est penchée sur les légendes concernant cet animal mystérieux… Non, les éléphants n'ont pas peur des souris ; non, leurs cimetières n'existent pas. Mais quid de leur mémoire ?

Est-ce une légende née à cause de leur énorme crâne ? Non, les éléphants ont une très bonne mémoire. Dans la nature, ils semblent se rappeler pendant des années les relations qu'ils ont eues avec des douzaines, voire des centaines d'autres éléphants, même rencontrés occasionnellement. En fait, ce sont les vieilles femelles qui se souviennent de tout. Selon les travaux de deux chercheuses, l'une anglaise et l'autre kényane, au sein du troupeau, elles seules savent parfaitement distinguer les barrissements familiers des barrissements étrangers et ont une connaissance très précise de leur milieu. Ces informations sont transmises de génération en génération : les plus âgées se succèdent pour mener le groupe et conservent le souvenir des lieux riches en eau et en nourriture. Les troupeaux possèdent donc une mémoire sociale, gardée par leurs aïeules.

Le pachyderme n'est pas le seul à avoir bonne mémoire. Les céphalopodes savent ainsi reconnaître après six mois d'absence la personne qui les soigne. Même chose chez les otaries : deux biologistes de l'université de Californie ont rapporté en 2002 que l'une d'entre elles s'était souvenue de symboles qu'elle n'avait pas vus depuis dix ans. Plus surprenant encore est le cas de l'abeille : pour qu'elle se souvienne d'une direction imposée, il lui suffit, en captivité, de trois essais d'apprentissage. Considérable, la mémoire de l'abeille ! ∎

Têtu comme un âne

Il n'est pas un conte, pas une légende populaire qui ne stigmatise les oreilles, la stupidité ou l'entêtement de cet animal. D'où la pérennité de cette expression. Rares sont les clichés aussi tenaces.

Dormi

Cette expression évoque un sommeil profond, dont rien ne semble devoir vous tirer. Elle fait référence, bien sûr, à l'hibernation de ce sympathique rongeur qui constitue un modèle d'étude pour les scientifiques.

L'âne hésite, voire refuse d'avancer. On le dit alors têtu… En réalité, placé face à une situation inconnue, il n'est pas très prompt à prendre la fuite, ce que ferait immanquablement son compère le cheval. Alors il est obligé d'anticiper et d'analyser la situation qui se présente. Son comportement traduit attention et circonspection. Il flaire, tâte du sabot, évalue la faisabilité et la sécurité du parcours. Rien d'entêté, donc, dans le compor-

tement de l'animal, seulement de la prudence… qui lui permet d'ailleurs de se tirer de bien des mauvais pas.

Par ailleurs, il n'y a chez les ânes ni dominants ni dominés, et chaque individu est peu dépendant du groupe. Les groupes eux-mêmes ne présentent pas de caractère permanent, ils se font et se défont au gré des humeurs, leur composition se modifiant en quelques semaines. À l'intérieur, pas de chef ! L'union est cependant maintenue par un curieux phénomène de mimétisme : il suffit qu'un animal mange, boive, se couche, se roule par terre ou urine pour que tous les autres fassent de même, ce qui favorise la cohésion du troupeau. Mais cette structure sociale, sans hiérarchie nette, aurait en quelque sorte programmé l'âne à ne guère obéir. D'autant qu'au cours de sa domestication – il y a au moins 5 000 ans – l'homme l'a sélectionné pour sa rusticité ; un animal à tout faire, en somme, dont on n'attendait probablement pas qu'il se comporte en compagnon docile. ■

L'ÂNE : ENCENSÉ PUIS DÉNIGRÉ

Domestiqué au Proche-Orient, l'âne y resta fort estimé. En témoigne l'épisode de Samson assommant mille Philistins avec une mâchoire d'âne, puis la présence de l'animal dans la crèche, où il réchauffa Jésus. C'est aussi un âne qui permit la fuite en Égypte et c'est sur son dos que Jésus entra dans Jérusalem. En réalité, c'est en Occident que son image s'est dégradée lorsque se généralisa l'emploi du cheval, mieux adapté au climat, notamment dans les domaines nobles (guerre, parade…). La déchéance de l'animal se fait sentir dans l'Antiquité grecque et romaine, où, en raison de la longueur de son sexe, on lui prête une sensualité débridée qui symbolise les forces du mal. On comprendra alors qu'il incarne la débauche et l'excès dans la fête des fous du Moyen Âge et qu'il soit devenu le représentant de la dérision, de la bêtise et de l'obstination.

Lorsque la marmotte hiberne, ses fonctions vitales tournent au ralenti et elle cesse de produire de la chaleur. Pour les biologistes, cette mise en sommeil de l'organisme – un état de léthargie plus proche de la mort que du sommeil nocturne – témoigne d'une remarquable capacité d'adaptation. Vivre ainsi au ralenti pour économiser de l'énergie est une stratégie courante dans le monde animal. Mais seuls quelques mammifères – marmottes, ours, loirs, chauves-souris, une espèce de lémuriens… – et de rares oiseaux, tel l'engoulevent, hibernent complètement.

À l'automne, la marmotte prépare un lit d'herbes sèches, où elle se roulera en boule pour limiter les déperditions de chaleur. Après avoir bouché l'ouverture de son terrier, elle réduit considérablement sa consommation d'oxygène et son activité métabolique. Son rythme respiratoire est divisé

omme une marmotte

environ par 20, tandis que son rythme cardiaque se stabilise autour de 10 pulsations par minute, contre 90 à 140 normalement. La température de son corps, maintenue à 37,5 °C en période estivale, baisse puis se met à fluctuer en fonction de la température extérieure, sans jamais toutefois descendre en dessous de 5 °C.

Pendant six à huit mois, la marmotte alterne des phases de torpeur de trois à dix jours et de courtes périodes d'éveil durant lesquelles ses fonctions vitales se rétablissent, le temps de s'alimenter, mais au prix d'une dépense énergétique importante qui entame ses réserves de graisse. Les scientifiques cherchent à comprendre les variations génétiques et neurohormonales qui gou-

vernent ces modifications physiologiques périodiques. Dans leur ligne de mire, les gènes qui contrôlent le métabolisme des graisses, les hormones cérébrales, thyroïdiennes ou sexuelles, ou encore le système nerveux végétatif (impliqué entre autres dans les variations du rythme cardiaque). La marmotte serait sensible à la température extérieure et à la durée des jours et des nuits. Mais tous les mécanismes sophistiqués de l'hibernation sont loin d'être élucidés…

L'hibernation n'est qu'un exemple de stratégie adoptée pour hiverner (c'est-à-dire passer l'hiver). Nombre d'oiseaux ou de mammifères sont simplement protégés par une couche de graisse et un plumage ou une fourrure plus dense. Certains s'adaptent à la

BIENTÔT DES VOLS SPATIAUX EN ÉTAT D'HIBERNATION ?

Dans les romans de science-fiction, des astronautes plongés en état d'hibernation traversent le vide sidéral. Impossible ? En tout cas, les scientifiques de l'Agence spatiale européenne (ESA) envisagent sérieusement d'amener l'homme dans un état de ralentissement métabolique proche de l'hibernation pour des missions sur Mars. Des découvertes récentes rendent ce rêve réaliste. Ainsi, en 2004, une équipe allemande a décrit pour la première fois les mécanismes de l'hibernation chez un lémurien (le primate *Cheirogaleus medius*). Celui-ci hiberne dans des trous d'arbres pendant sept mois. Curieusement, la baisse d'activité métabolique n'est pas chez lui systématiquement corrélée avec une baisse de sa température corporelle.

Des chercheurs ont aussi découvert qu'une molécule de la famille des opiacées, le DADLE (D-Ala, D-Leu-enképhaline), était capable d'entraîner sur commande l'hibernation des écureuils terrestres, ainsi que la mise en sommeil de cellules humaines en culture (elles se divisent plus lentement et l'activité de leurs gènes ralentit) ! Aujourd'hui, on cherche à identifier les substances préservant les hibernants d'une trop grande fonte musculaire ou de lésions cérébrales. Les voyages spatiaux en état d'hibernation attendront sans doute quelques décennies, mais des applications médicales comme la préservation des organes pour la transplantation se dessinent déjà…

pénurie de nourriture en changeant de régime alimentaire : un oiseau insectivore se rabattra ainsi sur des graines. D'autres, comme l'hirondelle ou la

baleine, préféreront migrer sous des latitudes plus clémentes. ■

◀ *Le muscardin peut hiberner pendant sept mois (d'octobre-novembre à avril) enroulé sur lui-même. Il s'endort dans un terrier, une souche, une fente dans l'écorce d'un arbre.*

Les **chats** retombent toujours sur **leurs pattes**

Dès la naissance, et contrairement aux chiots, les chatons perçoivent la sensation du vide. Pas étonnant, dès lors, qu'ils développent très tôt – entre la troisième et la quatrième semaine de vie – un réflexe particulier : celui de retomber sur leurs pattes. Bien sûr, cet automatisme s'améliorera au cours de la croissance, grâce au jeu. Il demande la participation de la vision, de l'oreille interne… et d'un sacré sens de l'équilibre ! Couplé à une solide musculature lombaire, il permet au félin de contrôler sa position spatiale sans aucun appui extérieur.

Cependant, pour que le chat puisse se retourner, il faut qu'il tombe d'une hauteur d'au moins 1,50 m, car le temps de réaction nécessaire pour redresser son corps est d'environ une demi-seconde. Or une chute de 1,50 m prend quatre dixièmes de seconde. L'animal doit aussi maîtriser la technique de redressement développée au cours de

De nombreuses idées circulent sur les chats : ils auraient neuf vies ; noirs, ils porteraient malheur ; et ils sont censés toujours retomber sur leurs pattes.

ses premières semaines de vie. Puis il doit maintenir sa vitesse de chute à environ 60 km/h. Pour cela, il écarte les quatre pattes, relève la tête et bat l'air avec sa queue. Du coup, théoriquement, qu'un chat tombe du 6e ou du 20e étage, la vitesse à laquelle il chute et la force de l'impact seront équivalentes. Théoriquement… Reste à atterrir avec le moins de dommages possible. C'est principalement le thorax qui absorbe le choc.

Il ne faudrait toutefois pas exagérer l'efficacité de ce réflexe. Dans les années 1980, deux vétérinaires, l'un à Paris et l'autre à New York, ont recensé les éventuelles séquelles des chats qui avaient fait une chute. Ils ont constaté que 90 % de ceux qui étaient tombés de moins de six étages survivaient à leur dégringolade, mais parfois au prix de quelques traumatismes comme un état de choc, des fractures des membres et de la mâchoire ou encore des contusions pulmonaires. ∎

Les oiseaux migrateurs

Copiés par les avions de chasse ou les cyclistes, de nombreux oiseaux migrent en formation en V. Une méthode esthétique et aérodynamique qui permet d'économiser de l'énergie et, peut-être, de mieux communiquer.

Oies, canards, grues, flamants, spatules, pélicans : de nombreux oiseaux migrateurs, pourvu qu'ils soient assez grands, impriment dans le ciel leur signature en V. Avantage aérodynamique ou social ? La controverse n'est pas encore close. En deux obliques dans le sillage d'un chef d'escadrille, les oiseaux du peloton profitent en théorie de l'appel d'air créé par les battements d'ailes des

◄ *Des oies cendrées volent en formation au-dessus du viaduc de Millau.*

volent en V

autres oiseaux. Le frottement de l'air est ainsi réduit, et les oiseaux avancent tout en économisant de l'énergie. Mais, pour cela, ils doivent se placer à une distance optimale les uns des autres et se suivre sans faute, à une certaine vitesse : selon des observations conduites en 2002, le vol en formation est un art difficile.

Ce vol en formation réduit-il vraiment l'énergie consommée ? Henri Weimerskirch, du Centre d'études biologiques de Chizé (dépendant du CNRS), a voulu tester cette hypothèse physique en 2001, pendant le tournage du *Peuple migrateur*, de Jacques Perrin. Une précieuse occasion de filmer, au Sénégal, de grands pélicans blancs qui avaient appris à voler derrière un ULM. Par rapport à un vol en solo, à même vitesse, leur rythme cardiaque est jusqu'à 15 % plus lent. De même,

le rythme du battement d'ailes diminue progressivement depuis le leader vers l'arrière de l'escadrille. En fait, Henri Weimerskirch a découvert que, dans une formation en V, les oiseaux planaient plus longtemps entre deux battements d'ailes : une méthode qui leur permet d'économiser de l'énergie – 14 % pour les pélicans. Outre son avantage aérodynamique, le vol en V permettrait de limiter les angles morts, pour se voir sans boucher la visibilité. Ainsi, l'échange d'informations sur le vol serait favorisé. Le chef d'escadrille pourrait aussi gérer l'orientation du groupe. Mais comment peut-il accepter de fendre l'air et de dépenser plus d'énergie que les autres ? En 2004, les Suédois Malte Andersson et Johan Wallander ont avancé des hypothèses. Les V aux angles aigus, plus difficiles à présider, conviendraient aux petites bandes de cygnes, d'oies et de grues, où les adultes peuvent se reconnaître et se relayer à la tête du V – ils sont aussi parfois apparentés. Les V aux angles obtus, où l'oiseau de tête profite autant de l'avantage aérodynamique que les autres, seraient réservés aux grandes bandes d'oiseaux sans relations entre eux, comme les échassiers. Quel que soit l'angle, le vol en V a également une fonction sociale importante : en volant de la sorte, les oiseaux profitent de la sécurité du groupe, ils restent en contact visuel sans être gênés par le voisin et, éventuellement, suivent les oiseaux les plus performants en matière d'orientation ou de recherche de nourriture. ■

Les oiseaux se cachent au fond des étangs pour hiberner

Longtemps on a cru que, l'automne venu, les hirondelles s'enfonçaient au plus profond de la vase des étangs pour hiberner, attendant ainsi le retour du printemps…

Mais où vont donc tous ces oiseaux qui, à l'automne, disparaissent des cieux tempérés d'Europe ?

Aristote, au IVe siècle av. J.-C., pensait que les hirondelles et certains rapaces entraient alors en léthargie. Ou encore que certains se métamorphosaient au tournant des saisons : le rouge-queue (migrateur) en rouge-gorge ou le coucou (également migrateur) en épervier.

On crut aussi que les hirondelles s'agglutinaient au fond des étangs jusqu'à la fin du XVIIIe siècle, époque à laquelle on acquit la preuve que les oiseaux qui quittent l'Europe partent pour une destination plus chaude en hiver – l'Afrique notamment, mais aussi l'Asie. Dans le même temps, on observait l'arrivée, en hiver, des hirondelles européennes en Afrique tropicale.

Mais la légende eut la vie dure. L'on vit même un obstiné nouer un fil rouge à la patte d'une hirondelle dans l'espoir qu'il le retrouverait bien déteint au printemps suivant… ■

L'évolution, une théorie qui n'a cessé d'évoluer

Celle qu'on appelle aujourd'hui théorie de l'évolution a derrière elle une longue histoire. Et c'est grâce aux apports successifs d'hommes plus ou moins en accord avec les idées de leur temps qu'elle a fini par devenir ce qu'elle est : une théorie plurielle, qui intègre désormais les découvertes les plus récentes de la biologie du développement et de la biologie moléculaire.

Classer le vivant

La nature émerveille. Et, face à son extraordinaire richesse, l'homme a toujours cherché à révéler un ordre, une hiérarchie. Sous l'Antiquité, Aristote et ses disciples font ainsi la distinction entre les animaux qui ont du sang (les *Enaima*) et ceux qui n'en ont pas (les *Anaima*), ou encore entre les arbres et les arbustes, les plantes médicinales et vénéneuses. Leur classification plus ou moins arbitraire va perdurer jusqu'à la Renaissance. Mais, au XVIIᵉ siècle, alors que les plantes et les animaux rapportés des voyages d'exploration s'entassent dans les cabinets d'histoire naturelle, elle s'avère bien inefficace.

La situation s'améliore au XVIIIᵉ siècle, avec le *Systema naturae* du Suédois Carl von Linné. Du moins pour les plantes, qu'il classe en fonction de leurs organes de reproduction (pistil, étamines). Mais Linné ne fait pas l'unanimité en France. Là, Bernard de Jussieu et son neveu Antoine Laurent jugent qu'il faut prendre en compte bien plus de caractéristiques pour chaque plante : certaines définissant l'ordre, d'autres la famille, le genre, etc. Leur méthode est appliquée avec succès au monde animal par Jean-Baptiste Lamarck et Georges Cuvier, aux idées pourtant opposées. Avant que la classification ne s'appuie sur l'évolution : on peut désormais classer le vivant en fonction de ses gènes, lesquels diffèrent d'autant plus que les êtres ont divergé à partir d'un ancêtre commun.

▲ *Georges Cuvier (1769-1832) établit une classification moderne du règne animal en structurant l'étude de l'anatomie comparée des animaux.*

Reconstituer l'histoire de la vie

*L*a manie de faire des classes. Voilà qui n'est pas le genre de Georges Louis Leclerc, que le roi nomme comte de Buffon en 1772. La vie, pense-t-il, se joue des catégories dans lesquelles on veut l'enfermer. Et l'on ne peut rien comprendre à sa diversité si l'on ne l'envisage pas dans sa dimension temporelle. Pour reconstituer son histoire, il va d'abord s'intéresser à celle de la Terre. Considérant qu'elle a d'abord été une boule de roches en fusion, il calcule le temps qu'un boulet de canon met pour se refroidir et, par une règle de trois, estime ainsi l'âge du globe. Résultat : 75 000 ans, soit 12,5 fois plus que l'âge donné dans la Bible. La vie y serait apparue à mi-parcours, vers 37 000 ans. Dès lors, il ne resterait plus à la Terre qu'une centaine de milliers d'années avant de devenir un désert glacé. L'œuvre prête le flanc à la critique. Mais, en s'appuyant sur les faits pour remonter aux causes, en introduisant l'idée d'une transformation des espèces au fil du temps, l'*Histoire naturelle* de Buffon ouvre la voie aux futurs théoriciens de l'évolution.

▼ *L'examen de ce fossile de mammouth découvert en Sibérie en 2002 a révélé qu'il s'agissait d'un mâle de 40 ans, mort voilà 18 560 ans.*

Évolution et création : une vieille querelle

Pour les créationnistes, aucun doute n'est permis : il y a 6 000 ans que Dieu a créé la vie sur la Terre et, depuis, rien n'a changé. Un point de vue naturellement opposé à celui des partisans de la théorie de l'évolution. Et une querelle qui ne date pas d'hier. Au début du XIXe siècle, le paléontologue Georges Cuvier, bien qu'admettant que des espèces s'éteignent, reste persuadé qu'elles ne peuvent pas se transformer : elles sont créées de novo après chaque catastrophe. Il s'oppose donc violemment aux thèses transformistes de Jean-Baptiste Lamarck et d'Étienne Geoffroy Saint-Hilaire. Et, de fait, il faut attendre 1996 pour que l'Église catholique, via Jean-Paul II, reconnaisse officiellement que la théorie de l'évolution est *plus qu'une hypothèse*. Le créationnisme n'a pas disparu pour autant : les fondamentalistes protestants n'entendent-ils pas prouver scientifiquement l'intégralité des affirmations figurant dans la Genèse ?

▲ En 1925, la Ligue antiévolutionniste de Dayton, dans le Tennessee, organise une vente de livres à l'occasion du procès d'un professeur de biologie poursuivi pour avoir enseigné la théorie de Darwin.

Lamarck ou Darwin ?

▲ Caricature de Charles Darwin (1809-1882).

C'est entre 1800 et 1809 que Jean-Baptiste Monet, chevalier de Lamarck, écrit sa théorie de la transformation des espèces. S'appuyant sur la comparaison d'êtres fossiles et actuels, elle s'inscrit dans une histoire de la Terre bien plus longue que celle de Buffon : il ne s'agit plus de 70 000 ans, mais de millions d'années. Donnant le nom d'espèce à *toute collection d'individus qui se ressemblent*, Lamarck, comme après lui Darwin, pense que ces espèces divergent au cours du temps en s'adaptant à leur environnement. Mais il n'avance aucun mécanisme pour l'expliquer : il suppose seulement que les nouvelles caractéristiques acquises par une espèce sont transmises de génération en génération, *avec une lenteur si grande que l'homme ne saurait les remarquer directement*. La génétique nous a depuis appris que les caractères acquis ne peuvent pas être hérités, mais qu'ils sont triés : si les girafes ont un long cou, c'est que celles ayant un cou moins développé ont été supplantées et éliminées…

Une théorie qui a évolué

Au milieu du XIXe siècle, alors que les savants anglicans fustigent Lamarck, Charles Darwin ménage sa réputation et réfute toute filiation avec lui. Revenu d'un tour du monde à bord du *Beagle*, il est pourtant convaincu de la transformation des espèces. Comme il l'affirme dans son *Origine des espèces*, c'est la sélection naturelle qui en est la cause : de même qu'un éleveur ne conserve que les animaux porteurs des critères qu'il juge les meilleurs, la nature ne garde que les individus les mieux adaptés à leur milieu, et ce sont les seuls à pouvoir transmettre leurs caractéristiques à leur descendance. Reste que, le support de l'hérédité n'ayant pas encore été découvert, il ne peut expliquer la transmission des caractères d'une génération à l'autre. En 1900, la redécouverte des lois de l'hérédité de Mendel, passées inaperçues à leur publication en 1866, va le permettre. À partir de 1930, l'ex-théorie de la sélection naturelle devient théorie synthétique de l'évolution. Elle évoluera encore, notamment par les apports du Japonais Kimura Motoo et de l'Américain Stephen Jay Gould. Aujourd'hui, on considère ainsi l'évolution différemment suivant l'échelle à laquelle on se place : celle des espèces (microévolution lente et graduelle par la mutation de gènes structurels) ou celle des grands groupes d'animaux ou de végétaux (macro- et méga-évolution, se faisant par « sauts » rapides, via la mutation de gènes de développement).

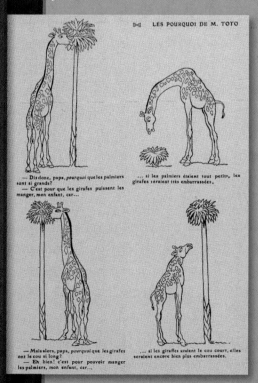

LES POURQUOI DE M. TOTO

— Dis donc, papa, *pourquoi que les palmiers sont si grands?*
— C'est pour que les girafes puissent les manger, mon enfant, car…

… si les palmiers étaient tout petits, les girafes seraient très embarrassées.

— Mais alors, papa, *pourquoi que les girafes ont le cou si long?*
— Eh bien! c'est pour pouvoir manger les palmiers, mon enfant, car…

… si les girafes avaient le cou court, elles seraient encore bien plus embarrassées.

▲ Pour Lamarck, le mets favori de la girafe était si haut qu'elle dut allonger son cou pour l'atteindre. Pour Darwin, le cou de la girafe est apparu par hasard, et cela lui donna un avantage compétitif. Longtemps raillé, Lamarck est maintenant à l'ordre du jour, car on a découvert que, dans certains cas, l'environnement pouvait orienter la sélection naturelle.

Les animaux possèdent un sixième sens

Les animaux semblent parfois doués d'un instinct particulier qui leur permet de sentir l'imminence d'un danger ou d'une catastrophe naturelle. Une sorte de sixième sens ?

Les rescapés évoquent le grand silence qui précéda la catastrophe. Plus de bourdonnements d'insectes, plus de chants d'oiseaux, plus de barrissements… Le 26 décembre 2004, plus de 300 000 hommes, femmes et enfants périssaient lors du terrible tsunami qui ravagea l'Asie du Sud-Est. Mais pas un cadavre d'animal ne fut retrouvé dans le parc national côtier de Yala, au Sri Lanka. Les centaines d'éléphants, de buffles, de léopards avaient fui loin du rivage juste avant le raz de marée. Les animaux seraient-ils doués d'un sixième sens, d'un don de prémonition qui fait défaut à l'homme ?

Ils n'ont rien d'extralucides, précise Xavier Bonnet, chercheur au Centre d'études biologiques de Chizé (dépendant du CNRS), *mais ils disposent sans aucun doute d'un équipement sensoriel plus efficace que le nôtre dans certaines situations*. À vrai dire, leurs sens se comptent aussi sur les doigts d'une main et sont les mêmes que les nôtres. Cependant, chaque espèce parmi les millions qui peuplent la planète possède des capacités de perception particulières adaptées à sa survie. Ainsi, des études montrent que les pigeons et les oiseaux migrateurs seraient sensibles aux variations de champ magnétique. D'autres, tels que les manchots, s'orienteraient en observant la position des astres dans le ciel. Canidés et félidés, grâce aux vibrisses de leurs moustaches, perçoivent les moindres mouvements de l'air ou variations de la pression atmosphérique. L'ornithorynque est réceptif aux signaux électriques grâce à son bec truffé de capteurs. Quant aux éléphants, ils sont équipés des pieds à la trompe pour communiquer entre eux par infrasons à des dizaines de kilomètres de distance. Autrement dit, à des fréquences inaudibles pour l'oreille humaine.

On peut supposer que leurs organes d'émission et de réception les rendent plus sensibles aux vibrations telluriques, et tout particulièrement aux ondes P, ces vibrations de faible puissance annonciatrices d'un séisme. Alors que nous ressentons seulement, et trop tard, les ondes S, les plus destructrices. Les pachydermes sont-ils pour autant capables d'anticiper l'arrivée d'une secousse tellurique tout comme les grenouilles sentent la crue prochaine d'une rivière ? Les observations laissent penser que bon nombre d'espèces possèdent de telles facultés. Mais les chercheurs ont bien des difficultés à en établir la preuve, une multitude de paramètres entrant en compte dans ce fameux instinct animal. Une seule certitude : chez les animaux, tout changement anormal de l'environnement entraîne une réaction de fuite. Un réflexe qui chez l'homme est régulièrement mis en sourdine au profit d'une capacité de réflexion certes parfois handicapante, mais précieuse, puisqu'elle a fait de lui un as de la survie. ■

Des surdoués dans tous les sens…

AFFAIRE DE GOÛT	ILS SONT TOUT OUÏE…	ŒIL DE LYNX OU DE HIBOU ?	UN FLAIR IMPARABLE	PARTICULIÈREMENT TOUCHANTS
C'est du côté des poissons que l'on trouve les plus fines bouches. Certaines espèces (saumons, truites) sont sensibles à d'infimes dilutions de polluants dans l'eau. À tel point qu'elles servent d'indicateurs aux spécialistes de l'environnement.	L'ouïe humaine fonctionne sur un intervalle limité de fréquences : entre 20 et 20 000 Hz. En dessous de 20 Hz, pour nous, c'est le silence. Mais pas pour les éléphants, qui sont capables de percevoir les infrasons à plusieurs dizaines de kilomètres de distance. De même, au-dessus de 20 000 Hz, les sons nous échappent, alors que les chiens, les chats et bon nombre de mammifères sont réceptifs aux ultrasons.	Chat, lynx et autres félidés possèdent une vue perçante, mais sans doute moins que les rapaces, capables de repérer une proie à des centaines de mètres de distance. Si la nuit est noire pour nous, le hibou, lui, y voit comme en plein jour. Chez lui, et chez beaucoup d'autres animaux nocturnes, le fond de l'œil fait office de miroir lui permettant de capter deux fois plus de photons. De son côté, le crotale capte les rayons infrarouges alors que les abeilles, certaines araignées et des papillons perçoivent les ultraviolets.	Ce serait en se repérant à l'odeur que les tortues de mer nagent sur des milliers de kilomètres pour retourner sur leur lieu de ponte. Quant aux serpents, ce sont de véritables champions de l'olfaction : grâce à leur organe de Jacobson, ils analysent l'air d'un coup de langue et sont ainsi capables de déterminer la taille, le poids et l'espèce d'un animal bien avant de le voir.	Le toucher est un sens performant chez les échassiers (les ibis, par exemple), qui ne voient pas le bout de leur bec. Pour les animaux cavernicoles, c'est une question de survie : insectes, crevettes, poissons ou araignées arborent tous des pattes à rallonge ou des antennes qui leur permettent de sentir les déplacements d'eau ou d'air. La plus douée, l'araignée *Clupiennius salei*, avec ses pattes couvertes de micropoils, est sensible au moindre frémissement ambiant.

◀ *Les grands primates ont une enfance assez longue où le jeu – et les rires qu'il provoque – tient une grande place. Ci-contre, un jeune chimpanzé s'esclaffant avec bonheur!*

Le rire
est le propre de l'homme

En dépit du célèbre adage d'Aristote, repris par Rabelais, on sait depuis Darwin que les grands singes rient aussi, mais différemment. Un comportement bien utile pour la communication.

*L*e rire est satanique et donc profondément humain. Car les animaux, eux, ne se sentent pas supérieurs. Si Baudelaire qualifia ainsi le rire, ce dernier n'est cependant pas l'apanage des seuls humains : les grands singes comme les chimpanzés, les gorilles ou les orangs-outans utilisent une sorte de rire pour communiquer. C'est Darwin, le père de la théorie de l'évolution, qui, en 1872, émet l'hypothèse que les contractions des zygomatiques et la répétition de sons observés chez les primates évolués sont le pendant de nos esclaffements.

Si les singes sont capables de rire, c'est qu'ils peuvent contracter indépendamment chaque partie du visage. Leur musculature, reliée au nerf facial, est particulièrement raffinée, surtout autour de la bouche. Mais lorsqu'ils rient, contrairement aux humains, leur bouche forme un O : ils ouvrent grand les mâchoires, rétractent les commissures des lèvres et découvrent les dents du bas. Guttural et haletant, leur rire ressemble au bruit d'une scie coupant du bois.

Les jeunes singes rient beaucoup en se chatouillant, en se mordillant ou en se poursuivant pour jouer. Des moyens d'expression visuels inconnus des autres animaux, qui favorisent le développement de la communication. Au cours de la jeunesse de tout grand primate, le rire a une fonction d'apaisement des conflits ainsi que d'apprentissage. Chez les gorilles des montagnes, Diane Fossey a remarqué que plus le jeu était intense, plus le volume sonore était élevé.

Lié au contact physique et social, le rire des singes ne vient pas appuyer la cocasserie d'une situation, d'un événement : les primates ignorent l'humour. Depuis l'ancêtre commun des hommes et des chimpanzés (il y a quelque 6 millions d'années), le rire, qui s'est maintenu en se complexifiant au cours de l'évolution, apparaît comme un comportement propice au développement de la parole et de l'intelligence. ■

Les taureaux sont attirés par le rouge

Enfermé dans le noir durant les instants qui précèdent la corrida, le taureau voit rouge lorsqu'il se précipite dans l'arène. Mais seulement de fureur. Car son système de vision ne lui permet pas de voir cette couleur...

Rouge : la couleur du sang, bien sûr. Quel aficionado de la corrida en douterait ? Le taureau est attiré par le rouge, et c'est pourquoi il fonce tête baissée sur la muleta, ce tissu écarlate que fait danser gracieusement le torero devant ses yeux. L'idée est ancrée dans les esprits depuis la naissance de cette ancestrale tradition hispanique. Et, pourtant, elle est fausse ! Les spécialistes de la vision sont unanimes : le taureau est bien plus excité par les mouvements de la cape du torero que par sa couleur. Et pour cause : le taureau comme le mouton et une majorité de mammifères ne voient probablement pas le rouge. Chez eux, la proportion des cellules à cônes – les récepteurs de la vision colorée – est bien inférieure à celle des cellules à bâtonnets qui permettent la vision nocturne en noir et blanc. Et, pour les moins bien lotis des mammifères, la rétine est tapissée d'un seul type de pigments pour capter la lumière : résultat, ils ne voient le monde qu'en nuances de gris. Tel est le terne univers dans lequel évoluent pieuvres, calmars et autres mollusques.

Avec deux types de pigments, un animal est capable de distinguer les ondes lumineuses courtes des ondes longues : de quoi faire la différence, par exemple, entre le bleu et le rouge, mais sans s'embarrasser de certaines teintes. Le chat ne différencie pas le jaune du vert, alors que les abeilles ne voient pas le rouge mais perçoivent très bien le jaune, le bleu et, comme nombre d'insectes, les rayonnements ultraviolets.

Pour voir la vie avec toutes ses couleurs, trois types de pigments sont nécessaires : les pigments sensibles au vert, au bleu et au rouge. Seule une poignée de mammifères, dont les grands singes, et quelques espèces d'écureuils sont ainsi capables de distinguer toutes les teintes de l'arc-en-ciel. En jonglant avec les nuances et les tonalités, les plus doués d'entre nous sont à même de discerner les quelque 10 millions de couleurs du spectre visible. Qui dit mieux ? La mante de mer. Cette petite bête aquatique de la famille des stomatopodes est équipée de dix classes de pigments différents. Le monde se pare sans doute pour elle de milliers de nuances qui nous échappent. Toutefois, les champions toutes catégories de la vision colorée restent les tortues, les lézards et les oiseaux. Sensibles à toute la gamme du spectre lumineux, ils captent, bon pied bon œil, toutes les longueurs d'onde, de l'ultraviolet à l'infrarouge. ■

LE SERPENT SOUS LE CHARME DU FLÛTISTE

La scène se déroule sur la célèbre place Jamaâ-el-Fna à Marrakech, au Maroc, ou encore quelque part sur un marché indien, et elle demeure toujours aussi fascinante. Le cobra se dresse et ondule, comme envoûté par la mélopée qu'interprète le joueur de flûte. Illusion ! Ce serpent des plus venimeux n'est pas plus mélomane qu'un jouet et à peu près aussi sourd qu'un pot. En revanche, il dispose d'une bonne vue. De plus, grâce aux petits osselets dont il est équipé entre la mâchoire et l'oreille interne, il est particulièrement sensible aux vibrations. En réalité, ce sont les mouvements des doigts du flûtiste qui provoquent sa réaction. Son comportement n'est rien d'autre qu'une parade d'intimidation destinée à cet adversaire potentiel qui s'agite face à lui. Confronté à une menace, le cobra réagit par l'attaque et non par la fuite, comme la plupart des espèces de serpents. Il redresse alors environ un tiers de son corps au-dessus du sol, avant de retomber violemment sur sa cible. Sachant que certains spécimens dépassent 2 m de longueur, mieux vaut prendre ses distances. Pour parer tout risque de morsure en cas d'attaque, le charmeur de serpent prend généralement soin de casser les crochets de la bouche du reptile en le faisant mordre violemment dans un morceau de tissu, ou de carrément les lui extraire (ci-dessus, chez un cobra). Ainsi, le reptile perd toute possibilité d'injecter son venin. Mais il peut encore le cracher ! Une autre technique consiste à faire avaler à l'animal des plantes qui provoquent une inflammation de la mâchoire. La douleur l'empêche alors d'ouvrir la bouche. Motus...

Les animaux r

Innocentes, les bêtes ? Pas tant que ça ! Tous les coups sont permis lorsqu'il s'agit de se nourrir ou de se reproduire : dans le monde animal, seul l'instinct de survie fait loi.

Les oiseaux chantent comme ils respirent

Le chant des oiseaux est-il inscrit dans leurs gènes ? Certains d'entre eux doivent pourtant apprendre la mélodie de leur espèce. Une contrainte qui permet la genèse de chants complexes s'apparentant à des dialectes.

On dit d'une poule qu'elle caquette et d'une mésange qu'elle chante… Simple raffinement sémantique ? Pas tout à fait car si, pour une volaille, rabâcher le même couplet monotone résulte d'un comportement inné, pour une mésange, un pinson ou un canari, parvenir à émettre des vocalisations complexes nécessite un apprentissage au cours des premiers mois de la vie. Une particularité propre aux oscines (oiseaux chanteurs).

L'étude des gazouillis des oiseaux débuta dans les années 1930, lorsque l'Américain Arthur Allen et son équipe de l'université Cornell mirent au point des appareils permettant d'enregistrer et de comparer les chants d'oiseaux de diverses espèces. Grâce à ce type de matériel, quarante ans plus tard, un autre Américain, Peter Marler, effectua une observation étonnante : un jeune bruant à couronne blanche (*Zonotrichia leucophrys*), élevé dès le plus jeune âge avec un oiseau adulte appartenant à une autre espèce, tentait d'imiter le chant de son compagnon. Preuve était faite qu'un oscine tel que le bruant était capable d'apprendre des vocalisations étrangères. Mieux, fin 2004, des chercheurs américains ont démontré qu'un bruant soumis à des enregistrements du chant de son espèce dont la structure temporelle avait été inversée se mettait à chanter en verlan sans la moindre difficulté.

Chez les oscines, un apprentissage semble donc nécessaire pour acquérir le chant de l'espèce. Quelle est alors la part de l'inné ? On a pu observer qu'un oiseau chanteur élevé dans le plus strict isolement chante avec moins de notes qu'un individu élevé par ses parents. Certaines des tonalités émises sont aussi très différentes. En revanche, chose plus étonnante, l'ordre des notes, autrement dit la syntaxe du chant entonné, est exactement celui de l'espèce. Cette connaissance-là serait innée. D'ailleurs, lorsqu'un jeune oscine entend les chants de représentants de plusieurs espèces dont la sienne, il reconnaît et apprend invariablement le chant de son espèce. Grâce à une meilleure sensibilité des appareils d'enregistrement, les chercheurs ont découvert un autre fait stupéfiant : les oiseaux chanteurs ne se contentent pas de reproduire le chant de leur espèce, ils chantent celui de leur groupe géographique. Chaque population a son accent, son dialecte… Une ressemblance extrême entre les mélodies de plusieurs individus peut ainsi indiquer un lien de parenté. De quoi ne plus écouter de la même manière les moineaux parisiens et marseillais ! ■

…ment jamais

Certains animaux sont de sacrés imposteurs. Les chimpanzés, par exemple, pratiquent couramment le mensonge par omission. Ils informent joyeusement leurs congénères lorsque la nourriture qu'ils ont trouvée est abondante, mais restent muets quand elle est réduite et qu'ils n'ont pas l'intention de partager. Chez les entelles (des singes d'Asie), les femelles, après s'être accouplées avec des mâles non dominants, invitent, en début de gestation, les mâles dominants à copuler à leur tour. Comme elles mettent bas juste avant le moment où les petits des dominants naîtraient, ces derniers traitent les petits de leurs concurrents comme s'ils étaient de leur sang. Sans cette duperie, leur progéniture serait tuée par les mâles dominants pour cause de filiation non assurée !

Les insectes, à ce jeu, ne sont pas en reste : les femelles lucioles du genre *Photorus* copient la série d'éclairs des femelles *Photinus*. Les mâles *Photinus*, leurrés, accourent… et se font dévorer.

Ces comportements ne sont pas entièrement déterminés par les gènes, mais aussi par l'environnement. En 2004, une étude du CNRS a ainsi démontré que les animaux mettaient à profit les informations recueillies en observant les comportements de leurs comparses, mais aussi celles qui résultent de leur propre expérience. C'est le chien qui remporte alors le premier prix du mensonge. Il est en effet capable de feindre la boiterie pour obtenir caresses et nourriture. Dès qu'il a capté l'attention de son maître, il cesse son manège. Mais seuls les chiens qui ont déjà été réellement blessés pratiquent cette imposture. Ils ont gardé en mémoire l'attention particulière que leur prodiguait leur maître en pareil cas, et tentent de la gagner de nouveau. ■

Les chauves-souris ont un radar

Il y a fort longtemps que l'homme s'est aperçu que la chauve-souris dispose d'un étrange sixième sens l'avertissant de certains obstacles invisibles pour les autres animaux. Mais c'est en 1794 que l'abbé Spallanzani leva une part du mystère : la chauve-souris se sert de ses oreilles pour se diriger.

La chauve-souris possède un système extrêmement perfectionné d'écholocation. En quelque sorte, elle voit avec ses oreilles ! Grâce à son larynx osseux, elle émet des ultrasons, c'est-à-dire des sons très aigus – entre 30 000 et 70 000 Hz. Si aigus qu'ils sont imperceptibles pour une oreille humaine, qui n'entend rien au-delà de 18 000 Hz. Dès que ces ultrasons heurtent un obstacle, ils rebondissent et renvoient des échos à l'animal, qui les capte grâce à une ouïe très sensible ; ainsi connaît-il la forme de ce qui l'entoure et, plus le son revient vite, plus l'obstacle est proche.

Avant de commencer à chasser, la chauve-souris dresse une carte ultrasonore de son territoire ; son espace ainsi défini, elle connaît parfaitement sa marge de manœuvre. Ce système est très précis. En février 2003, des chercheurs allemands ont démontré que ces mammifères peuvent même distinguer un chêne d'un pin ! Plus étonnant : une chauve-souris lâchée dans un laboratoire obscur sait instantanément reconnaître les différents objets que lui lancent les chercheurs. Ainsi, elle évite les morceaux de caoutchouc et se précipite sur les insectes ! De plus, chaque individu d'une même espèce possède un timbre de voix qui lui est propre, ce qui lui permet de se distinguer de ses congénères.

La chauve-souris n'est pas le seul mammifère à posséder cette capacité. Les cétacés sont aussi de véritables champions de l'écholocation sous l'eau. Les signaux ultrasonores sont majoritairement émis depuis le melon, une bosse remplie de graisse et d'huile située sur le front de nombreux dauphins. Et c'est par la mâchoire inférieure que l'animal reçoit les échos ainsi que les sons émis par ses congénères. De là, les ondes acoustiques sont transmises à l'oreille – via les os.

Les hommes, envieux de ce sixième sens, ont tenté de le reproduire grâce à des machines. Le sonar, créé par Paul Langevin en 1915, fonctionne sur le même principe. C'est d'ailleurs l'étude du mode de navigation de la chauve-souris qui a inspiré l'ingénieur. Mais il ne faudrait pas confondre le sonar avec le radar, inventé plus tard, en 1939, qui fonctionne grâce à des ondes radioélectriques. La différence ? La vitesse essentiellement : 1 500 m/s pour les ondes sonores contre 300 000 km/s pour les ondes radio ! ■

▲ *La chauve-souris repère son territoire en émettant des ultrasons dont elle analyse les échos.*

▲ *Grâce à ce mode d'orientation, l'écholocation, la chauve-souris peut ainsi éviter les obstacles et localiser ses proies.*

Il répète comme un perroquet !

Les perroquets peuvent imiter la parole, et même comprendre et apprendre les rudiments d'une langue.

L'ART DE COPIER LA NATURE

Léonard de Vinci élaborait déjà le dessin de l'aile d'un appareil volant en prenant pour modèle le membre avant de la chauve-souris. Puis il y eut le sonar et, enfin, l'avion Éole, qui imite point par point la voilure de ce mammifère et grâce à laquelle le pilote Clément Ader effectua le premier décollage d'un « plus lourd que l'air ». Le vivant est une source inépuisable d'inspiration. En 1955, au terme de huit années d'études, Georges de Mestral met au point la fermeture Velcro d'après le système de fixation du fruit de la bardane. Depuis 1960, une nouvelle discipline scientifique, la bionique, contraction de biologie et d'électronique, a officiellement pour mission de créer des matériaux ou des machines en s'inspirant, voire en imitant, le vivant. Aujourd'hui, certaines grues reproduisent la structure de la colonne vertébrale de l'homme, et des ponts celle du bréchet de l'oiseau. L'armature dans le béton armé est répartie de la même façon que les faisceaux de fibres osseuses dans les os, grâce aux calculs du mathématicien Karl Kullmann.

La physique n'est pas la seule discipline concernée. En 1972, l'architecte Otto Frei a repris la structure d'une toile d'araignée pour couvrir de toiles tendues le stade olympique de Munich (ci-dessous). Quant à l'informatique, elle doit beaucoup à l'étude des circuits nerveux : en 2000, l'équipe du chercheur américain Boris Rubinski a implanté un tissu humain au sein d'un microprocesseur, donnant naissance au premier microprocesseur bionique !

Coco ! Coco ! La voix éraillée de ce perroquet est presque humaine. En captivité, les perroquets sont capables d'imiter la voix. Pourtant, ils ne possèdent pas de cordes vocales. Leur syrinx (membrane vibrant pendant la respiration) perfectionné – c'est l'organe vocal des oiseaux – et leur langue charnue permettent à ces animaux de modifier le volume de leur cavité buccale et d'articuler grossièrement. Dotés d'une excellente mémoire, ils répètent les mots longtemps après les avoir appris, tel Charlie, le perroquet de Winston Churchill, qui, en 2004, ressassait encore : *P… de Hitler ! P… de nazis !*

Dans la nature, de nombreux oiseaux comme l'oiseau-lyre, le geai ou le moqueur imitent jusqu'à 60 autres espèces d'oiseaux, voire des bruits artificiels (téléphone, ambulance…). En 2002, par exemple, l'ornithologue Jack Bradbury découvrit que la conure à front rouge, un petit perroquet du Costa Rica, imitait les autres oiseaux pour les inviter à se rencontrer. D'autres espèces de perroquet pourraient copier le langage du leader de leur groupe.

Parmi les oiseaux parleurs, seule une élite – mainate religieux, aras, amazones, petite perruche ondulée, cacatoès, perroquet gris – est pourvue des facultés cérébrales permettant la reproduction de sons humains, mais aussi l'association d'un mot ou d'une phrase avec une situation particulière – « bienvenue », par exemple, à l'ouverture d'une porte.

Depuis vingt-six ans, une éthologue américaine, Irène Pepperberg, entraîne Alex à parler. Ce perroquet gris du Gabon est capable de reconnaître 50 objets, de comprendre des concepts, de combiner des structures grammaticales, bref, d'utiliser un langage. Ce dernier n'est donc pas réservé aux humains, comme le pensait des linguistes tel Noam Chomsky, en 1957. Les travaux sur le perroquet, mais aussi sur le système complexe de sons émis par les dauphins et les baleines, pourraient aider à mieux comprendre d'autres formes d'apprentissage et de communication. Ils ouvrent des perspectives pour appréhender l'évolution des espèces à travers les capacités de leur cerveau. ■

Les singes savent parler

Leur ressemblance avec l'homme a fait autrefois dire que les primates pouvaient parler. Encore faudrait-il qu'ils soient capables d'articuler des sons puis de s'en servir pour élaborer un langage.

Les singes anthropoïdes sont évidemment les meilleurs candidats à la parole car ce sont les plus proches de nous génétiquement. Depuis 1920, l'homme tente de les faire parler et, depuis 1920, aucun singe n'y est parvenu. Mais les chercheurs y ont longtemps cru, d'où l'idée encore largement répandue que les singes savent parler. En réalité, les gorilles et les chimpanzés parviennent, en captivité, à apprendre une sorte de langage rudimentaire, à base de signes et de symboles, qu'ils utilisent pour communiquer avec leurs maîtres. Mais ces « discussions » restent fort limitées ! L'homme est le seul à savoir construire des phrases et les complexifier à l'infini. Cette créativité manque aux animaux, tout comme l'aspect narratif du langage.

Certes, les singes communiquent. Dans la nature, les plus doués sont les bonobos, qui semblent entretenir entre eux des sortes de dialogues, où ils s'échangent des indications très précises, par exemple sur des itinéraires. Les adultes corrigent les petits quand ceux-ci ne s'expriment pas correctement ou lorsqu'ils poussent sans raison un cri d'alarme. Les singes sont aussi capables de messages subtils : ils poussent des cris différents selon que le prédateur est terrestre ou aérien, et la tribu prend la fuite en conséquence, à terre ou dans les arbres. Certains aspects du langage se trouvent donc en germe dans la communication des singes. Mais on n'a jamais vu de singes se raconter des histoires !

En ce qui concerne la parole, les possibilités vocales des singes sont inférieures à celles d'un bébé de 3 mois. Le larynx, l'organe dans lequel se trouvent les cordes vocales, est en effet situé trop haut, et la cavité pharyngée n'est pas assez volumineuse. La gorge des singes ne peut donc donner amplitude et contrastes aux sons émis par les cordes vocales. De plus, en 2002, des chercheurs de l'institut Max-Planck pour l'anthropologie évolutionnaire de Leipzig (en Allemagne) ont découvert que le gène FOXP2, sur le chromosome 7, commun au singe et à l'homme, présentait chez ce dernier deux mutations qui lui permettraient de mieux contrôler les mouvements du larynx et de la bouche. Une anomalie de ce gène se traduit d'ailleurs par des difficultés d'élocution. Serait-ce là un des nombreux gènes du langage ? ■

L'homme

Nous appartenons à la même famille que les singes : celle des primates. Et nous avons 99,2 % de gènes en commun avec le chimpanzé...

Darwin nous a un peu induits en erreur : nous ne descendons pas du singe mais d'un des ancêtres que nous avons en commun. Le kényapithèque, qui vécut il y a sans doute plus de 10 millions d'années, est l'un d'eux. Mais nous ne connaissons pas encore notre ancêtre commun direct. Notre généalogie est en fait fort complexe. La césure entre ce qui allait devenir l'homme et les grands singes s'est probablement effectuée il y a environ 8 millions d'années. Ce qui, à l'échelle de notre planète, est extrêmement

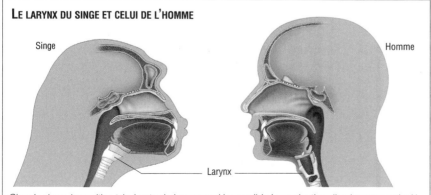

LE LARYNX DU SINGE ET CELUI DE L'HOMME

Singe

Homme

Larynx

Chez le singe, la position très haute du larynx rend impossible la production d'un langage articulé.

◀ *S'aider d'outils n'a rien d'inné dans le monde animal. Ce chimpanzé, qui casse des noix avec une pierre, a dû bénéficier d'un long apprentissage auprès de ses parents.*

LES OISEAUX DESCENDENT DES DINOSAURES

Quoi de commun entre un splendide rouge-gorge ou un paon et un dinosaure aux terribles mâchoires et à l'œil mauvais ? Apparemment rien.
Et pourtant...
Plusieurs branches composaient la célèbre famille des dinosaures, notamment celle des théropodes. Le tyrannosaure, le vélociraptor et le déinonychus, acteurs vedettes des *Jurassik Park* de Steven Spielberg, sont des théropodes. On ne manquera d'ailleurs pas de remarquer la ressemblance frappante du vélociraptor et du déinonychus avec le poulet ! Certains de ces théropodes ont donné l'archéoptéryx, plus vieil ancêtre connu des oiseaux (– 150 millions d'années). Il ne serait donc pas abusif de dire que nos oiseaux au joli plumage et aux chants si délicats sont les derniers dinosaures vivants !

escend du singe

peu... Les grands singes (appelés pongidés) ont ensuite évolué pour donner ceux que nous connaissons actuellement (notamment chimpanzés et gorilles).

Pour nous, les hommes, la route a été plus longue encore, faite de moult bifurcations, parfois encore mystérieuses. Plusieurs espèces d'hominidés se sont succédé ; certaines n'ont rien produit sur le plan évolutif – on les appelle des culs-de-sac évolutifs. C'est sans doute le cas d'hominidés comme *Paranthropus boisei*, qui vivait il y a 1 à 1,8 million d'années en Afrique de l'Est. Ou encore *Homo rudolfensis* il y a 2,4 millions d'années. Les espèces plus proches de nous, *Homo erectus* et *Homo ergaster*, ont quitté l'Afrique il y a environ 2 millions d'années. Pour coloniser le reste du monde.

En ce qui concerne notre ancêtre direct, les théories divergent. Pour certains, *Homo ergaster* (appelé aussi *Homo erectus* africain) serait un de nos parents. D'autres espèces auraient suivi. L'homme de Neandertal, considéré jusqu'à présent comme notre ancêtre direct le plus proche, ne serait peut-être qu'un rameau divergent, une espèce à part entière.

La découverte en 2004 d'une espèce naine, *Homo floresiensis* – qui vécut jusqu'à il y a 13 000 ans sur l'île de Flores, en Indonésie –, complique encore la situation. Cet hominidé, qui ne devait pas dépasser 1 m de haut mais qui a vécu, comme l'homme de Neandertal, en même temps qu'*Homo sapiens sapiens* (c'est-à-dire notre espèce), serait peut-être issu d'une autre branche que l'homme moderne. Il y a donc eu plusieurs espèces d'hommes qui ont vécu simultanément sur terre. Une seule a survécu. ■

▼ *L'homme de Tumaï, découvert au Tchad en juillet 2002. Pour certains, c'est le plus ancien ancêtre connu de l'homme, pour d'autres, c'est celui du chimpanzé. Il pourrait même être proche de l'ancêtre commun aux deux groupes.*

Les chiens
ne font pas des chats

Le dogme semblait inébranlable : deux animaux pouvant donner naissance à une progéniture féconde appartiennent à la même espèce. Des études mettent toutefois à mal cette définition de l'identité d'une espèce.

Dans la nature, le canard colvert ne féconde pas le canard pilet, malgré leur vie parallèle dans des territoires communs. C'est ce critère – deux espèces distinctes ne s'hybrident pas naturellement – qui est à l'origine du classement des espèces. Mais l'avènement de la génétique est venu tout remettre en cause. Au sein d'un élevage, par exemple, les canards colvert et pilet se reproduisent, et leurs descendants hybrides sont fertiles génération après génération. Cependant, l'analyse de leur génome montre que ce sont bien deux espèces différentes.

La classification des êtres vivants a été codifiée au XVIIIᵉ siècle par le naturaliste suédois Carl von Linné selon une hiérarchie comprenant six rangs, dont celui d'espèce. Aujourd'hui, les progrès de la génétique, de l'écologie et de l'évolutionnisme ont profondément modifié cette hiérarchisation et amené à s'interroger sur ce qui constitue la spécificité d'une espèce.

Pour des raisons pratiques, les observateurs sur le terrain se fondent d'abord sur l'apparence : deux oiseaux d'aspects différents appartiennent a priori à des espèces différentes. Ce n'est toutefois pas un critère suffisant. Ainsi, rien ne semble pouvoir rapprocher l'oie des neiges et l'oie bleue, toutes deux canadiennes. Elles appartiennent pourtant à la même espèce parce qu'elles forment des couples et donnent naissance à des couvées dont les individus ressemblent à l'un ou à l'autre des parents – aucun oison ne présente les caractéristiques des deux, le gène de la couleur blanche du plumage étant récessif. Inversement, deux souris du

L'ORNITHORYNQUE, CETTE DRÔLE DE LOUTRE À BEC ET PATTES DE CANARD

Malgré son apparence hétéroclite et le fait qu'il ponde des œufs, l'ornithorynque a été classé parmi les mammifères car il nourrit ses petits par le lait suintant des poils de son ventre. Son bec n'est pas un étui corné comme celui des oiseaux, mais un épiderme épais peu kératinisé. Sa ressemblance avec un oiseau serait-elle purement apparente ? Peut-être pas. L'analyse de son génome a en effet stupéfié deux généticiens australiens, Jenny Graves et Frank Grützner. Il s'avère que les ornithorynques ont cinq paires de chromosomes sexuels (contre deux pour les mammifères et les oiseaux) : le mâle est XYXYXYXYXY tandis que la femelle est XXXXXXXXXX. Une partie des chromosomes X possède des gènes communs aux chromosomes sexuels des oiseaux, tandis que l'autre s'apparente aux mammifères. Un tel mélange remet en question l'histoire évolutive que partagent oiseaux et mammifères : contrairement à ce qu'on pensait, notre système de détermination sexuelle pourrait être hérité de celui des oiseaux.

La baleine est un très gros poisson

Dans le monde vivant, les apparences sont le plus souvent trompeuses : en mer, tout ce qui nage n'est pas forcément poisson ! Surtout la baleine, qui dut attendre 1758 pour se voir intégrée dans l'ordre des mammifères.

Midi absolument semblables à l'exception de la longueur (variable) de la queue avaient été classées dans la même espèce jusqu'à ce que leur analyse génétique révèle leur appartenance à deux espèces différentes.

L'idée originelle d'espèce fixe a donc été abandonnée au profit de celle d'espèce à la variabilité continue, notamment du fait de la sélection naturelle. C'est pourquoi les biologistes d'aujourd'hui, privilégiant le lien de parenté, définissent l'espèce comme un « groupe de populations naturelles effectivement ou potentiellement interfécondes, isolé par rapport aux groupes similaires au plan de la reproduction ». La notion de ressemblance n'est plus essentielle, tandis que l'unité de l'évolution génétique devient primordiale. Du coup, même si deux populations se trouvent géographiquement isolées l'une de l'autre et ne peuvent matériellement plus s'hybrider, elles restent de la même espèce si leurs sujets, artificiellement mis en présence, conservent la possibilité de s'interféconder. ■

Les baleines sont des animaux à sang chaud, comme les chiens ou les perroquets. Ce sont également des mammifères, comme l'homme. C'est-à-dire que les femelles allaitent leurs petits. Ces géants des mers n'ont probablement pas toujours vécu dans l'eau. Des études génétiques récentes semblent bien montrer que les baleines et les hippopotames ont un lointain ancêtre commun, lequel était terrestre et vécut il y a 60 millions d'années. Et l'ancêtre direct des baleines – appelé *Ambulocetus* – était un mammifère carnivore amphibie d'une longueur de 3 m et qui pesait sans doute dans les 300 kg. Il a vécu il y a 49 millions d'années et fut découvert en 1998.

Sous la pression du milieu dans lequel elle vit, une espèce s'adapte ou disparaît. Il a fallu quelques millénaires pour que les ancêtres des baleines voient leurs pattes et leur queue devenir nageoires. Parallèlement, des transformations physiologiques ont abouti à l'impossibilité pour ces animaux de vivre ailleurs que dans l'eau, même s'ils doivent continuer à venir à la surface pour respirer. Par ailleurs, dans le milieu marin, où les mammifères se refroidissent très vite, une espèce de grande taille perd

beaucoup moins de calories qu'une de petite taille, ce qui explique que presque tous les mammifères marins soient imposants. Dauphins, phoques et otaries se sont aussi progressivement adaptés au milieu aquatique, ressemblant peu à peu davantage à des poissons qu'à des mammifères, qu'ils demeurent néanmoins. ■

Les fourmis
survivraient à une
guerre nucléaire

Depuis la découverte de la radioactivité, la paranoïa du nucléaire n'a jamais cessé de croître. Dans le film *Them*, réalisé en 1954 par Gordon Douglas, des retombées radioactives entraînent des mutations génétiques chez les fourmis, qui deviennent géantes…

Les seules études concernant les fourmis et la radioactivité datent des années 1960. Les biologistes profitaient alors d'essais nucléaires (dans le désert algérien et le Nevada) ou d'expériences (en haute Provence) pour observer l'état de la vie après la dévastation ou la contamination du site. Et ils constataient invariablement que les fourmis étaient fort peu affectées par les rayonnements. Pourquoi? D'abord parce que les fourmis, comme les autres insectes, sont enfermées dans un squelette externe qui fait barrage à la radioactivité. Ensuite, parce que,

comme les autres insectes également, les fourmis ne sont radiosensibles qu'en période de mue. Et, enfin, parce qu'elles vivent dans le sol, un excellent bouclier.

Toutefois, malgré ces avantages, la fourmi ne détient pas le record de la radiorésistance: les animaux les plus « solides » sont les scorpions. Ces cousins des araignées supportent en effet des rayonnements de 900 gray – sachant que les rayonnements deviennent mortels pour l'homme au-delà de 6,5 gray. La petite taille de leurs chromosomes diminue de beaucoup le risque que les gènes soient frappés par des rayonne-

ments. Leur sang est d'autre part riche en hémocyanine, un pigment cuivré qui aurait un effet radiorésistant. Enfin, et surtout, entre chaque mue, les cellules des scorpions ne se divisent pas, éliminant ainsi toute mutation éventuelle.

Aussi résistants soient-ils, fourmis et scorpions ne survivraient pourtant pas très longtemps à une guerre nucléaire. Le souffle des explosions en tuerait une bonne partie. Et le reste ne survivrait que difficilement – comme toutes les espèces vivantes d'ailleurs – après la disparition des sources de nourriture. ∎

Seuls les oiseaux volent

A-t-on vraiment besoin d'ailes pour voler? Dans presque tous les ordres du règne animal, des espèces ont morphologiquement les moyens de s'élever dans les airs pour y parcourir un petit bout de chemin.

Du point de vue de l'évolution, le vol présente un atout incontestable pour la survie de l'espèce. Dans le vol dit actif, l'animal peut décoller, gagner de l'altitude et conserver celle-ci tout en avançant. Mais l'aile, cet instrument abouti du vol, n'est pas l'apanage des oiseaux. La chauve-souris, pour ne citer qu'elle, est une virtuose du vol actif avec sa membrane alaire nue, tendue entre ses longs doigts souples. Jusqu'à la découverte de fossiles de ptérosaures gigan-

tesques, on a longtemps sousestimé le poids maximal possible avec cette technique de vol; il est actuellement évalué à une vingtaine de kilos.

Le vol plané, qui nécessite une véritable sustentation dans l'air mais sans propulsion active, s'observe dans beaucoup d'ordres animaux. Ainsi l'exocet, un poisson volant, peut, grâce à ses puissants muscles caudaux, s'élever jusqu'à 4 m et, grâce à ses nageoires pectorales très développées, parcourir jusqu'à 70 m

Tous les oiseaux volent

Associer l'oiseau au vol est si naturel que nous oublions facilement que de nombreuses espèces ont perdu l'usage de leurs ailes pour s'adapter à leur milieu.

L'émeu, l'autruche et le casoar ont développé de longues et puissantes pattes pour se déplacer dans les grandes plaines d'Australie, d'Afrique et de Papouasie, où leur nourriture, essentiellement terrestre, est dispersée sur de grandes distances et où les grands prédateurs sont peu nombreux. Dans les plaines dépourvues de végétation, où il est préférable de rester au sol pour ne pas être vu, la perdrix se contente d'effectuer des vols brefs et pesants si elle est dérangée.

Plus près de nous, certains volatiles de basse-cour comme la poule, le dindon ou la pintade, abondamment nourris par l'homme depuis des générations, ont vu leur corps grossir et leurs ailes, devenues

moins utiles, diminuer, voire s'atrophier. Le dindon est ainsi aujourd'hui incapable de voler véritablement ; il ne peut que décoller légèrement du sol pour accélérer sa course. Et certaines races de grosses poules n'effectuent plus que de courts vols de quelques mètres qui les laissent épuisées quand elles retrouvent la terre ferme.

Le dodo de la Réunion et le dronte de l'île Maurice, de gigantesques pigeons terrestres aujourd'hui disparus, avaient vu leurs ailes

s'atrophier faute de prédateur les incitant à voler. Ce fut leur perte : quand l'homme blanc débarqua sur ces îles, il n'en fit littéralement qu'une bouchée. Le dodo fut exterminé au cours du XVIIIᵉ siècle et le dronte, dès 1680.

Les ailes des oiseaux sont donc efficaces dès lors que ces derniers en ont véritablement besoin. Lorsque ce n'est plus le cas, elles s'atrophient et le vol, très consommateur d'énergie, est rapidement abandonné. ■

L'OISEAU ARCHAÏQUE VOLAIT AVEC QUATRE AILES

Les oiseaux sont les uniques descendants modernes des dinosaures. Quand ces derniers ont commencé à voler – ou plutôt à planer –, ils étaient dotés de quatre ailes, comme en témoignent les vestiges du microraptor, un petit dinosaure emplumé, possible ancêtre des oiseaux présents sur la Terre il y a 120 millions d'années. Puis le vol plané est devenu un vol dirigé, avec seulement deux ailes, comme l'atteste, par exemple, le ptérosaure. En a-t-il été de même pour les oiseaux ?
Les paléontologues le supposaient, car ils connaissaient aussi l'archéoptérix, un oiseau primitif doté de deux ailes lui permettant de

voler véritablement et portant des vestiges de plumes sur les pattes. Ils n'avaient toutefois encore découvert aucun fossile d'oiseau archaïque d'évolution intermédiaire.
C'est chose faite avec un fossile chinois de 120 millions d'années apparenté aux énantiornithes, un groupe d'oiseaux primitifs qui s'est éteint avec les dinosaures. Le haut de ses pattes arrière porte de longues plumes recourbées qui ont manifestement eu un jour une utilité dans l'aérodynamisme du vol des ancêtres de cet oiseau : ces derniers devaient donc bien planer en se servant de quatre ailes.

dans les airs. Parmi les marsupiaux (des mammifères), le phalanger, petit animal à l'allure d'écureuil dont la taille varie de 30 à 50 cm (sans la queue), peut planer sur 80 m au maximum grâce à la membrane qui relie ses pattes antérieures et postérieures ; des rongeurs tels que les écureuils volants africains, américains et indonésiens utilisent le même procédé. Le vol plané permet à l'animal de parcourir une distance bien supérieure à la hauteur d'où il tomberait s'il ne pouvait voler.

Le vol parachuté n'est pas au sens strict un vol. Il permet seulement à l'animal de freiner sa chute tout en se dirigeant approximativement. C'est la technique de déplacement adoptée par certains amphibiens comme la grenouille arboricole *Racophorus* d'Asie du Sud-Est, qui possède des palmures très développées entre les doigts et les orteils ; par des reptiles tels les geckos de Malaisie et de Madagascar, dont le corps et la queue sont aplatis et élargis par des

replis de peau et dont les doigts sont adhésifs ; par certains serpents arboricoles enfin, tels *Chrysopelea* et *Dendrophis.*

N'oublions pas le monde des insectes, où la majorité des espèces sont dotées d'ailes. Avec leur profil tourmenté et leur surface irrégulière souvent recouverte de poils ou d'écailles, les ailes des insectes semblent peu faites pour le vol. C'est inexact : compte tenu de leur petite taille, de telles irrégularités n'ont aucune incidence sur l'aérodyna-

misme de la plupart des insectes. Les espèces à grandes ailes et battements peu fréquents, comme la libellule, ont un vol biologiquement plus économique, mais elles sont davantage tributaires des conditions atmosphériques. C'est pourquoi le vol des moustiques, qui ont des ailes relativement petites et une fréquence de battements très élevée, a été plébiscité par une majorité d'insectes : il est plus rapide et mieux contrôlé, leur assurant donc une meilleure chance de survie. ■

Les races domestiques sont apparues naturellement

La domestication des animaux sauvages par les premiers agriculteurs est à l'origine des races domestiques. Depuis, l'homme n'a cessé de pratiquer une sélection fondée sur les caractères qui lui étaient utiles.

Une laitière Holstein productive, un bon setter de chasse, des moutons mérinos bien laineux : les hommes jugent les animaux domestiques sur leurs performances. Les races actuelles – selon la FAO (organisation des Nations unies pour l'alimentation et l'agriculture), les 28 espèces domestiques principales se déclinent aujourd'hui en près de 4 000 races – sont le résultat de 12 000 ans de sélection. En ce domaine, la plus grande part revient à la domestication et à l'élevage.

C'est au néolithique que commence la transformation biologique des espèces sauvages en races domestiques. Dans les foyers d'origine de l'agriculture, au Proche-Orient, des villageois déjà sédentarisés commencent par capturer certains animaux pour faire face à l'augmentation de la population. Puis ils parviennent à protéger et à faire se reproduire des espèces assez sociables et peu agressives. En migrant vers les espaces herbeux, les villageois domestiquent de nouvelles espèces herbivores, comme le cheval et le dromadaire.

La captivité et l'élevage entraînent l'élimination des individus craintifs, agressifs ou encore de grande taille (moins résistants en cas de disette et constituant des proies faciles pour leurs prédateurs). Les plus vulnérables survivent et les mâles peu vigoureux se reproduisent. Ainsi, de génération en génération, la sélection s'effectue au profit des animaux dociles, petits, peu vigoureux, donc « dégradés » par rapport à leurs ancêtres sauvages, comme l'est le porc face au sanglier, ou la vache face à l'aurochs.

Cependant, depuis le début du XXe siècle, fort de ses observations puis des avancées de la génétique, l'homme a aussi sélectionné et croisé des races existantes dans le but d'améliorer rapidement leurs qualités anatomiques, physiologiques et comportementales. Ainsi a-t-il sciemment élaboré certaines races, tels le fox-terrier, spécialisé dans la chasse au renard, ou la prolifique brebis Inra 401. Mis à part les animaux familiers, aujourd'hui triés en fonctions de critères esthétiques, les nouvelles races doivent s'adapter aux outils motorisés et rentabiliser le surplus alimentaire créé par l'explosion de la production agricole. C'est le cas de la vache Holstein, capable de manger deux fois plus que son ancêtre en 1900 pour produire cinq fois plus de lait.

Des races aux fonctions ultraspécialisées tendent ainsi à remplacer les races moins productives mais rustiques, comme le cochon-planche des Antilles, dont l'évolution s'est naturellement poursuivie selon ses conditions d'élevage, comme ce fut le cas pour ses ancêtres.

La destination des animaux – lait, viande, cuir ou laine, mais aussi le transport ou le trait – a depuis longtemps orienté la politique de sélection des éleveurs. Si beaucoup d'entre eux la pratiquent encore sur leur exploitation, cette activité devient surtout le travail de scientifiques au sein d'institutions publiques spécialisées, voire de sélectionneurs privés, qui mettent à profit les avancées de la génétique. Les nouvelles variétés apparaissent bien plus vite que leurs ancêtres et sont très différentes. Cette nouvelle sélection ira-t-elle jusqu'à provoquer la réduction d'une biodiversité domestique ? ■

▼ *La vache Holstein est un produit de la sélection moderne : ses pis sont adaptés aux gobelets de la machine à traire.*

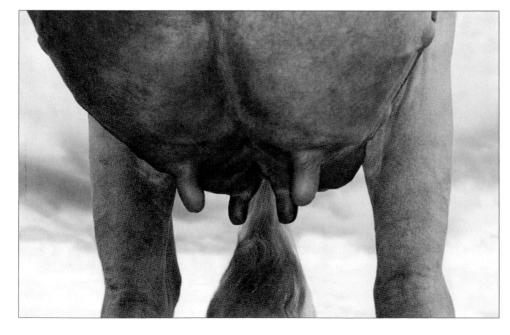

Les animaux domestiques ont perdu leurs instincts sauvages

L'homme a exercé une pression sur environ 200 espèces. Nombre d'entre elles sont restées sauvages. Chez certaines, l'homme est parvenu à sélectionner des caractères morphologiques précis et à modifier leur comportement. Jusqu'à quel point ?

Relâchés dans la nature, nos animaux domestiques retrouveraient leurs congénères et, sans doute, retourneraient à la vie sauvage. Car, même domestiquées depuis des millénaires, les bêtes possèdent encore des comportements ataviques, hérités de leurs ancêtres et inscrits dans leurs gènes. Le chat, malgré la surabondance de nourriture que lui fournit son maître, revient de temps en temps une souris dans la gueule. Un carnivore reste un carnivore ! Et que se passe-t-il lorsque deux maîtres et deux chiens se rencontrent ? Les seconds veulent s'approcher l'un de l'autre alors que les premiers les en empêchent. Preuve que, sans l'homme, les chiens retourneraient instinctivement vivre en meute. On en voudra pour exemple les dingos, ces chiens redevenus sauvages il y a 3 000 ans qui peuplent aujourd'hui l'Australie. Ces chasseurs de lapins, de rats et de souris marsupiales n'hésitent pas, lorsque les proies se font rares, à s'attaquer au bétail…

En Amérique du Nord, ce sont les mustangs qui sont retournés à l'état sauvage. Ces chevaux domestiques descendant de chevaux ibériques élevés à Mexico, mais aussi de chevaux des colons originaires d'Europe du Nord, se seraient échappés pour vivre en liberté dans les immenses étendues désolées d'Amérique du Nord et du Mexique. Dans certaines régions désertiques de Namibie, des chevaux de l'armée allemande sont également retournés à l'état sauvage.

Les chats ne sont pas en reste. À la frontière entre animal sauvage et animal de compagnie, le haret peut avoir connu la vie auprès des hommes ou bien être né dans la forêt. La différence entre le chat domestique proprement dit et le chat haret est donc uniquement éthologique.

Bref, nos animaux de compagnie n'auraient pas de mal à retourner dans la nature. Même les chiens d'appartement comme les yorkshires sont de véritables chiens de terrier qui, en pleine nature, se mettent à chasser le blaireau comme s'ils l'avaient toujours fait.

Et, pourtant, au cours de la domestication du chien, l'homme a tenté de gommer certains comportements instinctifs inscrits dans ses gènes. L'instinct de survie s'est donc trouvé modifié dans la mesure où l'animal n'a plus besoin de chercher de la nourriture. Mais il n'a pas pour autant disparu. D'ailleurs, l'homme trouve un intérêt à solliciter l'instinct des animaux : la vaporisation d'apaisine canine, une phéromone sécrétée par les chiennes lorsque leurs chiots tètent, suffit généralement à calmer un chien agressif ! ∎

Le chien est un loup apprivoisé

D'où vient le chien ? Au XVIIIᵉ siècle, Buffon pensait déjà qu'il n'était qu'un loup dégénéré. On a identifié depuis son ancêtre, le loup gris d'Asie. Mais l'on ne sait toujours pas comment s'est déroulée sa domestication.

Pour les chercheurs du Royal Institute of Technology de Stockholm qui ont travaillé sur la question en 2002, la domestication du chien remonte à plus de 15 000 ans. Une date imprécise qui en fait néanmoins le premier animal domestiqué de l'Histoire ! D'après leurs collègues de l'université de Californie, des tentatives auraient même été faites il y a 100 000 ans… À partir de quelle espèce sauvage ? Des critères anatomiques nous ont longtemps fait accroire que le chacal ou loup d'Europe était le père de nos chiens. La génétique a récemment démontré qu'il n'en est rien : seul le loup gris d'Asie peut désormais prétendre à ce statut. Mais dans quel but l'homme a-t-il transformé ce grand prédateur en chien fidèle ?

Chassant de façon identique, en meutes très hiérarchisées, hommes de Cro-Magnon et loups se sont probablement souvent retrouvés en train de poursuivre les mêmes proies. L'efficacité de l'animal a peut-être donné l'idée à nos ancêtres de le copier, puis de chasser en sa compagnie : en 2004, des scientifiques finlandais ont démontré que des chasseurs tuaient plus de proies lorsqu'ils possédaient un loup domestiqué. Le presque-chien servait aussi probablement de… couverture ! On lui aurait ensuite attribué, par le hasard des hybridations, des tâches particulières, comme le port de lourdes charges. Le rôle de chien de troupeau n'est apparu qu'au cours du néolithique.

Quant à celui d'animal de loisir, il date peut-être de l'Égypte ancienne, où l'on croisait déjà les chiens les plus rapides afin d'obtenir des bêtes de course. Ce n'est pourtant qu'à l'issue des cinq siècles qui viennent de s'écouler que l'on a abouti à l'exceptionnelle diversité des races canines actuelles.

Comment est-on passé du loup, réputé féroce, au chien affectueux ? Nos ancêtres auraient pour cela capturé des louveteaux. Privés de leur meute, ces jeunes seraient devenus dépendants de l'homme pour se nourrir. Les adultes les mieux adaptés à cette cohabitation seraient alors restés à proximité des hommes, constituant ainsi une population initiale de loups apprivoisés. Mais on peut tout aussi bien imaginer que celle-ci a été formée directement de loups adultes moins habiles à la chasse et de petite taille. Au fil des générations, ces groupes ne se sont plus reproduits qu'entre eux. Le chien était né.

Qu'il ait été créé pour s'enfoncer dans les terriers de renard (le fox-terrier) ou aller chercher les barriques de morue tombées dans l'océan glacial (le terre-neuve), le chien est resté un peu sauvage. Mais il a besoin d'attention, rampe, gémit, joue et aboie facilement, toutes choses qu'un loup adulte, lui, abandonne peu à peu. Le chien est donc encore un loup… adolescent. ∎

▲ *Nombre d'études ont montré que la diversité génétique des chiens est plus élevée en Asie orientale que partout ailleurs, ce qui indiquerait que la domestication y a eu lieu plus tôt.*

Un chien peut traverser la
pour retrouve

Le chien, meilleur ami de l'homme, entretient avec son maître une relation affective très forte. Fera-t-il pour autant des milliers de kilomètres pour le retrouver ?

L'aptitude du chien à retrouver son maître malgré la distance n'a jamais fait l'objet d'études, mis à part celle de Rupert Sheldrake, docteur en sciences naturelles à l'université de Cambridge, qui a mené une enquête en 2003 sur certains pouvoirs inexpliqués des animaux. Pour ce chercheur, les chiens possèdent un sixième sens. Ce à quoi de nombreux éthologues rétorquent que le sixième sens du chien, c'est aussi peu scientifique

que l'astrologie pour un astrophysicien. Un chien possède des capacités olfactives, qui, sans doute, lui permettent certains exploits. Par exemple, un mâle peut flairer une femelle en chaleur à 6 km et fuguer pour la rejoindre. Cependant, les odeurs sont volatiles. De plus, ces animaux ne possèdent pas d'aire de la mémoire visuelle.

Comment expliquer alors qu'un cabot laissé sur une aire d'autoroute

France
on maître

puisse retrouver sa famille d'adoption ? Quels indices lui permettraient de se diriger ? Le chien ne possède pas, à l'instar du pigeon voyageur, de boussole intégrée et ne se repère pas par rapport au champ magnétique de la Terre. Alors ? Certes, pour un seul chien effectivement revenu à la maison on ne sait comment, 500 ont peut être disparu. Il faudrait expérimenter… si les maîtres étaient d'accord ! ■

Le loup
est un mangeur d'hommes

Si l'homme est une bien trop grosse proie lorsqu'on est un loup seul, ce n'est pas toujours le cas lorsque la meute tout entière est affamée…

Rarement espèce aura suscité chez l'homme plus de craintes et de fantasmes que le loup ! Et c'est sur l'image traditionnelle du loup rôdant à chaque coin de bois, prêt à dévorer le malheureux égaré, que se cristallisent encore les peurs enfantines.

En temps normal, les loups ont à leur disposition un éventail de proies très large, plus faciles à capturer qu'un homme. Cet animal ne chasse généralement pas en solitaire, mais en meute, ce qui rend l'entreprise plus aisée. Cela dit, il est certain que, par très grand froid ou en période de disette sévère pour l'espèce, une meute bien constituée de loups a pu ici et là attaquer et dévorer des humains. Mais ce sont surtout les champs de bataille et les grandes famines qui ont fait de certains loups de véritables anthropophages en les habituant à manger de la chair humaine. Des travaux publiés en 2005 ont montré que ces animaux ont tué et dévoré au moins 1 600 hommes entre 1580 et 1840 en France. Pour l'essentiel, des enfants gardiens de troupeaux, entre mai et août, quand les blés sont encore hauts. La peur du loup n'est donc pas une fantasmagorie. Mais le risque d'une attaque reste infime. Quant à l'histoire de la fameuse bête du Gévaudan, nul ne peut accuser le loup avec certitude. Il n'est pas impossible d'ailleurs qu'il se soit agi d'un chien dressé par un tueur en série de l'Ancien Régime… ■

ANIMAUX MALFAISANTS…

C'est sans doute à l'angoisse des hommes face à une nature hostile et à la dureté de l'existence qu'il faut attribuer ces étranges croyances en des animaux malfaisants qui ont eu cours jusqu'au XIXe siècle. Des aigles enlevant des enfants dans leurs serres… Quant on sait qu'un aigle royal, le plus puissant de nos rapaces, soulève avec difficulté un lapin, on se demande comment il pourrait emporter dans les airs un enfant de 10 à 15 kg ! Des chauves-souris suçant le sang des humains… De fait, il existe bien des chauves-souris, en Amérique du Sud – on les appelle d'ailleurs vampires –, qui sucent le sang du bétail comme de certaines espèces sauvages. Mais, curieusement, là-bas, on ne les a jamais accusées de s'attaquer aux hommes… Pas plus d'ailleurs que de s'accrocher dans les cheveux, ce qu'elles ne font pas non plus !

Jules Verne avait raison : il y a des calmars géants dans les abysses

VINGT MILLE LIEUES SOUS LES MERS

L'écrivain ne fut pas le premier à évoquer ces monstres des fonds océaniques : dans son *Histoire naturelle*, l'auteur romain Pline l'Ancien (Ier siècle av. J.-C.) mentionne aussi un céphalopode géant.

Dans *Vingt Mille Lieues sous les mers*, paru en 1870, Jules Verne exploite un des filons de la littérature fantastique : l'irruption dans le récit d'animaux méconnus de la science. Le capitaine Nemo voit ainsi son vaisseau attaqué par des poulpes géants. Ces créatures marines ne sont pas que le fruit de l'imagination de Jules Verne : le célèbre auteur se tient très au fait des découvertes scientifiques et possède une riche documentation.

L'existence des monstres est fondée sur des légendes et des témoignages, mais aussi sur une gravure de 1861. Dans les parages de Tenerife, une corvette française, l'*Alecton*, pêche un gigantesque calmar mort (ci-dessus), mais l'animal se casse lorsque l'on tente de le monter à bord et une partie de son corps retombe dans les flots. Un incident qui ne manqua pas d'alimenter les légendes. Pour l'anecdote, l'écrivain confondait le poulpe, qui possède huit tentacules de même longueur, et le calmar, muni de dix bras dont deux sont plus longs que les autres. Mais le poulpe géant existe aussi, ainsi que l'a récemment montré le film *Tentacules des profondeurs*, où un plongeur affronte des représentants de l'espèce d'une taille supérieure à la sienne. Quant aux araignées géantes du roman de Jules Verne, elles sont en fort bonne santé au large des côtes patagonnes, et 3 m séparent leurs deux pinces !

De bien étranges créatures sont réputées peupler les océans. Le serpent de mer, pour n'en citer qu'une, que personne n'a encore jamais aperçu ! Mais il n'en est pas de même pour le calmar géant : certaines observations tendraient à prouver l'existence de cet animal, même s'il n'a jamais encore été vu vivant. Des expéditions américaines (en 1999) et espagnoles (2003) sont bien parties à sa recherche, mais en vain.

D'après les cadavres échoués, il existerait deux espèces de calmars géants. Parmi les spécimens retrouvés depuis 200 ans, le plus grand mesurait 18 m, avec des tentacules atteignant 12 m. On sait aussi que les calmars géants se nourrissent de poissons et de crustacés et qu'ils vivent au-delà de 500 m de profondeur. Le cachalot est un de leurs prédateurs, le seul connu, d'ailleurs. Voilà pour les faits. Place ensuite à l'imagination ! En observant des traces de ventouses sur des cachalots, des spécialistes ont conclu que certains calmars pourraient mesurer jusqu'à 45 m et peser près de 1 tonne. Mais comment se fier à des cicatrices qui grandissent avec l'animal qui les porte ? En réalité, un spécimen de 9 m ne dépasse pas les 80 kg, car les calmars sont constitués à plus de 80 % d'eau… ∎

Le requin est l'animal le plus dangereux pour l'homme

Depuis le film *les Dents de la mer*, qui a frappé les esprits, les requins pâtissent d'une mauvaise réputation. Pourtant, ils sont loin d'être les plus grands tueurs des mers…

Lorsqu'un requin attaque un homme, ce dernier n'a qu'une chance sur dix de mourir déchiqueté. En mer, on risque 300 fois plus de se noyer ou, au pire, de succomber à l'assaut d'animaux venimeux que de rencontrer un requin qui, éventuellement, attaquerait.

Sur 375 espèces de requins, seule une trentaine est potentiellement dangereuse, et surtout le requin blanc (35 % des attaques), le requin-tigre, le requin-taureau et les requins pélagiques. Grâce à un organe ultrasensible aux champs magnétiques, les ampoules de Lorenzini, les squales sont capables de percevoir une présence à 2 km. Ils peuvent également sentir une goutte de sang diluée dans 4,6 millions de litres d'eau ! Chasseur solitaire, le grand requin blanc peut foncer sur sa proie à 25 km/h puis, grâce à ses mâchoires d'acier, exercer sur elle une pression de 3 tonnes/cm². Mais encore faudrait-il qu'il attaque l'homme. Or les études prouvent qu'aucun requin de moins de 1 m ne s'y risque. Et 50 % de ces animaux mesurent moins de 1 m…

Au XXe siècle, cependant, les attaques de requins se sont multipliées. Notamment en raison de l'explosion des loisirs aquatiques, en particulier le surf, qui s'est développé dans les zones prisées des requins, comme la Floride, l'Australie, Hawaii et le Brésil. Mis à part les attaques survenues dans des situations à risques – expérimentation, aquarium, pêche au requin… –, sur 2 000 attaques recensées, 800 ont eu lieu entre 1990 et 2004 et ont concerné pour 50 % des nageurs, pour 30 % des surfeurs et seulement pour 13 % des plongeurs.

Les requins ne sont pas pour autant les plus grands tueurs d'hommes de la nature, puisque, avec 60 attaques par an et 6 victimes en moyenne, ils ne font pas le poids face aux crocodiles – 2 500 victimes annuelles – ou aux éléphants – 250 victimes. Tandis qu'en Afrique, on dénombre plus de personnes qui périssent écrasées sous le pas des hippopotames et des buffles qu'agressées par les grands fauves.

En réalité, les plus grands tueurs ne sont pas les plus impressionnants. Les moustiques transmettent le parasite responsable du paludisme à 300 millions de personnes chaque année, en tuant 1 million. Les animaux venimeux occasionnent plus de 100 000 décès chaque année, et ce malgré le développement des antidotes. Et 5 millions de morsures de serpent et de piqûres de scorpion ont lieu lors des travaux agricoles. En France, l'abeille est la première cause de mortalité due à un animal. En Afrique et Amérique du Sud, c'est la multiplication de piqûres qui peut résulter de l'arrivée d'un essaim de redoutables « abeilles tueuses » qui est mortelle.

En mer, le danger vient encore des organismes les plus discrets, qui utilisent souvent leurs épines ou leur trompe venimeuse pour se défendre. Parmi les méduses, les pieuvres tropicales, les serpents marins de l'océan Indien, les poissons-pierres ou les cônes (coquillages), certains sont si toxiques qu'ils peuvent provoquer la mort en quelques minutes. Cependant, même en Australie, patrie par excellence des animaux dangereux, il y a peu de risques de tomber par hasard sur l'un de ces animaux ! ■

LES TECHNIQUES ANTIREQUINS

Si la protection la plus utilisée contre les requins reste encore la cage métallique (ci-dessous), d'autres sont aujourd'hui disponibles. Parmi les combinaisons renforcées par du Kevlar ou des écailles en plastique, seul le Neptunic, véritable cotte de mailles en acier inoxydable, s'est révélé efficace pour résister à la pression des mâchoires de petits requins. Le Shark Chaser, lui, est un répulsif efficace à base d'acétate de cuivre, présent dans la chair de requin avariée. Pour l'épreuve de surf des jeux Olympiques de Canberra, on a eu recours au Shark Pod, un émetteur portable créant un champ électrique pulsé qui perturbe les sens de l'animal. Ce système équipe aussi les combinaisons et les planches de surf. Pour une défense active, il existe différents types de flèches, si tant est que l'on atteigne les ouïes, point faible des requins. Mieux vaut encore rester en groupe, nager de jour, renoncer aux bijoux brillants et aux couleurs criardes, éviter les mouvements brusques… et bien connaître le comportement de ces animaux.

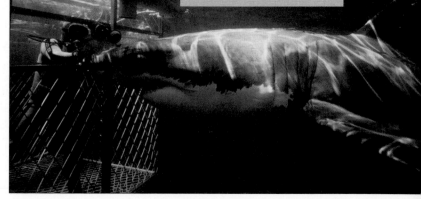

Le dauphin protège les nageurs des requins

Déjà présents sous la plume d'Homère, les dauphins sauveteurs n'ont cessé depuis de peupler les récits de marins. Mais est-ce vraiment par amitié que les dauphins approchent les humains ?

En décembre 2004, en décrivant autour d'eux des cercles de plus en plus serrés, des dauphins ont maintenu groupés quatre nageurs néo-zélandais et les ont ainsi tenus à distance d'un requin blanc pendant près de quarante minutes. Ce type de récit n'est pas nouveau : le dauphin passe pour être un protecteur des faibles. Pourtant, rien ne prouve que le cétacé agisse par pur altruisme. Bien au contraire, très peu de comportements de ce type ont été enregistrés, et les hypothèses des scientifiques mettent à mal ce qu'il faut alors bien appeler la légende du dauphin sauveteur.

Le nageur humain posséderait des propriétés aquatiques rappelant au dauphin ses congénères nouveau-nés. À sa vue, c'est un comportement réflexe qui inciterait la femelle à le pousser vers la surface comme elle le fait avec son petit pour lui faire respirer sa première bouffée d'air.

Autre hypothèse : les dauphins sauveteurs seraient des animaux militarisés à la retraite. En 1981, durant la première guerre du Golfe, par exemple, des dauphins ont été équipés de caméras pour surveiller les abords des navires américains. Lorsqu'en 1994 on ne sollicita plus leurs services, ils auraient été incapables de revenir à la vie sauvage, et ils continueraient aujourd'hui de rôder près des côtes en quête de présence humaine. Enfin, il est possible que les dauphins exclus de leurs groupes sociaux aient tendance à se rapprocher des hommes par instinct grégaire.

Ces explications ne s'excluent pas l'une l'autre. On peut d'ailleurs leur adjoindre une raison d'ordre purement alimentaire : les dauphins apprécieraient la compagnie des hommes parce que, en mer, la plupart d'entre eux pratiquent la pêche et leur fournissent de la nourriture, qu'il s'agisse de déchets, d'offrandes ou de larcins. Il faudrait être bien naïf pour croire, comme les pêcheurs de mulets du Sénégal et de Mauritanie, que les dauphins viennent les aider à attraper plus de poissons ! ∎

Les dauphins so...

De nombreux écrits sur l'intelligence des animaux domestiques furent publiés à la fin du XIXe siècle. En 1911, Thorndike (*Animal Intelligence*) proposait d'utiliser des tests pour mesurer les capacités cognitives des bêtes. Mais cela ne fait que vingt-cinq ans que l'on admet l'existence d'une véritable intelligence animale, dont le champion serait le dauphin...

Le dauphin est un mammifère. Son système nerveux est donc bien centralisé et son cerveau de taille conséquente, ce qui le différencie des poissons qui l'entourent. Il mène une vie sociale, communique avec ses congénères par ultrasons et semble capable de se reconnaître dans un miroir. Il peut aussi être dressé et apprend très vite seul. Mais ce n'est pas le seul animal à posséder ces caractéristiques. Si l'intelligence est la propension pour un individu à ajuster son comportement aux modifications de son environnement et si l'on mesure l'intelligence d'un animal à sa capa-

◀ Un cachalot, le plus grand odontocète existant, échoué en 1992 sur une plage anglaise.

Les baleines s'échouent à cause des sous-marins

En mars 2005, sept baleines à bec ont été retrouvées sans vie sur une plage de Nouvelle-Zélande. Les scientifiques ont longtemps cru au suicide de ces grands mammifères, puis ils ont émis d'autres hypothèses pour expliquer ces morts étranges.

En 2000, on a pu établir des liens entre essais militaires acoustiques et échouages massifs de baleines. Depuis, les sous-marins ont mauvaise presse : leur sonar désorienterait ces animaux en leur envoyant des échos trompeurs. Un brouillage de piste qui les conduirait à se tromper de chemin. Mais les submersibles sont plutôt du genre discret et émettent des impulsions de faible puissance. Les scientifiques invoquent plutôt les sonars tactiques utilisés par la marine américaine pour repérer les sous-marins, qui, eux, émettent des sons très puissants à de basses fréquences – 240 dB à la source, soit le double de ce qui est considéré comme dangereux pour l'homme. Ce harcèlement sonore finirait par entraîner, sinon la mort, du moins des lésions du système auditif des cétacés. De fait, des essais militaires ont souvent été suivis d'échouages de baleines à bec, comme en 2000 aux Bahamas ou en 2002 aux abords des Canaries. Les animaux présentaient de graves blessures de l'oreille interne.

Néanmoins, si la pollution sonore engendrée par les engins militaires est une des causes majeures de ces échouages, ce n'est pas la seule. Les facteurs le plus souvent évoqués sont une désorientation due à une maladie, des parasites, une blessure ou une infection. Affaiblis, les animaux ne peuvent alors rien contre les courants qui les entraînent vers le rivage. Et ils meurent dans 99 % des cas ! La pollution jouerait aussi un rôle important (voir encadré ci-dessous). Quant aux échouages massifs, ils seraient liés au mode de vie de ces animaux : en suivant un meneur de groupe affaibli ou désorienté, ses congénères dériveraient avec lui jusqu'à la côte. ■

POLLUTION : LA CAUSE CHIMIQUE

Il a suffi d'autopsier certains animaux échoués sur les plages pour se convaincre du rôle évident de la pollution chimique. Parfois, des matières plastiques obstruent leurs voies digestives ; on retrouve toujours une forte concentration de métaux lourds dans leur foie et leurs reins, ainsi que des hydrocarbures, dérivés chlorés et autres molécules organiques de synthèse, dans leur graisse et leurs muscles. Ce cocktail chimique finit par contaminer les autres tissus, notamment lorsque les cétacés puisent dans leurs réserves de graisse. Il est aussi transmis au fœtus via le cordon ombilical et au nouveau-né par le lait maternel. Ces polluants génèrent des immunodéficiences et des tumeurs qui rendent les animaux moins aptes à lutter pour leur survie. Dans les régions très polluées, les échouages sont plus fréquents : marsouins en mer du Nord, bélugas, souvent victimes de cancers, dans le golfe du Saint-Laurent. Les animaux morts retrouvés sur les plages nous en apprennent décidément très long sur l'état des océans…

es animaux es plus intelligents

cité d'apprentissage et de mémorisation ainsi qu'à ses aptitudes à communiquer, le dauphin n'est pas le meilleur. Un chien est tout aussi facilement dressable et un singe anthropoïde mène lui aussi une vie sociale complexe. Quant aux céphalopodes comme les poulpes, ce sont de très bons élèves. Ils savent, par exemple, résoudre de nombreux problèmes, ne recommencent jamais la même erreur et sont dotés d'une excellente mémoire.

Alors, pourquoi le dauphin ? L'intelligence supposée de ce cétacé ne dérive pas d'observations comportementales, mais du volume important de son cerveau et de ses très nombreuses circonvolutions. Le quotient d'encéphalisation (QE), c'est-à-dire le rapport entre le volume du cerveau et celui de l'ensemble du corps, est de 5,7 chez le globicéphale noir. Par comparaison, le QE atteint 7,5 chez l'homme et 2,5 chez le chimpanzé. En fait, chez le dauphin, ce développement correspondrait à sa spécialisation : l'écholocation.

Mais peut-on pour autant considérer qu'un gros cerveau implique une grande intelligence ? Non. Ce qui compte, c'est la richesse des interconnexions. Et le dauphin n'en possède pas plus que le chien… ■

Chapitre IV

Esprit, es-tu là ?

Un grand front est signe d'intelligence

La boîte crânienne de l'être humain a acquis une belle taille pour loger un cerveau volumineux. Pour autant, les têtes bien pleines ne sont pas toujours les mieux faites…

L'homme se distingue des autres mammifères par le développement de son cerveau, qui recèle quelque 100 milliards de neurones et pèse environ 1,4 kg, soit 1/50 du poids du corps, contre 1/150 chez le chimpanzé. Au cours de l'évolution, sa boîte crânienne s'est modifiée pour pouvoir loger ce cerveau volumineux. Les progrès de l'intelligence humaine semblent bien corrélés au développement de la zone frontale, haute chez l'homme moderne, alors que les hommes de Neandertal étaient dotés d'un front fuyant.

Mais il faut se méfier des apparences. En effet, au sein de l'espèce humaine, l'intelligence n'a aucun rapport avec la taille du « paquet » de neurones qui constituent le cerveau. Certes, le cerveau de lord Byron pesait 2,3 kg, mais ceux d'Albert Einstein et d'Anatole France, par exemple, étaient plus petits que la normale (respectivement 1,230 kg et à peine plus de 1 kg). Rien d'étonnant à cela : les neurones sont organisés en circuits complexes, et ce n'est pas leur quantité mais bien la richesse des connexions qui s'établissent entre eux qui augmente les capacités de traitement de l'information du cerveau.

Par ailleurs, la région préfrontale de l'écorce cérébrale, située « derrière » le front, n'est pas à proprement parler utilisée pour les tâches cognitives. Il s'agit d'une zone d'association entre l'affectif et la raison, qui serait plutôt le siège de la personnalité. Et si celle-ci était, plus que l'intelligence, le propre de l'homme ? ■

QU'EST-CE QUE LE QI ?

Introduite en 1905 par les psychologues français Alfred Binet et Théodore Simon puis remaniée à de multiples reprises, la mesure du quotient intellectuel (QI) repose sur une batterie de tests verbaux et non verbaux : compléter une suite, trouver un intrus dans une liste… Elle comporte en général une trentaine de ces tests, qui évaluent des performances intellectuelles par comparaison avec une population de référence. Le QI dit normal est de 100 (il se situe entre 85 et 115 pour les deux tiers de la population). Une norme à considérer avec précaution, car les tests ne prennent en compte ni l'influence du contexte socioculturel ou affectif, ni l'état de fatigue psychique ou physique du sujet testé ; de plus, ils donnent une vision bien réductrice de l'intelligence. Quid de l'intuition, de l'imagination, de l'esprit pratique, de l'empathie, etc. ?

▲ *Albert Einstein le 14 mars 1951, date de son 72ᵉ anniversaire, alors que les photographes attendaient un sourire. Le célèbre savant savait aussi être facétieux…*

Cet enfant a la bosse des maths

Nul en maths. Cette étiquette colle à la peau de nombre d'écoliers. Fatalistes, combien d'entre eux sont persuadés qu'ils n'y arriveront jamais, même s'ils s'appliquent ?

Le cerveau d'Einstein a été étudié sous toutes les coutures. Avec en toile de fond cette idée : être aussi bon en sciences, ce n'est pas normal. Ou, en tout cas, ce n'est pas donné à tout le monde. Sous-entendu : certains réussissent en sciences, d'autres n'ont pas la tête faite pour ça. Mais des voix s'élèvent au contraire pour affirmer que les maths et la physique, ça se travaille et ça s'apprend. À l'heure actuelle, ce débat n'est pas tranché scientifiquement. Car s'il ne fait aucun doute que les fortiches en dessin, les étudiants à la fibre littéraire ou les bons en histoire baignent largement dans un contexte culturel favorable, l'arithmétique semble plus « naturelle ». N'était-il d'ailleurs pas utile, dans la nature, de pouvoir compter les fruits ou les prédateurs ? Ce talent serait-il inné ? Les psychologues spécialisés en arithmétique cognitive se posent la question. L'étude des jeunes enfants et des peuples qui n'ont pas de mots pour les chiffres supérieurs à quatre, comme les Mundurucus d'Amérique du Sud, semble indiquer que la comparaison de quantités plus ou moins grandes est innée, mais que la capacité de fournir le résultat exact d'une addition ou d'une soustraction dépend fortement de l'éducation et des outils développés par la civilisation dans laquelle vit l'individu. ■

▶ *Archimède déterminant le poids d'une couronne par immersion dans l'eau.*

Il a des éclairs de génie

Si leurs auteurs sont souvent perçus comme des surdoués, les idées lumineuses sont aussi le fruit d'un acharnement au travail.

LES IDÉES LUMINEUSES D'ARCHIMÈDE

Les grandes découvertes et inventions tiennent parfois à peu de chose : un bain pour Archimède, l'observation de la chute d'une pomme pour Isaac Newton, des bactéries et du pénicillium abandonnés distraitement dans une même boîte pour Alexander Fleming…

Mais une découverte, une invention ou une création ne sont pas si hasardeuses qu'elles y paraissent. À en croire les surdoués eux-mêmes, l'éclair de génie se nourrit de la persévérance, de l'engagement, de la motivation et de l'enthousiasme de son auteur. Parfois née d'une intuition, l'idée lumineuse doit ensuite être démontrée. Elle n'est souvent que le résultat différé d'un travail acharné. Einstein le reconnaissait, d'ailleurs, peut-être par modestie. Lorsqu'on lui demandait comment il avait procédé pour découvrir ses lois sur la relativité, il répondait : *En y pensant toujours.*

C'est après des années de labeur que Marie et Pierre Curie découvrirent le radium, en l'isolant de la pechblende, un minerai d'uranium. Picasso, quant à lui, aurait commenté l'une de ses œuvres ainsi : *Un quart d'heure de travail et cinquante années d'expérience.* Il en va de même pour la musique : une fois

les thèmes inventés, il faut les orchestrer. Beethoven disait d'ailleurs : *L'art exige de nous de n'être jamais en repos.*

C'est pour mieux cerner les conditions sociales, physiques et psychologiques, qui ont permis à certains de passer à la postérité, que le polytechnicien Claude Thélot a passé au crible la vie de 350 génies des 450 dernières années, en se limitant cependant à l'Europe, à l'Amérique et à la Russie. Dans son ouvrage *l'Origine des génies*, paru en 2003, il a dressé différents constats : il y a en moyenne trois génies par siècle pour 10 millions d'habitants ; de nombreux génies sont français, allemands ou italiens ; ils sont plus urbains que ruraux ; un génie sur deux est issu d'un milieu aisé, un sur quatre d'un milieu populaire, et un sur six n'a pas dépassé l'école primaire. Enfin, le génie est souvent polyvalent et excelle dans plusieurs domaines : Léonard de Vinci était un scientifique visionnaire autant qu'un peintre, un sculpteur et un architecte ; René Descartes était mathématicien, physicien et philosophe, Jean-Paul Sartre, philosophe et écrivain. Il y a donc de quoi s'interroger si votre chérubin est à la fois doué au piano, en mathématiques et en dessin… ■

Selon la légende, le roi de Syracuse Hiéron II aurait demandé au savant géomètre, mathématicien et physicien Archimède (287-212 av. J.-C.) si la couronne qu'il avait commandée était en or pur ou constituée d'un alliage d'or et d'argent. En réfléchissant au problème dans son bain, Archimède fut frappé par la légèreté de ses membres dans l'eau. Il comprit alors que cette perte de poids correspondait au poids de l'eau déplacée et, dans l'enthousiasme de sa découverte, s'élança dans la rue en criant *Eurêka ! Eurêka !* (j'ai trouvé !). Dans son *Traité des corps flottants*, il élabore alors le principe de la célèbre poussée d'Archimède : *Tout corps plongé dans un fluide subit une poussée verticale, dirigée de bas en haut, égale au poids du fluide déplacé.* Selon ce principe fondamental de l'hydrostatique, Archimède

a pu calculer la masse volumique de la couronne en la plongeant dans l'eau et en mesurant le volume déplacé : il s'agissait bien d'un alliage et l'artisan indélicat fut démasqué. On doit au savant grec d'autres travaux scientifiques majeurs : démonstration que pi (π) est compris entre 22/7 et 223/71 ; introduction des exposants dans le système numérique grec afin de représenter les grands nombres ; notion de centre de gravité… En mécanique, il invente la vis sans fin, le boulon formé d'une vis et d'un écrou et la roue dentée. Malheureusement, son ingéniosité le perdit : après avoir mis au point différentes armes pour aider la colonie sicilienne à combattre les Romains, il fut assassiné par un Romain, dans sa maison, tandis qu'il contemplait des figures géométriques.

À la découverte du cerveau

Ce n'est qu'à partir du XVIIᵉ siècle que l'on commence à penser que l'esprit se loge dans le cerveau et qu'il a bel et bien une action sur le corps. Mais cette vision reste longtemps inadmissible. Au XVIIIᵉ siècle, par exemple, le naturaliste Julien Offray de La Mettrie (1709-1751) dut s'exiler pour avoir soutenu, dans son Histoire naturelle de l'âme, *que la pensée résultait de l'organisation corporelle, et notamment de celle du cerveau. Le Dr Jean Georges Cabanis (1757-1808), quant à lui, scandalisa en affirmant :* Le cerveau sécrète la pensée comme le foie sécrète la bile. *Le célèbre philosophe Emmanuel Kant (1724-1804) se heurta lui aussi à l'incompréhension en défendant l'idée de forces chimiques à l'œuvre dans le système nerveux. Trois siècles plus tard, les neurosciences ont définitivement aboli la frontière entre le corps et l'esprit, démontrant que la pensée est un événement produit par le corps lui-même...*

Petit glossaire des thérapies de l'esprit

La psychanalyse est d'abord une méthode d'investigation de la vie psychique qui permet, selon Sigmund Freud, d'explorer l'inconscient. Elle repose sur l'étude et l'analyse des symptômes morbides des névroses (hystérie, trouble panique, trouble obsessionnel compulsif...) et des rêves. Ce terme désigne aussi une méthode particulière de traitement des affections névrotiques. La psychanalyse ne nécessite aucun diplôme et n'est pas reconnue par l'État. Mais le praticien de cette thérapie de fond doit lui-même avoir suivi une psychanalyse avant de pouvoir analyser à son tour. En cabinet, on trouve aussi des analystes psychiatres et des analystes psychologues (cliniciens en général).

La psychiatrie est pratiquée par un psychiatre, médecin spécialisé dans ce domaine. Elle consiste à poser un diagnostic, prévenir et traiter – médicalement et parfois en recourant à l'hospitalisation – des troubles psychiques graves (schizophrénie, maniaco-dépression, psychoses...). En 1952, grâce à Henri Laborit, les traitements médicamenteux des maladies mentales ont été révolutionnés par la mise au point des neuroleptiques : en pratiquant une anesthésie pour une opération chirurgicale avec ce qui deviendra la chlorpromazine (utilisée dans le traitement de la schizophrénie), le biologiste s'est aperçu que sa patiente était manifestement apaisée par cette substance.

La psychologie – étymologiquement, l'étude *(logos)* de l'âme *(psukhê)* – a pour objectif la compréhension du comportement humain. Un psychologue est un professionnel qui a suivi une formation universitaire de cinq ans au minimum en psychologie ainsi qu'un stage professionnel. Il a pour fonction d'aider, à travers le dialogue, à résoudre des difficultés personnelles. Il peut exercer dans le domaine social, scolaire, clinique, du travail ou être psychologue expérimental. Mais, contrairement au psychothérapeute ou au psychiatre, il n'a pas pour vocation de soigner des malades.

▼ Le psychiatre Philippe Pinel est resté dans la légende comme le libérateur des aliénés enchaînés dans les asiles durant la Révolution française. Il eut surtout un rôle précurseur dans l'élaboration de nouvelles pratiques thérapeutiques pour le traitement des maladies mentales.

Plus de doute : l'esprit a une influence sur le corps

Asthme, eczéma, perte de la libido, ulcère de l'estomac, insomnie sont autant de maux qu'un esprit stressé peut engendrer. Si, aujourd'hui, l'origine psychique de ces maladies ne fait plus de doute, elle était difficilement concevable avant le XIXᵉ siècle. Qualifiés de maladies psychosomatiques, ces troubles organiques ou fonctionnels sont bel et bien favorisés, voire occasionnés, par des facteurs psychologiques. Mais le mental parvient aussi à les guérir. D'où l'émergence, dans le corps médical, d'une volonté de le solliciter davantage.

Voilà plus de dix ans, par exemple, qu'une équipe de médecins du CHU belge de Liège opère ses patients sous hypnose. Plus besoin d'anesthésie classique ou presque : sous hypnose, une légère sédation et une petite anesthésie locale suffisent à rendre le patient insensible à la douleur. Et les résultats sont plutôt probants : plus de 4 000 personnes ont pu être opérées ainsi. Dans le New Jersey, aux États-Unis, c'est l'asthme que l'on soigne par le psychisme : des médecins ont suivi des asthmatiques volontaires pour effectuer des séances de biofeedback (littéralement : rétroaction sur le vivant), pendant lesquelles les malades devaient se concentrer sur leur rythme cardiaque. Bilan après dix semaines : leurs crises d'asthme étaient deux fois moins fréquentes que celles du groupe témoin et leur dose quotidienne de médicaments a pu être réduite d'un tiers. En Géorgie, des chercheurs ont utilisé une méthode similaire pour diminuer la tension artérielle de collégiens en surcharge pondérale : ils leur ont fait suivre des séances de méditation transcendantale, une technique ancestrale de relaxation venue d'Inde. Les résultats furent là aussi concluants. Qu'attendons-nous pour davantage soigner notre esprit afin de mieux guérir notre corps ?

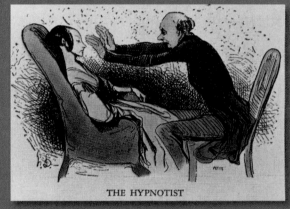

THE HYPNOTIST

La psychothérapie vise à soigner des troubles organiques ou psychiques par des moyens psychologiques. La méthode des Alcooliques anonymes, la « constellation familiale » ou encore l'hypnose sont autant de techniques utilisées en psychothérapie. Cette discipline est indépendante de la psychiatrie – qui est une branche de la médecine – et de la psychologie – une branche des sciences humaines. Elle n'a aucun cadre légal en France : n'importe qui peut se déclarer psychothérapeute, même s'il arrive qu'elle soit proposée par des diplômés en psychologie clinique ou en psychiatrie.

▲ L'hypnose s'avère très efficace pour soigner tous les troubles mineurs s'ils sont isolés : spasmes, tics, bégaiement, onychophagie (fait de se ronger les ongles), somnambulisme, hypocondrie superficielle...

◄ Sigmund Freud (1856-1939). dans son bureau de Vienne.

Grâce à l'imagerie médicale, le cerveau se dévoile

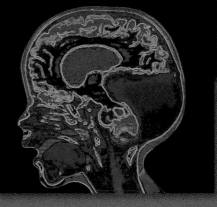

▲ *IRM du cerveau d'un enfant de 11 ans.*

Au XVIIᵉ siècle, l'invention du microscope révèle que le cerveau n'est pas une masse informe : il est constitué de cellules, les neurones, qui communiquent entre elles via des prolongements, les dendrites et les axones. Mais il faut attendre l'apparition de l'imagerie cérébrale, dans les années 1960, pour mieux cerner la morphologie et le fonctionnement de cet organe mystérieux.

Grâce au scanner, on obtient, en 1972, les premières images en trois dimensions du cerveau. Comme la radiologie conventionnelle, cette technique fait appel aux rayons X (un rayonnement à faible longueur d'onde qui pénètre facilement dans la matière), mais prend différents clichés qui, transformés par ordinateur, permettent de reconstituer une image tridimensionnelle. Les médecins sont alors capables de détecter les anomalies morphologiques du cerveau mais sans pouvoir pour autant en déterminer la nature (tumeur bénigne ou cancéreuse, inflamma-

tion...). Ce que permet en revanche l'IRM (imagerie par résonance magnétique), apparue un an plus tard et qui consiste à placer le patient au centre d'un aimant dont le champ magnétique perturbe certains éléments présents dans le cerveau, notamment l'hydrogène. Un récepteur détecte cette agitation et, selon la teneur en hydrogène des tissus, le signal enregistré diffère. Or une tumeur cérébrale modifie la teneur en eau, et donc en hydrogène, du cerveau. Par conséquent, elle émet des signaux pouvant être différenciés des tissus sains.

En 1990, de cette technique en émerge une autre, l'IRMf, qui produit des images dites fonctionnelles grâce auxquelles les médecins peuvent désormais suivre la consommation de sang et la composition chimique des tissus. Aujourd'hui, cette méthode est même devenue très fiable pour diagnostiquer et suivre des pathologies neurodégénératives comme la maladie d'Alzheimer. Mais elle est

interdite aux porteurs d'un pacemaker ou de prothèses métalliques à cause du fort champ magnétique qu'elle requiert. Enfin, deux autres techniques ont vu le jour : la scintigraphie et la tomographie par émission de positons (TEP). Issues de la médecine nucléaire, elles utilisent des molécules radioactives nommées traceurs, dont le rayonnement est visible avec une caméra. Elles fournissent une cartographie de l'activité du cerveau et sont indispensables à la neurologie. Mais il y a mieux : depuis les années 2000, il est possible de fusionner un tomographe à émission de positons avec un scanner à rayons X pour former ce que les radiologues appellent un TEP scan. Un vrai progrès puisque les images obtenues cumulent les atouts du TEP et ceux du scanner !

◄ *L'IRM (imagerie par résonance magnétique) étudie avec une grande précision de nombreuses parties du corps telles que le cerveau, la colonne vertébrale, les articulations et les tissus mous.*

Des neurones sous influence

Considérés unanimement comme le siège de l'esprit humain, les neurones ne sont peut-être pas les seules éminences grises du cerveau. Les cellules gliales pourraient elles aussi transmettre des informations. Repérées au début du XXᵉ siècle, elles ont longtemps été perçues comme de vulgaires cellules de remplissage et de simples pourvoyeuses de glucose aux neurones. Or, depuis quatre ans, plusieurs équipes internationales multiplient les découvertes sur ce type de cellules, et plus particulièrement sur les plus abondantes : les astrocytes. Des découvertes qui forcent les neurologues à reconsidérer ces entités de la glie. Ainsi, les astrocytes non seulement disposeraient de leurs propres réseaux de communication, parallèles à ceux des neurones, mais pourraient aussi influencer l'activité neuronale.

Les preuves à l'appui ? Des chercheurs de l'université de Bordeaux ont constaté que la

Des crânes éloquents

Une maladie génétique ? Une tumeur ? Une dégénérescence osseuse ? Non : ces crânes oblongs ne sont que le résultat d'un façonnement par l'homme consistant à comprimer la tête des enfants avec des bandeaux ou des planches pour lui conférer l'allure souhaitée.

Observée sous toutes les latitudes et dans différentes cultures, cette pratique avait cours à des fins esthétiques et de reconnaissance sociale ou ethnique. Les plus anciens crânes que l'on ait retrouvés datent de 7 000 ans av. J.-C.

environ (néolithique). En Eurasie, ce sont des peuples d'Asie centrale qui auraient inventé ce rituel, avant qu'il ne migre vers le continent européen, mais on le retrouve aussi chez un grand nombre d'ethnies précolombiennes.

Récemment, des archéologues ont encore découvert de tels crânes sur le site d'exhumation de la nécropole mérovingienne de Bénazet (Languedoc-Roussillon).

L'histoire contemporaine recèle d'autres cas de crânes difformes, mais pour lesquels la déforma-

tion n'est pas volontaire. Le crâne d'un nouveau-né est tellement malléable qu'il se déforme facilement, sous la pression d'un bandeau, par exemple, pour préserver le cerveau en pleine croissance. Ainsi, jusque dans le premier tiers du XXᵉ siècle, les bébés du sud-ouest de la France pouvaient présenter des têtes allongées. Et, de nos

jours, le fait de coucher les bébés sur le dos – qui a fait chuter le nombre de morts subites du nourrisson – est tenu pour responsable de la plagiocéphalie postérieure d'origine positionnelle, un aplatissement de l'arrière de la tête du bébé. Mais, pour ce qui est des pratiques ancestrales, le mystère demeure. À tel point que les chasseurs d'ovnis croient voir en ces têtes atypiques des signes de l'existence d'espèces extraterrestres !

LES ASTROCYTES

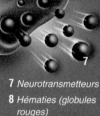

1 *Neurone*
2 *Noyau du neurone*
3 *Axone*
4 *Oligodendrocyte*
5 *Synapse*
6 *Gaine de myéline*
7 *Neurotransmetteurs*
8 *Hématies (globules rouges)*
9 *Capillaire*
10 *Astrocyte*
11 *Mitochondrie*
12 *Microglie*

suppression des astrocytes autour des synapses des neurones provoque une saturation des neurotransmetteurs sur les récepteurs. Ce qui bloque totalement le fonctionnement neuronal. À l'inverse, la présence d'astrocytes régule la quantité de neurotransmetteurs grâce à un système de recyclage. À l'université d'Amsterdam, d'autres scientifiques ont découvert que les cellules gliales peuvent fabriquer des « pièges » à neurotransmetteurs, diminuant ainsi la transmission synaptique du signal nerveux. Et, selon des chercheurs de l'université américaine de Stanford, les astrocytes sont aussi

capables de réguler la quantité de récepteurs présents à la surface des neurones en leur envoyant un message sous forme de molécule chimique (une cytokine).

L'utilisation de sondes fluorescentes a par ailleurs permis de révéler une augmentation de la concentration en ions calcium d'astrocyte en astrocyte. À quoi sert-elle ? D'après des experts de l'université de Pennsylvanie, ces vagues calciques provoquées par les astrocytes induisent une libération, au niveau de la synapse, de glutamate, un neurotransmetteur connu pour exciter les neurones. Alors qui des

neurones ou des astrocytes nous dirige ? Une découverte faite en 1985 laisse songeur : en examinant des coupes du cerveau d'Albert Einstein, l'anatomiste Marian Diamond, de l'université de Berkeley, a remarqué que le cortex cérébral du physicien – c'est-à-dire la zone censée être dédiée aux fonctions cognitives complexes – présentait une concentration étonnamment élevée de cellules non neuronales tels les astrocytes. Simple coïncidence ou les neurones n'ont-ils qu'à se rhabiller ? Nul ne le sait. Mais un nouveau constat vient rehausser la glie : plus le cerveau d'un animal est développé, plus la proportion d'astrocytes par neurone augmente. Avec 1,4 astrocyte par neurone en moyenne, les humains l'emportent largement sur la souris, quatre fois moins bien dotée, ou la sangsue, chez qui le rapport avoisine la nullité !

Les femmes ont toujours mal à la tête

Arme la plus terrible contre les maris, selon Balzac, la migraine n'a pas bonne réputation. D'aucunes y auraient recours pour se défiler… dans certaines situations. Il existe pourtant une vraie migraine, maladie mal connue mais très courante et parfois terriblement invalidante.

La migraine touche surtout les femmes, mais un tiers de migraineux sont des hommes. Rare après l'âge de 40 ans, la crise touche surtout les jeunes adultes, mais aussi les enfants. Forme particulière du mal de tête, ou céphalée, la migraine est une véritable maladie qui dure de quatre heures à trois jours et survient plus d'une fois par mois (chez 85 % des patients). Ses facteurs déclenchants peuvent être multiples et souvent propres à chaque migraineux. Parmi eux, la fatigue et le manque de sommeil, le stress, les menstruations (migraine cataméniale), l'effort et surtout l'orgasme chez les hommes, le ronflement, la pression atmosphérique, des odeurs, mais aussi des aliments comme le chocolat, la caféine, le vin et la bière, le glutamate et l'aspartame, les œufs, les fromages vieillis…

La migraine commence par une douleur localisée d'un côté de la tête (voire sur un œil), avec des pulsations en rythme avec celles du cœur et qui deviennent d'insupportables coups de marteau. Elle peut s'accompagner de nausées, de vomissements, de sueurs. Les migraineux ne supportent plus la lumière ni le bruit. Pour un cinquième d'entre eux, la migraine est précédée d'une aura, c'est-à-dire de troubles neurologiques visuels (scintillements) et sensitifs (fourmillements, lourdeurs), et de troubles du langage, jusqu'à une paralysie transitoire.

L'origine du syndrome migraineux demeure inconnue. Quoi qu'il en soit, il existe au cours de la crise de migraine des modifications dans la production de certains neurotransmetteurs comme l'histamine, la dopamine et la sérotonine, ainsi que du monoxyde d'azote. Le seuil de tolérance à cette substance pourrait être déterminé génétiquement par trois gènes, déjà identifiés dans la rare migraine hémiplégique familiale. Selon une hypothèse aujourd'hui admise, la migraine serait la conséquence d'une inflammation provoquée par l'activation des vaisseaux sanguins des enveloppes du cerveau (méninges), d'où la libération de substances biochimiques entraînant la dilatation des artères. Le flux sanguin augmente, faisant passer dans les tissus environnants des substances provoquant la douleur. Celles-ci vont stimuler les fibres sensorielles d'un des deux nerfs trijumeaux (qui innervent la paroi d'une moitié du crâne). Rien ne guérit la migraine, mais une large panoplie de médicaments visent à la soulager. Notamment la caféine, les dérivés de l'ergot de seigle et les triptans, qui empêchent la dilatation des vaisseaux, agissant sur 60 à 80 % des migraineux. Les injections de botox (originellement mis au point pour lutter contre les rides) pourraient avoir des effets intéressants. Les médicaments de fond visant à rendre le nerf insensible permettent d'espacer les crises. Acupuncture et relaxation ont aussi des effets notoires. ■

UNE MALADIE SOUS-ESTIMÉE

Sous-estimée par la famille, voire niée et considérée comme un caprice pour éviter de travailler, attribuée aux personnalités rigides, perfectionnistes, frustrées…, la migraine est pourtant une maladie à part entière. Sans distinction géographique ni sociale, elle touche 10 à 12 % de la population – soit, en France, 10 millions de personnes, dont un quart des femmes de 30 à 40 ans. Sans oublier les migraineux qui s'ignorent ! Ainsi, 50 à 80 % d'entre eux ne consultent pas et ont recours à une automédication qui peut aggraver les crises. Les migraines à répétition perturbent la vie familiale, sociale, scolaire ou professionnelle : elles donnent ainsi lieu à 18 millions de jours d'arrêt de travail. La Sécurité sociale en a des maux de tête !

LE MÉCANISME DE LA MIGRAINE

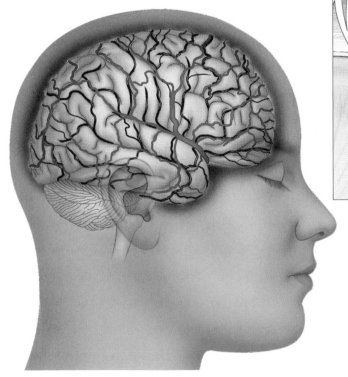

Il vaut mieux aller au magasin qu'au médecin

Se remonter le moral en s'offrant un petit cadeau, pourquoi pas ? Acquérir un objet convoité est une source de plaisir, et pour certains de réconfort. Le problème, c'est quand on ne peut plus s'en passer.

On l'appelle fièvre acheteuse. Un jeu de mots ? Oui, mais c'est aussi une vraie maladie, qui touche surtout les femmes. Les symptômes évoquent un peu ceux de la boulimie, l'achat impulsif remplaçant les fringales intempestives. D'ailleurs, le moteur est le même : le besoin de combler un manque, de se rassurer et de consolider son image. Pour les femmes, cela passe par l'achat d'articles liés à la séduction, comme les vêtements, le maquillage et les bijoux. Les hommes recherchent plutôt des preuves de leur puissance en s'offrant voiture, matériel hi-fi ou équipement informatique.

Pour autant, effectuer de temps en temps un achat plaisir ne veut pas dire que l'on soit atteint de ce trouble. C'est lorsque le désir d'acheter devient un besoin irrépressible qu'il faut s'inquiéter. La « crise » est alors précédée d'un état de manque, et l'achat procure une jouissance excessive, aussitôt suivie d'une culpabilité qui peut conduire à… ne pas oser utiliser ses acquisitions. C'est souvent le passage de son compte en banque dans le rouge qui pousse un acheteur compulsif à chercher de l'aide. La participation au groupe de parole des Débiteurs anonymes, le recours à une psychothérapie ou même, dans certains cas, à un traitement médicamenteux peuvent être une solution pour s'en sortir. ■

QUI A BU BOIRA

Quel est le point commun entre l'alcool, le vol à l'étalage, Internet, le casino, la nourriture, les grands magasins et l'héroïne ? Tous peuvent provoquer une dépendance. On parle respectivement d'alcoolisme, de cleptomanie, de cyberdépendance, de ludopathie, de boulimie, de fièvre acheteuse et de toxicomanie. La diversité de l'objet du désir alimente le questionnement sur les causes de l'addiction. S'agissant de drogues, de tabac ou d'alcool, la substance elle-même entretient le mécanisme. Mais, tout comme l'addiction au shopping, au vol ou aux jeux de hasard, le passage à l'acte vise avant tout à combler un manque et la dimension psychologique n'est pas négligeable. Les fameux TOC (troubles obsessionnels compulsifs) sont, quant à eux, des rituels irrépressibles, visant à contenir la poussée d'une angoisse à laquelle la personne ne peut se confronter. Par exemple, quelqu'un qui a très peur d'être contaminé par des microbes (obsession) ne peut s'empêcher de se laver les mains jusqu'au sang (compulsion).

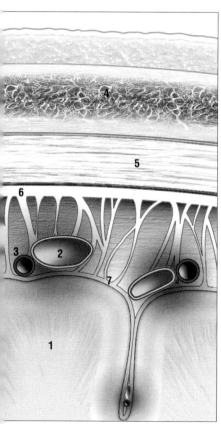

◀ ▲ *Au cours de la crise migraineuse se produit un double phénomène d'inflammation et de dilatation vasculaire, qui va déclencher la douleur. Celle-ci peut se propager aux sinus, aux yeux, au visage et à un voire aux deux côtés de la tête.*

1 Cerveau
2 Veines
3 Artères
4 Crâne osseux

Méninges :
5 Dure-mère
6 Arachnoïde
7 Pie-mère

La dépression est le mal du siècle

L'expression « mal du siècle » est née à la fin du XVIIIe siècle pour désigner l'état d'esprit des jeunes romantiques, découragés sans raison, incapables de trouver un sens à leur vie ou une place dans ce monde. Mélancolie, spleen, neurasthénie ou névrose ont d'ailleurs leur place dans notre vocabulaire depuis longtemps. De quoi relativiser l'idée selon laquelle la dépression est une nouveauté. Pour autant, les chiffres font réfléchir : en trente ans, le nombre de dépressifs aurait été multiplié par dix. Certains analystes estiment à un milliard le nombre de personnes atteintes ! Médecins, sociologues, psychologues et statisticiens ont avancé leurs interprétations : il faudra sans doute quelques années pour les départager.

Première hypothèse : la société serait plus déroutante, plus anxiogène que jamais. L'éclatement des familles, la perte des repères, le stress dans les entreprises aggraveraient le phénomène. Une thèse intéressante, mais difficile à vérifier… La deuxième explication accable les laboratoires pharmaceutiques, que le journaliste Guy Hugnet dénonce dans son ouvrage *Antidépresseurs, la grande intoxication*.

Des pessimistes et des malheureux, il y en a toujours eu. Mais, aujourd'hui, on dirait presque que c'est contagieux. Nous avons tous quelqu'un dans notre entourage qui a été traité pour son état dépressif.

Selon lui, ils entretiennent volontairement le flou sur la notion de dépression pour inciter les médecins à prescrire et imposer leurs pilules au plus grand nombre de « malades » possible. Une autre thèse insiste sur la difficulté de comparer des statistiques historiques. Le nombre de dépressifs n'a peut-être pas changé. Mais comment peut-on être sûr que ce trouble était diagnostiqué il y a trente ans de façon aussi systématique qu'aujourd'hui ? D'autant plus que la définition de la dépression a des frontières changeantes… Dans son livre *Comment la dépression est devenue une épidémie*, Philippe Pignarre qualifie même ce trouble de monstre multiforme. Selon lui, cette notion n'a émergé que parce qu'on a voulu ranger ensemble des problèmes divers, seulement reliés entre eux par la façon dont on les soigne. Au mépris des causes extérieures (perte d'un proche, licenciement, ennui, échec scolaire…), les patients ont été conduits à se concentrer exclusivement sur leur façon de réagir à ces événements. Et à ranger tous leurs problèmes sous le vocable dépression. En conséquence, le phénomène a naturellement explosé. Une conclusion à contre-courant, qui pourrait bien déprimer plus d'un psychothérapeute… ■

DÉPRIME OU DÉPRESSION ?

Un coup de cafard ou, surtout, une tristesse à la suite d'un événement malheureux n'a rien d'anormal. Il n'est pas étonnant non plus d'avoir un petit coup de blues, même sans raison, de temps en temps. Cela traduit souvent une insatisfaction concernant notre mode de vie… Parfois même, ces moments nous permettent de faire le point et d'adapter notre quotidien à nos aspirations.
Le problème, c'est quand la déprime s'installe dans la durée, provoque une tristesse anormale et permanente sans lien avec une raison précise, des troubles du sommeil, un amaigrissement, une incapacité à se concentrer…
En un mot, lorsqu'elle empêche de vivre ! En cas de doute, les psychothérapeutes recommandent d'aller voir un professionnel pour faire le point. En aucun cas, de toute façon, il ne faut prendre de médicaments sans prescription médicale. Enfin, si l'on décide d'avoir recours aux médicaments, il vaut mieux avoir un médecin référent qui adaptera le traitement à l'évolution des symptômes. En tous les cas, il faut éviter de papillonner d'un professionnel à un autre.

Le chocolat est un antidépresseur

Le chocolat contient plus de 500 composés chimiques. Certains auraient des vertus contre la dépression, d'autres contre la fatigue. Alors pourquoi se priver ?

Le chocolat, bon pour le moral ? C'est vrai. Car il stimule la sécrétion d'endorphines, les hormones du bien-être, à la fois par le cocktail de substances qu'il contient et par ses qualités organoleptiques (goût, odeur, couleur, aspect, consistance…). Autrefois réputé aphrodisiaque, c'est surtout un excellent psychostimulant. Comme le thé, il contient de la théobromine, un alcaloïde toxique pour certains animaux mais qui chez l'homme stimule le système nerveux central et l'appétit. Le chocolat est aussi riche en tryptophane, l'acide aminé à partir duquel est fabriquée la sérotonine, un neurotransmetteur du bien-être. Cette substance est actuellement très employée en pharmacologie comme antidépresseur.

Excitant léger du fait de la caféine qu'il renferme, le chocolat se révèle bienfaisant par sa richesse en divers minéraux : il contient, en effet, du phosphore, du potassium, du fer, mais surtout du magnésium. Une tablette de chocolat noir de 100 g couvre 30 % des besoins journaliers d'un adulte en magnésium. Or ce minéral, qui permet la relaxation musculaire et la synthèse de protéines, agit également au niveau du cerveau comme antidépresseur : il stimule la sécrétion de dopamine, un neurotransmetteur impliqué dans la sensation de plaisir.

Et ça n'est pas tout ! Le chocolat contient des molécules encore bien plus puissantes que le magnésium et qui pourraient aussi agir sur la dopamine, telle la phényléthylamine (PEA), une substance psychoactive qui s'apparente aux amphétamines et stimulerait la sécrétion de dopamine.

LE CHOCOLAT EST UN BON ANTIFATIGUE

Le chocolat est un aliment riche en magnésium, un minéral qui aide à combattre la fatigue musculaire. Il renferme également de la caféine (quatre carrés de chocolat noir en contiennent autant qu'un expresso de 30 ml) et de la théobromine, deux composants qui agissent sur le cerveau en bloquant les récepteurs de l'adénosine, une substance naturelle qui inhibe l'excitation. La caféine est aussi connue pour accroître la sécrétion d'épinéphrine, une hormone de la même famille que l'adrénaline qui contribue à son effet stimulant. Il n'est donc pas étonnant que le chocolat augmente la résistance à la fatigue, à l'effort musculaire, à l'activité intellectuelle et qu'il accroisse la vigilance.

Le cacao qu'il contient a également des propriétés bienfaisantes : comme le vin rouge, il est bon pour le cœur, grâce à sa forte teneur en flavonoïdes, de puissants antioxydants qui luttent contre l'artériosclérose.

D'ailleurs, un déficit en PEA peut contribuer à créer un état dépressif. Toutefois, l'or brun en délivre peu : de 0,4 à 0,6 microgramme par gramme. Et, comme le vin, le chocolat a ses bons crus. C'est une question de composition : le noir contient plus de cacao que celui au lait mais aussi plus de magnésium, de potassium, de caféine et d'antioxydants, et, en général, un peu moins de graisses et de sucres. Mais, quel qu'il soit, on aurait tort de s'interdire la consommation de chocolat. ■

Alzheimer, Parkinson
et autres : c'est l'aluminium

Différentes études ont montré que l'aluminium augmente les risques de maladie d'Alzheimer et de Parkinson, d'encéphalopathie, de troubles osseux et d'anémie. À fortes doses...

Depuis les années 1970, un débat fait rage autour de l'aluminium : il serait, entre autres, susceptible d'augmenter les risques de développer la maladie d'Alzheimer. Cette hypothèse est née d'un constat : les cellules du cerveau de patients atteints de cette démence présentent une forte concentration de ce métal. On a également associé l'aluminium à d'autres affections graves touchant le système nerveux, telles les maladies de Lou Gehrig et de Parkinson, sans que le lien soit clairement établi.

Toutefois, en juillet 2000, l'unité 330 de l'Inserm jette un pavé dans la mare en publiant, dans l'*American Journal of Epidemiology*, les résultats du suivi d'un groupe de 4 134 personnes âgées (Paquid). Ceux-ci montrent que le risque de démence, notamment de type Alzheimer, est multiplié par deux ou trois chez des sujets exposés à des concentrations en aluminium dans l'eau supérieures à 100 g/l.

En 2000, la direction générale de la santé (DGS) décide de saisir l'Institut de veille sanitaire (InVS) et l'Agence française de sécurité sanitaire des aliments (Afssa) pour évaluer les risques. Conclusion : aucun lien direct entre l'aluminium et la maladie d'Alzheimer n'est établi. Avec l'Agence française de sécurité sanitaire des produits de santé (Afssaps), l'InVS et l'Afssa poursuivent toutefois leurs investigations. Elles évaluent les risques pour la santé liés à l'exposition des populations à l'aluminium contenu dans l'eau, l'alimentation et les produits de santé. Les résultats, communiqués en 2003, sont plutôt alarmants : l'accumulation d'aluminium entraîne des encéphalopathies, des troubles osseux et des anémies chez les personnes les plus exposées. C'est tout particulièrement le cas des sujets dialysés, dont le traitement, administré par voie intraveineuse au cours des séances de dialyse, contient parfois de fortes quantités d'aluminium (la dose cumulée est estimée à 20 000-40 000 fois les doses journalières contenues dans l'alimentation).

Toutefois, si l'on soupçonne l'aluminium d'induire des maladies neurodégénératives, la corrélation n'est pas prouvée. Il est néanmoins recommandé de limiter l'exposition à ce métal, même si la population générale est moins concernée que les insuffisants rénaux ou les professionnels de l'industrie de l'aluminium. ■

▲ *Les personnes qui stimulent quotidiennement leur intellect en lisant, en faisant des mots croisés ou en jouant aux cartes réduisent le risque de développer la maladie d'Alzheimer.*

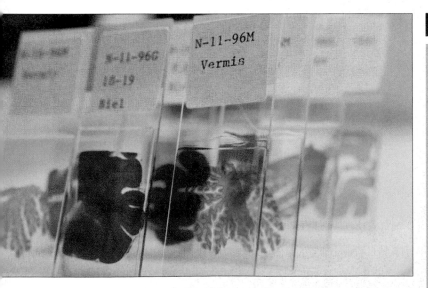

▲ *Grâce à un panel de 678 religieuses ayant accepté de se soumettre à des tests et de léguer leur cerveau à la science (ci-dessus, tissu cérébral), l'université du Kentucky mène une étude d'envergure sur les mécanismes du vieillissement.*

COMMENT ÉVITER L'ALUMINIUM ?

Comment contrôler son exposition à ce métal très répandu dans la nature ? Certains aliments, comme le thé, concentrent de grandes quantités d'aluminium. Il est donc conseillé d'en réduire sa consommation.

Par ailleurs, la cuisson prolongée d'aliments très acides ou très salés dans des ustensiles en aluminium non protégés par un revêtement antihadhésif peut également augmenter la quantité d'aluminium ingérée.

Les autres sources possibles sont l'eau potable, l'air et les médicaments. Les deux premiers ne présentent normalement pas une concentration élevée en aluminium, sauf dans certaines zones industrielles, où l'apport journalier peut atteindre 100 microgrammes contre moins de 4 microgrammes en général.

Quant aux médicaments, certains comportent souvent de l'hydroxyde d'aluminium, un antiacide utilisé dans le traitement des ulcères de l'estomac et en cas d'insuffisance rénale prolongée. Mais, une fois de plus, aucun lien n'a pu être établi entre la prise de ces traitements et une augmentation du risque de maladie d'Alzheimer. Les composés de l'aluminium sont encore utilisés dans les cosmétiques, tels les déodorants, les antiseptiques et en tant qu'adjuvants de vaccins, autant de produits qui sont autorisés par l'OMS...

Notre écriture nous trahit

Les filles ont souvent une écriture ronde, plus appliquée que celle des garçons. Et si l'on reconnaîtrait celle de l'être aimé entre mille, c'est qu'elle est unique : il y en a autant que d'êtres humains.

D'une écriture nerveuse, illisible ou très particulière, on dit souvent qu'elle révèle un tempérament original. C'est le postulat de la graphologie, qui étudie la personnalité en observant le tracé et l'empreinte laissée par le stylo. Le problème ? Cette allégation est invérifiable ! Les graphologues ont beau s'autoproclamer chercheurs en sciences humaines,

instaurer des diplômes semi-officiels (ils ne sont plus reconnus par l'État depuis 1995) et bannir le charlatanisme, ils continuent d'être regardés de travers par beaucoup de psychologues. Les chefs d'entreprise tordent moins le nez : on estime que les services d'un graphologue sont sollicités dans près de quatre recrutements sur cinq. Soit pour faire un premier tri

entre les CV, soit pour départager les derniers postulants… Voire pour évaluer la complémentarité entre le patron et le candidat. Et cela bien souvent dans le plus grand secret, la pratique restant encore plus ou moins sulfureuse, et son statut légal, incertain. Pourtant, des applications voient aussi le jour en médecine. Au sein du très respectable hôpital Sainte-Anne, à Paris, des graphothérapeutes sont ainsi mis à contribution. Leur rôle ? Aider les enfants qui peinent à maîtriser les mécanismes de l'écriture, mais aussi renforcer les diagnostics sur un mal-être qui peut être plus profond. ■

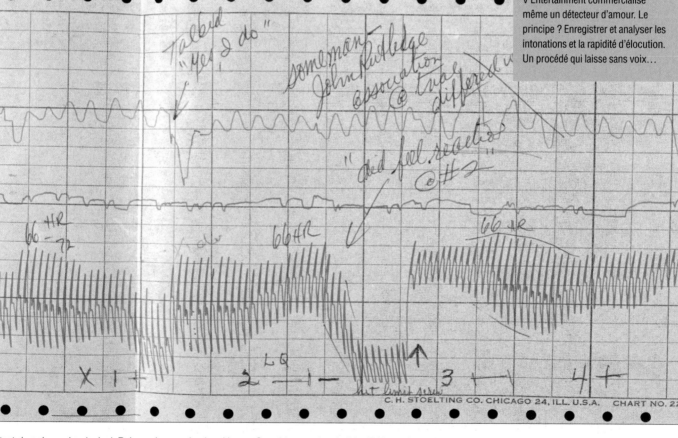

▲ *Le test du polygraphe de Jack Ruby, qui assassina Lee Harvey Oswald, meurtrier de John F. Kennedy, quelques heures après l'attentat.*

À quelque chose malheur est bon

Ce vieil adage trouve une résonance dans la psychologie avec le principe de résilience, grâce auquel l'homme pourrait trouver en lui la capacité de surmonter ses traumatismes… pour devenir plus fort après une épreuve.

La résilience est la faculté d'une personne, confrontée à une situation invivable, à mettre en place des mécanismes de survie et à développer des capacités qui n'auraient pu apparaître autrement. Le pionnier de ce concept, Boris Cyrulnik, le définit ainsi : *Le mot résilience vient du latin et signifie ressauter. Non pas ressauter à la même place, comme si rien ne s'était passé, mais ressauter un petit peu à côté pour continuer d'avancer. La résilience n'a rien à voir avec une prétendue invulnérabilité ou une qualité supérieure de certains, mais avec la capacité de reprendre une vie humaine malgré la blessure, sans se fixer sur cette blessure.*

Première nécessité : l'accueil par une personne compréhensive, choisie comme substitut parental, qui posera sur le futur résilient un regard tout neuf. Ce qui renforcera ou reconstruira son capital psychique. Cette aide précieuse lui permettra alors de se distancier momentanément de ses malheurs et de les envisager dans une autre perspective.

Étape suivante : raconter son histoire. Ce qui permet de réveiller les intenses émotions qui ont été inhibées lors du trauma. La communication vise à replacer la personne dans son récit. Elle devient l'acteur principal de son vécu et se réapproprie ainsi l'expérience subie en l'intégrant à son identité. Le sujet n'est plus objet victime mais, à l'inverse, il agit.

Enfin vient la reconstruction, qui consiste à regagner l'estime de soi et sa liberté en assumant les choix de sa vie. Exercer une profession sociale permet d'être, à son tour, un conseiller empathique. D'autres choisissent la pratique artistique, où l'on peut sublimer l'expérience en transcendant l'horreur subie. C'est le cas de Hans Andersen, prostitué dans son enfance, ou du jeune chanteur Corneille, dont les parents ont été tués lors du génocide rwandais, qui ont, malgré tout, réussi à donner un sens à leur vie par l'écriture de contes ou la chanson. ■

ADAPTATION OU LOI DU PLUS FORT ?

Le concept de résilience a été emprunté à la physique : c'est la capacité de certains matériaux à résister aux chocs en reprenant leur forme initiale. Cette théorie est née dans les années 1950, sous la plume de la psychologue Emily Werner, qui étudia le sort de quelque 200 personnes qui, après une enfance difficile dans les rues d'Hawaii, sont parvenues à se cultiver et à fonder une famille. Depuis les années 1990, la résilience s'est popularisée grâce aux ouvrages du neuropsychiatre Boris Cyrulnik. Reste que cette théorie ne fait pas l'unanimité chez les spécialistes, tel le psychiatre Serge Tisseron, pour qui la résilience se rapprocherait du concept darwinien de sélection des espèces – dans la lutte pour la vie, seuls les plus aptes s'en sortent. Chez les humains, ce n'est peut-être pas aussi simple, en effet…

C'est en **forgeant** qu'on devien

C'est une évidence : sans pratique, pas d'apprentissage ! Mais il ne s'agit pas de répéter bêtement. Car le mécanisme de l'apprentissage fait intervenir de nombreuses compétences et différentes zones du cerveau.

Forger, souder, peindre… Chaque métier requiert de l'expérience. Complément indispensable des humanités, l'enseignement pratique a été un temps délaissé au profit de l'enseignement des connaissances, jugé plus noble… Aujourd'hui, on manque d'artisans et l'on tente difficilement de remettre à l'honneur des voies pédagogiques alternatives comme l'apprentissage.

On aurait tort de penser que les savoir-faire manuels se limitent à une simple reproduction de gestes. Ils imposent une analyse fine de la situation, le maniement de symboles (poids, mesures), un sens artistique développé… Ils illustrent également la capacité à acquérir de nouveaux comportements, qui atteint une complexité extrême chez l'homme.

Comment choisit-on une réponse appropriée en fonction de ses perceptions ? Dans la première moitié du XXe siècle, l'école des psychologues comportementalistes (les béhavioristes) a mené de multiples expériences chez les mammifères pour le découvrir. Un rat placé dans un labyrinthe apprend à y retrouver son chemin pour accéder au plus vite à de la nourriture. Il apprend aussi à éviter des pièges (comme des secousses électriques). De la même manière, lors d'un apprentissage classique par essais et erreurs, des renforcements positifs (une récompense ou la satisfaction du travail bien fait) et négatifs (punition, déception…) fixent progressivement le comportement pertinent dans nos circuits nerveux, en y imprimant la réponse associée à une stimulation.

Il y a plus d'accidents les vendredis 13

Le vendredi 13, c'est bien connu, on risque gros à sortir de chez soi ! Les accidents de la route seraient-ils plus nombreux ce jour-là ? À regarder les études statistiques sur le sujet, des scientifiques semblent réellement s'y intéresser.

La superstition du vendredi 13 est tenace, et son origine remonterait à l'aube de la chrétienté : le Christ est mort un vendredi, et lors de son dernier repas, ils étaient 13 à table, lui et ses 12 apôtres, dont le traître Judas… Depuis, le vendredi 13 serait le jour de tous les dangers. C'est d'ailleurs un vendredi 13 que Philippe le Bel a choisi pour arrêter Jacques du Molay et démanteler l'ordre des Templiers, en octobre 1307. Et, à l'inverse, ce n'est pas du tout le jour que la marine américaine choisirait pour lancer un nouveau bateau sur les flots… Superstition stupide ou conjonction funeste, le phénomène du vendredi 13 intéresse bien sûr les statisticiens du monde entier depuis de nombreuses années. Mais comment s'attaquer au problème ? Quels sont les indicateurs de malchance ? Concernant les accidents de la route, le nombre d'admissions dans les hôpitaux les vendredis 13 peut en être un. Néanmoins, les résultats des sondages ont déjà bien prouvé que l'on pouvait faire dire n'importe quoi aux chiffres. Ainsi, en 1993, le Britannique John Scanlon et son équipe ont conclu, sur la base de l'étude des registres hospitaliers londoniens de 1990 à 1992, que le vendredi 13, comparativement au vendredi 6 précédent, portait malheur. Son étude a d'ailleurs été publiée dans le très sérieux *British Medical Journal*. Mais un sociologue allemand, Edgar Wunder, a examiné les données compilées par le Bureau allemand des statistiques sur les accidents graves et a conclu que les vendredis sont simplement des jours où il y a plus d'accidents que les autres jours, et que le fait que ce soit un 13, un 6 ou n'importe quelle autre date n'y changeait absolument rien. Plus récemment, deux études finlandaises ont semé encore un peu plus le trouble : la première, parue en 2002, avance que les femmes sont plus sujettes à mourir d'un accident de la route les vendredis 13. Une assertion si grave qu'une seconde étude a aussitôt suivi : parue fin 2004, c'est la plus vaste menée sur le sujet, puisqu'elle englobe les statistiques finlandaises des accidents de la route survenus entre 1989 et 2002. Treize ans de chiffres, est-ce un hasard ? Pour conclure, finalement, qu'il n'y avait pas d'effet vendredi 13. ∎

▲ *La dernière Cène réunit Jésus et ses 12 apôtres, parmi lesquels le traître, Judas. Aujourd'hui encore, les personnes superstitieuses redoutent de se retrouver à 13 à table.*

orgeron

Concrètement, l'expérience structure l'organisation des connexions entre les différentes parties du cerveau. La mémorisation des apprentissages se déroule en plusieurs phases. Pendant une phase sensorielle très courte, la perception est gardée en attente. La mémorisation à court terme permet un travail d'archivage. À long terme, différents types de mémoire interviennent dans la consolidation des acquis : la mémoire déclarative (celle des mots, des images, des visages), la mémoire procédurale (celle des habitudes motrices), la mémoire conceptuelle (celle des symboles)… Soit des modifications de l'activité biochimique des cellules nerveuses, doublées d'un renforcement de certaines connexions. La cartographie fine des structures nerveuses mises en jeu reste encore à établir, et c'est un grand chantier pour les spécialistes du cerveau. ∎

LA BOURSE À L'ÉPREUVE DE LA PARASKEVIDEKATRIAPHOBIE

Eh non, les lois du marché ne sont pas aussi rationnelles qu'on pourrait le croire, et les investisseurs sont loin d'échapper à la superstition ! C'est ce qu'avance Donald Dossey, directeur du Centre américain de phobie d'Asheville, en Caroline du Nord. Ce scientifique prétend en effet que la peur du vendredi 13, la paraskevidekatriaphobie, concernerait entre 17 et 21 millions d'Américains, qui rechigneraient ce jour-là à participer au grand jeu des marchés financiers ! Toujours selon ses estimations, la seule crainte du vendredi 13, événement survenant deux ou trois fois par an en moyenne, engendrerait aux États-Unis des pertes économiques estimées entre 750 millions et 1 milliard de dollars. Des estimations qui font tout de même l'objet de controverses, car d'autres études telles celle de Brian M. Lucey, parue en 2001, démontrent à l'inverse que les rendements du vendredi 13 sont statistiquement différents de ceux des autres vendredis, et généralement meilleurs ! D'ailleurs, en

▲ *Les gagnants du premier tirage de la Loterie nationale (7 novembre 1933).*

France, c'est bien connu, le vendredi 13 fait au moins vendre des billets de loterie, la Française des Jeux organisant régulièrement à cette occasion un tirage spécial « chance » pour ceux qui osent défier la superstition…

Être mère, c'est naturel

**Après la naissance, les soins maternels sont-ils innés ?
Pour certains, il suffirait d'attendre le déclic déclenché par le fameux instinct maternel…**

En réalité, cette notion d'instinct maternel est largement discutée, et en premier lieu par les féministes. Selon elles, cet hypothétique comportement inné, quasiment impulsif, n'existe pas, tout simplement parce que de nombreux épisodes de l'Histoire prouvent que les mères n'ont pas toujours ressenti le besoin de se consacrer à leurs enfants. Ainsi, à l'époque de Jules César, les Romaines confiaient en général leur progéniture à des nourrices vivant à la campagne. Même chose au XVIIIe siècle, où les femmes françaises, anglaises ou allemandes avaient pour habitude de laisser leurs enfants en nourrice. Il était naturel de ne pas s'en occuper en permanence, car les tâches maternelles n'étaient pas valorisées. Preuve que les mères ont un libre arbitre concernant leur maternité et ne sont pas gouvernées par une pulsion incontrôlable et programmée génétiquement, comme c'est le cas dans le monde animal. En effet, chez les animaux, et notamment la souris, plusieurs études ont bel et bien montré un lien entre la génétique et le comportement maternel. Ainsi, les femelles privées de certains gènes se désintéresseraient complètement des nouveaux-nés après la naissance. Mais rien de tel n'a été démontré pour l'espèce humaine.

D'autres arguments font pencher la balance en défaveur de cet instinct maternel, et en particulier un chiffre éloquent : aujourd'hui, 10 % des mères qui viennent d'accoucher reconnaissent souffrir de ce que le sentiment maternel ne leur vienne pas naturellement. Après la naissance, certaines femmes sont démunies et ne savent pas ou ne veulent pas s'occuper de leur enfant. Contrairement aux animaux, le soin aux nourrissons paraît donc acquis, et non inné. Devenir mère n'est pas un automatisme biologique, cela nécessite un apprentissage. D'ailleurs, il suffit d'observer tout ce que l'on propose aux futures mamans pour se préparer à l'arrivée du bébé, des livres, sites Internet et émissions de télévision spécialisées aux conseils de professionnels de la santé… Le comportement maternel apparaît donc comme un chemin personnel qui s'effectue au fil du temps. Ce qui prouve d'une certaine manière qu'on ne naît pas mère : on le devient.

Néanmoins, la majorité des nouvelles accouchées affirment ressentir une attirance charnelle irrépressible pour leur enfant. Ce sentiment inexplicable et bien réel ne peut toutefois être qualifié d'instinct puisqu'il n'est pas évident pour toutes, mais on peut tout de même constater l'existence d'un lien particulier et intime, symbole d'un attachement mère-enfant. ■

ET L'INSTINCT PATERNEL ?

Tout comme les mères, les pères apprennent à devenir parents. S'il n'y a pas d'instinct à proprement parler, il existe un lien très fort, identique à celui qui unit la mère et l'enfant. Cette place prépondérante est particulièrement évidente chez certains peuples en Malaisie, en Chine ou au Japon, qui pratiquent la couvade. Celle-ci consiste en une participation rituelle à la grossesse et au maternage de l'enfant : le père ne sort plus et s'astreint à une diète particulière.
D'autre part, certains pères se plaignent de nausées, constatent une prise de poids excessive, ont des envies… Bref, ils copient en quelque sorte le comportement de leur femme enceinte. Et cela va même plus loin, puisque des études canadiennes ont montré que, tout comme la mère, le père subit des changements hormonaux avant et après l'accouchement, ce qui le mettrait dans un état d'esprit plus disponible pour s'occuper de son enfant. Mais, de la même façon que l'attachement maternel n'est pas uniquement une histoire d'hormones, le lien paternel va se construire au fil du temps, selon l'histoire de chacun.

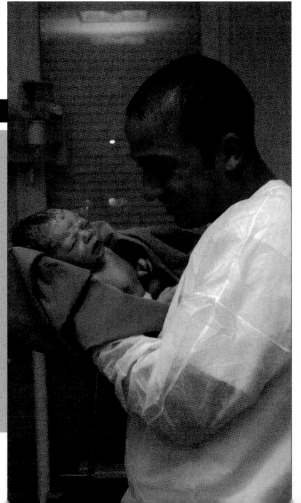

LA FAMILLE IDÉALE

Un enfant unique est toujours infernal

On les dit gâtés, égoïstes, angoissés : les enfants uniques ont mauvaise réputation. Pourtant, aujourd'hui, alors qu'une femme sur trois n'a qu'un seul enfant, ils sont souvent moins isolés, mieux intégrés qu'on ne l'imagine.

Les grands auteurs de la psychologie enfantine se sont apitoyés sur le sort de l'enfant unique. *Il perd les plaisirs qui appartiennent à l'inconséquence, à l'impulsivité,* écrivait le célèbre pédiatre et psychanalyste anglais Donald Woods Winnicott (1896-1971). Il est vrai que cet enfant au statut singulier se trouve souvent en tête à tête avec ses parents. Il a l'habitude d'analyser, d'argumenter, d'être pris au sérieux. Seul descendant, seul mandataire de leur histoire, il porte sur ses épaules tous leurs espoirs, désirs et inquiétudes. Et ce rôle peut être écrasant. Appartenir à une fratrie offre, dans ce sens, une situation moins pesante puisque l'on hérite à plusieurs de cet investissement. C'est aussi un rempart contre la solitude, l'opportunité d'apprendre à partager et à gérer les conflits et

les rivalités. L'agressivité qu'un enfant exprime envers un frère ou une sœur lui évite de la retourner contre lui. De même, un enfant a besoin, pour se développer, de se confronter et de se comparer à ses pairs, et non uniquement à des adultes. Ce dont est privé, par la force des choses, l'enfant unique.

Cette situation particulière suffit-elle à en faire un enfant roi ou autre graine de tyran? Non. Comme tout autre enfant, aidé de ses parents, il a la capacité de se construire avec ses atouts et ses manques. Or, si les enfants uniques sont plus nombreux aujourd'hui, ils ne sont pas élevés dans le même contexte qu'autrefois. En ces temps de familles recomposées, ils se trouvent bien souvent moins isolés qu'avant. De plus, une socialisation de plus en plus précoce les conduit à se confronter à d'autres dès la crèche, la garderie ou la maternelle. Et, surtout, la culture psy ambiante aidant, les parents, mieux avertis, encouragent la multiplication des échanges et des expériences relationnelles avec des petits amis, cousins ou voisins.

Gâté ? L'enfant unique l'est sans doute, mais cela n'est pas forcément négatif. Il a des parents attentifs et disponibles, qu'il a le sentiment de combler puisqu'ils n'ont pas eu besoin de faire d'autres enfants. De quoi se forger une solide estime de soi. Le

Papa, maman et deux ou trois enfants : tel est, selon l'Insee, l'idéal de la famille partagé aujourd'hui par une majorité de Français. Problèmes de logement, volonté pour les mères de concilier vie familliale et carrière professionnelle, contraintes économiques, etc. : plusieurs raisons justifient cette préférence, et parmi elles l'exigence d'un certain confort matériel et psychologique nécessaire pour mener une vie de famille épanouie. Psychologues et sociologues confirment que la cellule familiale à quatre ou cinq semble bien adaptée à l'air du temps. Les enfants y profitent des avantages d'une fratrie tout en bénéficiant d'une certaine disponibilité des parents à leur égard, puisqu'ils ne sont pas trop nombreux. Et l'on sait maintenant que l'on est souvent bien meilleur parent au deuxième et au troisième enfant : on surinvestit moins le cadet, il constitue moins un sujet de stress ou d'angoisse – les vertus de l'expérience ! Deux à trois ans d'écart entre deux enfants sont généralement conseillés afin de permettre à chacun d'établir une relation sereine avec la mère et d'acquérir les bases d'une bonne sécurité affective. Famille nombreuse, famille heureuse ? Pourquoi pas. Les grandes tribus sont rassurantes et pleines d'animation. Le tout étant bien sûr de disposer des moyens nécessaires, d'une grande disponibilité, d'un bon sens de l'organisation… et surtout d'en avoir envie !

passage délicat : quand vient le temps de la séparation, notamment au moment de l'adolescence. Plus le lien est étroit, plus la distance nécessaire va être difficile à établir. L'enfant unique est peu préparé à se battre pour se faire reconnaître par les autres. Habitué depuis toujours à être le pôle d'attraction de toute la famille, il peut vivre plus ou moins bien de devoir fournir des efforts pour trouver sa place au sein d'un groupe. Un apprentissage douloureux parfois, mais indispensable à l'école de la vie. ■

Les enfants sont ce qu'on en fait

Ce proverbe tiré des *Adelphes*, du poète comique latin Térence (vers 190-159 av. J.-C.), est toujours d'actualité. Toutefois, l'inné joue aussi un rôle dans la personnalité et l'évolution d'un enfant.

Tel père, tel fils, dit l'adage. En ce qui concerne la profession, la véracité de ce dicton a été démontrée à plusieurs reprises. En 1982, le polytechnicien Claude Thélot, dans un ouvrage qui avait pour titre ce proverbe, montrait que la mobilité sociale croît lentement. De manière un peu caricaturale, cela signifie que les cadres supérieurs engendrent de futurs cadres supérieurs et les ouvriers, de futurs ouvriers. Ces différences se révèlent dès le parcours scolaire : en 1998, les enfants de cadres supérieurs avaient six fois plus de chances que les enfants d'ouvriers non qualifiés d'accéder à l'enseignement supérieur (en 1962, cet écart était cependant de 40).

Cette différence est-elle due à des inégalités d'origine génétique ou simplement sociales ? C'est cette dernière hypothèse qu'a largement soutenue le sociologue Pierre Bourdieu. Avec Jean-Claude Passeron, professeur à l'École des hautes études en sciences sociales, il montre dès 1964, dans *les Héritiers*, que l'école privilégie une certaine forme de culture scolaire. Or les différentes classes sociales ne sont pas sur un plan d'égalité face à cette culture : celles qui en sont proches transmettent à leurs enfants un capital culturel et un ensemble de dispositions à l'égard de l'école et de la culture qui leur permettent de réussir scolairement ; les enfants des classes populaires, au

contraire, privés de ce capital, s'autoéliminent de la course scolaire. C'est ce que Pierre Bourdieu a nommé le « déterminisme social ».

Pour le sociologue, l'ensemble des dispositions durables (le langage, les comportements, les modes de vie…) sont acquises par l'individu dans son milieu d'origine et diffèrent d'un milieu à l'autre. Mais elles sont beaucoup plus déterminées par le capital culturel du milieu que par son niveau économique : les enfants d'enseignants réussissent généralement mieux que ceux des commerçants et des artisans, alors que les niveaux de revenus sont très comparables. Pour Pierre Bourdieu, c'est la transmission

du patrimoine culturel qui explique cet écart.

Toutefois, il est difficile, chez chaque individu, de distinguer l'acquis, influencé par le milieu dans lequel il évolue, de l'inné, lié à son patrimoine génétique. Plusieurs études réalisées sur les jumeaux ont, par exemple, montré que les personnalités des vrais jumeaux, c'est-à-dire d'individus qui portent le même patrimoine génétique, se ressemblent davantage que celles des jumeaux dits hétérozygotes quand, dans les deux cas, les enfants ont eu la même éducation. Ces observations renforceraient la théorie d'une hérédité du caractère… Mais les avis sur le sujet restent partagés. ■

La vérité sort de la bouche des

Entre ceux qui sacralisent la parole de l'enfant et ceux qui l'ignorent, voire la nient, ne faut-il pas trouver un juste milieu ? Ni ange ni démon, l'enfant dit souvent « sa » vérité, et le réel peut y subir quelques distorsions…

Ce proverbe traduit du latin évoque l'innocence de l'enfance. Il est vrai que la justesse des propos enfantins nous désarme parfois. Et que nos bambins peuvent faire fi des convenances, disant tout haut ce que les adultes taisent. Sont-ils pour autant habilités à témoigner dans des affaires judiciaires ? En Amérique du Nord, où de nombreuses études sur ce thème ont été menées dans les années 1990, des spécialistes comme Jeffrey Haugaard ont estimé que l'on pouvait se fier à la parole de l'enfant dès 3 ans, sous réserve d'une évaluation de sa compréhension de la vérité et du mensonge, et en lui faisant promettre de dire la vérité. Toutefois, des faits divers comme l'affaire d'Outreau

rappellent qu'il y a danger à sacraliser la parole des enfants. Dans cette affaire de pédophilie, sept prévenus accusés par les enfants ont finalement été acquittés en juillet 2004. Le ministère français de la Justice a souhaité améliorer les conditions de recueil de la parole de l'enfant pour qu'elle ne soit ni déformée ni induite. Elle est en effet fragile, car elle peut être orientée ou manipulée. Une étude conduite en 2004 par Victoria Tawar (université McGill, Montréal) montre par exemple que les enfants de 3 à 11 ans n'hésitent pas à mentir pour couvrir une bêtise de leurs parents si ceux-ci le leur demandent. Parfois aussi, la parole de l'enfant demande à être décryptée. Pour les psychologues, jusqu'à

Qui aime bien châtie bien

PARISH SCHOOLMASTER.

La fessée est inscrite dans la culture des Français. Ses partisans dénoncent la démission de parents trop laxistes et prônent un retour à l'autorité.

Ce proverbe prend sa source dans les préceptes de l'Ancien Testament sur l'éducation des enfants. Ainsi peut-on lire, dans les *Proverbes : Celui qui ménage les verges hait son fils ! Mais celui qui l'aime le corrige de bonne heure* ; ou, dans l'*Ecclésiaste : Qui aime son fils lui prodigue le fouet.*

Châtiments corporels et autres punitions sont d'ailleurs répandus dans la plupart des civilisations. À l'échelle d'une société, la punition vient sanctionner celui qui transgresse la loi, dans un objectif de préservation de l'ordre social. Les parents qui usent de la fessée poursuivent apparemment le même objectif. Dans la seconde moitié du XXᵉ siècle, des pédagogues comme Alexander Sutherland Neill ont promu des méthodes éducatives alternatives laissant une grande liberté aux enfants. Mal interprétées, elles ont conduit certains parents à laisser leur progéniture faire tout ce qu'elle voulait. On a découvert depuis que l'absence de limites perturbe beaucoup l'enfant.

Pour poser ces limites, la répression est-elle efficace ? Dans la vie de tous les jours, elle peut l'être, si elle est utilisée avec mesure. Car de nombreuses études montrent que la violence ou les comportements délinquants ne sont pas le fait d'enfants gâtés mais bien celui d'enfants punis trop sévèrement. Les manifestations de grande autorité sont trop souvent des constats d'échec ou des abus de pouvoir. Selon la théorie psychanalytique dite du bouc émissaire, la sévérité de la punition serait à la mesure du sentiment de culpabilité éprouvé par le représentant de l'autorité, lui-même tenté de transgresser les règles. Toutefois, une étude menée par le psychologue allemand Mario Gollwitzer montre au contraire que ceux qui ont tendance à franchir la ligne rouge sont plus enclins à l'indulgence. Quoi qu'il en soit, les pédagogues conseillent de privilégier l'exemple et le dialogue pour faire respecter la discipline. Exceptionnelle, la punition devrait être en rapport avec l'acte et permettre à l'enfant de réparer sa faute plutôt que chercher à l'humilier ou à le frustrer. Une petite claque ne saurait faire de mal, mais si elle est administrée sans menaces préalables, avec violence et de façon répétée, elle peut durablement s'imprimer dans la mémoire d'un enfant. Gare, alors, au retour du bâton... ■

UNE PETITE CLAQUE NE FAIT DE MAL À PERSONNE

En 1999, selon la Sofres, 54,5 % des parents français disaient donner souvent des fessées à leurs enfants. Raisons invoquées ? *Il a dépassé les bornes !* ou *Ça soulage !*... De l'avis des psychologues, cela a pour résultat d'humilier l'enfant et de l'amener à ressentir peur, colère et frustration, à manquer de confiance en lui et à ne pas respecter ses parents. Des sentiments qui nuisent à la construction de sa personnalité. Pour les défenseurs des droits de l'enfant, petites claques ou coups violents violent un droit fondamental au respect de la dignité humaine et de l'intégrité physique, inscrit dans les conventions internationales. Au Canada, où les châtiments corporels sont peu courants, la Cour suprême a, le 30 janvier 2004, reconnu le droit aux enseignants et aux parents d'utiliser une force raisonnable pour corriger les enfants. En France, la loi condamne a priori les violences commises sur un enfant mais ne cite pas explicitement les parents. Confortés par la jurisprudence, ceux-ci estiment souvent exercer un droit légitime.

nfants

7 ou 8 ans, il ne ment pas vraiment, dans la mesure où son mensonge n'est pas vécu comme tel. Il n'a pas encore acquis de notion claire du vrai et du faux et peut déformer le réel en y injectant une part d'imaginaire : il fabule, par plaisir ou pour se protéger. Très vite, il découvre aussi le mensonge utile (pour éviter une punition).

Un enfant perturbé, a fortiori traumatisé, aura tendance à traduire en paroles ses désirs ou ses angoisses, lesquels lui paraissent plus vrais que la réalité. La difficulté est alors de comprendre ce que cachent ses propos. Et une trop forte pression sur ses épaules est génératrice d'angoisse et risque de le pousser à s'enfermer dans un mensonge. ■

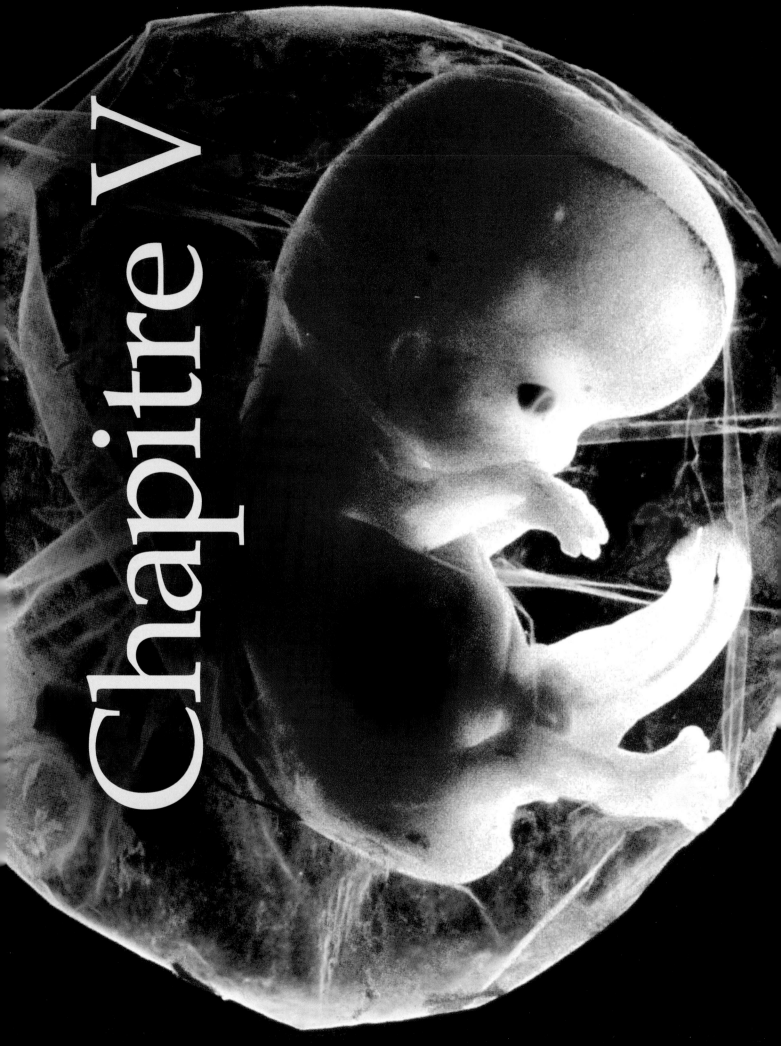

Chapitre V

En chair et en os

Les odeurs corporelles
attisent le désir sexuel

La littérature est émaillée d'allusions au caractère puissamment érotique des parfums que nous dégageons. Mais, s'il suffisait d'émettre des signaux chimiques, les phéromones, pour déclencher le désir de son partenaire, ne le saurait-on pas ?

Le romantisme en prend un sérieux coup, mais on dirait bien que les odeurs corporelles éveillent le désir amoureux. De nombreux écrivains y semblent sensibles – Casanova en tête, qui évoque par exemple des *émanations tellement voluptueuses*. Les scientifiques, eux, ont commencé à s'intéresser au phénomène dès le XIXᵉ siècle. À partir des années 1970, ils tentent de vérifier si les phéromones – molécules volatiles concentrées dans les sécrétions corporelles – commandent l'attirance amoureuse. Dans le règne animal, en effet, ces substances déclenchent, au sein d'une même espèce, des comportements innés, notamment sexuels, ainsi que des modifications des cycles hormonaux. Reste à savoir si l'homme est l'objet de phénomènes comparables.

En 1971, Martha McClintock fait une étrange constatation : les jeunes femmes qui partagent le même dortoir universitaire au collège Wellesley (Massachusetts) ont des cycles menstruels qui peu à peu se synchronisent. Pourquoi ? Mystère… Elle continue ses recherches et, à la fin des années 1990, mène une expérience à l'université de Chicago qui restera célèbre. Des échantillons de sueur prélevée au niveau des aisselles de femmes sont appliqués sous le nez d'autres femmes. Cette exposition à la transpiration provoque un ralentissement ou une accélération du cycle menstruel, selon que la sueur a été prélevée en début ou en fin de cycle chez les donneuses. De son côté, Klaus Wedekind, un chercheur suisse, fait choisir à des jeunes femmes des T-shirts imprégnés de l'odeur des aisselles de partenaires potentiels. Résultat : elles préfèrent les hommes qui leur sont éloignés sur le plan génétique ; leur odeur étant identifiable grâce à des composés particuliers,

appelés molécules du complexe majeur d'histocompatibilité, véritables « signatures » de leur identité génétique. Un atout pour éviter la consanguinité ! Par ailleurs, diverses phéromones pourraient, dans certaines circonstances, jouer sur le taux d'hormones sexuelles, ce qui pourrait expliquer la baisse du taux de testostérone chez les hommes mariés ou justifier leur comportement plus attentionné envers les femmes en milieu de cycle menstruel, donc fertiles.

Le mystère est pourtant loin d'être élucidé, car l'organe voméro-nasal, structure du nez spécialisée dans la détection des phéromones chez l'animal, semble pour le moins atrophié chez l'homme. Certains chercheurs pensent même que ce n'est qu'un vestige de l'évolution. Une chose est sûre : alors qu'une centaine de gènes sont impliqués dans la sensibilité aux phéromones chez les mammifères inférieurs, un seul gène en activité a été identifié chez l'homme. Et inutile de se précipiter sur les philtres d'amour à base de phéromones vendus à prix d'or : ce ne sont que des leurres ! ∎

L'huître est aphrodisiaque

Une forme suggestive, une allusion à Vénus, et l'huître est devenue l'alliée des séducteurs. Une réputation peut-être usurpée.

En amour, vous le savez, les crustacés sont vos alliés, proclamait Jean-Anthelme Brillat-Savarin (1755-1826), célèbre gastronome et épicurien français. Et Casanova, dit-on, en consommait une quarantaine en moyenne chaque jour pour assurer son pouvoir de séduction. À quoi tient cette réputation du pouvoir aphrodisiaque de l'huître ? À la forme de sa coquille, à la texture du mollusque, toutes deux légèrement évocatrices du sexe féminin ? Ou à l'image d'Aphrodite, déesse de l'Amour, émergeant de l'océan à dos d'huître pour donner naissance à Éros ? Pourtant, aucune étude n'a montré que les huîtres stimulaient notre libido,

même si, au Québec, on recommande aux hommes de manger des huîtres pour « se mettre de la mine dans le crayon ».

Le coquillage est très riche en zinc – 80 mg pour 100 g. Il suffit d'en avaler une demi-douzaine pour couvrir plus de cinq fois l'apport quotidien conseillé. Or ce minéral est utile à la production de testostérone, hormone qui, participant à la fabrication du sperme chez l'homme, augmente sa fertilité.

A contrario, des carences en zinc, bien qu'extrêmement rares, peuvent causer stérilité et impuissance. Il serait pourtant illusoire de penser que la consommation d'huîtres se traduit immédiatement par une hausse du taux de testostérone. De plus, en très grande quantité, le zinc peut aussi avoir des effets toxiques.

Les huîtres sont encore une excellente source d'autres minéraux. Elles contiennent du fer, du magnésium, du calcium, de l'iode, du cuivre et du potassium…

Elles apportent également bon nombre de vitamines – A, B, PP, C, E, D notamment –, du sélénium et des oméga-3. Nourrissantes, elles sont très peu caloriques : une assiette de huit huîtres représente environ 70 kcal avec 9 g de protéines, 5 g de glucides et 2 g de lipides. Alors, aphrodisiaques ou pas, on aurait tort de s'en priver ! ■

Qui dit grand nez, dit grand…

Mesdames, il va falloir revoir vos critères : un grand nez n'est pas le signe que la nature a généreusement doté un homme. La taille de ses doigts serait, à cet égard, un indicateur plus fiable !

L'information ressemble à une énième plaisanterie sur le sujet, mais elle est pourtant très sérieuse : la taille du pénis serait liée à celle des doigts… C'est génétique ! En effet, le groupe de gènes responsable du développement des doigts commande également celui des organes génitaux externes. Ces gènes appartiennent à la famille des gènes Hox, surnommés gènes architectes, car ils définissent la structure de l'organisme qu'ils vont façonner. Les mammifères en possèdent quatre groupes (Hox

A, B, C, et D) de treize gènes chacun, qui se trouvent sur quatre chromosomes différents. Dans ces quatre groupes, les gènes sont disposés les uns à la suite des autres, dans un ordre qui reflète la position des parties du corps qu'ils contrôlent.

L'équipe du Pr Duboule, de l'université de Genève, a récemment montré que les gènes Hox A13 et D13 sont responsables à la fois de la formation des doigts et de celle de l'appareil génital externe. Or la mutation du gène Hox A13 entraîne chez la souris

une malformation des doigts et de l'utérus. Et quand le gène Hox D13 est inactivé, la souris ne développe ni doigts ni ébauche génitale ; de plus, vessie et urètre sont également absents. Mais si l'inactivation de Hox D13 n'est que partielle, on observe alors une réduction de la taille du pénis proportionnelle à celle des doigts.

Pour les scientifiques, les résultats de ces études sur les souris sont tout à fait extensibles à l'homme. Alors, pour tout savoir, délaissez son nez et regardez donc ses mains. ■

Il faut faire **abstinence** quand

Peurs ancestrales ? Tabous ? Manière de préserver la femme ? De nombreuses cultures et religions ont proscrit la sexualité pendant la grossesse. Pourtant, quand tout se passe bien, renoncer aux relations sexuelles est une précaution aussi frustrante qu'inutile.

Aujourd'hui, les spécialistes sont unanimes : il n'y a aucune contre-indication à faire l'amour quand une grossesse se déroule sans problème. Pourtant, les idées fausses sur le sujet ont la vie dure. Ainsi l'orgasme féminin reste-t-il suspect aux yeux de certains. Il pourrait provoquer des fausses couches… En fait, il favorise la fabrication d'hormones comme l'ocytocine, qui, tout comme les prostaglandines contenues dans le sperme, peuvent amener l'utérus à se contracter. De là à imaginer qu'il puisse être à l'origine d'un accouchement prématuré… Fausse également l'idée que des rapports sexuels répétés en début de grossesse risquent de « décrocher » l'embryon ou, lors des derniers mois, d'entraîner une rupture de la poche des eaux. Quant à l'affirmation que le pénis peut heurter le bébé, elle est des plus fantaisistes : le petit ne risque rien.

Seules certaines situations exigent la prudence : les relations sexuelles sont alors déconseillées au même titre que le sport ou toute autre activité physique intense. Pour le reste, une vie sexuelle épanouie ne perturbe en rien la grossesse. Une récente étude américaine, menée en

Le **point G** est le **centre** du **plaisir**

Au cœur de tous les fantasmes, le point G a fait couler beaucoup d'encre. Il faut dire que, pour parvenir au 7ᵉ ciel, il pourrait bien mettre les deux sexes sur un pied d'égalité.

Le point G est décrit pour la première fois en 1950 par le Dr Ernst Gräfenberg. Nommée ainsi en l'honneur du gynécologue, cette zone érogène aurait la taille d'une pièce de 2 € et se situerait sur la face antérieure du vagin, à environ 4 cm de la vulve. Selon le docteur, la stimulation du point G provoquerait non seulement une excitation sexuelle intense mais aussi l'évacuation par le vagin de beaucoup plus de liquide lubrifiant : certains gynécologues évoquent même l'équivalent de l'éjaculation. Jusqu'aux années 1980, cette découverte passa inaperçue : le clitoris restait maître en matière de plaisir.

Aujourd'hui, peu de recherches sérieuses permettent de valider l'existence du point G. Aussi, chacun y va de son avis, voire de son expérience. Des études anatomiques le situent au niveau de glandes autour de l'urètre, d'autres à la base de la vessie et du vagin, sa place varierait même selon les femmes… sauf que la plupart n'en ont jamais ressenti les effets.

Certains hommes y voient une manière de jouir identique à la leur. Ils n'auraient peut-être pas tort. En effet, chez les hommes, la stimulation de la prostate semble mener tout droit au sommet du plaisir. Or l'origine tissulaire de la prostate serait identique à celle du point G. Les femmes jouiraient ainsi d'une pseudo-prostate dont la stimulation produirait les mêmes effets… Mieux encore, cette zone sécréterait un liquide lubrifiant, de quelques gouttes à 50 ml, lors de l'orgasme. Ce qui expliquerait le phénomène des femmes fontaines, dont certaines se faisaient opérer pour incontinence urinaire à cause des fuites à ce moment précis ! Le lit serait-il le seul lieu où règne l'égalité des sexes ? ∎

on est enceinte

Caroline du Nord, confirme que la sexualité n'a aucun effet sur la prématurité. Mieux, les femmes ayant donné naissance à leur bébé à terme étaient même plus nombreuses à avoir eu des relations sexuelles en fin de grossesse. Alors pourquoi s'en priver ? Il suffit de s'adapter au fil des mois. Ainsi, lorsque la position du missionnaire (l'homme sur la femme) devient inconfortable, celle dite en cuillère (l'homme derrière la femme) est plus pratique. La levrette (pénétration vaginale par l'arrière), tout comme la position d'Andromaque (la femme à califourchon sur l'homme) sont aussi conseillées.

Cependant, la sexualité n'est pas non plus une obligation. En cas d'impossibilité physique ou de manque de désir, le couple peut se satisfaire de tendres échanges de caresses… Une façon de rester proches qui favorisera la reprise d'une sexualité complète quand les partenaires se sentiront prêts. Là encore, il n'y a ni loi ni obligation. Si la tradition orientale recommande d'attendre quarante jours après la naissance pour avoir à nouveau des rapports sexuels, médicalement, il est tout à fait possible de reprendre une activité sexuelle normale quelques jours seulement après l'accouchement. À condition d'en avoir réellement envie, évidemment… car on sait que la fatigue et le manque de sommeil sont peu compatibles avec le désir. Et si 20 % des couples recommencent à faire l'amour un mois après la naissance, la majorité attend plutôt sept semaines. ■

LE DÉSIR : AFFAIRE D'HORMONES OU D'ÉTAT D'ÂME ?

Selon certaines statistiques, une femme sur cinq découvrirait l'orgasme au cours de la grossesse… C'est un des bienfaits du bain d'hormones dans lequel plonge cet état. L'augmentation du taux de testostérone a aussi tendance à attiser le désir. Mais d'autres facteurs physiques et psychologiques peuvent expliquer les variations d'humeur et d'envie.
Rien de plus naturel qu'une baisse de désir le premier trimestre. Fatigue, nausées, ballonnements, tous les petits malaises qui marquent les premiers mois de la grossesse ne rendent pas les jeux de l'amour très attrayants. De même que l'idée bouleversante de devenir mère. Le deuxième trimestre est, lui, traditionnellement considéré comme une période d'état de grâce. Le ventre s'arrondit, les seins sont superbes, le teint est éclatant.
Les petites inquiétudes des premières semaines se sont dissipées et l'avenir s'annonce radieux. D'autant que la production accrue de progestérone désinhibe le désir sexuel.
La congestion du petit bassin provoque un afflux de sang dans le vagin (qui est également mieux lubrifié), ce qui favorise l'orgasme. La peau et le clitoris sont plus sensibles, et la future maman est plus réceptive aux caresses.
On observe en revanche couramment une baisse de l'activité sexuelle au cours du troisième trimestre : la femme est fatigable, son ventre est imposant, et le couple est focalisé sur l'arrivée de bébé.

Il existe de bonnes positions pour être sûre d'avoir un bébé

La classique position du missionnaire doit plutôt son succès à son efficacité pour procréer qu'au manque d'imagination des partenaires !

Généralement, les couples choisissent telle ou telle position sexuelle par plaisir et par goût de l'expérience. Mais, en cas de difficultés à procréer, certaines positions peuvent s'avérer plus efficaces : en exposant le col de l'utérus à une quantité maximale de spermatozoïdes, elles peuvent améliorer la fertilité de la femme.

À proscrire : toutes celles défiant les lois de la gravité ! S'accoupler assis, debout ou la femme chevauchant l'homme réduit la probabilité que les spermatozoïdes atteignent leur cible.

Préférer les situations où le dépôt du sperme se produit au plus près du col de l'utérus. Ainsi, la position du missionnaire, où l'homme est au-dessus de sa compagne, maximise les chances d'avoir un bébé. En permettant une pénétration profonde, on s'assure que les spermatozoïdes n'auront qu'une courte distance à parcourir. Même les plus paresseux d'entre eux devraient alors y arriver. Le top : surélever le bassin de la femme à l'aide d'un coussin, pour que l'utérus soit encore plus disposé à accueillir la semence. Par ailleurs, Monsieur fera attention à limiter la quantité de sperme qui s'échappe du vagin. Et Madame prendra soin, après l'acte, d'adopter une position qui évite que la semence ne ressorte.

Les femmes à l'utérus courbe ou incliné ne doivent pas s'inquiéter. Les spécialistes leur recommandent une pénétration vaginale par l'arrière, où le sperme sera déposé au plus près du col utérin.

Dans tous les cas, le plus important est néanmoins de prendre du plaisir. Il s'avère que c'est encore le meilleur moyen d'avoir un bébé : certaines études indiquent en effet que l'orgasme de la femme favorise la procréation. Les spasmes aideraient le sperme à progresser vers l'utérus… ■

Compter est la règle pour connaître

Sept jours : telle était la période de fertilité accordée aux femmes par le Dr Ogino… soit pour en profiter, soit pour s'abstenir ! La science a démenti depuis cette affirmation à l'origine d'une des plus inefficaces méthodes contraceptives.

▲ *La surface de l'ovaire au moment de l'ovulation.*

Sur la base d'un constat qui fixe la date de l'ovulation des femmes au 14e jour du cycle menstruel, entourée de quelques jours de fertilité entre le 10e et le 17e jour, le Dr Ogino développe, en 1924, sa célèbre méthode contraceptive. Il suffit de pratiquer l'abstinence durant cette période ! La théorie est intéressante, la pratique s'avérera désastreuse. On ne compte plus le nombre de « bébés Ogino » nés de cette bonne vieille méthode réputée infaillible.

Pour faire un bébé, il faut être deux

C'était une certitude : Maman et Papa avaient besoin l'un de l'autre pour créer un nouvel être. Aujourd'hui, les techniques de clonage permettent de reproduire des individus génétiquement identiques à partir d'une seule cellule.

PREMIER CLONAGE HUMAIN EN CORÉE DU SUD

En février 2004, l'équipe sud-coréenne du Dr Hwang, de l'université de Séoul, a réussi un clonage humain à visée thérapeutique. Les chercheurs ont prélevé 246 ovocytes sur 16 femmes donneuses. Les ovocytes ont été énucléés puis ont reçu le noyau extrait d'une cellule du cumulus (amas de cellules matures présent autour de l'ovocyte) de la même donneuse. Sur ces 246 essais, seuls 30 embryons ont pu être clonés et cultivés pendant cinq à sept jours, jusqu'au stade du blastocyste. Des cellules souches ont alors été prélevées sur 20 d'entre eux et mises en culture : une seule lignée a donné des cellules capables de se différencier en n'importe quelle cellule du corps. Ce résultat montre que la production de cellules souches embryonnaires à partir d'une cellule mature de personne vivante est faisable. Toutefois, un tel clonage est réservé aux femmes (le noyau cloné appartient au même donneur que l'ovocyte, donc à une femme). Un autre problème, inhérent au clonage thérapeutique, se pose : si l'on traite une personne atteinte d'une maladie cellulaire dégénérative comme Alzheimer ou le diabète avec ses propres cellules, qui ont déjà dégénéré une fois pour une raison toujours incomprise, ne risque-t-on pas de voir réapparaître cette dégénérescence après l'autogreffe ?

Jusqu'à la toute fin du xxe siècle, la majorité du règne animal, y compris l'homme, a assuré sa survie et son évolution par la reproduction sexuée. Celle-ci, grâce à la fusion d'une cellule reproductrice mâle (spermatozoïde) et d'une cellule femelle (ovule), brasse au hasard le matériel génétique des parents. Ce mode de reproduction est à l'origine d'une diversification génétique incessante des individus. Chacun est forcément original. Le brassage permet d'abord de pallier un défaut éventuel : un gène sain vient compenser un gène déficient, alors que, si les deux lots de gènes sont identiques, le défaut génétique n'est pas compensé et représente un handicap évolutif. Il permet ensuite d'obtenir des changements adaptatifs intéressants, comme une couleur de pelage assurant un meilleur camouflage dans un milieu donné.

Le clonage, en tant que reproduction à l'identique ne faisant

pas intervenir la sexualité, vient bouleverser cette inventivité naturelle. Jusqu'à présent, seule la fragmentation du très jeune embryon (qui produit artificiellement des jumeaux) permettait de cloner des mammifères au stade embryonnaire. Mais, en 1983, J. McGrath et D. Solter parviennent à transplanter un noyau de cellule embryonnaire dans un ovule dont on a retiré le noyau. Cette expérience ouvre la voie au clonage de mammifères adultes. En 1996, Ian Wilmut et son équipe écossaise du Roslin

a fertilité

Une récente étude, aux résultats édifiants, a permis de comprendre pourquoi. Sachant que le 1er jour du cycle correspond au début des règles, seules 30 % des femmes sont fertiles dans l'intervalle théorique du 10e au 17e jour. Et donc 70 % sont fertiles avant ou après cette phase. Parmi elles, 5 à 6 % ont une ovulation tardive, au-delà du 28e jour, c'est-à-dire au moment des règles. Pour parvenir à ces conclusions, les chercheurs ont étudié la fertilité de 213 femmes de 25 à 35 ans en analysant 700 cycles menstruels au total. La méthode : mesurer dans leurs urines le taux des hormones sexuelles, œstrogène et progestérone, témoins de la période d'ovulation.

Leur conclusion a permis de démontrer que la période de fertilité durant le cycle est totalement imprévisible. Néanmoins, avis aux jeunes femmes qui désirent être mamans : les chercheurs recommandent deux ou trois relations sexuelles par semaine pour qu'elles arrivent à leurs fins. ∎

◄ *Dolly est le premier clone de mammifère. Elle a été créée à partir d'une cellule de brebis âgée de 6 ans. Une fois formé, l'embryon a été placé dans l'utérus d'une autre brebis, qui n'a joué que le rôle de mère porteuse. Dolly a hérité ainsi de la totalité du patrimoine génétique d'un seul individu : la brebis d'origine, donneuse de cellule.*

suite, les cellules du clone cessent de se reproduire à l'âge cellulaire maximal propre à son espèce (environ 80 ans pour l'homme), même si l'individu cloné n'a que peu d'années d'existence. En résumé, le clone d'un homme de 60 ans aurait donc une vingtaine d'années à vivre… Quel intérêt ? Mais les mythes ont la vie dure, et les créateurs de Dolly auraient reçu de nombreuses demandes de personnes désirant être clonées. Le clonage reproductif, qui laisse l'embryon cloné devenir adulte, pourrait avoir un intérêt, pour sauver des espèces menacées d'extinction par exemple. Mais l'opinion publique reste encore perplexe face au clonage humain. Et, pour l'heure, le Comité consultatif national d'éthique (CCNE) et le Conseil d'État doivent encore se prononcer sur l'autorisation du clonage thérapeutique humain, qui permettrait, dans un avenir lointain, la fabrication de cellules ou d'organes de rechange parfaitement biocompatibles.

Pour éviter les dérapages fantasmatiques, doit-on interdire totalement le clonage, y compris le clonage thérapeutique, comme c'est le cas au Canada ? Telle est la grande question éthique de ces prochaines années. ∎

Institute démontrent, avec la naissance de la brebis Dolly, que le clonage est réalisable dans le règne animal tout entier, y compris chez l'homme.

Le clonage est un fantasme constant dans les mythes de toutes les cultures, où il est apparenté à l'immortalité. Mais les clones d'un individu n'ont pas tout à fait la même identité génétique, du fait de l'influence du cytoplasme de l'ovule receveur. Et surtout ils sont nécessairement « autres » parce qu'ils vivent forcément une gestation, un corps et des temps différents (ils ne partagent pas la même histoire) ; comme les jumeaux, différents l'un de l'autre malgré un organisme de départ absolument identique. Exit l'immortalité !

Par ailleurs, le clonage dans sa forme actuelle conduit à des individus déjà vieux : le processus de la fusion du noyau avec le cytoplasme, qui redonne à la cellule sa totipotence (c'est-à-dire sa capacité à se différencier en tous les types cellulaires), ne répare manifestement pas le vieillissement programmé des cellules. Par

Avec un régime spécial, on peut choisir le sexe de son bébé

Mangez de la charcuterie : vous aurez une fille… à moins que ce ne soit un garçon ! Depuis toujours, les couples essaient d'influencer le hasard. Mais la détermination du sexe garde encore obstinément son mystère.

C'est une fille ou un garçon ? Voilà sans doute une des questions le plus souvent posées aux futurs parents – juste avant *Avez-vous choisi un prénom ?* Par des incantations, des rituels plus ou moins macabres, ou par l'ingestion de toutes sortes de substances, l'homme essaie depuis toujours de contrôler ce qui lui échappe : le sexe du futur bébé. Toutes ces méthodes sont absolument sans espoir après la conception, puisque, dès que l'ovule et le spermatozoïde ont fusionné, le sexe est déterminé. Si le spermatozoïde renfermait un chromosome X, un peu plus gros que le Y, le bébé sera une fille. En revanche, s'il renfermait un Y, ce sera un garçon.

Mais avant la conception ? On peut imaginer que certaines méthodes influencent peut-être la capacité des spermatozoïdes porteurs de chromosomes X ou Y à atteindre plus vite leur cible, ou bien qu'elles rendent l'ovule plus réceptif à l'un ou l'autre type… Dans les années 1970, un médecin français du nom de Joseph Stolkowski avait ainsi affirmé que, si la mère avait un régime riche en sodium (sel de table) et pauvre en calcium (lait, fromage, yaourts, beurre), la conception de garçons était favorisée, alors que l'inverse menait plutôt à la naissance de filles. Mais ce résultat a été remis en question lors d'études de plus grande ampleur. Dans le même ordre d'idées, Rosemary Buckley et Pauline Hudson, de l'université de Nottingham, ont observé l'impact d'un régime végétarien sur les naissances. Le suivi a porté sur 5 942 femmes enceintes, dont 250 étaient végétariennes. Au final, 55 % de ces dernières ont eu des filles, alors que la moyenne habituelle se situe un peu au-dessous de 50 %. Une constatation que l'on pourrait être tenté de rapprocher des effets de la consommation de soja, connu pour renfermer des substances nommées isoflavones, qui sont des hormones végétales. Chimiquement proches des hormones féminines – les œstrogènes –, elles imitent certaines de leurs actions. Leur présence modifie peut-être le milieu dans lequel évoluent les spermatozoïdes, ou encore la sensibilité de l'ovule, ce qui pourrait expliquer la meilleure performance des spermatozoïdes porteurs d'un chromosome X. Mais cette hypothèse n'a jamais été vérifiée au cours de tests. Le mécanisme exact à l'origine de ces résultats n'a jamais été élucidé. De plus, la taille de l'échantillon n'est pas pertinente pour tirer des conclusions statistiques. ∎

LE STRESS FAVORISE LA CONCEPTION DE FILLES

L'état d'esprit de la mère et son niveau de stress pourraient aussi influencer le sexe de sa progéniture. C'est du moins ce que suggèrent deux études récentes. La première, menée par Karen Norberg, de l'université de Cambridge, portait sur 86 436 naissances entre 1959 et 1998. Elle a montré que les mères célibataires avaient moins de garçons que les autres : 49,9 % contre 51,5 % pour les femmes en couple. Quant au démographe Jacques Marleau et au psychiatre Jean-François Saucier, ils ont suivi les femmes qui ont accouché plus de neuf mois après la tempête de verglas de 1998 au Canada. Surprise : après cette catastrophe, il y eut plus de naissances de filles ! Les scientifiques ont avancé une explication, non prouvée à ce jour : le stress de la mère juste avant la rencontre entre l'ovule et le spermatozoïde modifierait les taux d'hormones dans leur sang, ce qui pourrait, par un mécanisme inconnu, favoriser les spermatozoïdes porteurs d'un chromosome X au détriment des autres.

Ces études, même très intéressantes, demandent à être confirmées par d'autres, portant sur des échantillons plus larges. Et à être prolongées par la détermination des possibles mécanismes de « tri » des spermatozoïdes porteurs de tel ou tel chromosome sexuel…

Il vaut mieux attendre
trois mois
avant d'annoncer
sa grossesse

▲ *Ce couple d'Américains ne s'est pas découragé : la petite fille est enfin arrivée !*

Vous êtes enceinte. Même si vous avez envie que tout votre entourage soit au courant, il est préférable d'attendre un trimestre : la formation de l'embryon est une période délicate, et les risques sont bien réels.

CHRONIQUE DE LA FORMATION DE L'EMBRYON

1er mois : après la fécondation, l'œuf se divise en un amas de cellules. Au 5e jour, celles-ci se différencient : les plus centrales donneront l'embryon ; les plus externes, le placenta. Au 7e jour, l'œuf s'implante dans la cavité utérine. La semaine suivante, il synthétise une hormone, détectable par le test de grossesse. Son cœur commence à battre dès la 3e semaine. À la fin du mois, l'embryon mesure 5 mm ; les organes, les vertèbres, la bouche, les yeux se mettent en place.

2e mois : l'organisme se construit en miniature. Les organes ébauchés au cours du premier mois poursuivent leur transformation. Le système nerveux se développe : plus de 100 000 cellules nerveuses naissent chaque minute. Les membres s'allongent et les extrémités se dessinent. À ce stade, l'embryon n'est ni fille ni garçon. Sur le visage, l'ébauche des paupières, des oreilles et du front bombé apparaît. Il grandit à une vitesse vertigineuse et passe de 7 mm à 3 cm en trois semaines. Le petit corps de 11 g flotte dans le liquide amniotique. Au 3e mois, l'embryon devient fœtus.

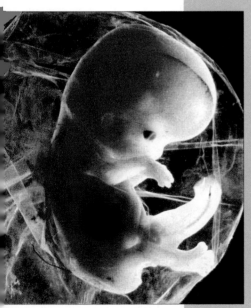

◀ *Au 2e mois, les éléments de l'organisme se mettent peu à peu en place.*

Un conseil : pour éviter les déceptions, gardez le secret de votre grossesse jusqu'à ce que l'embryon devienne fœtus. En effet, les premières semaines de la formation du bébé sont cruciales, l'embryon étant particulièrement sensible aux anomalies génétiques et à l'environnement de la mère.

Pour réduire les risques encourus, il est déjà important de les connaître. La plupart des malformations s'effectuent avant 8 semaines. 60 % d'entre elles sont d'origine inconnue, 10 % ont des causes génétiques, celles-ci étant les premières responsables de la mort in utero. Relativement fréquentes, les fausses couches précoces constituent 20 % des grossesses, voire 40 % chez les femmes âgées de plus de 40 ans. Si la mère expulse un embryon non viable dans les premières semaines, elle peut ne pas s'en rendre compte. Quoi qu'il en soit, on considère cette perte parfois douloureuse comme un processus d'élimination naturelle des grossesses anormales.

10 % des autres malformations sont liées à des facteurs extérieurs. Des médicaments inadaptés, la drogue ou une maladie (infectieuse ou virale ou encore un diabète) sont autant de facteurs qui peuvent altérer le développement de l'embryon. Et les dégâts se font sentir à tout moment . Ainsi, l'exposition professionnelle à certains toxiques (plomb, radiations ionisantes) peut dégrader le matériel génétique des ovules ou des spermatozoïdes avant même la conception. Ou empêcher l'implantation de l'œuf dans l'utérus après la fécondation. Plus tard, le poison risque d'entraver la formation des organes. Seule arme contre ces risques : la prévention et l'échographie du premier trimestre, qui permettra d'écarter les éventuelles malformations fœtales. ∎

Fille ou garçon ?
Les grands-mères connaissent toujours la réponse

En observant le ventre rond des futures mamans, nos aïeules donnaient avec confiance leur avis sur le sexe de l'enfant à naître… Elles n'avaient après tout qu'une chance sur deux de se tromper !

Quel sera le sexe de l'enfant à naître ? Avant l'existence de l'échographie, qui permet de voir l'enfant dans le ventre de sa mère, on recourait à diverses méthodes pour émettre des hypothèses…

La plus connue est sans doute l'observation de la forme du ventre. *Ventre pointu n'a jamais porté chapeau*, disaient les grands-mères à leurs filles ou belles-filles, présageant ainsi la naissance d'une fille. Mais cette affirmation n'a bien sûr jamais été prouvée. Et il en existe bien d'autres, aussi peu fiables, telles l'observation de la démarche de la femme enceinte ou même l'utilisation d'un pendule oscillant au-dessus du ventre proéminent.

Heureusement, la médecine propose aujourd'hui des moyens quasi infaillibles. L'échographie est, bien sûr, la plus utilisée, mais elle ne permet de déterminer le sexe de l'enfant que vers le cinquième mois de grossesse. Pour connaître à coup sûr le « genre » du bébé à un stade plus précoce, il est possible de prélever des cellules embryonnaires par amniocentèse. Mais cette technique n'est pas sans risques. La mise au point d'un nouveau test permet de le faire à partir d'une simple prise de sang de la mère. L'analyse consiste à rechercher la présence d'une séquence d'ADN fœtal spécifique du chromosome Y. Si une telle séquence est présente, le bébé est, à coup sûr, un garçon et, si elle est absente, il s'agit d'une petite fille.

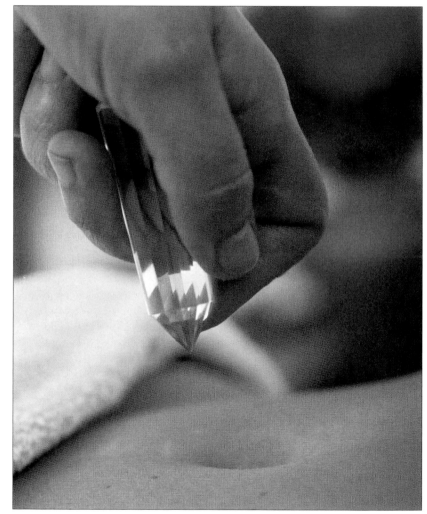

▲ *Cristaux, pendules ou adages : tout est bon pour prévoir le sexe du futur bébé.*

Quant aux femmes enceintes réfractaires aux examens, il leur suffit d'être à l'écoute de leur corps. Une récente étude suédoise affirme en effet que nausées et vomissements de la future maman permettent de deviner le sexe du bébé. Les fœtus filles provoqueraient plus de nausées que les fœtus garçons. Le responsable : une hormone (l'HCG, hormone choriogonadotrophique) dont le taux est plus important lorsque l'on attend une fille. Peut-être une nouvelle méthode de grand-mère, applicable sans grands moyens techniques et qui pourrait se résumer ainsi : *Si la femme se sent mal, ça n'est pas un mâle…* ■

Quand les **parents boivent,** les **enfants trinquent**

Et quand les parents fument, les enfants toussent. Si ces adages fort anciens font référence à l'éducation des enfants, l'importance du comportement parental se vérifie aussi pendant la grossesse. Quand boire un petit coup n'est pas forcément agréable.

Pendant la grossesse, les molécules absorbées par la mère rejoignent le sang du fœtus, compromettant la santé physique et mentale du futur enfant. Ces substances multiplient par deux à quatre les risques de fausse couche, de naissance prématurée et de mortalité du nouveau-né. Le tabac a des effets nocifs sur la qualité de la paroi utérine et sur le flux sanguin. Il peut provoquer une rupture de la poche des eaux, de l'asthme et de l'eczéma chez le nourrisson.

L'alcool n'est pas plus tendre avec le fœtus. Son organisme étant à peine développé, le futur bébé l'élimine beaucoup plus lentement. L'alcool est particulièrement toxique au cours du premier trimestre de la grossesse. Il perturbe les migrations cellulaires dans le cerveau et provoque la désorganisation des neurones en plein développement embryonnaire. Exposé à l'alcool ingéré par une mère dépendante (dès six verres par jour), l'embryon peut être atteint du syndrome d'alcoolisme fœtal (SAF) : le nouveau-né risque d'avoir des malformations du cœur, des organes génitaux, des articulations, des reins, du foie… Il conservera une petite taille, un petit crâne, un nez court et retroussé, la mâchoire inférieure en retrait, de petits yeux. Mais il souffrira surtout d'un déficit intellectuel. Même occasionnels, des excès de boisson peuvent entraîner un retard de développement du fœtus. L'enfant risque de présenter des troubles de l'apprentissage (attention, mémoire, vision dans l'espace) et du comportement (hyperactivité, dépression, dépendance, instabilité) susceptibles de représenter un véritable handicap dans la vie.

Même si elles ne sont pas héréditaires, ces anomalies sont relativement courantes : chaque année, en France, naissent 400 à 2 400 enfants victimes d'un retard mental dû à l'alcoolisme maternel, soit environ sept fois plus que d'enfants trisomiques. L'île de la Réunion, la région Nord-Pas-de-Calais ou encore la Bretagne semblent particulièrement touchées. Au Canada, le SAF serait dix fois plus élevé chez les autochtones que dans le reste de la population. Si le phénomène est connu et prouvé depuis une publication du Pr Lemoine en 1968, il a longtemps été critiqué et occulté. En effet, il touche le tabou de la boisson chez les femmes, et surtout tend à culpabiliser la future mère. Encore aujourd'hui, pour le Pr Philippe-Jean Parquet,

▲ *L'alcool est toxique dès les premiers mois de la vie de l'embryon.*

président de l'Observatoire français des drogues et toxicomanies, les professions viti-vinicoles et les industries de l'alcool ont tendance à réfuter les dangers liés à l'alcool et à limiter l'information du public.

Le seuil nuisible étant difficile à évaluer, la grossesse impose de se tenir à un « zéro alcool ». ■

LE PLACENTA, UNE BARRIÈRE PEU EFFICACE

À partir du troisième mois, le fœtus de la majorité des mammifères est nourri à travers le placenta. Cet organe permet de lui apporter alimentation (déjà digérée) et oxygène, et d'évacuer le dioxyde de carbone et les déchets comme l'urée. Au sein du placenta, le sang de la mère et celui du fœtus ne se mélangent pas, séparés par les cellules de la barrière hématoplacentaire. Mais des substances peuvent passer de l'un à l'autre, de manière « passive » parce qu'elles sont assez petites pour pénétrer à travers les parois : c'est le cas de l'alcool, des médicaments, de la nicotine et des drogues en général, des virus (comme celui du sida) et des toxines microbiennes. Ainsi, la concentration d'alcool dans le sang du fœtus peut atteindre des valeurs comparables à l'alcoolémie de la mère. Cette barrière ne bloque pas non plus les éléments volumineux comme les bactéries. C'est le cas pour celle du genre listeria, présente dans les produits laitiers et les charcuteries, qui est mortelle pour le fœtus. Marc Lecuit, chercheur à l'Institut Pasteur, a montré en 2004 qu'un récepteur du tissu placentaire pouvait fixer une protéine de la bactérie, lui permettant ainsi de passer dans le sang du futur bébé.

Aujourd'hui, il est plus difficile d'avoir un enfant

1 % des 760 000 enfants qui naissent en France chaque année ont vu le jour grâce à une fécondation in vitro. Ces bébés-éprouvette seront de plus en plus nombreux dans les années à venir. Les couples français sont-ils moins fertiles qu'avant ?

▲ Lors de la fécondation in vitro, une cellule de sperme est injectée directement dans l'ovule.

Commençons par relativiser. Les Françaises sont actuellement les Européennes les plus fécondes, derrière les Irlandaises. Elles mettent au monde 1,9 enfant en moyenne. Un score modeste, comparé à celui des mamans françaises du baby-boom, qui, au lendemain de la Seconde Guerre mondiale, affichaient le taux de fécondité record de 2,7 enfants. Sauf que ces championnes de la reproduction n'avaient pas de moyens de contraception efficaces.

Il est très difficile d'obtenir un indice fiable d'une baisse de la fertilité féminine. D'abord parce que le prélèvement d'ovules est une opération délicate à laquelle on ne peut pas soumettre un panel de femmes qui n'ont aucun problème pour les seuls besoins d'une étude. Ensuite, la fertilité d'une femme ne tient pas seulement à la qualité de ses ovules.

Quant à l'étude de la stérilité masculine, elle porte essentiellement sur la qualité du sperme, plus simple à recueillir. Les études qui se succèdent ces dernières années sur le sujet donnent des résultats alarmants. À raison de quelque 60 millions de spermatozoïdes par millilitre de sperme, les papas potentiels du XXIe siècle en possèdent une concentration deux fois inférieure à celle des hommes de la génération précédente.

Principaux accusés : la chaleur et la position assise. Autant dire que la vie de bureau ne favorise pas l'épanouissement des spermatozoïdes. Sur la sellette également : des pesticides, des solvants (tel le formaldéhyde) et autres produits chimiques ainsi que le tabac. Celui-ci serait responsable d'une baisse de la qualité du sperme non seulement chez les

LA PILULE ACCUSÉE À TORT

Selon certaines études, les femmes qui cessent de prendre la pilule mettent deux à trois mois de plus à être enceinte que celles qui n'utilisent plus de préservatif. Mais les spécialistes se demandent si ce n'est pas plutôt une idée sous-jacente dans le couple – attendre que le corps de la femme revienne à son état naturel – qui pousse à ne pas réellement viser une grossesse dans cette période.

Selon une enquête britannique portant sur plus de 8 000 couples, la prise de la pilule pendant plus de cinq ans permettrait même de tomber plus rapidement enceinte. L'hypothèse avancée est que les femmes sous pilule ont tendance à avoir des règles moins abondantes. En saignant moins, leur organisme maintient mieux son stock de fer. Ce qui pourrait optimiser leur fertilité. Autre supposition : la pilule réduirait également les risques d'endométriose, qui se caractérise par la dissémination de tissus utérins à l'intérieur des organes pelviens et est une cause de baisse de la fertilité, voire de stérilité.

fumeurs, mais également chez les hommes dont la mère fumait pendant la grossesse. Autre fait inquiétant : l'augmentation du nombre de cancers des testicules. Un homme né dans les années 1970 a deux fois plus de risques d'en être atteint qu'un homme né dans les années 1930.

En bref, quelles qu'en soient les causes, cette baisse de la qualité du sperme a sans aucun doute un impact sur la fécondité. Mais ce n'est pas là le facteur essentiel.

Dans deux tiers des cas, la stérilité est liée à un problème chez la femme. Le plus souvent, il s'agit d'un trouble de l'ovulation. Or la fréquence de ce type de problèmes augmente en vieillissant, et l'âge des candidates à la maternité a grimpé en flèche ces trente dernières années : l'âge moyen de la première maternité est passé de 24 ans à près de 28 ans. Et le nombre de femmes qui ont un enfant à plus de 35 ans a doublé. À partir de 30 ans, la baisse de la fertilité est un phénomène naturel. Au-delà de 35 ans, la qualité des ovules commence à s'altérer, les risques de fausse couche sont accrus. Rien d'étonnant, donc, si la proportion des couples qui cherchent à avoir un enfant et n'y parviennent pas a nettement augmenté. ■

Les bruns
ne peuvent avoir
que des enfants bruns

Faut-il avoir été infidèle pour que deux bruns donnent naissance à une tête blonde ? Non, c'est la faute à la génétique ! Établies depuis plus d'un siècle, les lois qui la régissent sont à la base de la diversité humaine.

L e mélange des populations ne conduit pas à l'uniformisation. L'enfant hérite d'un exemplaire du bagage génétique de chacun de ses parents. L'union de ces deux copies offrira une nouvelle combinaison, un mélange des gènes qui donne à la descendance son caractère unique. Les ressemblances ou les différences entre l'enfant et ses parents sont liées à l'expression de ces gènes. Mais tous ne jouent pas le même rôle. Certains sont dominants : lorsqu'ils sont associés à un autre, ce sont eux qui s'expriment. D'autres, appelés récessifs, ne s'expriment que s'ils sont en double exemplaire.

Ainsi, dans la pratique, le gène « cheveux bruns » est dominant. Mais il se peut que les deux parents aux cheveux bruns possèdent un gène récessif « cheveux blonds », qu'ils ont hérité de leurs propres parents. Même s'il ne s'exprime pas, ce gène est présent. Aussi l'enfant, selon son bagage génétique, recevra soit le gène « brun », et sera donc châtain, soit les deux copies du gène « blond », et il sera blond.

En conclusion, le mélange des gènes aboutit, non pas à une uniformisation mais bien à la diversité génétique. Et, lorsque l'on prend en compte la plupart des caractères physiques qui répondent à l'expression de plusieurs gènes, les combinaisons deviennent infinies. C'est le cas de la couleur des yeux ou de la peau. L'union d'un Noir et d'une Blanche donnera ainsi lieu à des combinaisons quasi illimitées, déterminant chacune une teinte de peau pouvant varier du blanc au noir en passant pas toutes les nuances de brun. Peu de chance alors que la descendance soit uniformément café au lait ! ■

À L'ORIGINE DE LA GÉNÉTIQUE, UNE HISTOIRE DE PETITS POIS

C'est grâce à son passe-temps favori – la botanique – que le moine autrichien Gregor Mendel découvrit les lois universelles de la génétique. En croisant deux plants de pois de couleurs différentes (jaune ou vert), il s'étonna de voir que leurs descendants étaient tous jaunes. Conclusion : la nature privilégie le caractère jaune. Le gène « jaune » est dit dominant. Il s'exprime aux dépens du gène « vert », appelé récessif. La seconde loi démontra que l'on pouvait prévoir le caractère de la deuxième génération. En effet, Mendel croisa les plants de pois jaunes de la première génération entre eux. Résultat : trois plants de pois étaient jaunes et un plant était vert. Conclusion : même si le caractère vert n'est pas visible, il reste présent et peut s'exprimer à l'autre génération.

Le pois vert a donc récupéré les deux gènes récessifs verts qui, lorsqu'ils sont ensemble, s'expriment. Que ce soit avec des pois de textures différentes (lisses, plissés) ou des fleurs, la conclusion est la même. Aujourd'hui, ces lois sont à la base de la compréhension et de l'analyse de la transmission des caractères.

Jaune + vert = jaune, et jaune + jaune = jaune et vert…

LES BLONDES EN VOIE DE DISPARITION ?

Quel est le point commun entre le lobe de l'oreille et le petit doigt ? Tous deux font partie des rares caractères physiques apparents soumis à l'expression d'un seul gène. Ainsi, si vous avez le lobe de l'oreille attaché au visage, vous portez le gène récessif en double exemplaire, le gène du lobe libre étant dominant. De même avec les petits doigts : si vous les placez l'un à côté de l'autre et qu'ils restent en contact sur toute la longueur, vous avez le gène dominant. S'ils s'écartent à la première phalange, vous possédez le gène récessif.

La question posée aujourd'hui porte sur l'avenir de ces gènes : sont-ils en voie d'extinction ? Les blondes (gène récessif) vont-elles disparaître en 2202, comme l'annonçait une récente étude allemande ? Que les 3 millions de femmes blondes se rassurent : les gènes récessifs se transmettent tout autant que les gènes dominants. Leur éventuelle disparition par la sélection naturelle n'aurait lieu que s'ils nuisaient à la survie de ceux qui les possèdent. Ce qui ne semble pas être le cas…

On est du même sang

Qu'il soit bleu ou issu d'un beau mélange, le précieux liquide qui coule dans nos veines est porteur de notre hérédité. Mais il n'est pas à 100 % le même que celui de nos parents, frères et sœurs. Loin de là…

En réalité, seuls deux vrais jumeaux (ou deux clonés) possèdent exactement le même sang. Ils sont alors consanguins. La consanguinité entre deux individus se définit comme la proportion d'allèles (variantes d'un même gène) identiques. L'idée de l'influence néfaste d'une consanguinité importante – responsable entre autres de l'affaiblissement de l'espèce et expliquant la décadence de certaines familles royales – est assez loin de la réalité génétique. Certes, dans le cas d'un mariage consanguin, il y a plus de risques pour que les parents soient porteurs d'un même gène pathologique si leur ancêtre commun était lui-même porteur de ce gène. La mucoviscidose et autres maladies rares liées à la consanguinité (on les appelle maladies autosomiques récessives) se révèlent ainsi lorsque deux gènes défectueux identiques sont transmis par les parents. Cependant, si l'ancêtre commun n'était pas porteur de ce gène, un enfant de parents consanguins n'est pas plus exposé à la maladie que n'importe quel autre enfant.

Généralement, la consanguinité de parent à enfant, en supposant une consanguinité « nulle » (ce qui est impossible) entre les deux parents, est de 50 %. C'est-à-dire qu'un enfant a une chance sur deux d'avoir le même sang que l'un de ses parents.

De la même façon, des frères et sœurs n'ont pas forcément le même groupe sanguin. En effet, chaque individu possède un gène hérité du père et un gène hérité de la mère, qui définit son groupe sanguin. Par exemple, un sujet du groupe A peut être AA ou AO. Un sujet du groupe B est BB ou BO. Un sujet du groupe O est toujours OO. Un sujet du groupe AB est toujours AB. C'est ainsi que les enfants nés d'une union entre un père BO et une mère AB pourront avoir :
• soit un génotype BO correspondant également au groupe sanguin B (car B domine O) ;
• soit un génotype BB correspondant au groupe sanguin B ;
• soit un génotype AB correspondant au groupe AB ;
• soit un génotype AO correspondant au groupe A (car A domine O). ∎

LA FRÉQUENCE DES GROUPES SANGUINS AUJOURD'HUI EN FRANCE	
A positif	38 %
O positif	36 %
B positif	8 %
A négatif	7 %
O négatif	6 %
AB positif	3 %
B négatif	1 %
AB négatif	1 %

HISTOIRE DE GROUPES

Jusqu'à la fin du XIXᵉ siècle, on transfusait à tort et à travers. Les gens mouraient pour cause d'incompatibilité. Au début du XXᵉ, le pathologiste autrichien Karl Landsteiner classe le sang humain en quatre groupes, A, B, AB et O, ces lettres indiquant que les globules rouges possèdent à leur surface des molécules de type A ou B… On ne peut recevoir du sang que de son propre groupe. Car un individu, quel que soit son groupe, possède dans son sang des anticorps dirigés contre le groupe qu'il n'a pas, à l'exception des personnes du groupe AB, qui n'ont ni anticorps A ni anticorps B, alors qu'une personne du groupe O possède les deux types d'anticorps. Par ailleurs, chez certains individus, les globules rouges possèdent une autre molécule, le facteur Rhésus. Ils sont dits Rhésus positif (Rh⁺). Ceux qui ne l'ont pas sont Rhésus négatif (Rh⁻). Les gens de groupe AB Rh⁺ peuvent recevoir du sang de tout le monde. Ils sont receveurs universels. Les O Rh- peuvent en donner à tous : ils sont donneurs universels.

Un embryon génétiquemen

Impossible ? Et pourtant que dire de ces hommes XX et de ces femmes XY ? La contradiction entre le sexe biologique et l'apparence existe. Est-ce une question de chromosomes ?

Depuis l'école, on nous apprend que seul le chromosome sexuel apporté par le spermatozoïde du père fait la différence entre l'homme et la femme. Si celui-ci est X, l'embryon XX sera fille. À l'inverse, s'il est Y, le bébé sera garçon, XY. Or la nature a plus d'un tour dans son sac à chromosomes, et la science commence tout juste à les décrypter. En effet, on s'est aperçu qu'il existait des hommes génétiquement féminins qui portaient la paire XX et des femmes biologiquement masculines XY. Il a fallu attendre 1990 pour comprendre cet étrange phénomène, avec la découverte du « gène du sexe » (*sex determining factor*), appelé SRY. Ce gène, dont seul le chromosome Y est pourvu, est porté par le spermatozoïde et, lors de la fécondation avec l'ovule, il permettra la différenciation sexuelle.

Tel père, tel fils

Dans l'Antiquité, les Grecs pensaient que les garçons ressemblaient à leur père et les filles à leur mère. Les lois qui président au grand brassage des gènes sont plus complexes, mais le petit air de famille existe bel et bien.

C'est le portrait craché de son père ! Il a les yeux de sa mère !... Autant de réflexions que le bébé, dès sa naissance, provoque chez l'entourage. Qu'en est-il réellement ?

Le nouveau-né est porteur de deux jeux de chromosomes : celui du père et celui de la mère. Par cet héritage génétique, l'enfant aura des caractères physiques qu'il tiendra en partie de chacun de ses deux parents. Pour autant, il ne ressemblera pas pour moitié à sa maman et pour moitié à son papa ! Et à cela plusieurs raisons.

Lors de la fabrication des spermatozoïdes et des ovules, il se produit des remaniements et un réarrangement des chromosomes parentaux. Ce qui conduit au grand brassage des gènes. Du point de vue héréditaire, le père comme la mère fabriquent des milliers de spermatozoïdes ou d'ovules. Leur union aboutit donc à un embryon différent à chaque fois, même s'il puise toutes ses caractéristiques dans les générations précédentes. D'où l'air de famille entre les frères et sœurs.

Lors de l'association des patrimoines parentaux, il peut aussi se produire des mutations qui se traduisent par des changements brutaux et imprévisibles dans la transmission de l'hérédité. Ainsi, un caractère qui n'existait pas chez ses ascendants peut apparaître chez l'enfant.

L'environnement joue également un rôle primordial dans la constitution physique et psychologique de l'enfant. Il y a toujours une interaction entre l'inné et l'acquis. Par exemple, même si la prédisposition à prendre du poids est héréditaire, la corpulence dépend aussi de l'alimentation. ■

À LA FOIS SI PROCHES ET SI DIFFÉRENTS

Un même caractère peut être obtenu par plusieurs combinaisons génétiques différentes. En cela, l'apparente similitude entre deux traits peut cacher une grande variabilité des gènes. Deux personnes sont différentes entre elles pour des raisons non seulement génétiques (elles ont chacune un héritage de chromosomes parentaux différent) mais aussi environnementales (éducation, mode de vie...). La traduction physique de ces deux facteurs est appelée phénotype, et la variabilité de phénotypes est importante chez l'espèce humaine. Ainsi, les traits, qu'ils soient ou non identiques, résultent de l'expression de gènes différents. Chacun de nous détient un pool de gènes qui lui est propre et peut être ainsi plus proche de son voisin que de son propre frère.

masculin peut devenir féminin

Au départ, pas de possibilité de se mélanger les pinceaux : tout embryon de moins de 6 semaines est indifférencié sexuellement. Ensuite, chez le fœtus XY, le gène SRY s'exprime et, après plusieurs étapes, dirige la fabrication de la testostérone, qui transforme les glandes sexuelles en testicules. L'embryon deviendra alors garçon. Chez la femme, l'absence du gène SRY va provoquer la formation de glandes sexuelles en ovaires. L'embryon donnera naissance à une petite fille.

Or il arrive que le gène SRY se déplace et se colle au chromosome X du père. L'embryon XX génétiquement femelle porte ainsi le « gène du sexe ». Il a donc des organes génitaux externes masculins : c'est un homme. Ses organes sexuels internes seront mal formés. Conséquences : l'homme XX sera stérile. Chez certains fœtus XY, le gène SRY est absent ou inactif. L'embryon se développe sans les effets virilisants et devient femme avec des ovaires mal développés. Même constat : la femme XY ne sera pas fertile. Ainsi, ces cas d'inversion sexuelle aboutissent à une contradiction entre le sexe génétique et l'apparence physique. Mais que dire des embryons XXX, XXY ou YYX ? Quel casse-tête ! ■

Le corps décortiqué

La médecine et toutes ses disciplines ne sauraient évoluer ni même exister sans une connaissance toujours plus approfondie de leur sujet : le corps humain. Certains grands noms de la médecine ont fait de l'anatomie une science qui a accompagné, sinon précédé, les progrès médicaux et chirurgicaux.

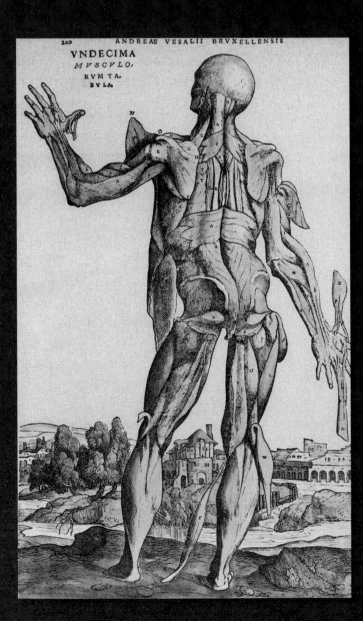

200 ANDREAE VESALII BRVXELLENSIS
VNDECIMA MVSCVLO, RVM TA, BVLA.

◄ *Cette planche anatomique représentant les muscles est tirée du traité* De humani corporis fabrica, *d'André Vésale.*

De l'Antiquité au XVᵉ siècle, Galien règne en maître sur l'anatomie

Les premiers écrits anatomiques connus viennent d'Inde et datent d'environ 3 000 ans av. J.-C. Les connaissances des Indiens, quelquefois plus vastes que celles du Moyen Âge européen, leur permettaient de pratiquer des dissections animales. En Grèce, Hippocrate est le premier à enseigner l'anatomie, au Vᵉ siècle avant notre ère, mais nombre de ses conceptions, notamment physiologiques, étaient erronées. En Égypte, Hérophile s'intéresse aux structures anatomiques du cerveau, et son contemporain Hérasistrate décrit avec précision le cœur et ses valvules. L'essor de l'anatomie s'arrêtera là… Jusqu'aux travaux colossaux de Galien, médecin et physiologiste grec officiant à Rome au IIᵉ siècle, dont les études anatomiques sur les animaux (dissections humaines et autopsies étaient interdites) et ses observations des fonctions du corps humain fondent des enseignements qui ne tardent pas à s'ériger en dogmes et domineront la théorie et la pratique médicales pendant près de quatorze siècles ! Ses expériences sur le système nerveux lui permettent d'identifier le rôle de plusieurs nerfs crâniens. Il établit les différences de structure et de fonction entre les artères et les veines, et montre que les artères ne transportent pas de l'air, comme on le pensait alors, mais du sang. Cependant, il se trompe sur le rôle du foie, dont il fait le centre de la circulation sanguine, et croit que les ventricules du cœur communiquent. Il énonce ainsi un certain nombre de contre-vérités qui vont perdurer jusqu'à la Renaissance et ne seront réfutées que grâce à André Vésale.

André Vésale : la révolution d

Le médecin flamand André Vésale est le premier à oser contester le maître Galien. Il s'impose rapidement comme le père de la méthode anatomique, où les traditions ne sont plus reines, seule compte l'observation, c'est-à-dire la dissection. Il publie six planches anatomiques représentant l squelette et les organes internes, le *Tabulae anatomicae sex* (1538). En plu de leur qualité scientifique, ces plan ches ont l'originalité d'intégrer texte et illustrations. Dès l'année suivante on lui accorde autant de cadavres disséquer qu'il le souhaite. C'est alor qu'il prend la mesure des erreurs d Galien et montre que ses conception anatomiques s'appliquent au sing

Le système sanguin : le sang, c'est la vie

Eucharistie, sacrifices rituels, mythes des vampires : vital, le sang a des connotations symboliques dans de nombreuses religions, cultures et croyances populaires. Le sang constituait l'une des quatre humeurs corporelles de la théorie grecque. La maladie, soignée grâce à des saignées, s'expliquait par le défaut ou par l'excès de l'une de ces humeurs. Cette théorie perdure jusqu'à la découverte du principe de la circulation sanguine, en 1616. En réalisant des expériences sur des daims, William Harvey démontre l'existence d'un trajet aller-retour du sang à partir du cœur. Ce n'est qu'alors que le rôle central du cœur dans la circulation sanguine sera reconnu, au détriment de celui du foie et de la rate, organes effectivement gorgés de sang. Le cœur est un organe creux, de la taille d'un poing fermé, mû par un muscle – le myocarde – et composé de quatre compartiments : deux oreillettes et deux ventricules. Les ventricules pompent le sang vers les poumons et le reste du corps via un système d'artères, de vaisseaux et de veines. Ce faisant, nutriments et oxygène sont disséminés dans les cellules. C'est l'hémoglobine des globules rouges qui fixe l'oxygène et qui donne au sang sa couleur caractéristique.

Les globules blancs, eux, jouent un rôle essentiel dans le système immunitaire. Le sang permet également le maintien de la température et de la composition du milieu intérieur : cet équilibre est appelé homéostasie.

La transfusion sanguine

La première transfusion historiquement datée est pratiquée en France le 16 juin 1667 par Emmeretz, médecin du roi de France, avec du sang d'agneau. La même année, il réalise une transfusion d'homme à homme. Mais les accidents mortels sont nombreux et la transfusion interdite jusqu'au XIXe siècle. Au XXe siècle, la détermination des groupes sanguins permet enfin de codifier et d'asseoir cette pratique, qui sauve des millions de vies chaque année.

▲ Pour créer ses écorchés – des cadavres dépourvus de peau –, l'anatomiste Honoré Fragonard (1732-1799) avait recours à des corps déshydratés, injectés de résine.

COUPE D'UNE VEINE

1 Hématie (globule rouge)
2 Lymphocyte
3 Polynucléaire
4 Plaquette

Le système respiratoire

Le poisson est muet car il ne possède pas de poumons, écrivit Descartes dans son Traité de l'homme. Il se trompait, bien sûr : ce sont les cordes vocales qui, dans l'air, servent à produire et à moduler le son de la voix. Toujours selon Descartes, le mécanisme de la respiration était comparable à celui d'un alambic, les poumons refroidissant le sang qui était vaporisé à la sortie du cœur ! Alors que la respiration est avant tout un échange gazeux : on absorbe de l'oxygène et l'on rejette du gaz carbonique. L'oxygène pénètre par le nez et la bouche puis traverse le pharynx et le larynx. Il parvient ensuite au niveau de la trachée. Celle-ci se divise en deux bronches se ramifiant elles-mêmes en bronchioles et se termine par les alvéoles pulmonaires. Reliés à chaque côté de la cage thoracique par les plèvres, les poumons se gonflent grâce au diaphragme lors de l'inspiration. C'est au niveau de ces alvéoles, qui sont parcourues par des vaisseaux sanguins, que l'air passe des bronches au sang et du sang dans les bronches lors de l'expiration. L'ensemble des membranes qui tapissent les alvéoles couvriraient environ 75 m², soit la surface d'un court de tennis !

remières dissections humaines

mais pas toujours à l'homme. Erreurs qu'il corrige dans son ouvrage publié en 1555, De humani corporis fabrica, le plus grand et le plus complet traité d'anatomie jamais rédigé jusqu'alors. Tout au long du millier de pages que compte cette authentique encyclopédie, Vésale décrit minutieusement les os et les articulations, les muscles, les systèmes veineux et artériel, le système nerveux, les organes de l'abdomen et du thorax, et enfin le cerveau humain. Il réfute l'existence d'une communication interventriculaire, corrige la configuration et le rôle du foie et des voies biliaires, et révise les descriptions de l'os maxillaire, de l'humérus et du fémur, de l'utérus… C'est grâce à son œuvre inestimable, dans laquelle puise largement Ambroise Paré, que la chirurgie peut dès lors réaliser des avancées considérables.

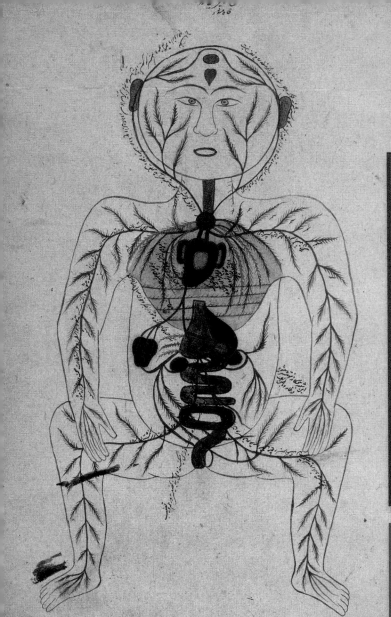

Le système digestif

Les aliments que nous ingérons doivent être dégradés en lipides, glucides, sels minéraux et oligoéléments nécessaires à notre organisme pour produire l'énergie indispensable à notre métabolisme et pour fabriquer ou réparer des tissus. La digestion débute dans la bouche. Les dents assurent une première dégradation de la nourriture. Grâce aux enzymes qu'elle contient, la salive lubrifie les aliments pour en faciliter la déglutition. Les contractions de l'œsophage permettent ensuite à la nourriture d'atteindre rapidement l'estomac pour une étape de une à six heures. Là, le bol alimentaire est attaqué par un suc gastrique composé de trois enzymes. Troisième étape : le passage dans l'intestin grêle, qui mesure plus de 6 m. C'est le principal organe de la digestion, grâce notamment aux sécrétions digestives du pancréas, du foie et des cellules intestinales, et il assure la plus grande partie de l'absorption des aliments dans le sang. Puis direction le gros intestin, où toute la matière non absorbée est stockée le temps pour l'organisme de réabsorber l'eau qu'elle contient. Enfin, le contenu du gros intestin est dirigé vers le rectum, où il est compacté pour donner les selles, ou fèces.

Les reins

L'appareil urinaire a pour mission de purifier le sang tout en maintenant sa composition constante grâce à un triple mécanisme de filtration, de sécrétion et de réabsorption. Il comprend les deux reins et les deux uretères, la vessie, l'urètre – qui se prolonge dans le pénis chez l'homme et s'ouvre dans la vulve chez la femme – et de nombreux vaisseaux sanguins. Au sein de l'appareil urinaire, les reins jouent le rôle crucial de mini-station d'épuration : les déchets (substances toxiques ou inutiles) contenus dans le sang y sont filtrés et l'urine s'y forme. Évacuée vers la vessie grâce aux uretères, l'urine est ensuite éliminée de l'organisme via l'urètre.

Le système endocrinien ou hormonal : la coordination par l'information

Pour fonctionner en parfaite harmonie, les différents organes du corps humain doivent se concerter. Ils ont donc besoin de l'aide de messagers porteurs d'informations. Ces messagers chimiques, transportés par la circulation sanguine, sont les hormones. Contrôleuses et modulatrices de notre physiologie comme de notre humeur, les hormones sont sécrétées par différentes glandes endocrines : l'hypophyse dans la boîte crânienne, la thyroïde dans le cou, le thymus dans le thorax, les glandes surrénales et le pancréas dans l'abdomen, les ovaires et les testicules dans le bassin. Certains tissus, sans être des glandes au sens strict, assument pourtant une fonction endocrine et produisent des hormones. C'est le cas du placenta, du cœur, des reins et même de l'appareil digestif.

Les techniques modernes d'exploration anatomique

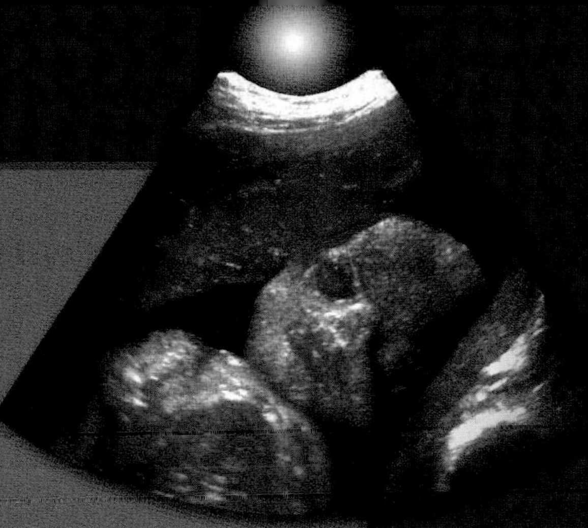

Pour soigner les patients, encore faut-il savoir de quels maux ils souffrent. Grâce aux techniques exploratoires d'imagerie, les médecins disposent d'éléments objectifs pour formuler leurs hypothèses avec plus d'assurance. La première et la plus emblématique d'entre elles est la radiographie. En 1895, Wilhelm Röntgen découvre les rayons X. Ceux-ci ne tardent pas à faire leur entrée dans les hôpitaux, fournissant un outil précieux pour dépister les tuberculoses pulmonaires et caractériser les fractures. En 1951, deux Britanniques présentent à la communauté médicale une nouvelle technique basée sur des recherches conduites par les militaires : l'échographie. D'abord destinée à l'identification des tumeurs cérébrales, cette technologie à ultrasons connaîtra un franc succès dans l'obstétrique. À la même époque, avec la scintigraphie, qui consiste à marquer les cellules par un isotope radioactif et à visualiser les rayons gamma émis, il devient possible d'étudier le métabolisme des organes. Enfin, le scanner et la résonance magnétique nucléaire (IRM), développés dans les années 1970, fournissent au praticien des images tridimensionnelles et montrent la nature de lésions pathologiques de moins de 1 cm.

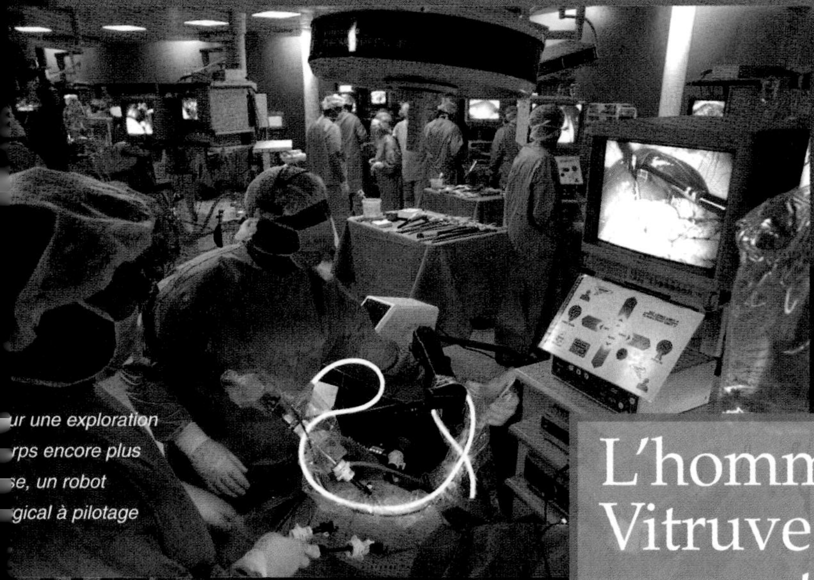

▲ L'échographie en 3D, technique utilisée en obstétrique depuis le milieu des années 1990, permet une analyse extrêmement rigoureuse de la morphologie fœtale.

ur une exploration
rps encore plus
e, un robot
gical à pilotage

▶ Planche anatomique du pied et de la jambe, Léonard de Vinci, XVᵉ siècle.

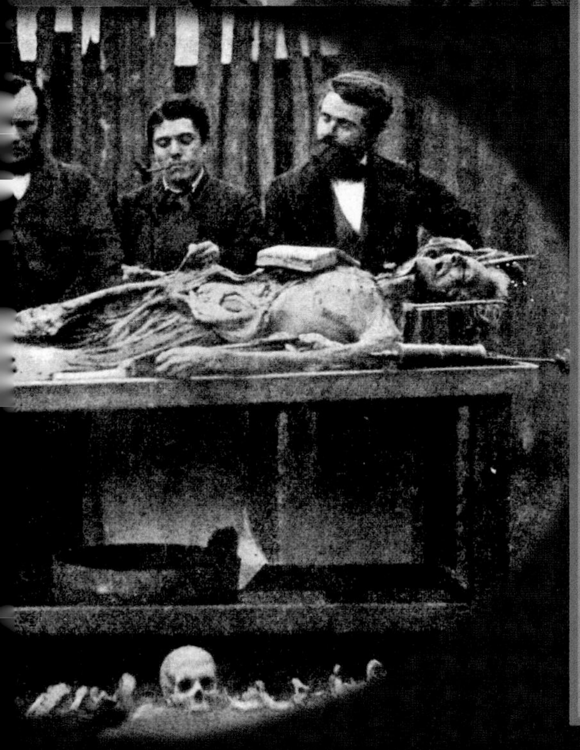

L'homme de Vitruve ou la divine proportion du corps

Platon, pour qui le corps humain est *la mesure de toute chose*, est le premier à démontrer que toutes les parties du corps sont reliées entre elles par un nombre magique, symbolique de l'harmonie universelle : *phi*, le nombre d'or. La valeur (1,618) et le calcul de ce dernier ne sont alors pas encore connus de façon exacte, mais déjà obtenus avec une grande précision à l'aide d'une construction géométrique. Au Iᵉʳ siècle av. J.-C., l'architecte romain Marcus Vitruvius s'en sert pour la réalisation de ses célèbres bâtiments. Avec le mathématicien italien Luca Pacioli, le nombre d'or devient le symbole de la perfection absolue : il est rebaptisé la divine proportion, du titre de son ouvrage *De divina proportione* (1509). En 1490, Léonard de Vinci, qui s'est largement intéressé à l'anatomie, réalise son universel *Homme de Vitruve*, le croquis anatomique le plus avancé de son temps. À la base, un carré dans lequel s'inscrivent une étoile puis un cercle ; au centre, l'homme aux bras et aux jambes en croix, l'ensemble répondant parfaitement aux proportions du nombre d'or. Ainsi, la taille de l'homme idéal divisée par la distance entre le sol et son nombril donne *phi*. De même, la taille du bras rapportée à celle de l'avant-bras, la distance entre la hanche et le sol rapportée à celle qui sépare le genou et le sol, la distance entre les phalanges des doigts, des orteils, la distance entre les vertèbres : encore le nombre d'or !

L'alcoolisme est héréditaire

L'alcoolisme a longtemps été considéré comme une tare héréditaire. Mais l'environnement et les facteurs psychologiques sont importants dans cette maladie face à laquelle, génétiquement, nous ne sommes pas égaux.

Quand Émile Zola affuble ses personnages d'une *longue hérédité de soûlerie*, ou parle de *générations d'ivrognes*, son propos n'est pas si éloigné du point de vue des alcoologues d'aujourd'hui. Car, comme eux, il met aussi en lumière la pression de l'environnement social et le rôle fondamental des facteurs psychologiques.

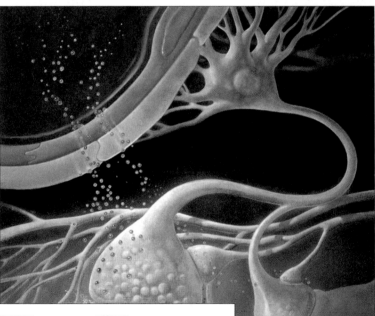

Aucun gène ne conditionne un destin d'alcoolique.

Cela dit, les scientifiques ont identifié ces dernières années plusieurs gènes impliqués dans la sensibilité aux effets toxiques de l'alcool. Certains gouvernent la production d'enzymes jouant un rôle dans la dégradation de l'alcool éthylique (éthanol). Ils existent sous différentes formes selon les ethnies, ce qui expliquerait les variabilités de sensibilité. En particulier, plus d'un Asiatique sur deux tolère mal l'alcool à cause d'une mutation affectant un enzyme nommé ALDH. Cela n'incite pas à l'excès ! D'autres gènes favorisent des complications comme les maladies du foie.

Les effets psychotropes de l'alcool (euphorie, action sédative, anxiété, dépendance…) sont liés à des interactions de l'éthanol avec les tissus cérébraux, qui perturbent l'activité de différents groupes de neurones. Sous l'effet de l'alcool, des mutations peuvent freiner ou amplifier la libération de messagers nerveux (neuropeptide Y, dopamine…) par ces neurones. Il peut y avoir également des changements dans la structure de ces mêmes messagers ou dans celle de leurs récepteurs à la surface des cellules nerveuses.

Ces différentes mutations expliquent notamment les variations individuelles de résistance aux effets sédatifs de l'alcool. Elles sont aussi à l'origine d'une propension plus ou moins importante à la dépendance. Cette dernière résulte de la stimulation d'un groupe de neurones au nom évocateur de « système de récompense ». Il est appelé ainsi, car son activation – normalement liée à la satisfaction de besoins comme la faim ou le désir sexuel – génère une sensation de plaisir. Le mécanisme est identique chez les toxicomanes. ■

▲ *Le mécanisme de dépendance est identique chez les alcooliques et les toxicomanes. Il est déclenché au niveau du cerveau par des perturbations de l'activité de différents groupes de neurones.*

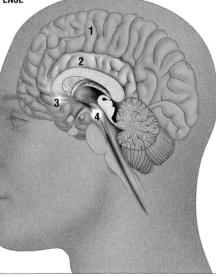

LE SYSTÈME DE RÉCOMPENSE

Le système de récompense fait partie du système limbique. Il comprend l'aire tegmentale ventrale, qui contient des neurones à dopamine, et le noyau accubens, où ces derniers se projettent.

1 Cerveau
2 Système limbique
3 Noyau accubens
4 Aire tegmentale ventrale

◄ *Aveugle précoce,
Ray Charles était un
musicien hors pair.*

Les **aveugles** ont une **ouïe** plus **développée** que les autres

**Pour compenser leur handicap,
les personnes non voyantes développent
d'autres capacités, notamment auditives.
Les mécanismes qui expliquent ce
phénomène diffèrent un peu entre aveugles
de naissance et aveugles tardifs.**

Oui, les aveugles entendent mieux ! C'est ce qu'affirme Franco Lepore, directeur du Centre de recherche en neuropsychologie et cognition de l'université de Montréal, dans une étude publiée en octobre 2004. La nouveauté tient dans le fait que cette étude quantifie et explique cette faculté ; elle tient compte, surtout, de l'âge auquel est survenue la cécité. Elle fait intervenir des aveugles précoces (de naissance ou atteints très tôt de cécité), des aveugles tardifs et enfin des personnes qui voient parfaitement. Tous les non-voyants, tardifs et précoces, se sont révélés capables de localiser la provenance d'un son et d'évaluer correctement la distance à laquelle il avait été émis dans un rayon supérieur à 3 m. Ce ne fut pas le cas des voyants, dont les résultats furent inférieurs.

Le cortex visuel s'active lorsque les aveugles précoces entendent un son : les zones du cerveau normalement consacrées au traitement des informations visuelles sont ici « réquisitionnées » à d'autres fins. En effet, dans les toutes premières années de la vie, le cerveau est capable de réorganiser ses connexions en fonction des besoins (c'est ce que l'on appelle la plasticité du cerveau). Chez les aveugles tardifs, en revanche, le cortex visuel reste quasiment inactif. Comment expliquer alors qu'eux aussi perçoivent les sons mieux que les voyants ? Tous les aveugles ont une autre particularité : ils sont plus attentifs. L'équipe du Dr Lepore a en effet observé une plus grande amplitude de l'onde P3, onde cérébrale émise en réponse à un stimulus et qui permet d'estimer le degré d'attention accordé à ce stimulus. Ainsi, le déficit de plasticité du cerveau est compensé par une vigilance renforcée à l'égard du monde extérieur et de ses divers bruits. ■

ET LES SOURDS, VOIENT-ILS MIEUX ?

Chez les personnes atteintes de surdité, on assiste au même phénomène que chez celles qui sont frappées de cécité, mais il est en quelque sorte inversé. Cette constatation a été faite par deux chercheurs, Helen Deville et Daphne Bavelier, dans les années 1990. En effet, chez les sourds, le cortex auditif participe au traitement de l'information visuelle : couleurs, formes, mouvements, etc. De fait, le cortex visuel « s'approprie » certaines régions du cortex auditif, et les neurones du premier acquièrent les caractéristiques fonctionnelles du second.
Conclusion similaire : la plasticité du cerveau permet à l'individu de s'adapter aux conditions environnementales, même si la fonction spécifique de chaque zone cérébrale est génétiquement déterminée. L'étude ne portait cependant que sur des sourds congénitaux.

Pour atténuer la douleur, il faut frotte

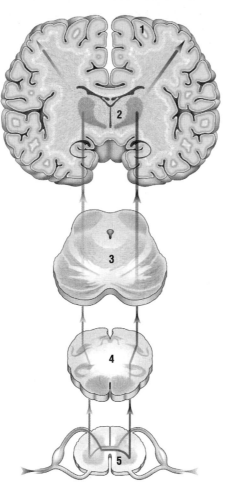

C'est une réaction instinctive et efficace, un peu comme si une nouvelle stimulation avait le pouvoir de nous distraire de la première douleur. Dès l'Antiquité, des traitements empiriques ont été fondés sur ce principe. On se fait mal pour éviter d'avoir mal…

Se frotter la peau, souffler sur une plaie, secouer la main après s'être coincé un doigt… Chacun peut l'expérimenter : ressentir simultanément une autre sensation permet d'apaiser la douleur. Dès la cinquième dynastie des pharaons d'Égypte, puis dans la Rome antique et jusqu'à la Renaissance, on a même eu recours aux poissons électriques dans ce but ! Une thérapie qui a trouvé sa justification en 1965, lorsque le Britannique Patrick Wall et le Canadien Ronald Melzack ont proposé une approche révolutionnaire des mécanismes neurologiques sous-jacents.

La douleur naît lorsque des terminaisons nerveuses spécialisées, localisées au niveau de la peau, des viscères, des muscles, des articulations, etc., sont activées par une agression (choc, torsion, pincement, brûlure, inflammation…). Le message douloureux est acheminé par des fibres nerveuses périphériques jusqu'à la moelle épinière, où il est relayé par d'autres neurones jusqu'au cerveau.

Un amputé perço

Les chirurgiens connaissent bien ces témoignages de personnes amputées qui perçoivent leur membre absent comme s'il était encore là. Bien que décrit pour la première fois au XVIe siècle par Ambroise Paré, ce phénomène n'est toujours pas totalement compris par les scientifiques.

à où ça fait mal

Wall et Melzack sont à l'origine de la « théorie de la porte » (*gate control*), selon laquelle il existe une compétition entre les sensations douloureuses et tactiles. Lorsque l'on frotte une zone douloureuse, on active d'autres fibres nerveuses plus grosses, qui rejoignent elles aussi la moelle épinière. À ce niveau, l'information tactile, qui est prioritaire, ferme la porte au message douloureux. D'autres processus neurobiologiques complexes sont susceptibles de filtrer ou d'amplifier le message douloureux au niveau de la moelle. Il est aussi interprété par le cerveau en liaison avec des informations cognitives et émotionnelles. La perception de la douleur est ainsi aussi variable que personnelle. ■

▲ *À Bali, lors de certaines danses rituelles, les hommes en arrivent à se mutiler. Le vécu de la douleur passe aussi par la culture…*

toujours le **membre absent**

La perception d'un membre fantôme – on le sent, bien qu'il ne soit plus là – semble quasiment universelle. Les amputés décrivent toute une gamme de sensations saisissantes de réalisme, et il leur est souvent répondu que *c'est dans la tête*. Selon des théories psychanalytiques, la perception d'un membre fantôme naîtrait d'un déni de l'amputation et du refus de « faire son deuil », comparable au refus de voir disparaître un être cher. Mais, bien que le traumatisme psychique lié à l'amputation puisse jouer un rôle, il est peu probable qu'il puisse donner naissance à une perception aussi précise. Une autre hypothèse assimile le membre fantôme à une sensation provoquée par des décharges nerveuses au niveau du moignon. Elle ne rend pas mieux compte du réalisme de l'expérience vécue par les amputés.

Plus probablement, cette sensation résulterait à la fois de l'excitation des fibres nerveuses sectionnées et de celle des régions du cerveau où s'élabore notre schéma corporel, le cerveau interprétant de façon erronée ces stimuli en fonction de sa programmation génétique, de l'expérience antérieure (mémoire des sensations) ou encore des émotions du sujet. ■

J'ai l'estomac dans les talons

Le rôle de cet organe est connu depuis l'Antiquité, mais jamais personne n'a eu l'idée de le situer dans les talons ! Plus simplement, cette expression transcrit la sensation de vide dans l'estomac quand on a grand-faim.

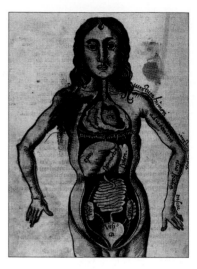

Dans son *Dictionnaire philosophique*, Voltaire notait déjà : *On dispute depuis Hippocrate sur la manière dont se fait la digestion ; les uns accordent à l'estomac des sucs digestifs, d'autres les lui refusent. Les chimistes font de l'estomac un laboratoire. Hecquet en fait un moulin.* Outre ce double rôle de brassage mécanique et de digestion par les sucs gastriques des aliments, qui sera explicité par la physiologie, l'estomac joue un rôle fondamental dans la sensation de faim. De là proviennent une série d'expressions mettant en cause cet organe. Qui n'a jamais eu un « petit creux à l'estomac » ? Ou n'a eu « l'estom' dans les gadins » (les souliers), pour employer une expression argotique proche d'« avoir l'estomac dans les talons » apparue dès la fin du XIXe siècle ?

Depuis, on a compris que les sensations de vide ou de plénitude de l'estomac sont liées à un message nerveux envoyé au cerveau en fonction de la distension gastrique.

Mais la faim se manifeste aussi lorsque les aliments du repas précédent finissent d'être digérés et que le glucose – qui fournit leur énergie aux cellules cérébrales – vient à manquer.

La satiété, elle, découle de la sensation de plénitude gastrique, mais aussi de l'élévation de la glycémie (le taux de sucre dans le sang) et de la baisse progressive du plaisir gustatif à mesure que l'on mange, l'hypothalamus, cerveau des émotions, freinant l'appétit. Les cellules graisseuses sécrètent également une hormone, la leptine, qui contribue elle aussi à freiner l'appétit quand on a fait le plein d'énergie. ■

Passage à l'heure d'été,

Il fut un temps où l'homme vivait au rythme des saisons. Il suivait ses rythmes biologiques et se fiait à la course du Soleil dans le ciel pour évaluer l'heure. Aujourd'hui, l'œil rivé sur sa montre, il se plaint à chaque passage à l'heure d'été ou à l'heure d'hiver.

L'alternance spontanée de veille et de sommeil comme le cycle menstruel de la femme sont des illustrations évidentes de nos rythmes biologiques internes. Depuis une trentaine d'années, la recherche a montré que l'organisme est soumis à des variations cycliques qui peuvent être annuelles (le système pileux se réveille en hiver, la saison des amours atteint son apogée en été) ou évoluer sur vingt-quatre heures – on parle alors de rythmes circadiens. Ces derniers influent sur de nombreuses variables biologiques. On note ainsi, tout au long de la journée, des modifications de la température corporelle, des rythmes respiratoire et cardiaque, des sécrétions d'hormones…

En 1972, des chercheurs américains, K. Stephan et R.Y. Moore, ont mis en évidence le rôle majeur joué par un noyau de cellules, logé dans l'hypothalamus, sur les rythmes biologiques. Il sera appelé noyau suprachiasmatique. Situé juste au-dessus du chiasma optique, point de convergence des nerfs optiques droit et gauche, il reçoit des informations sur la luminosité ambiante qui conditionnent son activité rythmique : la nuit, il envoie un message nerveux à la petite glande pinéale (ou épiphyse), située à proximité.

Jusque dans les années 1950, on a cru que cette petite glande était un vestige de l'évolution non fonctionnel chez l'homme. On a ensuite découvert qu'elle produisait en fait la mélatonine, une hormone qui commande l'extinction des feux, et la mise au repos de l'organisme. La sécrétion de mélatonine est subordonnée à la luminosité ambiante. Chez les vertébrés (mammifères, oiseaux, poissons amphibiens, reptiles), il semble qu'elle interviendrait dans certains processus physiologiques cycliques tels que le sommeil ou la reproduction ; dans le règne végétal, la mélatonine permet aussi la transmission d'informations sur l'alternance du jour et de la nuit.

L'appendice, ça ne sert à rien

Même si la sagesse populaire veut que « si c'est là, c'est que cela sert à quelque chose », le corps humain possède des organes qui ne servent absolument à rien… aujourd'hui !

Je vais me faire opérer de l'appendicite. En France, cette phrase concerne tous les ans plus de 140 000 personnes (8 000 au Québec). L'appendice est l'exemple type d'un organe devenu inutile : ce petit tube musculaire étroit qui prolonge le gros intestin permettait jadis de digérer la cellulose, lorsque les plantes constituaient l'alimentation principale. Il est devenu inutile, mais susceptible de s'infecter, d'où la nécessité parfois de l'enlever.

En revanche, selon une idée reçue tenace, les amygdales et les végétations seraient indispensables. Il est vrai que ces organes contribuent à la réponse immunitaire : placés de façon stratégique à l'entrée des voies respiratoires, ils peuvent développer des anticorps à l'encontre des microbes et des bactéries cherchant à s'y infiltrer. Cependant, ce rôle n'est vraiment actif que les trois premières années de la vie. Lorsqu'ils sont devenus inutiles, plus rien ne s'oppose à leur ablation.

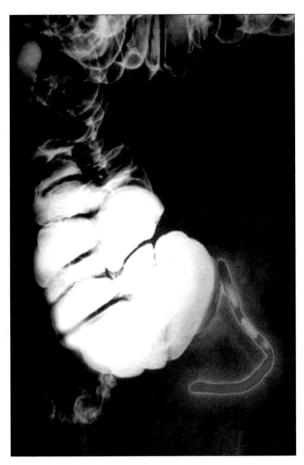

▲ *Prolongeant le gros intestin, l'appendice est un petit tube inutile plus ou moins long.*

Ces organes sont loin d'être les seuls à ne servir à rien : ainsi en est-il aussi maintenant des dents de sagesse, que l'on peut se faire enlever sans que cela nuise à notre mastication. Cette troisième rangée de molaires était juste destinée à permettre à nos ancêtres de mâcher correctement les plantes contenues dans leur alimentation.

Et le coccyx, à quoi sert-il ? Constitué de quatre à six vertèbres soudées, il n'est qu'un vestige évolutif d'une queue… disparue il y a des millions d'années. À l'époque, elle servait à maintenir l'équilibre et à communiquer.

Plus intimes : les muscles inconstants. Ils sont présents chez certains individus et pas chez d'autres. Le muscle plantaire grêle, par exemple, qui manque à une personne sur dix : il permet aux primates de saisir des objets avec leurs pieds. Le muscle petit palmaire, qui relie le coude au poignet, est très utile pour se suspendre et grimper. Quant au muscle sous-clavaire, il relie l'aisselle à la clavicule et est pratiquement indispensable… pour marcher à quatre pattes. ■

fatigue assurée

LE *JET LAG* DIMINUE LES PERFORMANCES

Parce qu'ils altèrent les rythmes circadiens, les vols intercontinentaux mettent l'organisme soumis au décalage horaire *(jet lag)* à rude épreuve. Les voyageurs se plaignent de troubles du sommeil les nuits qui suivent le vol, mais aussi de fatigue psychique, de troubles intestinaux et même, en ce qui concerne les femmes, de troubles du rythme menstruel. Différentes études ont montré que le *jet lag* s'accompagne d'une production excessive de cortisol, une hormone du stress. Il y a quelques années, ce phénomène a été relié à une baisse des performances cognitives, en particulier de la mémoire, qui affecterait notamment les employés des compagnies aériennes lorsque l'espacement entre les vols long-courriers est insuffisant.

L'étude de ce mécanisme mobilise de nombreux chercheurs.

Cependant, la luminosité solaire n'est pas seule à régir ces rythmes circadiens. Ils s'ajustent en fonction de facteurs sociaux, comme les horaires de travail. Tout changement demande alors à l'organisme un effort pour « remettre les pendules à l'heure ». C'est ce qui se produit lors du passage à l'heure d'été ou d'hiver, qui peut perturber les personnes sensibles. ■

On bâille parce qu'on est fatigué

Oubliez tout ce que vous pensez savoir sur le bâillement : il n'est pas synonyme de fatigue ou d'oxygénation du cerveau. En fait, il servirait à stimuler la vigilance de notre cerveau pour le préparer à un changement de régime.

Ce phénomène si banal qu'est le bâillement a bizarrement été peu étudié. Robert Provine, psychologue à l'université du Maryland, et Ronald Baenninger, psychologue à l'université Temple, font partie de ces rares chercheurs à s'y être intéressés de près. Leurs travaux montrent que bâiller ne revigore en aucune façon notre cerveau fatigué en l'oxygénant. En fait, il survient dans les situations où nous relâchons notre vigilance : à l'approche de l'endormissement ou au sortir du sommeil, quand la faim nous guette ou, au contraire, après un repas copieux, quand on s'ennuie ou que l'on accomplit des tâches répétitives, etc. Le bâillement aiderait donc à lutter contre la baisse de forme tout en se préparant à l'action. En effet, on observe que cette manifestation de notre organisme précède des phases d'activité. *Nous bâillons dans des situations où il n'y a rien pour nous stimuler mais où il serait préjudiciable de laisser retomber l'excitation*, explique Baenninger. Le bâillement sert à préparer le cerveau à une transition de mode de fonctionnement : repos/activité, faim/satiété, sommeil/éveil.

Mais pourquoi le fait de bâiller provoque-t-il une sensation de bien-être ? Les chercheurs n'ont pas de certitudes mais avancent quelques hypothèses. L'afflux supplémentaire de sang au cerveau qui accompagne le bâillement pourrait agir comme un remontant. D'autre part, le principal neurotransmetteur impliqué dans son déclenchement est la dopamine, hormone du plaisir. Un psychologue néerlandais estime même que le bâillement pourrait aussi être lié à une pulsion sexuelle… ∎

UN BON BÂILLEUR EN FAIT BÂILLER SEPT

Nous avons tous pu constater à quel point le bâillement pouvait être contagieux. Cet effet de mimétisme est spécifiquement humain. L'étude de la réplication du bâillement n'en est cependant qu'à ses débuts. Dans sa théorie, Provine considère le bâillement comme un outil de synchronisation de l'état de vigilance et d'activité d'un groupe social : une salve de bâillements agitant les membres d'un groupe pourrait donc être le signal qu'il est temps de se « secouer » et d'agir. En 2003, Steven Platek, de l'université Drexel, à Philadelphie, s'est lui aussi penché sur la question. Ses études ont montré que les individus sont d'autant plus sujets à la contagion qu'ils sont capables d'empathie. La réplication du bâillement sous-tend donc la capacité involontaire et inconsciente d'être en phase avec l'autre. Platek rejoint son collègue Provine dans l'interprétation qu'il fait de cette faculté : une sorte de communication implicite et instinctive au sein d'un groupe, destinée à synchroniser l'état de vigilance de ses membres.

J'ai des **fourmis** dans les **jambes**

Il suffit d'avoir des picotements dans les jambes pour immédiatement faire référence à ces insectes. Aujourd'hui, les progrès de la neurologie permettent de comprendre d'où vient cette étrange sensation d'avoir une colonie de petites bêtes qui grouillent sous la peau.

Qui s'est assis sur une fourmilière en garde sans doute une sensation assez désagréable. Rien à voir cependant avec les fourmillements. Cette sensation superficielle de picotement survient spontanément ou après compression d'un nerf ou d'un vaisseau sanguin. Elle concerne souvent les membres inférieurs, mais aussi les mains. Elle peut être transitoire et bénigne, due à une mauvaise posture qui comprime les veines et les artères, entravant la circulation sanguine : par exemple en position assise, jambes croisées, ou en travaillant les bras en l'air. L'irrigation des tissus est alors perturbée, et les nerfs sensitifs, chargés d'acheminer au cerveau les messages nerveux relatifs au toucher, à la pression, à la tempéra-ture, etc., sont privés d'oxygène. On s'engourdit. En changeant de position, on fait cesser la compression, la circulation et la pression sanguines se rétablissent, le sang oxygéné afflue, et les picotements apparaissent.

Depuis le XIXᵉ siècle, on sait que les fourmillements peuvent être des signes précurseurs d'affections neurologiques comme la maladie de Parkinson et le syndrome de Guillain-Barré. Ces sensations anormales et désagréables, ressenties au niveau de la peau, ont reçu le nom de paresthésies. Elles traduisent une atteinte des fibres nerveuses sensitives, dont les terminaisons sont situées dans le tissu cutané, à l'origine de messages nerveux erronés envoyés au cerveau. ∎

Quand **on éternue,** on n'est jamais aussi **près** de **la mort**

L'idée que l'âme profiterait de l'éternuement pour s'envoler vers d'autres cieux est fort ancienne. Il n'y a pourtant rien de mystérieux dans ce réflexe : ce n'est qu'une secousse aérienne qui balaie le mucus et nettoie les voies nasales.

À l'origine de cette drôle d'idée, on trouve une croyance religieuse. Dans un midrash (explication particulière du texte biblique) commentant un verset de la Genèse, il est dit que la mort survient brutalement, dans un éternuement. Le « souffle de vie » qui anime l'être humain s'échappe de la même façon qu'il a été introduit en lui : en un instant. Ce serait en souvenir de ce temps que l'on formule des souhaits de santé et de longévité à toute personne qui éternue.

Les Romains, quant à eux, disaient : *Dieu vous bénisse,* car l'éternuement était l'un des premiers symptômes de la peste qui faisait rage à cette époque.

De nos jours encore, certains Italiens croient que l'âme quitte le corps quand une personne éternue ; pour eux, dire *Dieu soit avec vous* assure qu'elle réintégrera le corps sans encombre.

Bien entendu, aucune de ces idées n'est fondée scientifiquement. Le réflexe de l'éternuement sert simplement à se débarrasser de particules excédentaires dans les voies aériennes nasales. Il est déclenché par leur irritation, due à ces particules ou à leur nature. C'est le cas lors d'un rhume ou en présence d'un corps étranger (poussière, pollen, etc.). Les muqueuses nasales réagissent alors en envoyant un message au cerveau, qui à son tour envoie des signaux aux muscles intervenant dans la respiration. Aussitôt, on prend une grande inspiration – près de 2,5 litres d'air –, on bloque sa respiration et on comprime sa cage thoracique. Lorsque la pression de l'air dans les poumons est suffisamment élevée, on expulse l'air ainsi que du mucus de façon brusque, par la bouche et le nez, afin de dégager les voies respiratoires. Et cela se produit à très grande vitesse : entre 150 et 200 km/h. ■

Ne vous faites pas de cheveux blancs

C'est d'autant plus inutile que la formule ne se fonde sur aucune réalité !

L'expression « se faire des cheveux blancs », née à la fin du XIXᵉ siècle, signifie qu'une personne s'inquiète tant que sa chevelure pourrait blanchir d'un coup. Or une frayeur ou un choc nerveux ne peuvent pas détruire la mélanine présente dans nos cheveux. Mais ils peuvent les faire tomber. Cette chute rapide touche en premier lieu les cheveux pigmentés. Les cheveux blancs sont alors davantage mis en évidence, sans pour autant être plus nombreux. C'est ce qui arriva à Marie-Antoinette lorsqu'elle apprit sa condamnation à mort, en 1793.

Quant à l'apparition des premiers cheveux blancs (la canitie), elle demeure, encore de nos jours, une énigme biologique. On sait que la couleur des cheveux, comme celle de la peau, est due à l'action de cellules spécialisées, les mélanocytes, qui produisent un pigment, la mélanine. Après fabrication, ce pigment est transféré dans des cellules voisines, les kératinocytes, qui ont pour fonction de construire la gaine du cheveu. Ces deux types de cellules pourraient être impliqués dans le blanchissement de notre chevelure. *Le phénomène pour-rait être induit par un arrêt de la synthèse de mélanine au niveau des mélanocytes, ou par un mauvais dialogue entre les mélanocytes et les kératinocytes,* explique Olivier de Lacharrière, dermatologue et chercheur chez L'Oréal, où ces deux hypothèses sont à l'étude.

D'autres facteurs ont été évoqués, tels que l'environnement, la génétique, le mode de vie, voire l'alimentation. Une chose est sûre : l'avancement en âge favorise le développement des cheveux blancs. Statistiquement, ils font leur apparition entre 34 et 42 ans, avec des variantes. Chez 1 à 3 % de la population, ils sont même visibles avant l'âge de 25 ans. Les « responsables » seraient alors les facteurs familiaux.

Le chercheur Stéphane Commo, des mêmes laboratoires, a montré que, si les cheveux blanchissent très tôt chez certains, c'est sans doute parce qu'ils manquent d'un enzyme, la TRP2, normalement présente dans les mélanocytes du bulbe pileux. Lorsque le gène de la TRP2 est silencieux, la production de mélanine est limitée dans le temps. À l'inverse, en présence de TRP2, la coloration perdure. ∎

LES CHEVEUX ET LES ONGLES CONTINUENT DE POUSSER DANS LA TOMBE

Ce phénomène est souvent relaté, mais il relève du domaine de la légende. Car lorsqu'une personne décède, ses tissus, par manque d'oxygène, arrêtent de fonctionner. C'est particulièrement le cas pour le follicule pileux, qui est très dynamique au niveau métabolique tout au long de la vie. Il est donc plus sensible aux changements des paramètres biologiques (apport en oxygène, en éléments nutritifs…).

Toutefois, après la mort, les tissus mous, dont la peau fait partie, vont se dessécher par perte d'eau, et par conséquent se rétracter. Les cheveux, les poils et les ongles émergent ainsi un peu de l'épiderme, donnant l'impression qu'ils ont poussé. Cette pousse artificielle est peu visible. Elles est un peu plus évidente chez un homme rasé de près avant sa mort, qui présentera une légère barbe.

J'en ai le

Le cheveu et le poil seraient les fils de l'âme. Face à la peur ou au froid, ils trahissent nos émotions. Décryptage.

Ce n'est pas seulement une expression : nos poils et nos cheveux se dressent bien sur la peau. Cela traduit les réactions physiologiques de notre corps qui accompagnent les émotions. Une frayeur soudaine, un froid glacial, rien de tel pour que les poils se mettent au garde-à-vous.

Les femmes
ne sont jamais chauves

Même si certaines femmes portent les cheveux très court, une belle chevelure reste un symbole de féminité. Pourtant, la calvitie les touche autant que les hommes, mais pas de la même façon.

Près de la moitié des femmes présentent un certain degré de calvitie à la ménopause. Mais elles perdent leurs cheveux de manière différente de leurs homologues masculins : peu de tonsures, pas de plaques chauves, plutôt une chevelure moins garnie.

Les mécanismes qui aboutissent à cette chute sont variés. Chez certaines, le cycle de renouvellement du follicule pileux s'épuise avec l'âge. Chez d'autres, c'est une baisse des réserves de fer qui est en cause. Mais il peut aussi s'agir d'un problème hormonal, dû à un dysfonctionnement de la thyroïde ou à une prédisposition génétique. Dans ce cas, comme chez l'homme, les hormones sexuelles mâles (dites androgènes), produites par les ovaires et les glandes surrénales, stimulent de façon excessive le cycle de croissance du cheveu – il s'étale au maximum sur six ans chez la femme et sur quatre ans chez l'homme. Le cheveu, disposant d'un nombre déterminé de cycles – environ vingt-cinq dans une vie –, devient de plus en plus fin, se transforme en duvet, puis disparaît. Les hormones sexuelles femelles (œstrogènes) peuvent contrer cet effet. Mais, à la puberté, après un accouchement ou encore à la ménopause, le taux d'œstrogènes peut baisser. Dans ce cas, en l'absence de traitement, une chute supérieure à cent cheveux par jour peut s'installer… durablement. ■

poil qui se hérisse

Les poils et les cheveux sont contenus dans un petit sac, le follicule pileux. Celui-ci dispose d'un petit muscle, dit horripilateur, qui est stimulé sous l'effet du froid. En se contractant, il redresse les poils jusqu'à ce qu'ils soient droits. Poils et cheveux agissent alors comme un isolant, en maintenant près de la peau une fine couche d'air chaud capable de protéger le corps.

Par ailleurs, le muscle horripilateur gonfle le follicule pileux, formant de petites bosses sous la peau : c'est la chair de poule. Les contractions de ces muscles, ou frissons, accompagnant cet effet dégagent de la chaleur qui réchauffe la peau. Ce mécanisme efficace permet à l'homme de conserver une température corporelle aux alentours de 37 °C.

Sous l'effet de la peur, le corps agit de la même manière avec les cheveux. Cette réaction est un reliquat archaïque de l'attitude de nos ancêtres, qui gonflaient leur fourrure et exagéraient leur corpulence pour mieux impressionner l'adversaire. Un comportement que l'on retrouve chez des animaux comme le chat. Et lorsque l'on sait que l'homme possède 4 millions de poils, il y a vraiment de quoi avoir peur ! ■

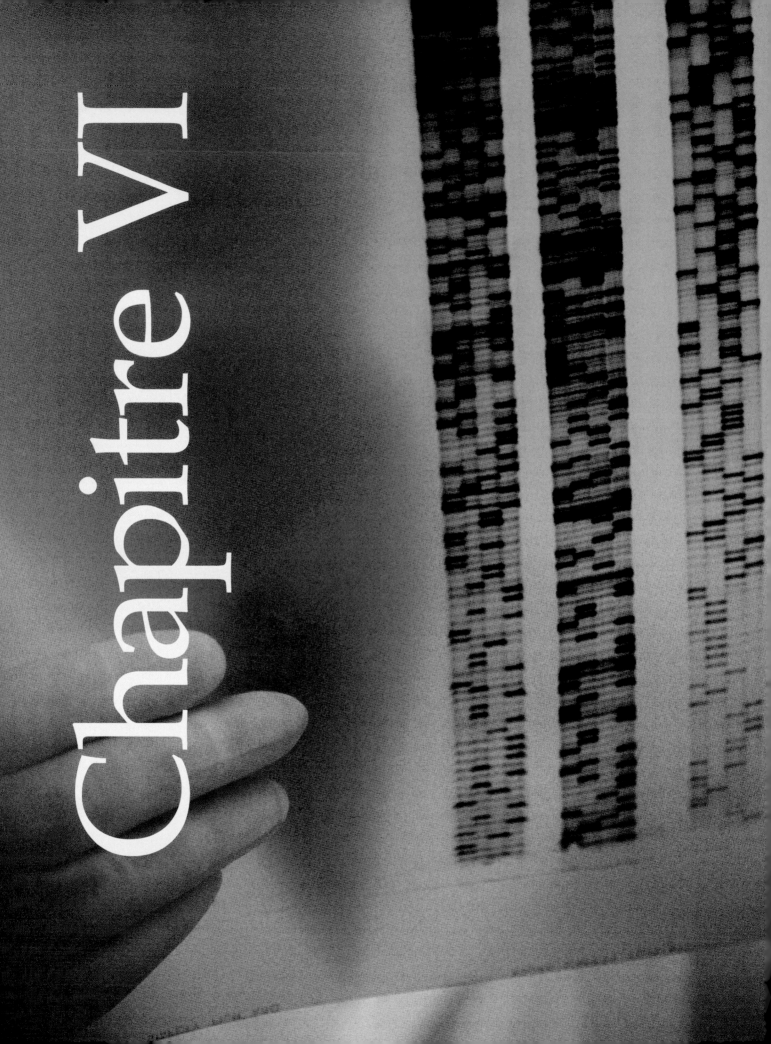

Chapitre VI

Quoi de neuf, docteur ?

Là où entre le soleil, le médecin n'entre pas

Certes, le soleil a des vertus antibiotiques, il aide à lutter contre le rachitisme et nous réchauffe le cœur… Mais mieux vaut en profiter avec modération : il n'est peut-être pas un ami pour la vie.

Laissez entrer le soleil ! Si ses dangers sont aujourd'hui connus (voir encadré), ses vertus sont indéniables. Non seulement il apporte chaleur et lumière, mais il permet aussi, grâce à ses rayons ultraviolets, de synthétiser la vitamine D au niveau de la peau. Cette vitamine intervient dans l'absorption du phosphore et du calcium, indispensable à la formation des os. Lorsqu'un enfant n'est pas suffisamment exposé aux rayons du soleil ou que ses apports en vitamine D sont insuffisants, il développe un rachitisme ; cette maladie, qui apparaît durant la période de croissance, se manifeste par des déformations variables du squelette. On peut l'éviter en donnant plus de vitamine D aux enfants vivant dans les pays faiblement ensoleillés en hiver. Chez l'adulte, la carence en vitamine D ou le manque d'exposition au soleil conduisent à une autre maladie des os, l'ostéomalacie.

Le soleil est également bon pour le moral. Ses radiations ont un effet sur la production d'une hormone régulatrice de l'humeur, la sérotonine. D'ailleurs, certaines dépressions, dites saisonnières parce qu'elles apparaissent quand les journées raccourcissent, sont liées à un manque d'ensoleillement. Un des moyens de les traiter consiste à pratiquer des séances de luminothérapie : la lumière naturelle est alors remplacée par la lumière artificielle, produite par des lampes spéciales.

Les ultraviolets contribuent encore à la destruction de germes pathogènes tels les virus enveloppés (virus grippaux), les moisissures, les acariens et certaines bactéries… Le soleil favorise aussi la guérison de certaines affections cutanées comme les allergies, l'eczéma ou le psoriasis, et aide à mieux cicatriser. ∎

UN ASTRE VITAL MAIS… DANGEREUX !

Chaque année, 100 000 nouveaux cas de cancer de la peau sont dépistés en France (78 000 au Canada), dont 85 % sont liés à une exposition excessive au soleil. Le mélanome malin, le plus grave des cancers de la peau, est aussi celui qui progresse le plus vite. Si un diagnostic précoce permet généralement de le soigner, il tue encore 1 000 personnes par an. Il est provoqué par les ultraviolets (UV) du soleil. Le rayonnement solaire est à l'origine de la lumière visible, de la chaleur mais aussi des UV A, B et C. Les UVC, mortels, sont heureusement retenus par la couche d'ozone. Les UVB sont responsables des coups de soleil ; ils représentent 2 % des ultraviolets et sont en majorité absorbés par notre peau. En revanche, les UVA, qui constituent 98 % des ultraviolets, sont plus insidieux. Du fait de leur grande longueur d'onde, ils sont peu énergétiques, donc ne chauffent pas, mais pénètrent profondément l'épiderme pour atteindre le derme. Qu'ils soient de type A ou B, les UV peuvent avoir des effets néfastes sur notre corps. Ils transforment les molécules d'oxygène en radicaux libres, des éléments chimiques très réactifs qui détériorent les protéines, les glucides et les lipides. Conséquence : la limitation de la production de collagène, protéine fibreuse de la peau. Notre derme vieillit alors précocement. Pour contrer ces effets, la peau fabrique de la mélanine, un pigment naturel dont la synthèse est à l'origine du bronzage. Mais la quantité de mélanine et sa qualité diffèrent d'un individu à l'autre. Les personnes les plus vulnérables sont celles à peau claire, plus particulièrement les roux, et les enfants, dix à vingt fois plus sensibles au soleil que les adultes. De plus, la couche protectrice formée grâce à la mélanine s'amenuise avec le temps, et selon le nombre et la durée des expositions. La surexposition aux UV peut également diminuer les défenses immunitaires. Pour éviter tous ces désagréments, rien de plus simple : se protéger (chapeau, parasol, crème solaire) et s'exposer progressivement. Les radiations peuvent aussi irriter la cornée, provoquer une cataracte, voire conduire à la cécité. Heureusement, une bonne paire de lunettes de soleil suffit à nous protéger !

Transpirer pou

La bonne suée préconisée par nos grands-mères est très utile pour chasser les toxines et autres bactéries… Elle est surtout indispensable pour conserver la température idéale !

Notre corps a besoin de carburant pour se dépenser. Et pour l'obtenir, il transforme les nutriments de ses cellules en énergie et en chaleur. Or la température corporelle ne doit normalement pas dépasser la limite des 37,2 °C. D'où la transpiration, véritable système de thermorégulation : l'eau contenue dans les glandes sudoripares s'évapore par l'intermédiaire des pores de la peau. Au passage sont éliminés nombre de déchets de l'activité cellu-

Rire, c'est bon pour la santé

« Faut rigoler… » Quelques bons éclats de rire quotidiens permettraient de chasser le stress, de se sentir mieux dans sa peau et même de prévenir les affections cardio-vasculaires… Pour garder la forme, riez de bon cœur !

◀ *Les premiers clubs du rire ont vu le jour à Bombay : on y pratique le yoga du rire… pour vivre mieux.*

Vous ne prenez pas les boute-en-train au sérieux ? Vous avez tort. Car l'humour peut améliorer la confiance en soi et, par ricochet, la réussite. Le psychologue David Rosen, de l'université du Texas, a comparé lors d'une étude l'état d'esprit de plusieurs jeunes femmes. Certaines venaient de voir un film comique, les autres non. Bilan : les premières se sont montrées plus confiantes dans leur propre capacité à gérer des situations stressantes. Le rire serait ainsi une réponse biologique permettant d'évacuer la pression. À l'inverse, Rosen s'est aperçu que les individus exposés à des situations extrêmement stressantes avaient une capacité moindre à être drôles, à comprendre ou apprécier les plaisanteries, ou à soutenir une conversation humoristique.

L'étude menée par le Dr Michael Miller, de l'université de Baltimore, a permis de mettre en évidence le lien entre l'absence d'humour et les problèmes cardiaques. Sur les 300 individus testés, la moitié présentaient des problèmes cardio-vasculaires… Et ceux-là avaient justement du mal à rire de situations de la vie courante.

Les personnes qui ont du mal à se dérider pourront s'inscrire dans un club du rire. Ces drôles de groupes réunissent des aspirants rieurs autour d'un animateur pour une séance de yoga du rire. Amusant, non ? ∎

liminer

laire et de toxines. Une fois sur la peau, la sueur continue d'exercer des effets bénéfiques. En 2001, des chercheurs allemands ont ainsi découvert qu'elle recèle des antibiotiques, notamment un produit baptisé dermicine qui s'attaquerait à certains organismes unicellulaires au nom évocateur, comme le staphylocoque doré : cette bactérie vit normalement sur la peau, mais peut l'infecter en cas de lésion. En empêchant la transpiration ou en se lavant trop souvent, on risque donc de supprimer cette protection naturelle.

La transpiration excessive constitue néanmoins un vrai problème. Non seulement elle est gênante, mais elle peut aussi entraîner des mycoses ou des infections. Dans ces cas, les déodorants pourront masquer les odeurs dues non pas à la sueur mais à une forte activité bactérienne… et les antitranspirants resserreront les pores de la peau, réduisant par là même l'excès de transpiration. ∎

LA PURIFICATION PAR LE HAMMAM

Les hammams sont nés en Orient il y a plus de mille ans. Tout comme les bains publics des Grecs et les thermes des Romains, on leur attribue des vertus thérapeutiques. Dans un pays marqué par l'islam, le hammam a pour rôle de purifier le corps de celui qui se présente ensuite à la mosquée. Bain de vapeur humide – par opposition au sauna, qui est un bain de vapeur sèche –, le hammam calme tensions musculaires et courbatures par la chaleur, tout en favorisant l'élimination des toxines et autres impuretés de la peau par la transpiration, l'évacuation des cellules mortes de la peau ramollie par la chaleur et l'humidité ; un gommage au gant de crin en fin de séance enlève ces cellules mortes. Des essences d'eucalyptus ou de pin – qui apaisent et décongestionnent les bronches – sont souvent ajoutées à la vapeur d'eau chauffée à 50 °C. Une douche tiède à froide et un massage à base d'huiles essentielles contribuent enfin à tonifier et raffermir la peau.

Après manger, repose-toi !

Tout le monde connaît ce léger coup de barre du début d'après-midi. Rien de plus normal : digérer, c'est assez fatigant... Et, de toute façon, l'organisme connaît une baisse de régime en milieu de journée. Une petite sieste réparatrice et il n'y paraîtra plus !

Une belle journée ensoleillée, un bon repas, un verre de vin... On ne s'endort pas, il faut retourner travailler !

La somnolence qui vous guette à ce moment de la journée est due à plusieurs raisons. Tout d'abord, la digestion. De nombreuses substances digestives sont sécrétées dans l'estomac et l'intestin. Pour que les aliments progressent ensuite dans le tube digestif, ces deux organes doivent fournir un travail musculaire important. Enfin, les aliments doivent être assimilés et les nutriments stockés. Au total, la digestion des repas représente environ 10 % de la dépense énergétique journa-lière ! D'où le sentiment de fatigue que l'on ressent après déjeuner... Et un verre d'alcool ne fera que l'accentuer.

Mais ce n'est pas tout. Cette torpeur de la mi-journée est une fatigue biologique fondamentale, universelle en somme. En effet, notre organisme est soumis à un cycle formé d'une succession de phases d'activité et de repos, identiques pour tous les individus. Entre 11 h et 14 h, la vigilance est à son minimum. La température du corps diminue, la fréquence respiratoire et cardiaque baisse. Les performances physiques et intellectuelles sont sensiblement amoindries.

Alors, une petite sieste ? Avec plaisir ! *La sieste est une nécessité physiologique. Elle répond à un besoin de l'organisme de faire une pause à la mi-journée,* affirme Damien Léger, directeur du centre du sommeil de l'Hôtel-Dieu. Ses bienfaits ? Une bonne récupération musculaire, une réduction du taux de cortisol (l'hormone du stress), une amélioration de la vigilance ainsi que des performances intellectuelles.

Des chercheurs de l'université de Harvard ont montré que la sieste de la mi-journée « rafraîchit » le cerveau et lui fait retrouver ses capacités optimales du début de journée. Dans le cadre de cette étude, parue en juillet 2002 dans la revue *Nature Neuroscience*, un groupe de personnes a été soumis à une batterie de tests visuels très éprouvants. À mesure que la journée avançait, le pourcentage de bonnes réponses chutait. En revanche, les candidats ayant fait une sieste d'une demi-heure à la mi-journée ont vu leur pourcentage de bonnes réponses se stabiliser. Quant à ceux qui avaient bénéficié d'une heure pour se reposer, leurs performances ont augmenté pour retrouver le niveau du début de journée. Les scientifiques supposent que cette saturation des capacités est un mécanisme de protection du cerveau, destiné à préserver les informations déjà traitées mais pas encore enregistrées dans la mémoire par l'effet du sommeil. La sieste de la mi-journée, même courte, permet ainsi de fixer les nouvelles connaissances et de « remettre les compteurs à zéro ».

Mais attention : une sieste bénéfique ne doit pas excéder une heure, sous peine de dérégler les rythmes naturels de veille et de sommeil. Fermez les paupières... et dormez un peu, je le veux ! ■

Lave-toi les main

Sans devenir des obsédés de la chasse aux microbes, il est indispensable d'adopter quelques règles d'hygiène. La plus élémentaire : se nettoyer les mains.

Il y a environ un siècle et demi, Pasteur nous révélait un monde insoupçonné : celui des microbes. Depuis, nous savons tous que notre environnement grouille de ces petites bêtes que nous ne voyons pas : les bactéries et les virus.

Nos mains, qui touchent à tout et se baladent partout, sont en première ligne pour transmettre les germes à notre organisme. Le seule parade pour éviter une éventuelle contamination est de les laver avant de passer à table, chaque fois que l'on cuisine (en particulier si l'on manipule de la viande

Il faut bien faire cuire le porc

Veille sanitaire oblige, les risques liés à la consommation de la viande de porc sont devenus rares. Mais cette recommandation fort ancienne garde encore quelques raisons d'être...

Toxoplasma gondii, Taenia solium, Trichinella spiralis : ces parasites aux noms charmants ont la fâcheuse habitude de transiter dans la viande, notamment celle de porc. Heureusement, ils ont pratiquement disparu des élevages industriels, mais le danger subsiste dès lors que l'animal est en contact avec la faune sauvage. Certains parasites apparaissent ainsi dans tous les pays européens. Le plus redoutable est *Alaria alata*, un petit ver plat, isolé chez des sangliers « pêcheurs » en France, à la fin 2003, dans une zone lacustre. Il perfore les organes de son hôte « atypique » – en l'occurrence l'homme – et peut entraîner la mort par surinfection bactérienne ou destruction massive de tissus. Le ténia donne le ver solitaire ; la trichine, qui cause une très forte fièvre accompagnée d'un œdème de la face et de douleurs musculaires, est parfois mortelle ; quant au toxoplasme, il est surtout dangereux pour les femmes enceintes non immunisées et peut être à l'origine de fausses couches ou de malformations du bébé.

Les autres risques liés à la consommation de viande de porc sont bactériens, avec les salmonelloses et les campylobactérioses, qui provoquent des diarrhées aiguës avec fièvre. Il existe alors un risque important de déshydratation chez les personnes fragiles.

Pourtant, il est facile de s'en prémunir : il suffit de cuire à cœur la viande – soit au moins trois minutes à 65 °C –, surtout si elle est hachée (farces, saucisses, etc.) ou mixée, ce qui accentue la contamination. Autre précaution de bon sens : le lavage des mains et du matériel (planches, si possible en marbre, plats, couteaux...) après avoir manipulé la viande crue. Et surtout, tout nettoyer entre la préparation de légumes crus et celle de la viande. ■

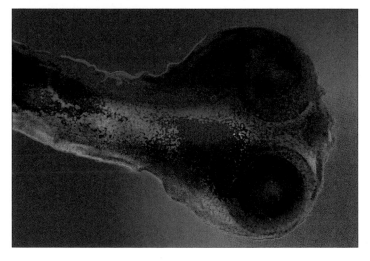

◀ *Plus connu sous le nom de ver solitaire, le ténia est un parasite qui entraîne des troubles intestinaux.*

...vant de manger !

crue ou du poisson) ou en sortant des toilettes. Car l'ingestion de ces microbes qui nous collent à la peau peut provoquer de nombreux troubles digestifs : intoxications alimentaires, infections gastro-intestinales, diarrhées, vomissements, etc. À l'origine de ces troubles, des bactéries comme le staphylocoque ou la salmonelle pour les plus courantes ; ou des virus digestifs et entériques, les norovirus, les rotarovirus ou les entérovirus.

Et pas question de se contenter d'un passage rapide sous l'eau du robinet. Pour bien se laver les mains, il faut utiliser de l'eau tiède et du savon, idéalement un antibactérien, puis frotter vigoureusement pendant quelques secondes, et enfin se sécher à l'aide d'une serviette jetable ou d'un séchoir. Cette mesure d'hygiène élémentaire doit être inculquée aux enfants dès leur plus jeune âge.

Mais, attention, cela ne doit pas virer à l'obsession ! Tous les germes ne sont pas nuisibles, au contraire. Des microbes sont nécessaires à la flore naturelle de la peau, d'autres à la digestion et certaines bactéries ont pour fonction de synthétiser des vitamines ! ■

Le dentifrice nettoie et protège les dents

Au paléolithique, les hommes avaient des dents en parfaite santé. Ils ne connaissaient pourtant ni la brosse, ni le dentifrice. Aujourd'hui, pour garder un sourire éclatant, le brossage des quenottes est obligatoire. Avec ou sans dentifrice ?

Liquide, pâte ou gel, à rayures, en tube ou en flacon pompe, n'en déplaise aux services marketing des industriels, cela ne change rien : le dentifrice ne sert pas à grand-chose ! Même les dentistes le disent. L'important est de bien se brosser les dents : c'est le seul moyen de provoquer l'abrasion de la plaque et d'éviter l'apparition de ces redoutables caries qui gâtent notre denture.

La plaque dentaire résulte en effet de la concentration des bactéries présentes dans la gorge et la bouche. Cette petite couche, un tantinet visqueuse, qui vient se déposer sur et entre les dents est responsable des caries, du tartre, du déchaussement et de la chute des dents. Les bactéries qu'elle contient transforment le sucre des aliments en acide lactique, agressif pour l'émail dentaire, ce qui favorise la formation des caries… et le passage chez le dentiste.

Pour éliminer cette dangereuse plaque, des études affirment qu'il suffit de se brosser les dents quotidiennement avec une brosse et un peu d'eau, pendant assez longtemps. Peu importe même le nombre de fois si la durée totale est d'au moins trois minutes par jour. En revanche, le brossage est plus efficace lorsqu'il est effectué à l'eau chaude.

Le dentifrice peut faciliter la destruction de la plaque grâce aux détergents et abrasifs qu'il contient. Mais il agresse également les dents plus que nécessaire : le détergent risque d'irriter la gencive, les agents abrasifs d'endommager l'émail et l'ivoire. Quant au fluor, l'eau et l'alimentation en apporteraient suffisamment pour que l'on puisse s'en passer dans le dentifrice. D'ailleurs, si les doses sont trop importantes, il provoque des taches blanches sur les dents et peut intoxiquer les

enfants, qui ont tendance à avaler le dentifrice. L'excès de fluor entraînerait également des troubles nerveux. Les cas d'intoxication au fluor (fluorose) sont d'ailleurs en hausse.

Le choix d'un dentifrice est surtout question de goût – le vôtre et celui de votre entourage –, son principal intérêt étant en effet de rafraîchir l'haleine ! ∎

PETITE HISTOIRE DU BROSSAGE DES DENTS

Si les premiers hommes ne se brossaient pas les dents, c'est parce qu'ils ne semblaient pas en avoir besoin : ce n'est en effet qu'au néolithique, époque à laquelle les céréales sont entrées en quantité importante dans leur alimentation, qu'ils ont commencé à avoir des caries. Les squelettes retrouvés par les paléoanthropologues semblent, en tout cas, l'attester. Mais depuis quand nous brossons-nous les dents ? Là encore, la réponse est donnée par les archéologues : de petites branches d'arbre au bout effiloché en fibres souples ont été retrouvées dans des tombeaux datant de plus de 3 000 ans av. J.-C. Cela témoigne que les Égyptiens savaient déjà probablement se brosser les dents. Pourtant, la première brosse à dents est inventée par les Chinois, dès le XVe siècle. Mais les poils en sont si durs (ils viennent de sangliers sibériens) que les Occidentaux ne l'adopteront qu'à la fin du XVIIIe siècle… Il faudra en fait attendre l'invention du Nylon, en 1937, pour pouvoir utiliser des brosses à poils plus souples, donc plus agréables !

Trente minutes d'activité physique

S'épuiser à l'effort des heures durant, c'est parfait pour… se décourager et regagner son canapé ! Une demi-heure chaque jour est largement suffisante pour rester en bonne santé. À vos baskets !

Le sport, c'est bon pour la santé. Combien de fois avons-nous entendu cette devise, chez le médecin, à l'école ou encore dans la bouche de nos parents ? Même le gouvernement s'est mis à vanter les bienfaits du sport et, plus précisément, des « trente minutes d'activité physique par jour ». L'intérêt ? Lutter contre la sédentarité, qui serait responsable d'une bonne partie des maux modernes.

Les petites bêtes
ne mangent pas les grosses

Les acariens se sentent si bien chez nous qu'ils s'y développent à la vitesse grand V. Les armes secrètes pour débusquer ces envahisseurs ? Le grand air et la propreté…

Plusieurs millions d'acariens pullulent dans nos habitations. Discrets, ils ne sont pas dérangeants… pour de nombreuses personnes, mais près de 6 millions de Français sont victimes de ces minuscules arachnides : troubles digestifs, eczéma – surtout chez les nourrissons –, allergies diverses et variées qui se caractérisent par des rhinites et des éternuements matinaux, voire de l'asthme.

Extrêmement prolifiques, ils s'accouplent deux fois dans leur vie et les femelles pondent entre vingt et quarante œufs, qui deviennent adultes en vingt-cinq jours. Ils adorent s'installer dans les lieux humides et chauds, la literie, la moquette, les tapis, les fauteuils, les tentures, les rideaux… En cas d'antécédents familiaux d'allergies, il est donc préférable de limiter, si possible, ces éléments, et même de les proscrire, notamment en ce qui concerne la moquette et les tapis.

Heureusement, il est assez facile de les combattre car le pire ennemi des acariens, c'est le grand air : aérer régulièrement la literie et le reste du linge de maison où ils sont cachés est un bon moyen de s'en débarrasser. Passer l'aspirateur permet aussi de les éliminer. Un aspirateur de forte puissance, avec un sac double épaisseur, est préférable ; un appareil de moins bonne qualité pourrait remettre en suspension une grande partie des poussières, où prolifèrent les bestioles. Autres mesures pour les déloger : maintenir une température comprise entre 18 et 20 °C, équiper sa literie de housses de protection antiacariens et préférer les couettes synthétiques facilement lavables aux gros édredons en plumes. Dans les lits des enfants, il faut limiter le nombre des peluches, et les laver périodiquement. Par ailleurs, des armoires fermées forment de meilleurs remparts que les étagères.

Pour éliminer les plus coriaces, il existe des produits : attention, car certains sont toxiques. Privilégiez les substances naturelles, moins polluantes et aussi efficaces. Les pharmacies proposent des antiacariens fabriqués à partir d'huile de coprah : ils suppriment non seulement les parasites mais aussi leurs œufs, larves, ainsi que leurs déjections, également allergisantes. Mais, quelle que soit la méthode utilisée, le répit est de courte durée car les acariens récidivent vite ! ■

▲ *Petit cousin de l'araignée, l'acarien apprécie les milieux confinés comme les matelas.*

ça suffit pour faire tourner la machine !

Une vaste enquête épidémiologique danoise aurait ainsi observé une diminution de 63 % des risques de décès prématuré chez les joggeurs réguliers. Les mécanismes par lesquels la course fait baisser la mortalité sont nombreux. En premier lieu, l'activité physique augmente la masse musculaire. Or qui dit plus de muscle dit besoin de plus d'énergie pour alimenter son corps. Conséquence immédiate : la dépense énergétique au repos,

c'est-à-dire la quantité de calories dépensées pour le fonctionnement a minima du corps, est augmentée. Et donc moins de calories stockées sous forme de graisse puisqu'elles partent en chaleur dans les muscles. Grâce à ce mécanisme, l'exercice évite le surpoids et combat l'obésité, qui touche au moins 50 millions d'adultes aujourd'hui dans le monde.

D'autre part, une demi-heure d'activité physique par jour permettrait d'éviter les

accidents cardio-vasculaires en dilatant les artères et en abaissant le rythme cardiaque. Cela diminuerait aussi les risques de cancer, notamment du côlon et du sein, ainsi que les risques de diabète de type II. Certaines études ont également montré un effet positif sur la maladie d'Alzheimer.

Enfin, trente minutes d'exercice contribueraient à notre bonne santé mentale. Bref, autant de bonnes raisons pour se mettre au sport ! ■

Ce qui ne tue pas rend

Ce qui est vrai pour l'esprit l'est aussi pour le corps : un microbe qui n'a pas raison de vous une première fois vous protégera à la seconde agression.

Selon la légende, Mithridate le Grand, qui vécut au Ier siècle av. J.-C., s'injectait régulièrement du poison, à des doses d'abord infimes puis de plus en plus importantes, afin de s'accoutumer à cette substance. L'objectif ? Se prémunir contre un éventuel empoisonnement par ses ennemis. D'instinct, il avait compris comment l'organisme orchestre sa propre protection.

Notre corps possède un système de défense très perfectionné : près de 2 % des 60 000 milliards de nos cellules contituent le système immunitaire. Pour lutter contre les agressions dues aux microbes (virus, bactéries ou parasites), l'organisme fait appel à deux types de défense : l'immunité humorale et l'immunité cellulaire.

L'immunité humorale a pour cible les éléments qui provoquent les maladies (éléments pathogènes) et qui circulent librement dans le sang et la lymphe. Elle fait intervenir un certain type de globules blancs, en particulier les lymphocytes B, capables de reconnaître les éléments parasites (les antigènes) et de s'y fixer. Les lymphocytes ainsi activés prolifèrent et se différencient en plasmocytes. Ces cellules sécrètent alors une grande quantité d'anticorps, les protéines chargées de neutraliser les antigènes. Chaque lymphocyte est destiné à ne se lier qu'à un seul antigène qui lui est spécifique. Mais plus de 100 milliards d'anticorps différents peuvent être produits pour résister à une multitude d'antigènes.

La seconde immunité, dite cellulaire, vise à combattre les agents pathogènes déjà introduits dans la cellule. Ce système repose lui aussi sur l'action de certains globules blancs, notamment les macrophages et les lymphocytes T. Les macrophages absorbent les antigènes, les dégradant partiellement ; puis ils en présentent des portions à leur surface, ce qui permet aux lymphocytes T spécifiques à l'antigène présenté de se lier aux macrophages. Cette alliance déclenche des réactions qui aboutissent à la libération de différents messagers dédiés au système immunitaire (les cytokines). Ces protéines activent à leur tour les lymphocytes T capables de détruire les cellules infectées (cytotoxiques).

Parmi les lymphocytes B et T existe une population particulière : les lymphocytes mémoire. Après une première infection, ils conservent en mémoire l'information antigénique. Telles des sentinelles, ils patrouillent dans le sang et divers organes. Ces lymphocytes mémoire ne produisent pas d'anticorps et peu de cytokines. Mais, mis en contact avec l'antigène qui leur est spécifique, ils sont rapi-

▲ *Le roi des Parthes Mithridate Ier*
pratiquait déjà l'autovaccination…
contre d'éventuelles tentatives
d'empoisonnement. On n'est
jamais trop prudent !

ROIS OU PAYSANS, PERSONNE N'ÉCHAPPAIT À LA VARIOLE

Aux XVII et XVIIIe siècles, la variole – connue aussi sous le nom de petite vérole – est la maladie infectieuse la plus répandue et la plus meurtrière. Louis XV en meurt le 10 mai 1774, quatorze jours seulement après le diagnostic de l'affection. D'autres monarques, en Angleterre ou en Russie, y succombent également. On connaissait pourtant certaines techniques permettant de s'en prémunir. Ainsi, dans sa XIe *Lettre philosophique*, intitulée « Sur l'insertion de la petite vérole », Voltaire exposait la technique de la variolisation, sans toutefois l'expliquer. Il y affirme que, en pratiquant une incision dans le bras d'une personne saine et en y insérant une pustule prélevée chez une personne infectée, on évite la survenue de la maladie dans sa forme grave. Il y préconise aussi la généralisation de ce procédé comme moyen de protection massive de l'espèce. Mais la France reste réfractaire à l'inoculation, tandis qu'elle devient courante en Grande-Bretagne, du moins parmi les élites. Il faudra attendre 1796 et le génie du chirurgien anglais Edward Jenner pour qu'enfin la variole trouve son remède : le vaccin était né.

plus fort

dement réactivés et produisent alors des taux élevés d'agents immunitaires. Le principe des vaccins est basé sur cette particularité. Il s'agit d'introduire un germe pathogène qui va non seulement déclencher le processus normal de protection immunitaire, mais également produire les lymphocytes mémoire. À chaque nouvelle attaque du germe, ils seront les premiers acteurs de la défense immunitaire.

Il faut différencier plusieurs types de vaccins : « vivants atténués », « frac-tions », « tués » ou encore « immuni-sants ». Les vaccins vivants atténués sont élaborés à partir d'un micro-orga-nisme infectieux dont on a atténué la virulence, généralement en inactivant un ou plusieurs de ses gènes : il ne peut déclencher la maladie, mais reste assez actif pour provoquer la réponse immunitaire. On compte parmi eux les vaccins contre la grippe, la rubéole, la rougeole, la tuberculose et la fièvre jaune. Les vaccins fractions, eux, sont constitués seulement de certains composants du micro-organisme (généralement les protéines et les poly-saccharides), qui ont été extraits et isolés. C'est le cas des vaccins contre l'hépatite B, les pneumocoques, les méningocoques.

Les vaccins tués sont mis au point à partir de microbes dont la virulence a été totalement inactivée (généralement par la chaleur, et quelquefois par des procédés de génie génétique), car autrement, ils déclencheraient une réponse immunitaire trop sévère. Pas de risque de pathologie donc, mais la réponse immunitaire est bien là. On peut citer, parmi ce type de vaccins, ceux contre la poliomyélite, la coque-luche, la rage, l'hépatite A ou encore la fièvre typhoïde. Quant aux vaccins immunisants, ils sont élaborés à partir d'anatoxines – toxines traitées pour perdre leurs propriétés toxiques – qui combattent la toxine du microbe. Ils sont utilisés notamment pour lutter contre le tétanos et la diphtérie. ■

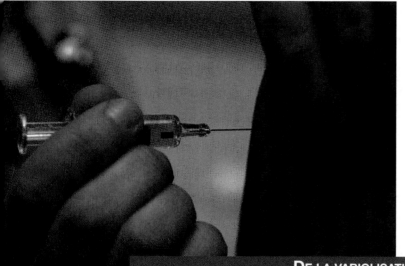

◀ *La vaccination en masse des populations a permis de lutter efficacement contre les maladies infectieuses les plus dangereuses.*

DE LA VARIOLISATION À LA VACCINATION

La première mention de la variolisation est due à Aaron, médecin d'Alexandrie qui vécut au VIIe siècle de notre ère. Elle apparaît ensuite en Chine au début du XIe siècle. Point d'incision, la petite vérole est prélevée chez un sujet malade et respirée par le nez, comme du tabac en poudre. Cette pratique se répand progressivement le long de la route de la soie : Asie, Inde, Moyen-Orient. Elle finit par être introduite en Europe, et plus précisément en Grande-Bretagne, en 1721, par lady Montagu, la femme de l'ambassadeur britannique à Constantinople, où cette pratique avait déjà fait ses preuves.
En 1756, le Dr Tronchin importe cette technique en France. Mais ce n'est qu'en 1796 que le Britannique Edward Jenner, chirurgien et médecin de campagne, y trouvera un remède définitif : le vaccin contre la variole. Il constate que la population des campagnes, au contact permanent des vaches, a dans sa grande majorité contracté la vaccine *(cowpox)* – variole de la vache, bénigne pour l'homme – et ne présente aucun des effets secondaires habituels de la variolisation. Son génie fait le reste : il teste son idée en inoculant le pus prélevé dans une pustule de *cowpox* à un enfant âgé de 8 ans, sans antécédent variolique. Un mois et demi plus tard, il variolise son jeune patient, qui ne développe rien de plus grave que la petite réaction attendue. Il fallait à présent passer du fait expérimental et confidentiel à une diffusion de masse. Ce qui ne se fera pas sans mal. Mais grâce à son efficacité, la méthode de Jenner s'étend rapidement à l'Europe, gagne la côte est de l'Amérique du Nord entre 1796 et 1811, puis l'Inde et Ceylan en 1802, l'Amérique du Sud en 1804 et termine son périple en… Chine en 1805.
Le terme vaccination (qui vient de vaccine) s'impose avec Jenner, mais son sens est encore limité au traitement de la seule variole. C'est Pasteur qui en élargit la signification. Il s'applique désormais à toute technique de prévention d'une maladie, quel que soit l'agent responsable de la transmission. Le savant français déclarera en effet en 1886, devant l'Académie des sciences, à l'occasion de la présentation de ses travaux sur la rage : *J'ai prêté à l'expression de vaccination une extension que la science, je l'espère, consacrera comme un hommage au mérite et aux immenses services rendus par un des plus grands hommes de l'Angleterre : Jenner.*
Aujourd'hui, la vaccination contre la variole n'est plus systématique car la maladie semble éradiquée…

Laissez faire la fièvre...

Hippocrate, le père de la médecine, avait constaté que la montée en température du corps pouvait avoir des effets bénéfiques... Le tout étant de savoir aussi faire baisser la fièvre.

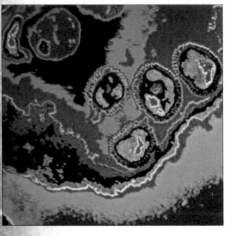

▲ *Le virus de la grippe peut provoquer une augmentation de la température corporelle. En l'absence de surinfection respiratoire, on se contente de traiter la fièvre et les douleurs qui l'accompagnent. Les personnes âgées et les nourrissons risquent plus de souffrir de déshydratation.*

◄ *Avant l'aspirine, les officines pharmaceutiques délivraient de l'écorce de saule, que l'on appelait « l'arbre contre la douleur ».*

a fièvre est témoin, mais elle n'est pas complice. Cette phrase d'Hippocrate (Vᵉ siècle avant notre ère) a été confirmée par les découvertes de la médecine moderne. En effet, la fièvre est un symptôme et non une maladie. Elle survient souvent quand l'organisme subit une attaque infectieuse. En première ligne de nos défenses immunitaires, les globules blancs libèrent alors des protéines dites pyrogènes, qui stimulent le centre de régulation thermique situé dans l'hypothalamus, à la base du cerveau. Habituellement réglé autour de 37 °C, ce thermostat interne se dérègle à la hausse. Les déperditions de chaleur au niveau de la peau diminuent et des contractions musculaires spontanées – les fameux frissons – peuvent à leur tour provoquer une hausse de température. Cette montée en puissance est un moyen de défense naturel : il freine la multiplication de certains microbes (virus et bactéries) et renforce l'action de notre système immunitaire. Laisser faire la fièvre peut être utile, mais pas systématiquement : dans le cas d'un traumatisme crânien, par exemple, l'efficacité est nulle !

L'élévation de la température peut aussi s'avérer gênante, fatigante et même nuisible à l'organisme, notamment celui des tout-petits (voir encadré ci-contre). Il est donc plus prudent de faire tomber la fièvre. Plusieurs remèdes ont été utilisés dès l'Antiquité : certains fantaisistes (tel l'extrait de lombric), d'autres plus efficaces, comme la tisane de camomille et surtout la décoction d'écorce de saule blanc, prescrite déjà par Hippocrate et qui contient... le principe actif de l'aspirine. ■

IL FAUT COUVRIR UN BÉBÉ FIÉVREUX

C'est justement la dernière chose à faire ! En voulant lui éviter d'avoir froid, on élève encore la température de son corps. Le bébé transpire. Mais alors que chez un adulte, cela permet de faire baisser la fièvre en augmentant les déperditions de chaleur par évaporation, chez le nourrisson, cela provoque une déshydratation rapide. L'élévation de la température du corps peut aussi être à l'origine des fameuses convulsions fébriles. Au-delà de 41 °C, les troubles neurologiques deviennent graves (coma, état de mal convulsif...) et s'associent à des troubles cardio-vasculaires, respiratoires et urinaires. Ce syndrome d'hyperthermie majeure met en danger la vie du bébé. Avant d'en arriver là, il faut le faire boire et le refroidir (en le découvrant ou en l'enveloppant de linges humides, ou plus simplement en le plongeant dans un bain tiède, d'une température inférieure de 2 °C à celle de son corps). On peut aussi lui donner des médicaments antipyrétiques (aspirine, ibuprofène ou paracétamol) en respectant les dosages adaptés.

On consomme trop d'antibiotiques

Introduits dès les années 1930, les antibiotiques ont permis de sauver des millions de vies. Considérés comme des remèdes miracles, ils ont été depuis administrés à tort et à travers. Et le retour de bâton ne s'est pas fait attendre : ils sont devenus moins efficaces.

▲ *Découverte par le Britannique Alexander Fleming en 1928, la pénicilline G, premier antibiotique, a été purifiée à partir de la moisissure qui la fabrique, Penicillium notatum, dans les années 1940.*

MANGEZ DES YAOURTS

C'est probablement utile pour les enfants, les sujets âgés ou fragilisés sous antibiotiques. En effet, ces médicaments peuvent perturber la flore intestinale et provoquer l'apparition de troubles gastro-intestinaux, en particulier des diarrhées. Les yaourts, qui contiennent en grande quantité différents types de ferments lactiques, autrement dit des bactéries – lactobacilles, streptocoques thermophiles, bifidobactéries… –, contribueraient à rétablir l'équilibre de cette flore.

Cependant, bien que l'on en consomme depuis plusieurs siècles pour lutter contre la diarrhée, leurs bienfaits ont été peu étudiés et les mécanismes en cause ne sont pas complètement élucidés. Les bactéries lactiques entrent-elles en compétition avec d'autres, aux effets néfastes ? Se substituent-elles à la flore intestinale affectée par les antibiotiques dans ses fonctions digestive ou immunitaire ? Les doses appropriées et les souches de ferments les plus efficaces restent aussi à déterminer.

Ce sont des champignons microscopiques ou des bactéries du sol qui sont à l'origine des médicaments qui ont révolutionné la médecine au XXᵉ siècle. Ces substances naturelles s'opposent au développement des phénomènes essentiels à la survie (ou à la multiplication) des bactéries responsables de certaines maladies. L'antibiotique le plus célèbre est sans doute la pénicilline, utilisée à partir des années 1940. Mais, dès 1947, les médecins constatent l'apparition de bactéries résistantes à l'action de la pénicilline. À partir des années 1960, une course de vitesse s'engage pour contrer l'apparition de souches bactériennes résistantes. Et aujourd'hui, de nombreux germes sont devenus multirésistants, c'est-à-dire insensibles à plusieurs familles d'antibiotiques.

Si la trop grande consommation d'antibiotiques est mise en accusation, ce n'est pas, comme on pourrait le croire, parce que les antibiotiques conduisent directement les bactéries à devenir résistantes. Mais, en mettant « hors compétition » toutes les bactéries sensibles, ils sélectionnent de fait des souches bactériennes résistantes préexistantes et favorisent leur prolifération. Avec la surconsommation d'antibiotiques, la résistance n'est plus

LES ANTIBIOTIQUES FATIGUENT

En général, lorsque l'on prend des antibiotiques, c'est que l'on est malade. Alors, bien sûr, on est fatigué. Mais la fatigue vient de l'infection bactérienne traitée par les antibiotiques, et non du traitement lui-même ! Au contraire, il améliore notre état général en stoppant l'action nocive des bactéries. Cependant, comme beaucoup de médicaments, les antibiotiques ne sont pas exempts d'une certaine toxicité et peuvent être à l'origine de nausées ou d'une diahrrée, voire d'allergies, cutanées ou plus sévères. Dans de rares cas, on observe aussi des anémies, des accidents neurologiques (troubles de l'équilibre, convulsions…). Ces effets secondaires, qui doivent être surveillés, sont, eux, effectivement très fatigants.

seulement une modification aléatoire du patrimoine génétique des bactéries, mais elle est devenue un atout dans leur évolution. Cela est d'autant plus inquiétant qu'elles peuvent échanger des informations génétiques avec d'autres bactéries, qui ne font parfois même pas partie de la même espèce… Y compris la flore bactérienne des animaux d'élevage qui se retrouve dans le tube digestif humain, où elle côtoie notre propre flore bactérienne. C'est ainsi que l'usage abusif des antibiotiques pour les animaux est aussi impliqué dans l'accroissement des résistances.

Il est donc primordial de cesser de prescrire trop d'antibiotiques, d'en disséminer dans l'environnement et d'en donner sans discernement aux animaux. Il faut également adapter les prescriptions. Enfin, les chercheurs espèrent découvrir de nouvelles classes d'antibiotiques pour conserver toujours une longueur d'avance sur l'apparition des résistances. ■

La douleur
est un signal d'alarme

Paradoxalement, quand ça fait mal, c'est souvent pour le bien de notre corps. La douleur active des fibres nerveuses qui répondent aux stimulations agressives, et l'organisme réagit pour se défendre. Ainsi, quand une brûlure stimule ces fibres, très vite, celles-ci vont avertir la moelle épinière, qui déclenche le premier réflexe : retirer sa main de la flamme. Puis le message douloureux continue sa route jusqu'au cerveau, qui analyse la localisation et l'intensité de la douleur et provoque les réactions émotionnelles : cris, pleurs. Mais ce n'est pas parce qu'elle a sa raison d'être que la douleur doit être supportée ! La sensation douloureuse peut être freinée par des médicaments antalgiques.

Culture judéo-chrétienne oblige, nos ancêtres pensaient pourtant que la

La sensation douloureuse est une chance pour notre organisme ! En le prévenant d'un danger, elle lui permet de mettre en place un réflexe de défense. Si chacun la connaît pour l'avoir déjà ressentie, on ne sait pas toujours comment ça marche.

douleur était justifiée… Et longtemps elle a eu raison des malades. Il existait bien des plantes qui anesthésiaient la souffrance (pavot, jusquiame), mais soulager était une préoccupation secondaire. Il a fallu attendre le XIXᵉ siècle, avec la découverte de l'anes-

thésie, de la morphine et de l'aspirine, pour que la douleur soit enfin prise en charge. Les bébés durent patienter encore vingt années de plus, les scientifiques estimant que leur cerveau était trop immature pour véhiculer les informations douloureuses… Désormais, l'évaluation de la douleur est prise au sérieux. Elle permet de cibler le mal, d'affiner le diagnostic, sachant que la disparition de la souffrance va de pair avec la guérison de sa cause.

Il reste encore à mieux comprendre la douleur chronique. Définie comme une souffrance installée depuis au moins six mois, permanente, sourde et susceptible de pics d'intensité insupportables, elle touche aujourd'hui 6 % des Occidentaux. Ses mécanismes mal connus en font de nos jours une maladie à part entière. ■

INÉGAUX FACE À LA DOULEUR ?

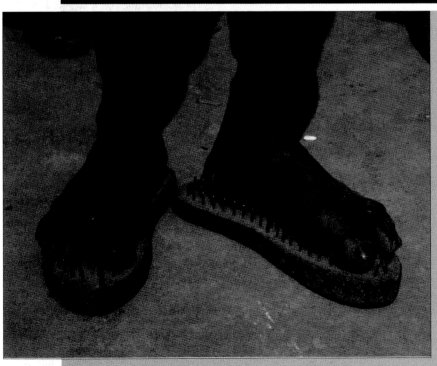

Quand certains manquent de s'évanouir à la moindre coupure, d'autres résistent aisément à une rage de dents. Cette apparente injustice suggère bien que l'intensité du mal n'a pas de rapport avec la gravité de la blessure. La douleur comporte donc une dimension subjective importante. Pourtant, le mécanisme est le même pour tous : le corps synthétise des molécules, les endorphines et les enképhalines, qui inhibent la souffrance. En entrant en compétition avec les molécules de la douleur, elles les empêchent d'agir. Ainsi, le corps peut se mettre en attente. Ne vous est-il pas arrivé de ne ressentir la douleur que quelques minutes ou plusieurs heures après la blessure ? Cette analgésie transitoire permet de s'adapter à une situation donnée qui aurait été impossible à supporter si l'on souffrait. Une inhibition qui peut être provoquée consciemment ou non (par instinct de survie). À savoir : le stress et la dépression tendent également à atténuer la douleur. Mais plus on se focalise sur son bobo, et plus on a mal !

◄ *Chaussé de sandales à clous, le sadhu (moine) parvient consciemment à bloquer les mécanismes de la douleur.*

Les génériques
sont
moins efficaces

**L'emballage est différent, la forme et la couleur peuvent être
différentes mais l'effet est identique à celui de l'original.
Normal : le médicament générique en est la copie conforme.**

« Ce n'est pas l'emballage qui guérit… » Ce slogan a marqué les esprits. Il faut dire que l'arrivée des génériques sur le marché a soulevé des réticences, obligeant les pouvoirs publics à communiquer.

Bien qu'ils soient l'exacte copies des originaux, les génériques souffrent d'une mauvaise image. Pourtant, le principe actif, la composition, le dosage sont identiques. Seules différences : le choix des excipients (colorant, arômes), l'emballage et le nom. Leur atout principal : ils coûtent au minimum 30 % moins cher, puisqu'ils sont issus de brevets tombés dans le domaine public. Leur force : ils profitent des derniers progrès pharmaceutiques, comme l'amélioration de certains excipients, qui pouvaient créer des effets secondaires.

On qualifie régulièrement les génériques de sous-médicaments ou de contrefaçons. Apparus en 1996 en France, ils ne représentaient que 3,1 % des médicaments remboursés en 2001, contre 15 % dans le reste de l'Europe ! D'où vient une telle appréhension ? De la difficulté de modifier ses habitudes, bien ancrées en termes de soins. Surtout chez les seniors, facilement déboussolés par les changements de nom et de présentation. Et puis, un médicament moins cher n'est-il pas un produit au rabais ? Une attitude qui veut que l'on se rassure en achetant une marque. Enfin, la pression des laboratoires sur les médecins afin qu'ils prescrivent leurs produits rentables n'a pas arrangé les choses…

L'arrivée récente de grands noms de médicaments dans le domaine public ainsi qu'une politique de santé plus responsabilisante ont eu raison des dernières hésitations. Par exemple, pour encourager la prise de génériques, certains régimes d'assurance privés au Canada remboursent ceux-ci à 100 % alors qu'ils ne le font qu'à 80 % pour les médicaments d'origine (plus chers). En France, en tout cas, fin 2002, les génériques représentaient près d'une boîte délivrée sur deux. Après les réticences des fabricants et des assurés sociaux, le mouvement semble lancé. Un soulagement quand on sait que la consommation de médicaments augmente : les Français font partie des populations qui en prennent le plus ! ∎

LES MIRACLES DU PLACEBO

Aurions-nous un pouvoir d'autoguérison ? L'effet placebo le prouve. Ce terme désigne une amélioration, voire une guérison totale, obtenue à l'aide d'un médicament absolument inactif : le placebo (« je plairai » en latin). Seule condition : le malade et, si possible, le médecin doivent ignorer la nature réelle du médicament. Seulement administré pour des pathologies bénignes mais handicapantes, le placebo déclenche chez le malade des facteurs psychologiques et physiologiques qui aboutissent à une rémission. Loin d'être une simple perception subjective, l'efficacité du « mensonge qui guérit » est réelle et mesurée scientifiquement. Les images cérébrales montrent que l'activité du cerveau est quasi identique après la prise d'un placebo ou d'un véritable médicament. Ce qui suggère que nos représentations mentales influenceraient le métabolisme du corps. Nos croyances, nos attentes, la relation avec le médecin sont autant de facteurs qui enclenchent les mécanismes d'autoguérison. Plus bizarre : la taille et la couleur de la pilule modulent aussi l'effet placebo !

Un remède tout neuf
est plus efficace qu'un vieux

C'est nouveau et c'est très cher, donc c'est mieux. Pas si sûr ! Dans le domaine pharmaceutique aussi, la nouveauté n'est pas automatiquement signe de performance…

Sur 1 317 nouveautés produites par les laboratoires de recherche pharmaceutique en France entre 1999 et 2004, aucune n'a apporté de progrès décisif dans un domaine où les médicaments faisaient cruellement défaut. Seules 186 ont permis une avancée. Mieux, 1 100 n'ont strictement rien apporté sauf, dans certains cas, plus de désagréments pour le patient que les médicaments qui existaient déjà ! Les conclusions de la revue *Prescrire*, qui examine régulièrement l'intérêt des nouveaux médicaments mis sur le marché, ne sont pas tendres. C'est un vrai constat d'échec, qui ne fait rien pour justifier les prix très élevés de ces produits.

L'industrie pharmaceutique adopte toujours la même défense : le coût prohibitif de la mise au point de nouvelles molécules ; notamment parce que de nombreuses recherches n'aboutissent pas et que certains médicaments, utiles en termes de santé publique, ne sont pas rentables. De plus, reprennent les industriels, il est de plus en plus difficile de prouver une efficacité supérieure par rapport aux produits qui existent déjà.

Mais la recherche connaît aussi des avancées. Au cours de ces dernières années, de nouveaux médicaments, destinés à traiter l'hypercholestérolémie, la dépression ou encore la douleur, ont été mis au point. Et les multithérapies pour les patients atteints du sida ont permis de sauver des milliers de vies… du moins dans les pays occidentaux. ∎

▼ *Les nouveaux médicaments mis au point par les laboratoires ne sont pas toujours meilleurs que les anciens.*

UN MÉDICAMENT JUSTE POUR VOUS ?

Demain, vous aurez peut-être votre nom sur une boîte d'aspirine : sa formule chimique vous sera personnellement destinée. C'est en tout cas ce vers quoi tend la pharmacogénétique. Cette sous-discipline de la génétique s'intéresse au fait que la réponse aux médicaments varie d'un individu à l'autre. C'est peut-être l'avenir de la pharmacologie ! Pour des raisons en partie génétiques, nous n'assimilons pas toujours tous de la même manière une substance chimique. Ce qui fait qu'un même médicament peut être différemment efficace d'un individu à l'autre… ou avoir des effets secondaires plus ou moins graves. L'idée de la pharmacogénétique est d'adapter les molécules utilisées et leur dosage au profil génétique de chacun. Les premiers essais en ce sens semblent prometteurs même si, pour l'instant, le coût d'une telle technologie reste prohibitif.

La thérapie génique, c'est la médecine de demain

Son avènement a suscité de fabuleux espoirs. Mais ses promesses n'ont pas encore été tenues. Les scientifiques se heurtent à maintes difficultés… à la mesure des possibilités offertes.

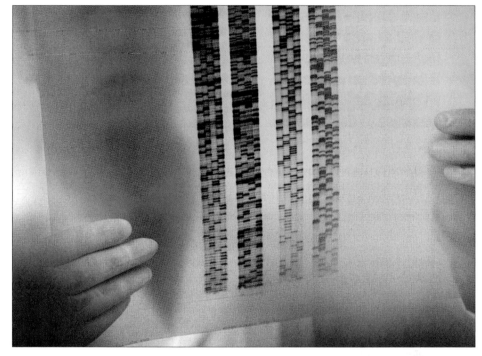

En l'an 2000, une quinzaine d'années après la naissance du concept de thérapie génique – apporter au cœur de cellules déficientes un gène « thérapeutique » –, l'équipe française d'Alain Fischer (hôpital Necker, Paris) annonçait un premier succès chez l'homme. Des enfant nés avec un déficit immunitaire sévère et obligés jusque-là de vivre dans une bulle stérile, avaient pu en sortir. La moelle osseuse de ces « bébés bulle » ne pouvait produire – à cause d'un gène défectueux – certains globules blancs nécessaires à l'immunité. Les chercheurs ont donc prélevé des cellules de leur moelle et ont greffé dans leur patrimoine génétique un gène fonctionnel, avant de réinjecter ces cellules aux petits malades. Malheureusement, dès 2002, deux des enfants traités ont développé une leucémie, c'est-à-dire une prolifération incontrôlée de globules blancs. En 2005, cette thérapie a été un succès pour six enfants.

La difficulté majeure de la thérapie génique est de faire entrer le gène dans les cellules. On recourt pour cela à différents « transporteurs » : l'équipe de l'hôpital Necker a utilisé un virus rendu inoffensif, qui effectue spontanément le travail… Mais il insère le gène au hasard et, lorsque ce dernier ne se positionne pas correctement, cela entraîne des leucémies. Cette prolifération incontrôlée des cellules traitées (cancer) représente actuellement un danger majeur de la thérapie génique.

D'autres difficultés se sont présentées : obtenir un fonctionnement stable, continu et durable du gène thérapeutique, éviter une réaction immunitaire contre les cellules traitées… Par ailleurs, si on peut prélever et réinjecter de la moelle osseuse, il est beaucoup plus compliqué de corriger une anomalie génétique qui affecte des tissus comme le muscle (cas des myopathies héréditaires), le gène devant être apporté au sein de l'organe lui-même, dans un grand nombre de cellules. Résoudre ces problèmes demandera sans doute de nombreuses années, d'autant que ces recherches sont extrêmement coûteuses.

Mais lorsque l'on y parviendra, il sera possible d'envisager de traiter des maladies génétiques, ou d'insérer dans des cellules cancéreuses des gènes qui stoppent leur multiplication ou encore les rendent plus sensibles aux chimiothérapies. Des gènes « médicaments » pourraient par ailleurs produire des substances anti-infectieuses ; en outre, des facteurs de croissance nerveuse pourront s'op-

▲ En 2001, le décryptage du génome humain a représenté un pas de géant pour la recherche. Dès 2003, près de 3 000 gènes impliqués dans des maladies héréditaires avaient pu être identifiés. Les chercheurs ont pu mettre en évidence l'existence de prédispositions génétiques pour des maladies complexes comme le diabète, les rhumatismes, le cancer… Mais les thérapies géniques ne sont pas encore au point.

poser aux effets de la maladie d'Alzheimer. En revanche, pas question de toucher aux cellules reproductrices, car les modifications de gènes seraient alors transmises aux enfants ! Il s'agit de soigner, non de jouer aux apprentis sorciers. ■

L'acupuncture
est efficace

La guérison est-elle au bout des aiguilles ? Beaucoup le prétendent, mais il n'y a encore que peu d'études scientifiques qui le démontrent.

Les Chinois l'utilisent depuis près de 2 000 ans avec beaucoup de succès, dit-on. Cette médecine traditionnelle pourrait soigner les douleurs chroniques, celles liées à une blessure, les problèmes gastro-intestinaux, cardio-vasculaires, musculaires, etc. Pour ses partisans, la liste des maladies qui répondent à cette méthode thérapeutique est longue ! Mais les études sérieuses prouvant son efficacité manquent à l'appel.

L'acupuncture consiste à stimuler des parties déterminées du corps, le plus fréquemment par des aiguilles en acier, mais également par de simples massages, la chaleur, ou plus récemment la lumière laser. Ces fameux points d'acupuncture sont localisés sur des méridiens – trajets empruntés par l'énergie vitale dans et à la surface du corps – dont l'existence est difficilement démontrable. L'obstruction de ces méridiens serait à l'origine de la maladie. Il suffirait de rétablir une bonne circulation pour que l'équilibre soit rétabli et que la maladie disparaisse.

Voilà près de cinquante ans que les communautés scientifiques occidentales s'intéressent à l'acupuncture et cherchent à apporter la preuve de son efficacité. Le problème, c'est qu'il est difficile de comparer un traitement d'acupuncture avec un placebo valable (comment et où piquer ?). Ainsi, bien que certaines études semblent montrer son efficacité, il est difficile de tirer des conclusions sérieuses compte tenu des méthodes utilisées. Des résultats apparaissent plus prometteurs que d'autres, notamment dans le traitement des nausées et des douleurs locales. Certains scientifiques pensent que ces effets analgésiques seraient liés aux substances morphiniques naturellement produites par l'organisme (les endorphines), dont la production serait augmentée par la pose d'aiguilles. Ces résultats sont étayés par des expériences qui montrent que l'action antidouleur de l'acupuncture peut être bloquée par une substance qui inhibe celle des produits morphiniques.

Mais, pour d'autres scientifiques, l'acupuncture ne fonctionnerait que comme un placebo : le fait de ressentir quelque chose et de croire en son efficacité suffirait pour qu'une sensation de soulagement apparaisse chez certains patients.

Cependant, ce n'est pas parce que l'efficacité de l'acupuncture n'est pas scientifiquement prouvée qu'elle est sans danger. Mal faites, les piqûres peuvent causer des hématomes, des perforations pulmonaires, des convulsions ou des infections. Il y a eu également quelques cas connus de transmission de l'hépatite B ou du virus du sida par des aiguilles non stériles. Même peu fréquents, ces incidents démontrent bien la nécessité d'un personnel compétent et formé spécifiquement à ce type de traitement. ■

On attrape

Malgré des règles d'hygiène et d'asepsie de plus en plus strictes, les séjours en milieu hospitalier ne sont pas dénués de risques…

▶ *L'Hôtel-Dieu, le plus ancien hôpital de Paris, a été fondé vers 650. Au nom du devoir de charité, le malade était assisté par l'Église… Quant à la guérison, elle était assez aléatoire.*

Il y a d

Les chiffres sont là pour le prouver. Mais personne ne peut dire avec certitude pourquoi. Plus les connaissances s'accumulent et plus les scientifiques se heurtent à de nouvelles énigmes.

Un enfant sur quatre souffre d'une allergie. D'ici à la fin du siècle, ce pourrait être davantage. La fréquence des allergies ne cesse d'augmenter. Entre 1982 et 1992, la proportion de jeunes Parisiens ayant eu une crise d'asthme est ainsi passée de 5,4 % à 13,4 %, et celle de préadolescents souffrant de rhinite allergique de 10 %

les maladies à l'hôpital

Vous savez ce que l'on dit : Vous entrez à l'hôpital pour une jambe cassée et vous ressortez avec un plâtre et un staphylocoque doré ! En France, on estime à 7 % – 9,8 % au Canada – la fréquence des infections nosocomiales (maladies contractées à l'hôpital, du grec *nosokomeion* : hôpital). Chaque année, elles seraient à l'origine de 4 000 à 4 500 décès ! Un véritable fléau que les autorités ont tenté de résorber en instituant dans chaque établissement un comité de lutte (programme de prévention ou PPI) qui instaure des règles d'hygiène très strictes : lavage fréquent des mains pour le personnel médical, asepsie du matériel utilisé, sécurité de l'environnement (alimentation, canalisations, systèmes d'aération…). Un effort qui a porté ses fruits, avec un taux d'infections en baisse de 16 % ces dernières années.

Pour le réduire encore, de nouveaux systèmes de stérilisation ont été étudiés : comme celui mis au point par des spécialistes du CNRS et de l'université Louis-Pasteur de Strasbourg, qui permet de détruire 99 % des bactéries, champignons ou microbes de l'air dans un photoréacteur équipé de lampes à ultraviolets. Il semble pourtant peu probable que l'on parvienne à éradiquer complètement les maladies nosocomiales. Pourquoi ? L'hôpital est un vaste milieu où se côtoient des malades souvent porteurs de germes pathogènes, qui plus est fragiles (enfants, personnes âgées ou présentant une baisse de leurs défenses immunitaires). Ils sont par conséquent plus sensibles aux microbes présents dans l'environnement, ou transmis par un autre malade via le personnel soignant et le matériel. La vigilance permet de limiter ce type de transmission à environ 15 % des cas. En effet, le malade est souvent infecté par ses propres germes au cours d'un acte de chirurgie, de la pose d'une sonde, d'une perfusion… Dans ces cas, la solution réside dans la mise en place rapide d'un traitement adapté. ∎

plus en plus d'allergies

à 28 %. Aujourd'hui, près d'un tiers de la population française présente un terrain propice au développement d'une allergie. Les chiffres sont assez effrayants et le phénomène touche la plupart des pays industrialisés, ainsi que bon nombre de pays en développement. L'Organisation mondiale de la santé (OMS) fait ainsi des allergies un problème majeur de santé publique, en termes de qualité de vie, de perte de jours de travail ou d'enseignement, de coûts des traitements (médicamenteux et autres), voire de mortalité.

Fort heureusement, on commence à mieux comprendre le mécanisme des allergies. On sait désormais qu'elles sont liées à la fabrication d'un type particulier d'anticorps par notre système de défense, des anticorps dits de classe E (ou IgE), normalement produits en réponse à l'intrusion d'un parasite dans le corps humain. Dans le corps d'un allergique, ils sont fabriqués en excès, en réaction à une substance qui s'avère être sans effet sur d'autres personnes. L'identification de cette hypersensibilité a certes ouvert la voie à de nouveaux traitements ; mais plusieurs questions restent sans réponse. D'abord parce que la production de fortes quantités d'IgE n'est pas toujours synonyme d'allergie. Ensuite parce que l'étude de la fréquence, de la localisation, de la nature des allergies est une redoutable énigme. Par exemple, bien que leurs modes de vie soient assez proches, les 13-14 ans ne sont allergiques qu'à 3,7 % en Corse, contre 32,2 % au Royaume-Uni. Or le climat ne peut être mis en cause : il y a autant d'allergies en Finlande qu'à Malte. Doit-on alors incriminer la pollution atmosphérique ? L'Europe de l'Est, où la qualité de l'air est particulièrement sujette à caution, est moins affectée que l'Europe de l'Ouest… Quant à l'hérédité, on sait qu'elle augmente le risque : celui-ci est de 10 % quand aucun des parents n'est allergique, de 30 à 50 % si l'un d'eux est allergique, et de 50 à 80 % s'ils le sont tous les deux. Là encore, cela n'explique pas l'augmentation rapide de la fréquence des allergies. Les études se tournent donc vers l'environnement intérieur, les maisons surchauffées où les animaux domestiques ont une grande place et où les acariens et autres bébêtes à risque prolifèrent. Sans que rien ne permette encore de trancher… ∎

J'ai une crise de foie !

**Nausées, maux de tête… Non, votre foie
n'est pas la cause de tous ces maux.
Ils témoignent parfois de troubles hormonaux,
mais le plus souvent d'un abus de nourriture
ou d'alcool. À la diète !**

LA CRISE D'ACÉTONE CACHE SOUVENT UNE MALADIE

L'acétone est une substance produite par le foie à partir des graisses ; elle palie alors le manque de glucose lorsqu'une personne – enfant comme adulte – est à jeun ou ne peut être nourrie en raison de problèmes digestifs. Les symptômes de la crise d'acétone sont des vomissements et de la fièvre, qui apparaissent brutalement, une intolérance digestive totale, une haleine aigre, des maux de tête. Les analyses de sang et d'urine révéleront la présence d'acétone et de corps cétoniques.
Autrefois, le diagnostic de crise d'acétone était souvent posé chez l'enfant qui présentait ces symptômes. Aujourd'hui, les médecins cherchent à identifier l'origine exacte d'une telle crise. Car elle peut être aussi la conséquence d'une infection comme une otite, une rhino-pharyngite ou une gastro-entérite.
Généralement, elle n'est pas grave, mais elle peut parfois révéler un diabète : en effet, le manque d'insuline ne permet pas à l'organisme d'utiliser le glucose ; il brûle donc les graisses en réserve pour se procurer de l'énergie.
Pour traiter la crise, l'administration de médicaments alcalins (bicarbonate de soude), d'antivomitifs et de sucre – si l'enfant n'est pas diabétique – est efficace.
À cela s'ajoute la suppression des corps gras pendant quelque temps. Les symptômes, qui peuvent durer plusieurs jours, cessent alors rapidement. Toutefois, si l'enfant vomit constamment et qu'il n'arrive plus à se nourrir, un bref séjour à l'hôpital sera nécessaire.

Expression typiquement française, la « crise de foie », en réalité, n'existe pas. Cette formule désigne un ensemble de symptômes allant des troubles digestifs aux maux de tête, souvent accompagnés de nausées, voire de vomissements de bile et d'un mauvais goût dans la bouche. Autrefois, on accusait la vésicule biliaire. Et si les patients présentaient des calculs vésiculaires ou encore que leur vésicule se vidait lentement, les médecins n'hésitaient pas à proposer… une ablation de ladite vésicule ! On sait maintenant que ces opérations étaient totalement injustifiées.

En fait, le foie et la vésicule ne sont pas responsables de ces crises. Ils sont les témoins et non la cause de ce qui constitue la « crise migraineuse ». C'est en effet ainsi qu'il faut dénommer la pseudo-crise de foie qui apparaît quand on a trop mangé, trop bu… ou les deux à la fois ! Chez certaines personnes sensibles, elle peut aussi être due à la consommation de denrées riches en sérotonine ou en tyramine, comme le chocolat ou les fromages fermentés.

Le foie est l'organe digestif chargé d'éliminer les déchets et les produits toxiques de l'organisme (médicaments, tabac, alcool, déchets alimentaires). En temps normal, il les neutralise avant de les expulser dans les matières fécales et les urines. Mais, en cas de surmenage, ces déchets ne sont pas éliminés assez vite, ce qui déclenche l'apparition des symptômes.

Les facteurs hormonaux jouent aussi un rôle : les femmes sont plus souvent atteintes que les hommes, et les accès migraineux sont, en général, rythmés par leurs règles. Le traitement d'une telle crise repose sur la diète – consommation de bouillons de légumes, de tisanes, ou repas maigres – et la prise de médicaments antispasmodiques, ainsi que celle d'antalgiques si les symptômes s'accompagnent de maux de tête. ■

Une angine peut provoquer de

**Quelques jours
de repos et il n'y
paraîtra plus ?
Ce n'est pas
toujours le cas :
certaines formes
de la maladie
peuvent avoir des
conséquences
très graves.**

La fièvre se fait sentir, la tête est lourde. La salive est difficile à avaler et la gorge douloureuse. C'est sûr, c'est une angine ! Elle survient quand les amygdales, ces barrières qui protègent les voies respiratoires, sont infectées. Comment la traiter ? Tout dépend de son origine : soit elle est virale (80 % des cas), soit elle est bactérienne. Mais attention ! Si les angines bactériennes ne sont pas traitées dès l'apparition des symptômes, une forme maligne de rhumatisme peut alors se développer : le rhumatisme articulaire aigu, ou RAA. Quelques semaines après l'angine, la présence des bactéries déclenche une réaction immunitaire massive. Au lieu de s'en tenir à leur rôle spécifique, les anticorps s'emballent et vont s'attaquer à divers tissus. Les

Les oreillons rendent impuissant

On le dit souvent et pourtant on ne l'a jamais vérifié ! Cette affection touche avant tout les glandes… salivaires. Et, lorsqu'elle se complique d'une infection du testicule, il peut y avoir risque de stérilité, mais non d'impuissance.

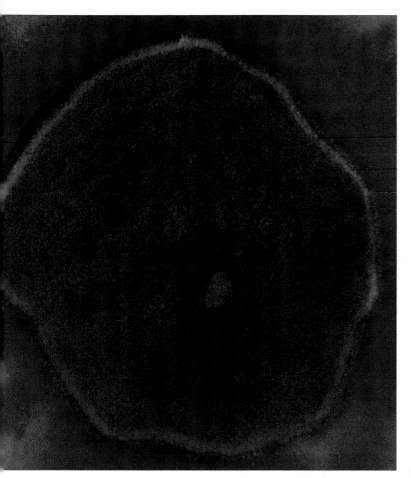

▲ *Le virus des oreillons se transmet d'une personne à l'autre par la salive, y compris les postillons, et les sécrétions. L'affection atteint surtout les enfants, garçons et filles.*

Très contagieux, les oreillons touchent principalement les enfants, vers l'âge de 4 à 6 ans. La faute en revient à un virus, le paramyxovirus, transmis par les postillons quand le malade tousse. Malgré son nom, cette affection n'atteint non pas les oreilles mais les glandes salivaires, situées juste au-dessous. Bien qu'elle soit le plus souvent asymptomatique, il arrive qu'elle provoque un gonflement de ces glandes. Là, les joues enflent, repoussant les lobes des oreilles vers le haut. Un joli visage en forme de poire se dessine… et les oreilles sont douloureuses.

Dans 20 % des cas, les oreillons se compliquent. Le virus atteint alors le testicule, qui gonfle comme un ballon ! Bien que rare, cette complication peut entraîner une stérilité. Cette maladie serait-elle misogyne ? Eh bien, non : les femmes peuvent également être touchées. Elles risquent alors l'inflammation des ovaires. Mais encore faut-il être pubère pour avoir ce type de complication…

Les oreillons étant généralement une maladie infantile, grâce aux campagnes de vaccination des chérubins, elle est désormais en chute libre. Et comme on ne peut l'attraper qu'une seule fois, on y gagne ensuite l'immunité à vie.

Sa fréquence mondiale est, aujourd'hui, comprise entre 1 et 10 cas pour 1 000 habitants. En France, l'immunisation est de 80 %. Il faudrait atteindre 95 % pour que cette maladie soit complètement éradiquée, comme c'est le cas en Suède, en Finlande ou au Canada. Allez, encore un petit effort ! ∎

rhumatismes

premiers visés étant ceux des articulations, d'où le nom de la maladie. Les grosses articulations, comme les genoux, les chevilles ou les épaules, gonflent et font souffrir. Il faut réagir vite pour éviter que d'autres tissus ne soient atteints, en particulier le tissu cardiaque. S'il est lésé, les risques de complications sont alors très grands et peuvent aller jusqu'au décès.

Cette maladie, qui touche surtout les jeunes enfants et davantage les filles que les garçons, est heureusement peu fréquente aujourd'hui. Les médecins ont trouvé une parade efficace : la prescription d'antibiotiques dès qu'une angine, de quelque forme que ce soit, est diagnostiquée. Il existe aussi une solution radicale : couper le mal à la racine en supprimant… les amygdales ! ∎

Le sport est déconseillé aux asthmatiques

Souvent impressionnantes, les crises d'asthme ont longtemps éloigné ceux qui en sont victimes des terrains de sport… Pourtant, certaines activités sont extrêmement bénéfiques.

▼ *L'Américain Mark Spitz en pleine action : ce nageur asthmatique a obtenu sept médailles d'or au jeux Olympiques de Munich en 1972.*

« Il peut à peine respirer en marchant, alors faire du sport, il ne faut même pas y penser ! » Cette idée reçue est dénuée de tout fondement. Et pourtant, sous prétexte de limiter les risques, il y a vingt ou trente ans, le sport était formellement interdit aux asthmatiques. À tort ! Faire du sport apprend à mieux contrôler sa respiration et l'expérience montre que, pratiqué régulièrement, même améliore l'asthme. Généralement, moins l'asthmatique fait de sport, plus son essoufflement est grand et se déclenche rapidement pendant l'effort.

Des précautions sont certes indispensables : un avis médical, un bon échauffement et un entraînement progressif. Il vaut mieux également éviter l'activité physique intense par temps froid et sec. Et, pour déterminer le type d'exercice recommandé, une mesure complète de la respiration chez un spécialiste des poumons est parfois nécessaire. Il faut savoir qu'une crise peut survenir après cinq à dix minutes d'effort. C'est ce que l'on appelle l'asthme d'effort, ou asthme post-exercice. Pour l'éviter et se rassurer, il faut prendre un médicament en inhalation (un bronchodilatateur), prescrit par le médecin, et le conserver en permanence dans sa poche durant l'exercice. De cette façon, presque tous les sports sont permis.

Il existe toutefois quelques exceptions : telle la plongée sous-marine avec bouteilles ; d'une part, parce qu'il est techniquement impossible d'inhaler un médicament dans l'eau et, d'autre part, parce que l'air comprimé contient des substances allergisantes. L'équitation est aussi déconseillée car il existe un risque important de sensibilisation au cheval. En revanche, escalade, golf, gymnastique sont un bon choix. La natation, qui se pratique dans une atmosphère chaude et humide, provoque moins de réactions des bronches et développe le souffle et la cage thoracique.

D'ailleurs, de Mark Spitz à Dawn Fraser, Frédéric de Burghraeve ou Tom Dolan, on ne compte plus les champions de natation asthmatiques ! ■

Les enfants au front salé sont destinés à mourir jeunes

En embrassant les enfants, nos grands-parents pouvaient prédire leur espérance de vie… notamment pour ceux qui avaient une sueur très salée. Superstition ? Voyance ?

Même si aujourd'hui elle est passée à 39 ans, l'espérance de vie des enfants à la sueur anormalement salée est assez courte – en 1965, elle était de 7 ans ! Cet excès de sel signale en fait que l'enfant est atteint de la mucoviscidose. D'ailleurs, depuis 2003, le dépistage de cette maladie génétique – qui touche 1 nouveau-né sur 3 000 en Europe et en Amérique du Nord – se fait, notamment, grâce au « test de la sueur ».

Pourquoi ce goût salé ? La mucoviscidose affecte un canal à ions chlorés (Cl-). Normalement, ce canal (la protéine CFTR) est enchâssé dans la membrane de certaines cellules et permet aux ions Cl- de sortir. Mais, dans le cas de la mucoviscidose, il ne fonctionne pas et le transit des ions s'effectue mal : les sécrétions de ces cellules sont pauvres en eau et peu fluides. Cela a donc pour conséquence cette sueur salée, mais aussi un mucus bronchique visqueux, causant des troubles respiratoires. Souvent, le pancréas ne produit pas d'enzymes (notamment de lipases) permettant de digérer les graisses.

Le responsable est un gène, identifié en 1989, sur le chromosome 7. La rupture de chromosomes sur l'ADN de ce gène conduit les cellules à fabriquer des protéines CFTR auxquelles il manque un acide aminé en position 508. Cette anomalie, appelée delta-F-508, s'observe dans 75 % des cas de mucoviscidose. Mais plus de 900 autres mutations sont connues ! Ce qui complique terriblement les recherches et retarde les possibilités de guérison.

Aujourd'hui, on sait seulement ralentir son évolution. Grâce à la kinésithérapie respiratoire notamment. En 2007, les problèmes digestifs de certains malades devraient être résolus par la mise sur le marché de la lipase gastrique issue de maïs transgénique. La thérapie génique est également porteuse d'espoirs : en introduisant dans les cellules, grâce à un virus ou un vecteur de synthèse, une version fonctionnelle du gène défectueux, on guérirait la maladie. Une trentaine d'essais ont déjà eu lieu, sans résultat probant. ■

Ne t'énerve pas, c'est mauvais pour le cœur !

Un coup de colère, et la machine s'emballe, déclenchant toute une série de mécanismes menant souvent à l'infarctus. Comme quoi il est préférable pour nos artères que nous gardions notre calme en toute circonstance…

Colère et circulation sanguine sont souvent associées. Ne parle-t-on pas de « tempérament sanguin » ou encore d'un « coup de sang » quand on est au top de l'exaspération ? Dès l'Antiquité, les médecins avaient déjà fait le rapprochement. Ces dernières décennies, différentes études ont tenté d'évaluer les prédispositions aux problèmes cardiaques en fonction du tempérament. L'une d'elles, publiée en 2002 par l'équipe du Dr Patricia Chang, de l'université John Hopkins à Baltimore, a confirmé de façon éclatante le lien entre l'énervement et les risques cardio-vasculaires. L'état de santé de plus de 1 000 Américains a été suivi pendant plus de trente-cinq ans. Au début de l'étude (entre 1948 et 1964), puis en 1992, les participants ont répondu à un questionnaire destiné à évaluer leur propension à la colère. Les scientifiques ont calculé que, chez les hommes colériques âgés de moins de 55 ans, le risque de maladie cardio-vasculaire est multiplié par trois et celui d'infarctus par six ! Après 55 ans, leur handicap s'estompe car les facteurs de risque liés à l'âge deviennent prépondérants. D'autres études évoquent aussi un accroissement notable des risques d'accident vasculaire cérébral.

Les mécanismes mis en jeu restent mal connus. On sait que le stress engendre une cascade de réactions physiologiques, qui sont très utiles chez l'animal en cas d'agression. Le cœur s'emballe, le débit sanguin s'accroît… L'adrénaline et le cortisol, hormones sécrétées par les glandes surrénales, jouent un rôle majeur dans ces phénomènes. Des accès récurrents de colère ou d'anxiété pourraient dérégler la réponse organique au stress, en favorisant les dépôts de graisse dans les artères, l'hypertension artérielle et les anomalies du rythme cardiaque. À cela s'ajoutent, bien sûr, des comportements à risque, comme le tabagisme. ■

Les obèses
sont tous diabétiques

**Il s'appelle diabète gras,
ou de type II, et depuis une
trentaine d'années, il est devenu
l'ennemi public des services de
santé de la plupart des sociétés
industrialisées, car il touche
de plus en plus de jeunes
adultes… obèses. Et le problème
ne fait que commencer.**

DES AÉROSOLS ET DES PANCRÉAS ARTIFICIELS POUR LES DIABÉTIQUES DE TYPE I

Le diabète de type I, dit sucré ou insulino-dépendant, regroupe environ 10 % des cas et se caractérise par une incapacité du pancréas à produire une quantité suffisante d'insuline. Les malades doivent donc se faire des injections quotidiennes de cette hormone pour réguler leur glycémie. Mais des recherches sont en cours pour remplacer ces piqûres par des aérosols à insuline. Ces derniers doivent néanmoins être validés par de nouveaux tests avant d'être commercialisés.
Par ailleurs, les scientifiques ont mis au point des prototypes de pancréas artificiels : de véritables pompes à insuline qui compléteront l'organe déficient et devront permettre, une fois transplantées, de perfuser de l'insuline, de manière continue et contrôlable.
La première implantation mondiale de ce type a eu lieu en 2000 à l'hôpital Lapeyronie de Montpellier. La même année, une équipe de chercheurs israéliens et une équipe américaine ont réussi à améliorer la tolérance d'une greffe d'une partie du pancréas, les îlots de Langerhans (qui sécrètent l'insuline), grâce à une combinaison de médicaments. D'autres travaux, qui s'orientent vers la greffe d'îlots de porc, pallieront peut-être le manque de donneurs.

Bien qu'il se manifeste généralement chez les individus de plus de 40 ans, le diabète de type II est de plus en plus fréquent chez les jeunes dans de nombreux pays industrialisés. Au Japon, par exemple, le nombre de cas a presque doublé entre la fin des années 1970 et le début des années 1990 : il est passé de 7,3 à 13,9 pour 100 000 chez les écoliers du secondaire. Or cette tendance mondiale coïncide avec l'augmentation des cas d'obésité : dans 80 % des cas, en effet, il s'est ajouté à une surcharge pondérale.

Le diabète de type II, encore appelé diabète non insulino-dépendant, est la maladie d'une civilisation sédentaire et surconsommatrice de graisses et de sucre. Avec 30 millions de cas supplémentaires chaque année, elle prend des allures de pandémie. Pour y échapper, il faut déjà ne pas grossir, mais aussi éviter les aliments qui déclenchent une production accrue d'insuline par le pancréas, c'est-à-dire ceux à index glycémique élevé comme les confiseries, les pâtisseries… Une hausse du taux de cette hormone dans le sang provoque, après des années de surconsommation de sucreries, une insulinoré-sistance : c'est-à-dire que le foie, les muscles et les tissus adipeux, chargés de stocker ou de consommer le glucose du sang, résistent à l'action de l'insuline et n'assument plus leur rôle. En parallèle, la production d'insuline baisse progressivement car le pancréas se fatigue.

Malheureusement, contrairement au diabète de type I, dit insulinodépendant, cette forme de la maladie est bien souvent découverte tardivement, après plusieurs années de progression sournoise. Elle évolue sans réels symptômes ni douleur. Toutefois, il y a des signes avant-coureurs : une fatigue persistante inhabituelle, des levers nocturnes pour uriner, des infections cutanées et des mycoses à répétition, ou encore une baisse brutale et transitoire de l'acuité visuelle. Mais le signal d'alarme le plus fiable est la glycémie (taux de glucose dans le sang) à jeun. Norma-

La syphilis rend fou

Elle eut ses célèbres victimes, tels Maupassant, mort de démence, Verlaine ou... Al Capone. On croyait que cette terrible maladie appartenait à un autre siècle. Mais elle revient aujourd'hui.

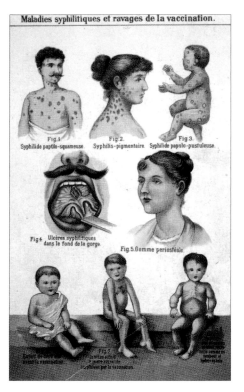

▲ Les ulcérations dues à la syphilis étaient largement décrites dans les ouvrages médicaux de la fin du XIXᵉ siècle.

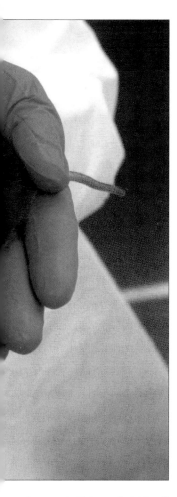

▼ En travaillant sur les gènes de souris, les chercheurs tentent de mieux comprendre les liens entre obésité et diabète.

Dans son roman *le Horla*, Guy de Maupassant (1850-1893) décrit la folie qui le ronge. Il n'a pu nommer le mal qui a pris possession de son corps : le tréponème pâle, une bactérie qui s'infiltre dans le sang lors d'un rapport sexuel non protégé, s'y multiplie et provoque d'anodines petites plaies. Mais, au bout de quelques mois, un état grippal fait son apparition, accompagné d'horribles pustules sur le sexe. Ces symptômes disparaissent ensuite : un répit pendant lequel la bête fait son nid. Elle se réveille quelques années après pour s'attaquer aux vaisseaux sanguins du cerveau. Privés d'oxygène, les neurones s'asphyxient, le cerveau déraille et la démence s'installe jusqu'à ce que mort s'ensuive – d'où son triste surnom de mort lente. On a longtemps pensé que les malades à ce dernier stade souffraient de troubles psychiatriques. La découverte de la bactérie par l'Allemand Schaudinn, en 1905, permit d'écarter cette hypothèse. À l'époque, les victimes de démence d'origine syphilitique représentaient le tiers des aliénés internés : ils souffraient d'idées délirantes, de troubles de la marche ou de paralysie générale.

Pour certains, la syphilis a été importée par Christophe Colomb, pour d'autres, elle est due aux mutations d'un germe. Elle fit des ravages dès le XVIᵉ siècle en Europe, emportant près d'une personne sur cinq au XIXᵉ siècle ! Un fléau qui prit momentanément fin avec la découverte de la pénicilline par Alexander Fleming.

Après avoir été éliminée, cette maladie fait un sinistre retour en force. Au Canada, les taux de syphilis ont triplé entre 1996 et 2002 ; en 2003, 428 Français étaient atteints, avec une progression de 100 % entre 2001 et 2002. La cause ? Des rapports sexuels sans préservatif. Une pure folie ! ■

lement inférieur à 1,10 g/l, elle indique un diabète gras dès lors qu'elle atteint ou dépasse 1,26 g/l à quinze jours d'intervalle, alors qu'à 1,50 g/l la personne diabétique se sent encore bien.

Non dépisté ou mal soigné, le diabète provoque des affections graves comme une insuffisance rénale, des troubles oculaires et des maladies cardio-vasculaires. Une fois déclarées, ces complications ne peuvent régresser. Il est par contre possible de les stabiliser ou de freiner leur évolution par un traitement adéquat. ■

LA PÉNICILLINE : UN HEUREUX HASARD

C'est en rangeant son laboratoire que le biologiste britannique Alexander Fleming se rendit compte que des bactéries (des staphylocoques) avaient disparu de leur milieu de culture au lieu de proliférer. La coupable ? Une moisissure qui les avait contaminées par hasard. En la filtrant, le chercheur découvrit la pénicilline, qui tue le tréponème pâle en inhibant sa multiplication. Mais le malheureux Fleming n'arriva pas à isoler le produit actif. Il fallut attendre 1940 pour que les biologistes réussissent à concentrer la pénicilline, permettant de guérir de la syphilis et sauvant ainsi d'innombrables vies. Un retard fatal pour Verlaine et Al Capone... Mais, aujourd'hui, cette bactérie fait de la résistance – ce que Fleming avait prévu dès 1945. Une récente étude portant sur une population ciblée (les homosexuels à partenaires multiples) a révélé que certaines formes de l'antibiotique n'offrent plus de garantie de guérison. La bête rôde plus que jamais !

Le sida est une maladie de laboratoire

« Ils » l'ont fait exprès… Comme souvent, dès qu'un événement vient brutalement perturber la société, les rumeurs vont bon train car il faut trouver un coupable. L'apparition du virus du sida n'a pas failli à la règle. Et si c'était…

▶ Depuis 1983, date à laquelle il a été isolé, l'origine exacte du virus du sida demeure un mystère.

Décrite pour la première fois en 1981 aux États-Unis, cette nouvelle maladie fut d'emblée appelée le cancer des gays, car elle touchait en grande majorité des homosexuels. Deux ans plus tard, en 1983, une équipe de chercheurs français publie la première description du virus responsable : le VIH. Les spécialistes découvrent alors qu'un virus presque identique existe chez les singes et émettent l'hypothèse d'une contamination par transfert de l'animal à l'homme.

Mais, comme toujours quand on ne peut trouver immédiatement d'explications sérieuses, les rumeurs vont suppléer les hypothèses scientifiques. Le VIH aurait été inventé par la CIA pour se débarrasser des gays… Une théorie pour le moins fantaisiste, d'autant plus que la première preuve de l'infection humaine remonte à 1959, dans l'actuelle République démocratique du Congo. Rien à voir donc avec une quelconque tentative d'éliminer les gays.

Une autre hypothèse, plus construite, est que le sida aurait été transmis à l'homme lors d'une campagne de vaccination contre la poliomyélite lancée au début des années 1960 dans le même pays d'Afrique. Le vaccin aurait en effet contenu des particules de reins de chimpanzés contaminés par le sida. Cette théorie s'appuie notamment sur deux éléments : l'épicentre de l'épidémie se situe justement en Afrique centrale et des virus du singe auraient été retrouvés dans ce vaccin. En 1999, la publication de *The River*, un livre très documenté sur cette hypothèse, déclenche une vive polémique au sein de la communauté scientifique, qui mène alors sa propre enquête. Mais aucune trace du virus du sida, ni même de cellules de chimpanzé, n'est retrouvée dans les échantillons du vaccin mis en question. D'autre part, l'extrême variabilité des souches virales qui circulent en Afrique centrale ne peut résulter que d'un long processus de mutation.

Les résultats tendent donc à prouver que le virus était présent chez l'homme dans cette région d'Afrique bien avant la campagne de vaccination, sans doute depuis les années 1930. Le premier passage de l'animal à l'homme serait encore beaucoup plus ancien.

La théorie la plus largement acceptée est celle du transfert naturel par le sang : un chasseur blessé aurait été contaminé avec le sang d'un chimpanzé malade. ■

Les maladies infectieuses

Nous allons nous débarrasser de la peste, de la rage… Mais d'autres fléaux viendront. **Pasteur ne croyait pas si bien dire. Aujourd'hui, les maladies infectieuses tuent quatorze millions de gens ! La lutte est-elle sans fin ?**

De tout temps, les maladies infectieuses ont représenté une des premières causes de mortalité sur la planète. Au XIXe siècle, scarlatine et diphtérie étaient des pathologies si familières qu'on les considérait comme des caractéristiques propres à l'enfance… La science a néanmoins cru, un temps, pouvoir les maîtriser, voire les éradiquer avec l'apparition des premiers vaccins. Une illusion idéaliste puisque, aujourd'hui, elles tuent des millions de personnes dans le monde, dont 90 % dans les pays en développement. Et le tableau n'est guère meilleur en Occident, où leur incidence est passée de 10 % à 20 % en quinze ans.

Les maladies infectieuses sont liées à la présence de virus, bactéries, parasites ou champignons qui colonisent le corps. Certaines sont dites émergentes : elles concernent les nouvelles affections provoquées par un micro-organisme inconnu qui explose du fait de changements dans son environnement. Le sida, Ebola ou, dernièrement, le sras en sont de tristes

▲ *Les plus grandes précautions sont prises dans les laboratoires lors de la manipulation de souches virales.*

◄ *L'étude de la momie de Ramsès II a permis de constater que le pharaon avait succombé à une tuberculose.*

eviennent

exemples. C'est bien là le paradoxe du progrès : il fournit à des agents pathogènes l'occasion de rencontrer l'hôte humain, qu'en d'autres circonstances ils n'avaient aucune chance de toucher. Ainsi, l'élevage intensif a fait surgir la salmonelle chez le poulet et les ruptures de la chaîne du froid, la listeria…, la multiplication des voyages aériens favorisant leur mondialisation.

D'autres maladies sont réémergentes : elles existaient préalablement mais réapparaissent à l'occasion de conditions socio-économiques et technologiques nouvelles. Le plus souvent,

les agents infectieux renaissent sous une forme différente, plus sévère, et résistent mieux aux antibiotiques ou aux vaccins censés les combattre. L'exemple de la tuberculose est à ce titre parlant. Vieille comme le monde – elle a tué Ramsès II –, cette maladie est, au XIXᵉ siècle, devenue la première cause de mortalité en France. Mais l'arrivée du vaccin BCG et l'amélioration des conditions de vie ont eu raison d'elle au XXᵉ siècle. Fut-elle pour autant éradiquée ? Loin de là, puisque, aujourd'hui, la tuberculose est en progression. Elle tue 2 millions de gens par an, soit près de 5 000

personnes par jour, et ne cesse de gagner du terrain.

L'usage mal maîtrisé des antibiotiques et leur prescription systématique ont largement contribué à perfectionner les mécanismes de défense des agents pathogènes. Or l'invention de nouvelles classes de médicaments est loin de combler le retard. L'adaptation des micro-organismes est devenue le problème majeur pour la médecine du XXIᵉ siècle. Et, sachant que l'on connaît 1 % des bactéries (à l'échelle de l'évolution), les maladies infectieuses ont un bel avenir… ■

Avec l'avion, les maladies tropicales arrivent chez nous

L'explosion des voyages à travers le monde a favorisé l'apparition de virus et de maladies jusque-là inconnus dans nos contrées.

GARE AUX MOUSTIQUES !

Les moustiques sont souvent incriminés comme agents de propagation de maladies infectieuses. Il existe pourtant des moyens très simples de les éloigner. Nos grands-mères avaient pour habitude d'accrocher des pots de géraniums à leurs balcons. Bien vu ! Cette jolie plante a la vertu de tenir les moustiques à distance. Elle contient en effet du géraniol et du nérol, deux molécules qui exhalent une odeur camphrée peu appréciée de ces petites bêtes. Ces molécules appartiennent à la famille des terpènes, composés volatils qui constituent le principe odoriférant des végétaux. Les terpènes contiennent 10, 15, 20 atomes de carbone ou plus, et ce nombre conditionne leurs propriétés olfactives. Aujourd'hui, ces composés constituent l'une des bases de l'industrie du parfum, des arômes et des colorants alimentaires. L'huile essentielle de géranium est un antimoustique naturel performant, mais son efficacité dure rarement plus de deux heures ; il faut donc en renouveler l'application régulièrement. Idem pour les lotions à base de citronnelle, de lavande, etc. Toutefois, aucun produit à base de plantes n'a l'efficacité du DEET (diéthyl-toluamide), un produit synthétique qui agit en brouillant les signaux olfactifs émis par le corps, très utiles au moustique pour détecter sa proie. Mais les effets indésirables, rares, incitent à la modération : il est préférable d'utiliser (pas trop régulièrement) des produits avec une concentration en DEET comprise entre 15 et 35 % au maximum. Pour les enfants de moins de 12 ans, il est recommandé de ne pas dépasser les 10 % et de limiter son usage à trois applications journalières. En revanche, le produit est déconseillé pour les enfants âgés de moins de 2 ans. Notez que les gadgets à ultrasons et autres pièges à insectes sont parfaitement inefficaces.

Pas de catastrophisme ! *L'idée selon laquelle nous serions envahis par les maladies tropicales est un mythe*, explique Olivier Bouchaud, responsable du centre de médecine tropicale de l'hôpital Avicenne, à Bobigny. *Toutefois, on ne peut exclure la menace qu'elles représentent.*

La dengue est l'incarnation type de ces maladies tropicales diffusées par l'avion. D'abord confinée à l'Asie du Sud-Est, elle s'est ensuite propagée dans l'ensemble de la zone intertropicale. La pandémie, qui date des années 1960, coïncide bien avec l'explosion du transport aérien. En France, on compte une centaine de cas par an. Autre maladie qui a récemment émergé en Occident : le virus du Nil occidental (VNO). À partir de 1999, il a successivement envahi les États-Unis, le Canada et le Mexique, faisant plusieurs centaines de victimes. La souche virale américaine, très proche de celle que l'on trouve au Moyen-Orient, laisse penser que le VNO a été introduit par des oiseaux ou des moustiques transportés par avion. Plus de 300 cas ont été recensés au Canada en 2002, contre 7 en France en 2003. Quant aux fièvres virales Ebola et de Marburg, bien que très médiatisées, elles ne présentent que des cas rarissimes d'importation.

En fait, la maladie tropicale d'importation la plus importante reste le paludisme. Avec 7 000 cas dénombrés chaque année, provoquant 15 à 20 décès, la France est le pays européen le plus touché.

Vacances ne doit plus rimer avec insouciance. Gardez à l'esprit qu'un séjour dans un pays à risque requiert des précautions de base pour se prémunir contre les maladies locales, sans oublier les affections sexuellement transmissibles. Alors n'hésitez pas : demandez conseil à votre médecin. ■

LE SRAS ET LA GRIPPE AVIAIRE

Le premier cas de syndrome respiratoire aigu sévère (sras) se déclare en Chine en novembre 2002. Le virus se propage comme une traînée de poudre, les zones les plus touchées correspondant aux plaques tournantes du transport aérien international. Le 5 juillet 2003, l'OMS estime que la flambée mondiale de sras est endiguée. Le bilan officiel fait état de 8 403 cas (dont 775 mortels), répartis dans 29 pays. On ne dispose d'aucun traitement spécifique pour lutter contre ce coronavirus dont les modes de contamination n'ont pas encore été totalement élucidés. C'est dans ce contexte troublé que la grippe aviaire fait son apparition, fin 2003 et toujours en Asie. Elle envahit rapidement une dizaine de pays. L'infection peut toucher toutes les espèces d'oiseaux, mais elle n'affecte l'homme que très exceptionnellement. Pourtant, on observera 97 cas de contamination, dont 53 entraînant la mort. Il n'y aurait pas de transmission interhumaine de ce virus. En revanche, on craint que le virus de la « grippe du poulet » puisse se combiner avec celui de la grippe humaine pour donner un virus capable de se transmettre facilement d'une personne à l'autre.

Le réchauffement climatique favorise le paludisme

Les températures sont à la hausse sur la Terre, et certains experts craignent pour la santé de nos contemporains. Car les maladies tropicales pourraient bien s'installer sous nos latitudes…

Aujourd'hui, le réchauffement climatique n'est plus contesté. Selon le Giec (Groupement intergouvernemental sur l'évolution du climat), la température de la Terre va augmenter de 2 à 5 °C au cours des prochaines décennies. Et les conséquences sur la santé publique sont bien réelles.

Le paludisme (ou malaria) est un cas particulièrement préoccupant. Cette maladie, inoculée par le moustique anophèle femelle, est due à un parasite, le plasmodium. Or le moustique comme son parasite connaissent un développement optimal en climat chaud et humide. En dessous de 17 °C, le potentiel épidémique est nul, mais, entre 29 et 34 °C, il est maximal. Si la température augmente sur la Terre, le parasite se développera plus vite et s'étendra à des régions non touchées. Du coup, la capacité du « vecteur moustique » à transmettre l'agent infectieux augmentera elle aussi. La zone où se développe habituellement le paludisme s'étendra, sans pour autant que les régions touchées actuellement le soient moins.

Ce schéma n'est pas trop alarmiste ! L'Organisation mondiale de la santé (OMS) s'inquiète en effet pour de nombreuses régions tels le nord du Sahel, la majeure partie du Maghreb, la Turquie, le Proche- et le Moyen-Orient, l'Afrique du Sud, le Brésil méridional ou le sud de la Chine. D'autre part, la maladie pourrait gagner, du fait du réchauffement, des altitudes plus élevées que 1 400 ou 1 600 m, les limites actuelles du paludisme. Si bien que, dans un demi-siècle, 60 % de l'humanité pourrait vivre dans des régions où sévit le parasite, contre 45 % en 1990. Il est cependant improbable que le paludisme se réintroduise dans les

pays développés, comme en Europe occidentale ou en Amérique du Nord. Car ces pays disposent de bons moyens de détecter et d'endiguer un début d'épidémie. Mais, toujours selon l'OMS, le risque de flambées épidémiques localisées subsiste.

D'autres maladies pourraient également connaître une recrudescence. Des leishmanioses, de forme viscérale (mortelle si elle n'est pas traitée) ou cutanée, présentes toutes deux sur le pourtour méditerranéen, risquent de s'étendre vers le nord. De même, la fièvre boutonneuse, qui n'est pour l'instant connue que dans les régions méridionales, pourrait remonter. L'encéphalite à tique, quant à elle, risquerait de gagner d'autres endroits que l'Alsace et les Vosges.

Seules des mesures préventives, comme la vaccination, peuvent permettre de circonscrire certaines de ces maladies.

Enfin, le nombre d'infections hospitalières pourraient également croître. Car lorsque la température s'élève, elles se font plus nombreuses. La plupart des chirurgiens évitent d'ailleurs, dans la mesure du possible, d'opérer l'été. Toutefois, d'après l'OMS, le principal facteur qui explique l'émergence des maladies infectieuses reste la pauvreté et non le changement climatique. ∎

▼ *Pour contrer la propagation du paludisme, les gouvernements renforcent les campagnes de prévention, l'arme la plus efficace.*

Idées reçues sur le cancer

Vaincre le cancer : c'est l'un des grands défis de la médecine. En France, un homme sur deux et une femme sur trois doivent l'affronter. Dans le monde, on recense plus de 10 millions de nouveaux cas par an. Il y a pourtant des raisons d'espérer, car le cancer est de mieux en mieux connu et combattu. En levant le voile sur ses mécanismes, la recherche a permis des progrès dans le diagnostic et les traitements. Plus largement, la lutte contre le cancer passe par l'information, indispensable pour faire évoluer comportements et mentalités. Il s'agit aussi de balayer quelques idées reçues…

◀ *Le cancer du poumon est, dans les pays occidentaux, la cause la plus fréquente de décès dû au cancer chez les hommes, et à l'origine d'une mortalité croissante chez les femmes.*

C'est une maladie des temps modernes

Pas tout à fait… Déjà, vers 1600 avant notre ère, le cancer est mentionné dans un papyrus égyptien. Le mot cancer lui-même, qui signifie crabe en latin, date de l'Antiquité grecque. Il a été introduit par les Asclépiades, école de médecine dont fit partie Hippocrate (v. 460-v. 377 av. J.-C.). Bien que connue depuis longtemps, cette maladie est toutefois rare dans les archives historiques. C'est que le risque de cancer augmente avec l'âge. Cet accroissement du nombre de cas est donc pour partie une conséquence mécanique du vieillissement de la population, lié à l'allongement de l'espérance de vie : il y a logiquement plus de cancers de nos jours qu'aux époques où la longévité était inférieure. Mais cette donnée statistique ne suffit pas à expliquer l'augmentation du nombre de cancers depuis le xxe siècle. De très nombreuses études mettent en effet en cause certains facteurs environnementaux, à commencer par le tabac. S'il ne s'agit donc pas à proprement parler d'une maladie des temps modernes, il semble bien que l'évolution de nos modes de vie favorise son expansion.

C'est une fatalité…

Nous ne sommes pas égaux devant le cancer. Certains en sont atteints alors qu'ils mènent une vie d'ascète, quand d'autres, à l'hygiène de vie plus que douteuse, passent au travers. Mais invoquer la fatalité, c'est oublier que modifier nos comportements pourrait sans doute éviter de très nombreux cas de cancer. L'impact de l'exposition à certains facteurs cancérigènes est aujourd'hui bien connu. Ainsi, le tabagisme est impliqué dans 30 % des cancers (poumons, bien sûr, voies aériennes supérieures, appareil digestif, vessie)… et dans 33 % de la mortalité par cancer ! Fait moins connu : dans les pays développés, des facteurs alimentaires seraient aussi en cause dans 30 % des tumeurs. Outre l'alcool, qui favorise les cancers de l'œsophage et de l'estomac – l'association avec le tabac étant particulièrement néfaste –, sont incriminés les graisses animales, les salaisons et les aliments cuits au barbecue, la baisse de la consommation de fruits et de légumes… D'autres facteurs de risque sont également évitables. La mode du bronzage, qui expose aux rayonnements ultraviolets du soleil, a généré une explosion des cas de cancer de la peau. En particulier le mélanome (il tue 2 000 personnes par an en France), dont la fréquence a triplé en vingt ans. Quant aux cancers professionnels, ils ne sont certes pas nouveaux mais évoluent en fonction des pratiques. À la fin du xviiie siècle, on parlait déjà du cancer du ramoneur ; un siècle plus tard, on découvrait des cancers de la vessie dans les usines de colorants. Récemment, le rôle des poussières d'amiante dans certains cancers de la plèvre et du poumon a été confirmé. Plus largement, l'impact de la pollution et des modifications de notre environnement (nouveaux produits chimiques, appareils électroniques…) reste difficile à appréhender. Des études existent toutefois, qui ont montré la nocivité des pesticides, mais aucune n'a jusqu'à présent prouvé la responsabilité des téléphones portables dans certaines tumeurs cérébrales ou celle de la proximité d'antennes-relais dans l'augmentation des cas de cancer et de leucémie.

▲ Après avoir vaincu un cancer de stade III (stade évolutif le plus élévé), Lance Armstrong est devenu le premier champion cycliste à remporter le Tour de France sept années de suite.

Quand on dépiste un cancer, c'est souvent trop tard

Radiographie, échographie, scanner, méthodes endoscopiques, imagerie par résonance magnétique (IRM)… La palette des méthodes d'imagerie est large. Différents tests biologiques permettent également d'orienter le diagnostic. Dans tous les cas, c'est une course contre la montre mais, pris à temps, la plupart des cancers se soignent. Certes, il est difficile de détecter une tumeur de moins de 1 g. Mais deux ans après, si rien n'est fait, elle pèse 1 kg environ et elle se révèle hélas souvent mortelle. D'où

l'importance des dépistages précoces. Celui du cancer du sein a été généralisé en France début 2004 afin que, dans les deux ans, 80 % des femmes entre 50 et 74 ans aient reçu une invitation à bénéficier d'une mammographie gratuite. La France songe aussi à instaurer des examens systématiques de dépistage du cancer colo-rectal, grâce au test Hémoccult, qui sert à détecter les traces de sang dans les selles. Le dépistage du cancer du col de l'utérus repose quant à lui sur un frottis effectué par le gynécologue ou le géné-

raliste. Surveillance des grains de beauté suspects pouvant annoncer un mélanome, suivi en cas de facteurs de risque particuliers (tabagisme, antécédents familiaux de cancer…) : il y a beaucoup à faire. Et surtout beaucoup à gagner . On estime ainsi que le dépistage systématique du cancer du sein pourrait permettre de réduire de 20 à 30 % la mortalité qui lui est attachée, et que le frottis vaginal systématique pourrait quant à lui éviter quelque 90 % des décès liés au cancer de l'utérus !

C'est une maladie honteuse

Un puissant tabou a longtemps été attaché au cancer, cette « longue maladie » inexplicable, incontrôlable et mortelle dont on préférait taire le nom. Il a pu avoir pour conséquence la mise au ban des cancéreux. Pourtant, le cancer n'est pas contagieux. Il ne s'attrape pas comme un rhume. Il est toutefois vrai que 10 % des cancers (1 sur 4 dans les pays en développement) sont dus à des infections virales. Une hépatite B (la jaunisse), lorsqu'elle devient chronique, est ainsi

susceptible d'entraîner un cancer du foie. Face à l'injustice d'une telle maladie, on cherche des explications. Par le passé, le cancer a pu être considéré comme une punition (de nos péchés, d'une vie dissolue…). Aujourd'hui, trop souvent encore, les malades ressentent une culpabilité engendrée par certains lieux communs : si on a un cancer, c'est parce qu'on a trop fumé, trop bu ou trop mangé, mais aussi parce qu'on est trop faible (*Untel a fumé toute sa vie et n'a*

jamais eu de cancer), pas assez battant (*Il s'en est sorti parce qu'il a un moral d'acier*). Et le sentiment d'exclusion s'ajoute au poids de l'angoisse. Il faut changer la représentation sociale du cancer, pour favoriser une meilleure prise en charge psychologique des patients.

▶ Des recherches récentes ont permis de découvrir le lien entre le cancer du col de l'utérus et le papillomavirus humain, un virus sexuellement transmissible.

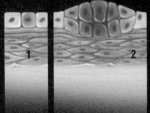

1   2   Derme   3   4   5

Épiderme

1 *Suite à une mutation génétique, à une radiation UV ou nucléaire ou à un agent cancérigène (chimique, physique, biologique), une lésion apparaît dans l'ADN d'une cellule.*

2 *Si la lésion affecte notamment les gènes codant pour les protéines chargées du contrôle de la division cellulaire (la mitose), celle-ci peut s'emballer. La cellule se met alors à proliférer de façon parfaitement anarchique, ce qui augmente statistiquement la probabilité de nouvelles lésions de l'ADN.*

3 *L'amas de cellules forme une dysplasie, une région anomale dans le tissu ou l'organe dont elle fait partie. De nouvelles altérations de l'ADN apparaissent, qui aggravent encore le phénomène de prolifération. Les cellules de la dernière génération ont un comportement encore plus aberrant que celles qui leur ont donné naissance.*

4 *L'amas cellulaire a atteint une taille limite dans son tissu. Son développement peut s'arrêter là ou ralentir. Sans vaisseaux sanguins pour l'oxygéner, la tumeur vit au ralenti. À ce stade, c'est une bombe à retardement : sa très grande instabilité génétique peut subitement la faire proliférer à nouveau.*

C'est génétique

Seulement 5 % des cancers sont héréditaires. En cas d'antécédents familiaux, des tests permettent de mettre en évidence la présence de gènes de prédisposition – notamment aux cancers du sein et du côlon – qui exposent à un risque plus élevé et imposent un suivi étroit. Dans la majorité des cas, toutefois, l'hérédité n'entre pas en jeu. Le cancer est dû à une atteinte fortuite du matériel génétique, plus précisément des gènes qui contrôlent la prolifération des cellules (oncogènes) ou leur différenciation (gènes suppresseurs). Des lésions répétées par des facteurs cancérigènes (radiations, UV, molécules toxiques…) provoquent des modifications des instructions génétiques portées par ces gènes (mutations). Ces mutations donnent naissance à un petit groupe de cellules qui prolifèrent plus vite que les autres, aboutissant à la cancérisation. Ces mutations sont aléatoires, ce qui explique que certaines tumeurs sont plus agressives que d'autres. Dans un futur proche, on envisage d'établir une carte d'identité génétique des tumeurs pour les traiter plus efficacement. En comparant les profils génétiques d'un grand nombre de patients, on espère aussi identifier les gènes impliqués dans les variations de sensibilité ou de tolérance aux médicaments pour instaurer des traitements à la carte. C'est le combat d'une toute nouvelle discipline : la pharmacogénétique.

▶ *La reine Anne d'Autriche est morte à 65 ans d'un cancer du sein. Aujourd'hui, ce type de cancer est parmi les plus fréquents et ne cesse de progresser.*

La médecine a toujours été impuissante face au cancer

Autrefois, oui… quand elle n'était pas pire que le mal ! Ainsi la chirurgie du cancer du sein pratiquée dès l'Antiquité était-elle un remède mortel. Le Moyen Âge nous a livré des sécateurs à seins dont la seule évocation a de quoi faire frémir. Et que dire de la poudre à base d'arsenic prescrite à Anne d'Autriche par son médecin Pierre Alliot ? Elle mourra dans d'horribles souffrances en 1666. Une découverte va cependant révolutionner les thérapies anticancéreuses : celle des rayons X, par W. C. Röntgen en 1895. Peu après, la radiothérapie est mise au point. Elle utilise des rayons qui détruisent les cellules cancéreuses. Hélas, mal dosés et mal ciblés, ils entraînent trop de dommages collatéraux, notam-ment des brûlures. Autre avancée dans les années 1940 : on remarque que le gaz moutarde, de triste réputation, a la propriété de détruire les globules blancs. Pourquoi ne pas s'en servir pour traiter la leucémie ? C'est la première chimiothérapie. Quelques décennies plus tard, chirurgie, radiothérapie et chimiothérapie restent à la base des traitements. Heureusement, il y a eu beaucoup de progrès…

Hématie
(globule rouge)

Les cellules périphériques de
la tumeur ont acquis par mutation
génétique la capacité de dissoudre
la membrane protégeant le tissu
d'origine. Elles sortent donc de
leur tissu et prolifèrent à l'extérieur.
Lorsque des cellules arrivent
dans les vaisseaux sanguins,
elles incitent ceux-ci à fabriquer

des capillaires en direction
de la tumeur (processus
d'angiogenèse). Désormais irriguée,
donc oxygénée, celle-ci prend
une vigueur nouvelle.

6 En circulant via les vaisseaux
sanguins et lymphatiques,
les cellules tumorales gagnent
l'ensemble de l'organisme.
Une sur 10 000 en moyenne
deviendra une métastase.

▶ La pervenche de
Madagascar renferme
des alcaloïdes utilisés dans
le traitement des cancers
et des leucémies.

C'est une maladie incurable

On guérit 40 % des cancers chez l'homme, 60 % chez la femme et 75 % chez l'enfant (on parle de guérison lorsque, statistiquement, le risque de récidive devient très faible). Certes, c'est encore trop peu, mais c'est encourageant. Ces avancées sont d'abord dues à une diversification des stratégies thérapeutiques. Grâce aux progrès du diagnostic, la chirurgie intervient plus tôt et est plus efficace. La radiothérapie (les fameux rayons), plus ciblée et mieux dosée, a moins d'effets secondaires. La chimiothérapie a également évolué. Elle fait appel à des « poisons » qui ciblent les cellules en train de proliférer (une caractéristique des cellules tumorales). Les substances utilisées agissent à différents stades du processus de division cellulaire. Malheureusement, ces médicaments peuvent aussi tuer des cellules saines en cours de renouvellement, d'où la chute des cheveux et la toxicité pour les cellules sanguines. Depuis quelques années, toutefois, la prise en charge de ces effets secondaires et de la douleur s'est améliorée. Et de nouvelles pistes de traitement se profilent... La science cherche par exemple à aider notre système immunitaire à reconnaître les cellules cancéreuses et à les éliminer (immunothérapie, anticorps monoclonaux). Autre piste prometteuse : celle de l'anti-angiogenèse, qui consiste à « affamer » la tumeur en empêchant la formation des vaisseaux sanguins qui l'irriguent. D'autres stratégies visent à mettre fin à l'immortalité des cellules cancéreuses en remettant en route leur horloge interne, ou encore à bloquer leur mobilité pour empêcher la formation de métastases.

▲ La radiothérapie fut utilisée pour la première fois
dans la lutte contre le cancer en France en 1896, mais
ses développements modernes datent des années 1960.

◀ En 1901, le physicien
allemand W. C. Röntgen
a reçu le premier prix Nobel
de physique pour sa
découverte des rayons X.

C'est hormonal

Dans certains cancers, dits hormonodépendants, les hormones agissent comme des « engrais » qui favorisent la prolifération des cellules cancéreuses (cancers du sein, de l'utérus ou de la prostate). La sensibilité aux hormones s'explique par la présence de récepteurs particuliers sur les cellules tumorales. Dans le cancer du sein, par exemple, la croissance de la tumeur est stimulée par les œstrogènes, des hormones fabriquées par les ovaires.

Depuis quelques années, une nouvelle stratégie de traitement, l'hormonothérapie, s'est imposée contre ces cancers. En bloquant l'action des hormones, elle limite l'extension des tumeurs. Elle peut être associée à d'autres thérapies ou intervenir quand celles-ci ne peuvent être mises en œuvre.

Quid des prescriptions d'hormones ? Si elles ne « donnent » pas le cancer, elles peuvent bel et bien représenter un facteur de risque. En 1997 puis en 2002, des études américaines ont ainsi montré que les traitements hormonaux substitutifs prescrits aux femmes ménopausées majoraient le risque de cancer du sein. Ils doivent donc être strictement encadrés.

La chirurgie est née sur les

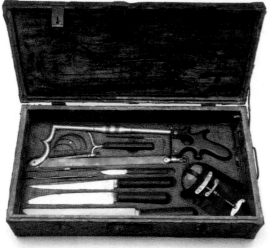

▲ *Dans cette mallette de 1860, le parfait nécessaire du chirurgien avec les instruments utiles à l'amputation.*

ASEPSIE ET ANTISEPSIE

Comme tous ses collègues, le chirurgien britannique Joseph Lister croyait que les fréquentes complications postopératoires observées chez ses patients étaient dues à des « miasmes pestilentiels » contenus dans l'air. En 1867, il découvre les travaux de Pasteur et sa théorie des germes. C'est pour lui une révélation. Il comprend que ce sont ces micro-organismes qui sont responsables de la décomposition des plaies ouvertes. Il a alors l'idée d'appliquer sur les plaies des pansements de gaze imprégnée de phénol. Les résultats sont très probants : l'antisepsie est née. La chirurgie opératoire bénéficie également de cette découverte : les blessures sont nettoyées au phénol, les instruments, les blouses et la salle d'opération également. Les médecins français, sceptiques, n'appliquent pas ces méthodes. Résultat : 75 % des amputés de la guerre de 1870 décèdent. La première application de l'antisepsie sur une grande échelle est due au chirurgien allemand Ernst von Bergmann, au cours de la campagne russo-turque de 1877-1878. À partir de 1880, les principes antiseptiques de Lister sont largement acceptés et appliqués par l'ensemble du corps médical. L'asepsie, quant à elle, est une technique de protection contre les contaminations microbiennes ; elle passe notamment par la stérilisation des instruments chirurgicaux. Inspirés par Pasteur et Lister, les chirurgiens français Terrillon et Terrier réalisent la première asepsie par ébullition en 1883 ; ce sont eux qui en codifieront la pratique.

La chirurgie a gagné ses lettres de noblesse dans le sang et les horreurs de la guerre. Ambroise Paré (1510-1590) fut le premier à oser faire des champs de bataille son laboratoire.

L a course à la performance est une réalité dans toutes les armées du monde : le radar, l'énergie nucléaire, l'ordinateur ou Internet sont le fruit de recherches menées par les militaires. Mais c'est la chirurgie qui a vraiment bénéficié de ce que l'armée sait le mieux faire : la guerre. En soignant le flot incessant des blessés, les médecins ont amélioré leurs connaissances de l'anatomie humaine, et donc leurs techniques chirurgicales. Les guerres du XXᵉ siècle, les plus meurtrières de l'Histoire, celles qui ont fait le plus grand nombre d'estropiés aussi, ont permis aux chirurgiens de perfectionner leur art. Les « gueules cassées » de la Grande Guerre, par exemple, ont fait faire un bond en avant à la chirurgie faciale. Auparavant, les guerres napoléoniennes, qui inauguraient la « levée en masse » des soldats citoyens, avaient déjà considérablement affermi le savoir-faire des chirurgiens. C'est à cette époque notamment qu'ils développent les techniques des premiers soins, ainsi que le transport rapide des blessés.

Mais la véritable avancée eut lieu au XVIᵉ siècle, dans l'Europe guerroyante, grâce à Ambroise Paré, chirurgien des armées et des rois de France, considéré comme le père de la chirurgie moderne. Son œuvre marque une rupture avec les dogmes des Anciens et les pratiques du Moyen Âge héritées de Galien. C'est sur le champ de bataille qu'il met au point de nombreux procédés révolutionnaires. L'art de la guerre s'était alors considérablement raffiné. L'introduction des premières armes à feu portatives, qui tiraient à la cadence d'un coup par minute, produisaient des blessures d'un genre nouveau. Pour soigner les plaies d'arquebuse ainsi que les infections que la poudre engendrait, on appliquait de l'huile bouillante. Mais ce traitement favorisait l'éclosion d'infections fatales, et ce dans les pires douleurs. Pendant la campagne d'Italie, Paré utilise alors un traitement novateur à base d'emplâtres curatifs. Quelques années plus tard, il est à nouveau sur le terrain lors du siège de Perpignan. Le comte de Brissac avait reçu une balle à l'épaule que l'on n'arrivait pas à localiser. Paré eut alors l'idée de replacer le membre dans

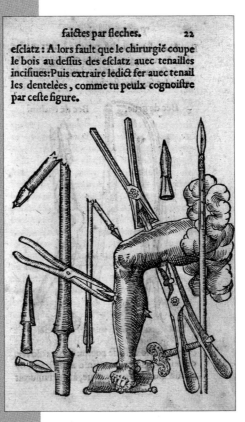

faictes par fleches.   22
esclatz : Alors fault que le chirurgié coupe le bois au deſſus des eſclatz auec tenailles inciſiues : Puis extraire ledict fer auec tenail les dentelées, comme tu peulx cognoiſtre par ceſte figure.

▲ *Dans cet extrait d'un ouvrage de 1551, Ambroise Paré explique l'art de traiter les blessures par flèche.*

champs de bataille

On les appelait aussi les « nouveaux monstres ». Au sortir de la Première Guerre mondiale, ils sont 7 000 soldats défigurés par les éclats d'obus et autres nouvelles armes de guerre. Mâchoires fracturées, yeux crevés, oreilles arrachées… Devant l'horreur de ces visages ravagés, de nouvelles méthodes chirurgicales s'imposent. Ainsi, la greffe ostéo-périostique, procédé classique de réparation de pertes osseuses avant 1914, est étendue des membres au visage, grâce à l'initiative du Dr Delagenière, chef du centre de chirurgie maxillo-faciale du Mans. Le chirurgien Léon Dufourmentel invente en 1918 une méthode de greffe qui utilise des lanières de peau prélevées au sommet du crâne du blessé. L'ophtalmologiste Étienne Rollet a même l'idée folle mais ingénieuse d'utiliser un aimant très puissant pour extraire les projectiles des yeux de ses patients. Enfin, la mise au point des prothèses se perfectionne. La chirurgie réparatrice est née ainsi dans le fracas de la Grande Guerre. Le film de François Dupeyron *la Chambre des officiers* (2003), tiré du roman de Marc Dugain, en est une illustration fidèle.

▲ *Pour Ambroise Paré, la guerre fut un formidable champ d'investigations : elle lui permit tout à la fois d'apprendre et de sauver des vies.*

l'exacte position où il se trouvait quand le projectile l'avait atteint. La balle fut aussitôt repérée. Ce principe sera appliqué par tous les chirurgiens.

La véritable révolution chirurgicale, Paré l'accomplit avec la ligature des artères, qu'il imagina vers 1562. Cette pratique, qui se substituera à la cautérisation, épargnera l'amputation à d'innombrables victimes. Le geste était simple, mais les effets miraculeux… Comme il le dit lui-même : *Je le pansay, Dieu le guérit !* ∎

L'ANESTHÉSIE, UNE RÉVOLUTION BÉNIE DES MALADES

Avant l'avènement de l'anesthésie, les interventions, quelles qu'elles soient – arrachage de dents, accouchement difficile ou, pire, amputation –, se faisaient à vif et dans la souffrance la plus atroce. Le 16 octobre 1846, au Massachusetts General Hospital de Boston, le chirurgien-dentiste William Norton pratique la première véritable anesthésie générale en administrant de l'éther sulfurique. Le patient, Gilbert Abbot, put ainsi subir l'ablation d'une tumeur maxillaire sans ressentir aucune douleur. Le 21 décembre de la même année, à Londres, Robert Liston procède de la même façon à une amputation de la jambe. Quelques mois plus tard, la pratique de l'anesthésie à l'éther est effective dans la plupart des hôpitaux des grandes capitales du monde. Le 19 janvier 1847, sir James Young Simpson utilise le chloroforme lors d'un accouchement. La reine Victoria bénéficie de cette méthode pour accoucher de son septième enfant… et « l'anesthésie à la reine » s'impose rapidement comme une technique de référence dans la lutte contre la douleur. Aujourd'hui, l'anesthésie est une technique maîtrisée et très contrôlée. En outre, la très large palette d'anesthésiants disponibles permet un dosage personnalisé qui réduit au maximum les risques d'allergie.

La trépanation est une

**Un acte chirurgical
de haute précision ? Certes.
Mais on incisait déjà
des crânes au néolithique.
Des trépanés ont même
survécu à l'opération !**

Pour beaucoup d'entre nous, la trépanation (perforation non traumatique de la voûte du crâne) évoque un acte chirurgical délicat qui doit être pratiqué par des professionnels en milieu hospitalier… Pourtant, nous savons que des trépanations post-mortem étaient pratiquées dès le paléolithique : la découverte à Rochereil (Dordogne) du crâne d'un enfant hydrocéphale remontant à – 13000 en témoigne. Mais pas de curiosité scientifique dans ce cas ; il devait plutôt s'agir de prélever des rondelles pour s'en faire un collier ! Dès le mésolithique, entre – 9000 et – 6000, de petites trépanations sont pratiquées sur des sujets vivants en

Afrique du Nord, au Portugal, en Ukraine et en Iraq. L'incision est réalisée par grattage et/ou par perçage à l'aide de lames de silex ou d'obsidienne, brutes ou retouchées. Un grand progrès est accompli au néolithique, entre – 6000 et – 4000, en Moravie (République tchèque) et sur la côte méditerranéenne : de véritables chirurgiens professionnels pratiquent de vastes incisions plus ou moins associées à des abrasions, toutes situées sur le trajet de sinus veineux, donc dans des zones à risque. Il semble donc que la chirurgie soit née à l'époque des premiers agriculteurs. La vie sédentaire et regroupée a-t-elle favorisé l'obser-

Tétraplégique

**Peut-être plus pour longtemps…
Car la moelle épinière est réparable !
La preuve : des souris paralysées
ont retrouvé l'usage de leurs pattes.**

On a longtemps cru que les lésions de la moelle épinière, responsables d'une paralysie totale ou partielle des membres, étaient irréversibles. Il y a une vingtaine d'années, ce dogme a volé en éclats. De fait, les cellules nerveuses qui ne sont pas détruites mais seulement endommagées ont la capacité de se régénérer ; encore faut-il qu'elles en aient la possibilité. Cela demande quelques explications. Quand la moelle épinière est sectionnée, il se forme une cicatrice au niveau de la lésion. Cette cicatrice, dont le maillage est très dense, constitue un bar-

rage infranchissable pour les neurones. Il empêche en quelque sorte la « repousse » de leurs terminaisons et, par conséquent, la restauration du contact nerveux. Éliminez la cicatrice, et les circuits neuronaux pourront se reconstituer ! C'est le résultat spectaculaire obtenu en juillet 2003 par l'équipe du Dr Alain Privat sur des souris transgéniques. Les chercheurs ont d'abord identifié les gènes responsables de la synthèse des protéines impliquées dans la cicatrisation. Ils ont ensuite supprimé ces gènes chez des souris dont la moelle épinière avait préalablement été sectionnée. Consé-

...ratique moderne

...vation du corps humain ? Les premières autopsies datent d'ailleurs de la même époque.

La trépanation deviendra rapidement une pratique courante, jusqu'à l'âge du cuivre (vers – 3000), à partir duquel elle s'avère moins fréquente. Deux cent quatre-vingts trépanations sont connues en France (213 en Lozère) et 150 en Allemagne ! Le taux de mortalité n'est que de 20 à 30 %. Ce qui veut dire que beaucoup de patients survécurent, comme l'attestent les cicatrices relevées sur leur crâne. Certains individus ont subi jusqu'à trois trépanations de 50 mm de diamètre ou plus ! Et ce malgré les risques d'hémorragie, de ménin-gite ou de complications neuro-logiques. Le silex, qui permet des incisions fines, précises et propres, devait limiter les risques de septi-cémie ; des lamelles de silex sont d'ailleurs encore utilisées aujourd'hui en chirurgie cardiaque. Ce sont les adultes qui faisaient les frais de ces opérations, aussi bien les hommes que les femmes.

Mais quelles en étaient les raisons ? Des comparaisons avec des populations actuelles qui pratiquent ce type de trépanation (Chaouias d'Algérie, Indiens d'Amérique du Nord, populations du Kenya et d'Océanie) permettent de formuler des hypo-thèses : guérison de trauma-tismes, de céphalées ou d'épilep-sies ; résorption d'hématomes ; extraction d'une tumeur ou d'une tuberculose osseuse. On peut y voir également un geste symbo-lique à caractère religieux. Au-cune explication n'est satis-faisante : les emplacements des incisions sont trop divers. Le mystère reste entier. On espère juste pour les patients que les chirurgiens connaissaient l'usage des plantes anesthésiantes ! ■

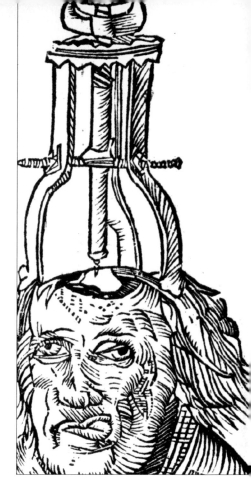

◄ ► Les chirurgiens du XVIᵉ siècle utilisaient le trépan pour percer et découper l'os du crâne. Quant aux trépanés, on ne sait que penser de leur état...

...est pour la vie

...quence : les souris ne développent pas de cicatrice et elles se remettent à marcher !

Pour des raisons éthiques liées aux manipulations génétiques, cette méthode ne saurait, en l'état, être appliquée à l'homme. Néan-moins, une solution est actuelle-ment à l'étude. Il s'agirait d'in-tervenir non pas sur l'ADN mais sur l'ARN, le messager qui tra-duit l'information génétique en protéines. En bloquant locale-ment l'expression de ces proté-ines, on pourrait empêcher la formation de la cicatrice. Cette thérapie suppose donc qu'on agisse avant la cicatrisation, c'est-à-dire sous quarante-huit heures. Mais l'ambition affichée est de l'étendre à terme aux handicapés de longue date. En effet, la cica-trice est vivante : elle se renou-velle constamment. *Si l'on par-venait à interférer assez longtemps avec la synthèse de ces protéines –* *un mois environ –, il serait éven-tuellement possible de la bloquer, et donc de faire disparaître la cicatrice,* explique Alain Privat. In vitro, les tests sont concluants. Reste à étudier comment réagissent les souris et les primates.

Le Dr Privat a également envi-sagé une autre approche, dite de « neuroprotection ». Dans les deux premières heures qui sui-vent une lésion de la moelle, les cellules endommagées libèrent des substances toxiques qui tuent progressivement et de proche en proche les neurones avoisinants. L'équipe d'Alain Privat a mis au point une molécule capable de freiner, chez la souris, ce méca-nisme ; des essais cliniques chez l'homme sont en cours.

Enfin, d'autres travaux menés sur des rats ont été couronnés de succès : la greffe de cellules embryonnaires au-dessous du niveau de la lésion a permis de réactiver certaines fonctions réflexes motrices et sexuelles, fonctions qui peuvent par la suite être éduquées et contrôlées.

Autant de pistes qui redonnent espoir aux 40 000 handicapés moteurs de France, dont le nom-bre s'accroît malheureusement de 1 500 par an. ■

LE LIS OU SYNDROME DE L'EMMURÉ

Cette expression traduit bien toute l'horreur de la maladie, heureusement rare. Le locked-in syndrome (LIS) est caractérisé par une paralysie totale de l'ensemble des muscles du corps, à l'exception de ceux qui contrôlent le mouvement des yeux. En revanche, il n'y a pas d'altération de la conscience, et les facultés intellectuelles des personnes atteintes du LIS restent intactes.
Le locked-in syndrome est une maladie neurologique consécutive à la survenue d'un caillot de sang au niveau d'une artère appelée tronc basilaire.

Située au carrefour de la moelle épinière et du cerveau, cette artère assure normalement la vascularisation du tronc cérébral et du cervelet. Lorsqu'un caillot l'obstrue, ces organes ne sont plus irrigués et se trouvent privés d'oxygène. Ils ne peuvent plus assurer le bon fonctionnement du système nerveux : le transport de l'influx nerveux entre le cortex cérébral et la moelle épinière ne se fait plus. Exceptionnellement, le syndrome peut survenir à la suite d'une hémorragie, d'un traumatisme crânien, d'une surdose de médicaments ou d'héroïne.

Les greffes, ça ne marche pas vraiment

Les opérations sont délicates et les traitements, longs, mais le nombre de personnes greffées et leur taux de survie sont en constante augmentation.

Reins, foie ou cœur… la greffe de ces organes est de plus en plus pratiquée, et, depuis les premières tentatives des années 1970, la technique n'a pas cessé de s'améliorer. Les traitements dits immunosuppresseurs, c'est-à-dire qui permettent de bloquer la réaction de rejet du greffon, progressent également. Le taux de survie à cinq ans (le seul mesuré à l'heure actuelle) témoigne d'ailleurs de ces pro-

grès : il s'élève à 79 % pour la greffe rénale, à 67 % pour la greffe hépatique et à 60 % pour celle, plus délicate, du cœur. Les greffes du poumon, du pancréas et de l'intestin grêle sont moins pratiquées car plus risquées pour le malade.

Dans la seule année 2004, en France, le nombre de greffes a augmenté de 16 %… Mais, sur les 11 000 personnes nécessitant une greffe, près d'un tiers seulement ont pu être transplantées. À la même période, au Canada, 1 804 personnes ont reçu des greffes contre 3 914 en attente. Car la greffe d'organes nécessite que l'on dispose d'un greffon ! Le prélèvement a lieu sur une personne décédée de mort encéphalique – à la suite d'un accident vasculaire cérébral ou d'un accident de la route – dans un établissement de santé autorisé à l'effectuer. Les médecins doivent être sûrs que la personne décédée ne s'opposait pas au don de ses organes. Ils peuvent soit interroger la famille, soit consulter, en France, le Registre national de refus ; ce dernier regroupe les noms des personnes qui ont manifesté leur refus de donner un ou plusieurs de leurs organes. Les greffons sont ensuite conservés et rapidement acheminés dans l'hôpital où le receveur sera opéré.

Il est aussi possible de greffer de la peau, des os, des

vaisseaux sanguins et des artères ou la cornée d'un donneur. La greffe de cellules souches où se forment les globules (cellules hématopoïétiques), prélevées sur un donneur vivant, est également autorisée : elle permet de soigner les patients atteints d'une maladie de la moelle osseuse.

D'autres greffes seront sans doute possibles. Des recherches sont en cours pour évaluer le taux de réussite de la greffe de la main, du visage,

du larynx ou de cellules nerveuses. Toutefois, des progrès restent à faire, notamment pour la greffe de la main, car le patient doit prendre des traitements immunosuppresseurs lourds, pendant de longues périodes, sans pour autant que la réussite soit assurée.

Des problèmes éthiques doivent aussi être pris en compte : ainsi, la greffe du visage, techniquement possible, n'a pas été autorisée par le Comité national consultatif d'éthique. ∎

QUI PEUT FAIRE UN DON DE MOELLE OSSEUSE ?

Le don de cellules souches hématopoïétiques peut provenir d'un membre proche de la famille du patient (même s'il est mineur, à condition qu'il soit d'accord) ou d'un donneur majeur inscrit sur le registre des donneurs volontaires de moelle osseuse. On cherche d'abord à savoir si un frère ou une sœur peut être donneur, c'est-à-dire si les systèmes d'histocompatibilité (compatibilité immunologique des tissus) se ressemblent. Entre un frère et une sœur, la probabilité est de 1 sur 4, c'est-à-dire infiniment plus qu'entre deux individus sans parenté. Mais souvent ce donneur n'existe pas : on fait alors appel, en France, au fichier France Greffe de moelle de donneurs volontaires – au Canada, au Registre de donneurs non apparentés de moelle osseuse – pour y rechercher un donneur dont le système d'histocompatibilité sera aussi proche que possible de celui du receveur. En dernier recours, il est alors possible d'élargir la recherche aux fichiers mondiaux (7 à 8 millions de donneurs).

On disposera
bientôt
d'organes artificiels

Ce n'est plus de la science-fiction : on fabrique aujourd'hui des machines, véritables petits bijoux de la technologie, pour remplacer nos organes défaillants. L'homme bionique est-il en marche ?

Dépassé le temps où l'on fabriquait des prothèses uniquement pour remplacer des membres. On est passé maintenant aux organes… Selon une étude parue en 2004 aux États-Unis, 62 000 patients sont dans l'attente d'un don et 11 personnes meurent chaque jour faute de pouvoir en bénéficier. Une des solutions serait la greffe d'organes artificiels : des appareils qui remplaceraient les greffons. Ils éviteraient les délais d'attente ainsi que la prise de médicaments pour éviter les risques de rejet (les immunosuppresseurs) et pourraient être rapidement remplacés en cas de panne.

L'idée n'est pas nouvelle. En 1937, le Soviétique Demikhov créa une pompe intrathoracique pour suppléer un cœur naturel. Le premier essai sur un être humain eut lieu en 1966. Le patient, âgé de 33 ans, survécut quelques heures.

Aujourd'hui, nous en sommes à la troisième génération de cœurs artificiels. Les plus anciens sont de grande taille, comme le Thoratec, créé en 1990. Les patients doivent, en permanence, porter une valise de 40 kg pour que leur cœur fonctionne ! Ceux de la deuxième génération sont munis d'un moteur intracorporel mais n'ont pas une durée de vie très élevée. Les cœurs artificiels de la troisième génération sont en cours de développement. Ainsi, en juin 2001, à l'hôpital de la Pitié-Salpêtrière, à Paris, un homme de 72 ans s'est vu implanter un ventricule gauche artificiel définitif. La recharge s'effectue à travers la peau, sans perforation, par induction magnétique. En août 2001, aux États-Unis, Abiocor, un prototype de cœur artificiel total (les deux ventricules et leurs valves), de la taille d'un pamplemousse, a été greffé à un patient. L'appareil est équipé d'une batterie interne d'une autonomie de trente minutes, rechargeable à distance. Il devrait pouvoir durer près de quinze ans.

Le cœur n'est pas le seul organe à être un sujet de recherches. Pour les diabétiques, la mise au point d'un pancréas artificiel devrait permettre de délivrer de l'insuline et de détecter le glucose sanguin. Un prototype, mis au point par l'équipe du Pr Renard, à Montpellier, a été implanté chez quatre personnes en France et quatre autres en Californie

Quant au poumon artificiel, il est aussi à l'étude. Présenté par l'université du Michigan en juin 2002, un prototype a déjà été testé sur des moutons. Cette prothèse pourrait être cliniquement essayée chez l'homme prochainement.

Mais il y a artificiel et artificiel ! Si des scientifiques mettent au point des machines destinées à remplacer les fonctions de l'organe défectueux, d'autres étudient comment fabriquer de vrais organes de remplacement, à l'aide de cellules souches. Mais c'est une autre histoire… ∎

▲ En 1999, un jeune Américain de 37 ans recevait la main d'un donneur de 58 ans. Matthew Scott avait perdu sa main gauche treize ans auparavant. L'opération a été une réussite. En France, le Pr Dubernard a greffé deux mains à un homme de 33 ans.

CLONAGE THÉRAPEUTIQUE, JUSQU'OÙ ?

Guérir le diabète, régénérer un cœur, remplacer des neurones… Toutes ces prouesses ne seront bientôt plus inaccessibles. Le clonage thérapeutique vise à créer des cellules ayant le même patrimoine génétique que le malade. Son grand avantage : éviter tout rejet de greffe.
Le principe ? Il faut d'abord fabriquer un embryon cloné avec le noyau d'une cellule du donneur et un ovocyte énucléé. Au bout de huit jours, cet embryon contient des cellules souches. Il s'agit ensuite d'orienter leur différenciation vers le tissu désiré, qui sera greffé sur le malade. Mais ces manipulations posent des problèmes éthiques. En France, la loi bioéthique de 2004 interdit toute recherche sur des embryons. Cette recherche est légale en Angleterre et en Belgique. Il existe heureusement une autre solution : les adultes possèdent aussi des cellules souches. Il suffit de les placer dans un environnement adéquat, enrichi notamment en facteurs de croissance, pour modifier leur destinée. Par exemple, les cellules souches du tissu osseux peuvent donner naissance à du tissu adipeux, cardiaque, et même à des neurones. De même, les cellules souches sanguines peuvent se différencier en cellules du foie, du poumon, des voies gastro-intestinales et de la peau. En 2000, en France, la première greffe de cellules souches musculaires a ainsi permis la reconstruction et le bon fonctionnement d'un cœur lésé.

Il faut faire du bouche-à

La noyade est la première cause de mortalité accidentelle des enfants... Pourtant, un geste peut maintenir les victimes en vie en attendant les secours. D'où l'intérêt de l'avoir appris.

Une centaine d'enfants meurent chaque année par noyade. Si la prévention est le meilleur moyen d'éviter l'accident, des gestes simples permettent toutefois de sauver des vies. Un enfant réanimé immédiatement a d'ailleurs cinq fois plus de chances de sortir indemne d'une noyade.

Comment agir ? Les premiers réflexes doivent être de sortir la victime au plus vite de l'eau et d'envoyer un témoin prévenir les secours. Ensuite, il faut savoir si le noyé respire encore ou non et, pour cela, observer son ventre et sa poitrine. S'il respire, il faut le placer en position latérale de sécurité : cette position permet d'éviter les risques d'étouffement en cas de vomissements.

S'il n'y a pas de signes de respiration, il faut d'abord vérifier que la bouche ne contient pas de corps étranger puis basculer doucement la tête de la victime en arrière, lui pincer les narines et pratiquer deux insufflations. C'est ce que l'on appelle la ventilation artificielle ou bouche-à-bouche. Si la victime tousse ou bouge, cela signifie que son cœur bat : il faut continuer le bouche-a-bouche (10 à 12 insufflations par minute, 15 à 20 s'il s'agit d'un enfant de moins de 8 ans) jusqu'à ce qu'elle respire seule puis la placer en position latérale de sécurité. Mais si, après les deux premières insufflations, la victime ne respire toujours pas, ne bouge pas, ne tousse pas, le sauveteur doit immédiatement associer bouche-à-bouche et massage cardiaque. Il réalise quinze compressions sur la moitié inférieure du sternum avec le talon de la main puis deux insufflations, et ainsi de suite jusqu'à l'arrivée des secours. Toutes les minutes, le sauveteur devra s'arrêter pour vérifier les signes de vie de la victime (respiration, mouvements, toux, déglutition).

Si l'intervention concerne un nourrisson, le bouche-à-bouche se transforme en bouche-à-bouche-et-nez : la bouche du sauveteur englobe à la fois la bouche et le nez du bébé. Il faut souffler un peu plus vite, mais moins fort que pour un adulte. Pour éviter tout risque de fracture de la cage thoracique, le massage cardiaque s'effectue uniquement avec deux doigts, placés en dessous d'une ligne imaginaire passant par les deux mamelons. Le sauveteur comprime alors

EN EAU DOUCE OU EN EAU DE MER LES CONSÉQUENCES NE SONT PAS LES MÊMES

Si la noyade se produit en eau douce, l'organisme ne répond pas de la même façon qu'en eau de mer. Les différences proviennent justement de l'absence de sel. Selon le principe de l'osmose, lorsqu'une solution moins concentrée en sel (le sang, par exemple) est séparée d'une solution plus concentrée (en l'occurrence, l'eau de mer) par une membrane semi-perméable, la solution moins concentrée traverse la membrane pour diluer la solution la plus concentrée... jusqu'à l'équilibre des concentrations. Dans le cas d'une noyade en eau douce, cette dernière traverse la paroi alvéolaire des poumons pour diluer le sang. Cela entraîne des complications sévères, comme une augmentation de la masse sanguine, une destruction des globules rouges, transporteurs d'oxygène, et une libération de leur potassium dans le plasma, d'où des contractions cardiaques désordonnées (fibrillation). Par ailleurs, l'eau douce dans les poumons lessive le surfactant – liquide agissant comme un film protecteur qui tapisse l'intérieur du poumon et en facilite le travail. En eau de mer, les conséquences ne sont pas les mêmes : le volume sanguin diminue ; il se produit un œdème aigu au poumon, un encombrement pulmonaire, une inefficacité cardiaque progressive et, là aussi, un lessivage du surfactant. Ces dysfonctionnements sont graves. Mais il n'en reste pas moins que, par les complications qu'elle entraîne, la noyade en eau douce est cliniquement trois fois plus sévère qu'en eau de mer.

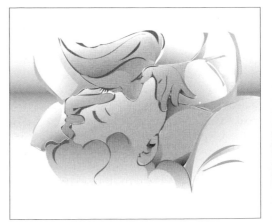

◄ *Avec une main, maintenez le menton vers le haut et ouvrez la bouche avec le pouce. Avec l'autre main, posée sur le front pour tenir la tête en arrière, pincez le nez pour éviter les fuites d'air.*

▶ *Appliquez la bouche grande ouverte sur celle de la victime et soufflez de façon progressive jusqu'à ce que la poitrine de la victime se soulève.*

ouche à un noyé

régulièrement le sternum avec la pointe des deux doigts espacés d'environ 2 cm, à une fréquence de cent par minute. Il faut intercaler une insufflation toutes les cinq compressions thoraciques, et vérifier la respiration toutes les minutes. ■

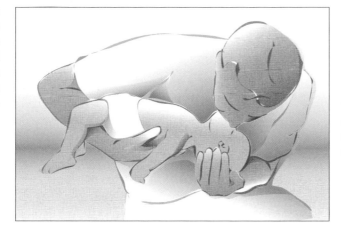

◀ *Dans le cas d'un nourrisson, on parle de bouche-à-bouche-et-nez car la bouche du sauveteur doit couvrir le nez et la bouche du bébé.*

Si on se fait piquer par un serpent, il faut ouvrir et sucer le venin

… ou poser un garrot, ou bien encore produire des chocs électriques ! Pour éviter d'envenimer la situation, mieux vaut réactualiser les croyances de première urgence…

Une douleur intense, deux traces rouges à la cheville : un serpent venimeux a frappé. Inciser la plaie risque d'augmenter la surface de contact entre le venin et les tissus, favorisant ainsi le risque de nécrose et de surinfection. Sucer le venin est aussi inutile que dangereux : lorsqu'il est injecté (ce qui n'est pas toujours le cas), le venin est localisé trop profondément dans la peau et le secouriste en herbe prend un risque s'il possède des microplaies dans la bouche ; utiliser des pompes aspirantes n'est guère mieux. Il est préférable de laver et de désinfecter (sans alcool).

Il ne faut pas non plus placer de garrot : certes, comprimer le membre empêche le venin de se répandre dans le sang et la lymphe (le liquide qui circule entre les cellules), mais cela concentre alors le venin dans la zone. Le gonflement s'accentue, la peau n'est plus alimentée en oxygène, elle noircit et meurt, provoquant des blessures graves et irréversibles. Il faut plutôt enlever les objets qui pourraient entraver la circulation, comme les bijoux. Cependant, une bande en crêpe peu serrée et la pose de glace enveloppée peut ralentir la diffusion du venin dans la lymphe.

Les chocs électriques sous haute tension font aussi partie des inventions à oublier au plus vite ! Ce conseil, datant de 1899, a été repris en 1986 par certains physiciens, puis interdit aux États-Unis. Il faut au contraire tout faire pour calmer la victime et immobiliser le membre mordu : les contractions musculaires favorisent la pénétration du venin dans les canaux lymphatiques. Fortement déconseillées enfin, les boissons excitantes (café, alcool…), qui augmentent le rythme cardiaque et diffusent activement le venin.

▲ *Utiliser une pompe aspirante n'est pas l'idéal : nettoyez plutôt la plaie et faites injecter un antivenin à l'hôpital.*

En fait, la meilleure chose à faire est d'administrer l'antivenin le plus tôt possible. Et pour vous rassurer, pensez qu'en France seules deux ou trois personnes décèdent chaque année, pour 2 000 à 3 000 morsures de serpent. ■

En cas d'hémorragie, il faut faire un garrot

Savez-vous qu'un garrot maintenu trop longtemps en place peut entraîner l'amputation d'un membre ? Ce n'est pourtant pas le but recherché par l'apprenti sauveteur…

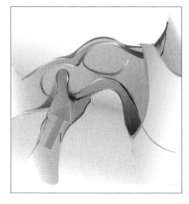

▲ Le point de compression pour une plaie d'un membre supérieur se fait avec le pouce sur la face interne du bras.

▲ Pour les membres inférleurs, il faut appuyer le poing, bras tendu, dans le pli de l'aine.

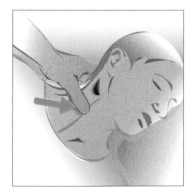

▲ Pour une plaie au cou, le point de compression se fait avec le pouce à la base du cou.

Certes, le garrot empêche le membre de saigner. Mais il coupe aussi toute circulation, veineuse et artérielle, et ne doit donc pas être maintenu plus de quatre heures, sinon le membre est perdu ! De plus, il ne se fait qu'au-dessus du coude ou du genou. Jamais ailleurs ! Et seul un médecin est habilité à l'enlever. En fait, le garrot n'est préconisé que dans deux cas : si le sauveteur doit absolument avoir les mains libres pour donner l'alerte ou s'occuper d'autres blessés ; ou si le membre est sectionné.

Alors que faire devant un saignement abondant ? Les remèdes délirants comme faire respirer du vinaigre, introduire dans le nez de la charpie trempée dans une solution d'alun, mettre une clé dans le dos, entourer le front d'un linge contenant une poignée de sel ou faire respirer des coquilles d'œuf calcinées ne servent évidemment à rien !

La meilleure solution ? Apuyer fortement sur la blessure tout simplement avec la main ou, éventuellement, avec un tampon de tissu maintenu par un lien large. Lorsque c'est un membre qui saigne, on peut le surélever afin de diminuer la pression du sang qui y arrive.

Si cet appui est inefficace, il faut recourir à la « compression à distance », c'est-à-dire serrer l'artère contre un os en appuyant très fort sur la peau, entre le cœur et la blessure. Pour ce faire, il existe sept points de compression, dont deux sont facilement utilisables. L'un se situe sur la face interne du bras pour une hémorragie au membre supérieur ; l'autre dans le pli de l'aine pour un saignement au membre inférieur. Mais attention, cette compression ne doit pas être relâchée avant l'arrivée des secours : le sang envahirait le membre, provoquant une chute de la pression sanguine et entraînant un arrêt de la circulation. ∎

Un accident

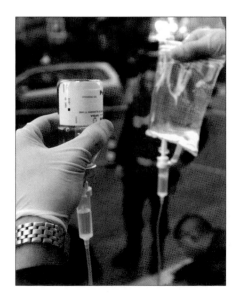

Dans les films, il y a toujours un bon samaritain qui tend une gourde d'eau à la victime… Ne suivez pas son exemple, c'est du cinéma !

◀ Lorsqu'ils interviennent, les secouristes perfusent rapidement les accidentés avec des sérums salés.

Le lait est efficace en cas d'empoisonnement

En 1999, 758 personnes sont mortes intoxiquées en France. Leur faire boire abondamment de l'eau tiède, de l'eau salée, ou encore du lait, qui n'est pas un contrepoison miraculeux, n'aurait absolument rien changé.

Boire beaucoup ne dilue pas la substance toxique ingérée. C'est une erreur qui peut même aggraver l'état de la victime. En effet, le liquide entraîne le poison dans l'organisme et favorise ainsi sa diffusion dans le sang.

Quant à faire vomir le malade, mieux vaut l'éviter : si le toxique est corrosif, comme l'eau de Javel, il brûlera une deuxième fois les voies digestives en remontant.

Alors que faire ? Avant tout, appeler un centre antipoison en donnant le plus de renseignements possible (quantité et nature des produits ingérés, ainsi que laps de temps écoulé depuis l'ingestion). Dans certains cas, et si la victime est consciente, le médecin peut préconiser de la faire vomir. Mais si le malade est somnolent, la seule chose à faire est de le coucher en position latérale de sécurité et d'attendre les secours.

À l'hôpital, si le produit est encore dans le système digestif, les médecins font un lavage d'estomac en y introduisant un liquide qu'ils aspirent ensuite. Ou alors ils font ingérer du charbon activé à la victime. Ce produit fixe les toxiques pour les empêcher d'être absorbés par l'intestin et facilite leur élimination dans les selles. Mais il faut que ce soit fait dans l'heure qui suit l'empoisonnement. L'accélération du transit intestinal est utile lorsque l'on découvre l'intoxication plus tard. Enfin, il existe aussi des produits spécifiques qui capturent certaines molécules toxiques. Ainsi, la N-acétyl-cystéine annule les effets d'une surdose de paracétamol ou d'acétaminophène, et le dimercaptol sauve celui qui a absorbé de la mort-aux-rats (à base d'arsenic). Là, on peut vraiment parler d'antidotes ! ■

besoin d'eau

Lorsqu'un accidenté réclame à boire, la meilleure chose à faire est de lui humecter les lèvres. En effet, il ne faut jamais faire boire un blessé : il peut avoir besoin d'une intervention chirurgicale et doit alors avoir l'estomac vide. S'il vomit sous anesthésie, il risque de s'étouffer. Donner à boire en cas de perte de connaissance ou de trouble important de la conscience est tout aussi dangereux.

Lorsqu'il y a hémorragie ou plaies importantes, en particulier en cas de brûlures, la perte de liquide est considérable. Par manque de sang, le cœur ne peut plus pomper suffisamment, ce qui provoque une hypotension. Pour restaurer une pression artérielle normale, les secours hydratent la victime ; mais ils le font par perfusion. L'utilisation de sérums salés (comme le sérum physiologique) permet, par osmose, d'attirer le liquide contenu dans le corps, à l'intérieur des secteurs interstitiels et cellulaires, vers le sang. Et c'est efficace : après une perte sanguine de 20 %, l'administration de sérum physiologique pendant dix secondes dans une proportion correspondant à 1/7 de la perte sanguine permet de rétablir le volume circulant en une minute. La seule exception concerne les cas de brûlures graves. Juste après l'accident, les patients ne sont pas encore en état de choc. Ils peuvent absorber plusieurs litres d'eau et compenser ainsi la perte probable de liquide. ■

N'OUBLIEZ PAS LA COUVERTURE

Un blessé en état de choc a toujours froid, car le stress refroidit l'organisme. En effet, le choc se caractérise par une perfusion tissulaire défectueuse : le sang circule moins bien. Des parties importantes du corps, de même que des organes vitaux comme le cerveau, se retrouvent avec un apport en oxygène insuffisant. Comment savoir si la victime est choquée ? Son pouls est rapide et faiblement palpable, sa peau blême, moite et froide, et elle est parfois agitée. Il faut donc la protéger des différentes intempéries – froid, humidité, chaleur – avec une couverture et, si possible, isoler aussi son corps du sol en le bougeant le moins possible. L'idéal est de toujours avoir une couverture de survie dans sa voiture ; non seulement elle maintient la température corporelle du blessé, mais elle a des vertus rassurantes. Attention, loin de protéger du froid, l'alcool augmente encore la perte de chaleur !

Chapitre VII

À boire et à manger

L'appétit vient en mangeant

Mis à toutes les sauces depuis des décennies, ce dicton n'est pourtant pas fondé, peut-être parce qu'il était au départ utilisé au sens figuré. Même si certains aliments, associés au plaisir, peuvent aiguiser notre appétit, ce dernier diminue à mesure qu'on le satisfait.

Contrairement aux apparences, le vieil adage « l'appétit vient en mangeant » ne s'appliquait, à l'origine, pas du tout à la nourriture. Il a été inventé par Jacques Amyot (1513-1593), fils d'un pauvre corroyeur (assouplisseur de cuir) de Melun, traducteur de Plutarque et évêque d'Auxerre. Avant d'être élevé aux honneurs, Amyot était plutôt peu ambitieux et se contentait du revenu d'une simple abbaye. Plus tard, l'évêché d'Auxerre étant devenu vacant, Amyot le demanda et l'obtint. Le roi Henri III, dont il avait été le précepteur, lui rappela alors son ancien désintéressement. *Que voulez-vous, sire, l'appétit vient en mangeant*, répondit Jacques Amyot.

Ce proverbe ne s'applique donc guère au sens strict. En effet, de façon tout à fait logique, l'appétit disparaît à mesure que l'on mange. La faim est un phénomène qui peut être déclenché par différents stimuli aussi bien chimiques que sensoriels. Une légère baisse de la glycémie, par exemple, tout comme la vue, l'odeur ou le goût d'un aliment, peuvent éveiller l'appétit. Les vertébrés disposent d'ailleurs, dans leur hypothalamus, de deux outils sensibles à ces différents signaux, capables de réguler l'appétit : le centre de la faim, qui le stimule, et celui de la satiété, qui le réprime.

Ainsi, une viande grillée, très appétissante en début de repas, lorsque le besoin de nourriture est grand, l'est de moins en moins au fur et à mesure que la satiété s'installe.

L'augmentation dans le sang de certaines substances, tels les nutriments (glucides, lipides…), signalera au centre de satiété une prise de nourriture. Ce dernier lancera alors un message de satiété qui inhibera l'envie d'en absorber davantage. Certaines hormones, telles la cholécystokinine ou la leptine sécrétées pendant le repas, inhibent elles aussi la sensation de faim. La satiété dépend encore de la distension gastrique : la paroi de l'estomac renferme des fibres nerveuses qui informent, via le nerf vague, l'hypothalamus de l'état de distension de l'organe. Un estomac replet commande l'arrêt du repas. D'autant plus que le gourmand a souvent les yeux plus gros que le ventre ! ■

On peut manger

Ils dévorent… L'appétit des ados est légendaire. Et s'ils ne grossissent pas, c'est tout simplement parce qu'ils mangent selon leurs besoins.

Le corps tire son énergie (les fameuses kilocalories) de l'alimentation. L'apport augmente quand on force sur les graisses et les sucres et que l'on accroît les quantités ingérées. Mais, tant qu'il n'excède pas les dépenses de l'organisme, on ne grossit pas. On considère qu'un garçon de 18 ans pesant 60 kg peut absorber autour de 3 100 kcal/jour (2 700 kcal

Mange lentement !

Une consigne à suivre au plus vite, car manger lentement permet aux aliments de bien s'imprégner des enzymes salivaires et favorise, du coup, la digestion.

Quel enfant n'a jamais entendu cette phrase pendant le repas ? Sans forcément la comprendre, d'ailleurs… En fait, prendre son temps en mangeant, mais aussi bien mâcher les aliments, facilite la digestion.

Dans notre bouche, sous l'action mécanique des dents, la nourriture est mastiquée, coupée en petits morceaux et broyée. En même temps se produit une action chimique : les aliments sont petit à petit imprégnés de salive – et des enzymes qu'elle renferme – provenant des glandes salivaires. Cette préparation joue bien plus dans la qualité et la vitesse de la digestion que la taille du morceau avalé.

Les enzymes salivaires, qui préparent les aliments à la digestion, sont d'autant plus efficaces que l'on mâche longtemps. En effet, ils sont relativement peu actifs par rapport à ceux qui interviennent dans la digestion et, pour qu'ils puissent agir, les aliments doivent séjourner suffisamment longtemps dans

la bouche. Les deux principaux enzymes salivaires sont l'amylase salivaire et la lipase linguale. La première scinde l'amidon, le composant principal des féculents, insoluble dans l'eau, en deux sucres plus simples, facilement assimilables : la dextrine et le maltose. D'où l'importance de bien mâcher le pain, les pâtes, le riz… La lipase, quant à elle, est sécrétée par les glandes de la langue, et transforme les triglycérides et autres lipides en acides gras et monoglycérides, des substances plus faciles à utiliser par notre corps.

Par ailleurs, il faut compter une vingtaine de minutes pour ressentir la satiété. Or, si l'on s'alimente trop rapidement, on aura tendance à avaler plus de nourriture dans ce laps de temps. Alors qu'en mangeant lentement on est rassasié par une quantité de nourriture moins importante.

Sans oublier que nous savourons davantage les mets et évitons ainsi la frustration, source de grignotage… Manger lentement, c'est donc à la fois bien digérer et éviter de grossir, tout en profitant de la vie. ■

LES GLANDES SALIVAIRES

La salive est sécrétée par trois paires de glandes salivaires (parotides, sous-maxillaires ou sous-mandibulaires et sublinguales). Elle permet d'humidifier les aliments, de créer le bol alimentaire et de commencer la digestion par l'action de l'amylase salivaire et de la lipase linguale. Le bol alimentaire traverse ensuite le pharynx et commence son long cheminement dans l'appareil digestif, où il est métabolisé.

1 Glandes sublinguales   **2** Glandes sous-maxillaires (ou sous-mandibulaires)   **3** Glandes parotides

plus quand on est jeune

pour une fille), alors qu'entre 20 et 40 ans les apports recommandés sont respectivement de 2 700 et 2 200 kcal et qu'ils diminuent encore ensuite.

Une grande part des dépenses énergétiques sert à l'entretien des fonctions vitales du corps. C'est ce qu'on appelle le métabolisme de base. D'une part, il varie en fonction de la taille, de la corpulence, de la masse musculaire,

du statut hormonal, des gènes et du sexe. D'autre part, le coût énergétique de la croissance et du renouvellement des tissus augmente jusqu'à l'âge de 2 ans puis diminue tout au long de la vie. En tenant compte de tous les paramètres, c'est vers 18 ans que le métabolisme de base est le plus élevé.

Le corps dépense aussi un peu d'énergie pour la digestion et le stoc-

kage des aliments. Enfin, et surtout, il a besoin de carburant pour l'activité physique. Alors attention ! On peut manger plus quand on est jeune… et qu'on bouge beaucoup. Mais un travailleur de force ou un sportif de 40 ans ont des besoins supérieurs à ceux d'un adolescent vautré à longueur de journée devant la télévision… ■

Petit déjeuner de roi, déjeuner de prince et dîner de pauvre

On doit cette règle à Adelle Davis (1904-1974), nutritionniste américaine aux théories diététiques controversées. Son précepte n'en demeure pas moins fondé, à condition de manger sain.

Cette recommandation a largement fait ses preuves : tous les nutritionnistes conseillent de prendre un vrai petit déjeuner, un déjeuner substantiel et un dîner léger afin de répondre au mieux aux besoins de notre corps selon le moment de la journée.

Comme son nom l'indique, le premier repas de la journée permet de dé-jeûner, c'est-à-dire de rompre le jeûne. L'organisme n'ayant pas reçu de nourriture depuis une dizaine d'heures, il est impératif de le réalimenter et de le réhydrater. Selon les nutritionnistes, il serait même souhaitable que ce repas fournisse jusqu'à 25 % de l'apport énergé-tique de la journée, soit au moins 500 kcal pour la femme et 550 kcal pour l'homme adulte.

Dans l'idéal, le petit déjeuner devrait se composer de trois éléments essentiels : un produit céréalier (pain ou muesli), source de sucres à assimilation lente, utile pour recharger les batteries ; un produit laitier (lait, fromage frais, yaourt ou fromage blanc), pour un apport en calcium, et un fruit ou un jus de fruits 100 % pur jus pour ses vitamines, en parti-culier la vitamine C, dont les vertus ne sont plus à démontrer. La réhydratation n'est pas non plus à négliger : une tasse de thé ou de café, si possible non sucré, ou de l'eau répondront à une partie des besoins.

Autres avantages du petit déjeuner : il évite le coup de barre de 11 heures et a une incidence directe sur les autres prises alimentaires de la journée. Se contenter d'une boisson entraîne inévitablement une compensa-tion, voire une surcompensation, aux repas suivants.

Par ailleurs, la sécrétion de diverses hormones qui inter-viennent dans le métabolisme des aliments (comme l'insuline, le glucagon, le cortisol, l'hormone de croissance…) semble rythmée par les besoins et les priorités de l'organisme. Ainsi, la sécrétion d'insuline, qui active le stockage du glucose dans l'organisme, est maximale à la mi-journée et mini-male pendant la nuit, moment où le métabolisme de base est le plus faible.

Après un petit déjeuner copieux, l'essentiel de l'alimen-tation quotidienne sera absorbé au cours des deux autres repas de la journée. Ils devront donc être complets, comporter des fruits et des légumes (au moins cinq par jour au total selon les programmes nationaux de nutrition) pour les vitamines et minéraux, des féculents pour l'énergie, de la viande ou du poisson pour le travail muscu-laire… Et, comme le rappelle l'adage, il est souhaitable de ne pas dîner de façon trop copieuse, ni trop tard d'ailleurs, car ces deux pratiques peuvent perturber le sommeil. Un repas de midi trop riche ne sera pas non plus toujours très compatible avec un bon rythme de travail. Pas plus que sauter un repas, d'ailleurs, car les apports nutritionnels ne seraient plus suffisants et bien équilibrés sur la journée. D'au-tant que le cerveau a besoin de certaines substances en continu et en quantités importantes, en particulier de glucose, qu'il puise dans d'autres organes en cas de manque. Bref, légumes secs, riz, pain complet ou pâtes pour carburer sans à-coups ! ■

DES CÉRÉALES : OUI, MAIS PAS N'IMPORTE LESQUELLES !

Fabriquées à partir de blé, de maïs, de riz, d'orge ou d'avoine, les céréales du matin ont, en théorie, l'avantage de contenir en grande quantité des sucres à assimilation lente, source d'une énergie « durable ». Et l'ajout d'un produit laitier (lait, yaourt, fromage blanc) en fait un petit déjeuner complet. En pratique, c'est moins le cas, car elles ont été tellement raffinées au cours du « process » industriel qu'elles ont perdu leur gluten, matière protidique qui ralentit la digestion et l'assimilation des sucres. Les traitements industriels qu'elles subissent diminuent aussi leur teneur en vitamines, minéraux et fibres. Selon une étude de *60 Millions de consommateurs* (2003), la plupart des céréales commercialisées sont trop sucrées, trop grasses et contiennent trop de mycotoxines, des substances produites par des moisissures qui peuvent s'avérer cancérigènes à trop fortes doses.

ATTENTION AU GRIGNOTAGE !

On grignote par plaisir, certes mais c'est surtout l'ennui, le stress ou tout simplement la faim qui nous y incitent. Il faut se rendre à l'évidence : le grignotage, lorsqu'il est quotidien ou quasi quotidien, déstabilise l'équilibre nutritionnel et favorise la prise de poids. Car la collation est rarement équilibrée : on privilégie souvent les denrées riches en sucres rapides et en graisses, c'est-à-dire très caloriques et à faible intérêt nutritionnel. D'autre part, le grignotage fait perdre au cerveau la perception des signaux nerveux et chimiques de la faim et de la satiété envoyés par l'estomac, l'intestin, le foie et le pancréas. Mieux vaut donc empêcher les fringales de survenir. Instaurer un vrai rythme alimentaire avec des repas complets, comportant du pain et des féculents, réputés calmer l'appétit, peut permettre d'éviter de craquer. Toutefois, si l'on ressent vraiment le besoin de prendre un en-cas, on privilégiera le grignotage « utile », c'est-à-dire source de vitamines, de fibres, de minéraux, d'oligoéléments et de protéines… Comment ? En mangeant des fruits, des crudités – radis, bâtonnets de carotte, tomates-cerises, cœurs de palmier… – et/ou des produits laitiers – yaourt et fromage blanc à 0 %.

C'est grâce au régime alimentaire qu'on vit vieux en France

Du régime crétois au *french paradox*, l'alimentation méditerranéenne fait parler d'elle depuis un demi-siècle. Elle serait le secret de la faible mortalité par maladies cardio-vasculaires des Français et des populations du pourtour méditerranéen.

On le sait depuis les années 1950 : les Français courent moins de risques que les ressortissants des autres pays industrialisés de mourir d'une maladie cardio-vasculaire. Et ce grâce à leur régime alimentaire, qui contient moins de graisses animales et davantage d'huiles végétales, moins nocives pour le cœur. Il comporte également des fruits et légumes en abondance, des céréales, et aussi... du vin rouge !

Ces observations ont amené le cardiologue français Serge Renaud à formuler, en 1991, le concept de *french paradox* (paradoxe français). Il met en évidence qu'une consommation régulière mais modérée de vin, associée aux autres habitudes alimentaires énoncées, joue un rôle dans la faible mortalité par pathologies coronariennes. Mais cette situation n'est pas propre à notre pays. Une étude sur les affections cardio-vasculaires, réalisée en 2000 par l'OMS (Organisation mondiale de la santé), révèle en effet que la fréquence des maladies coronariennes en France est comparable à celle des pays du Sud de même latitude qui ont le même régime « méditerranéen ».

Rien de surprenant à cela puisque, dès 1956, des travaux dirigés par le chercheur américain Ancel Keys sur sept pays (*The Seven Countries Study*) avaient démontré les vertus d'un tel régime, en passant au crible celui des Crétois. Grâce à leur alimentation, les habitants de l'île grecque étaient à l'époque – et sont toujours – moins sujets aux maladies coronariennes ou au cancer, d'où une longévité accrue. Mais ce « miracle crétois », à quoi tient-il exactement ? Le régime crétois est riche en acide linolénique (oméga-3), qui provient d'un apport exclusif d'huile d'olive, de la consommation de noix, d'escargots, d'herbes et de salades sauvages. Il fait aussi la part belle aux fruits et aux légumes frais ou secs, sources de vitamines, minéraux et oligoéléments, ainsi qu'aux céréales (pain, féculents...). De plus, il est pauvre en graisses animales, car il privilégie le poisson, la viande blanche et les œufs, consommés plusieurs fois par semaine. Le fromage blanc de chèvre ou de brebis est le principal produit laitier. Et la seule boisson alcoolisée des Crétois est le vin rouge.

En 1988, le bénéfice santé de l'alimentation méditerranéenne est remis à l'honneur lors d'une étude (*Lyon Heart Diet Study*) menée à Lyon par le même Dr Serge Renaud. Réalisée sur une population ayant déjà eu un infarctus du myocarde, cette étude a montré une baisse de 75 % du nombre de rechutes chez les patients ayant adopté un régime d'inspiration crétoise, contre 25 % chez les patients ayant suivi un régime classique. Cultivons donc de bonnes habitudes méditerranéennes ! ■

Il faut **manger** un pe

Aucun aliment n'est parfait. Il faut donc manger varié pour avoir tous les nutriments essentiels à notre corps et ainsi garder la forme. La santé ne vient-elle pas en mangeant ?

Il faut manger de tout, disait votre grand-mère, et les nutritionnistes ne l'auraient pas démentie. Et pour cause : aucun aliment ne permet à lui seul de fournir tous les nutriments nécessaires à notre organisme. Une alimentation « monomaniaque » ou fondée sur les privations est source de carences. Mais les prises alimentaires trop abondantes entraînent, elles aussi, de nombreuses maladies. Il faudrait donc piocher quotidienne-

ment dans les six groupes d'aliments que sont les produits laitiers, les viandes, poissons et œufs, les corps gras, les céréales et féculents, les produits sucrés et, bien sûr, les fruits et légumes.

Riches en vitamines, minéraux et oligoéléments, les fruits et légumes nous préservent de nombreuses pathologies comme le cancer, les maladies cardio-vasculaires et le diabète de type II. D'ailleurs, les végétariens souffrent moins de ces maladies que les personnes ayant un régime classique et qui délaissent trop souvent les fruits et légumes. Or, selon les publications scientifiques du monde entier, 7 % de l'ensemble des cancers et jusqu'à 31 % des cancers digestifs pourraient être évités par une consommation quotidienne d'au moins 400 g de fruits et légumes. C'est pourquoi les pouvoirs publics ont

décidé, en 2001, de réhabiliter ces aliments dans les assiettes en instaurant le PNNS (Programme national nutrition santé) en France. Au Canada, on ne connaîtra les nouvelles recommandations qu'en 2006, mais il y a fort à parier qu'elles iront dans le même sens. Ce programme préconise la consommation de 5 à 10 fruits et légumes par jour, qu'ils soient frais, en conserve ou surgelés, consommés seuls ou intégrés à un plat.

Faut-il pour autant n'avaler que pommes, tomates et poireaux ? Non ! Car certaines carences guettent les végétariens, et plus encore les végétaliens – c'est-à-dire ceux qui ont exclu l'ensemble des produits d'origine animale (lait, œufs…). Ils s'exposent à un déficit en vitamines D et A, en acides aminés essentiels tels la leucine ou le tryptophane, en fer, vitamine B12 et calcium. Toutefois, ils ont les

L'obésité infantile est un fléa

En pleine évolution, l'obésité infantile est devenue un objectif de santé publique majeur aux États-Unis. En fait, tous les pays développés sont concernés, et même le tiers-monde…

Les chiffres parlent d'eux-mêmes : la France, comme la plupart des pays industrialisés, est touchée par ce que l'on qualifie désormais d'épidémie d'obésité. Alors qu'elle comptait 5 à 6 % d'enfants obèses (de 5 à

12 ans) dans les années 1980, leur proportion atteint 16 % aujourd'hui. À ce rythme – les chiffres doublent tous les dix ans –, ils seront 25 % de petits obèses en France en 2025, c'est-à-dire autant qu'aux États-Unis actuellement. Et ce phénomène est planétaire : on le retrouve aussi bien au Japon qu'au Canada et même dans les pays en développement. Selon l'OMS (Organisation mondiale de la santé), plus de 22 millions d'enfants de moins de 5 ans, dans le monde, seraient obèses ou en surpoids. Les pays en développement en compteraient à eux seuls 17 millions !

Pourquoi un tel boom ? Les causes fondamentales de l'épidémie d'obé-

sité sont à rechercher tant dans les régimes alimentaires, riches en graisses et en sucres rapides – glucides qui passent vite dans le sang et ont moins d'intérêt biologique que les sucres lents –, que dans les modes de vie, de plus en plus sédentaires. Le développement de l'urbanisation, l'industrialisation de la nourriture et la disparition des modes de vie traditionnels sont montrés du doigt.

Les jeunes sont particulièrement touchés : ils éprouvent un goût immodéré pour la *junk food* (« nourriture médiocre », autrement dit malbouffe), composée d'aliments à faible valeur nutritive, trop gras, trop salés et trop sucrés, comme les

e tout

moyens d'y échapper en suivant quelques règles : manger des légumes qui se complètent, prendre des compléments alimentaires…

Les autres consommateurs doivent eux aussi prendre garde aux carences, notamment le manque de calcium, facilement pallié par une consommation accrue de produits laitiers. Par ailleurs, on néglige trop les glucides à assimilation lente, du type féculents, au profit des sucres rapides et des graisses cachées qui les accompagnent souvent. Le PNNS prescrit là encore un réajustement : les glucides lents devraient représenter plus de 50 % de l'apport énergétique journalier, les lipides pas plus de 35 %, et la consommation de sucres simples devrait être réduite de 25 %. Votre grand-mère avait raison : tout n'est qu'une question d'équilibre. ∎

Faire un repas de brebis

C'est manger sans boire. Car boire pendant un repas ralentirait la digestion, voire ferait prendre du poids : le liquide diluerait les sucs gastriques et allongerait ainsi le travail digestif. Logique, mais pas fondé !

Cette idée est encore très répandue, surtout chez les plus de 50 ans. Pourtant, le seul risque que l'on coure, a priori, lorsqu'on boit pendant le repas, est de remplir son estomac de liquide, et donc d'arriver trop rapidement à satiété. Par conséquent, ne ressentant plus la faim, on ne s'alimente plus alors que le corps a encore besoin de carburant.

Mais il ne faut pas pour autant se limiter en eau, car nous en éliminons chaque jour 2,5 litres par la respiration, la transpiration et, bien sûr, les urines.

En revanche, la consommation de boissons sucrées n'est jamais recommandée : ni pendant les repas ni en dehors. Trop sucrées, en général, ces boissons rassasient rapidement et coupent l'appétit au détriment d'autres aliments indispensables. Elles contribuent aussi à l'apparition des caries dentaires et peuvent entraîner une prise de poids. De plus, elles n'étanchent pas la soif. Jus de fruits et sodas doivent donc rester des boissons occasionnelles (repas de fêtes, apéritifs, goûters d'enfants…). Même principe pour l'alcool. L'eau est la seule boisson indispensable. À consommer sans modération, y compris à table. ∎

méricain

hamburgers ou les pizzas. Outre leurs préférences alimentaires, leurs repas sont déstructurés et leurs loisirs de plus en plus passifs : ils les passent de plus en plus devant un écran (télévision, jeux vidéo, Internet…).

Malheureusement, une obésité précoce augmente le risque d'obésité ultérieure. Sans parler des troubles liés à la surcharge pondérale : à brève échéance, l'obésité provoque une augmentation de la pression artérielle, du cholestérol et du diabète de type II (non insulinodépendant, dit aussi diabète gras) et fait ainsi le lit des maladies cardio-vasculaires, première cause de mortalité chez l'adulte. ∎

LES FAST-FOODS SUR LA SELLETTE

Véritable révolution dans les traditions alimentaires, ce mode de restauration à l'américaine a remporté un franc succès auprès des enfants et des adolescents. Repas relativement peu chers, pratiques, pris dans une ambiance qui plaît aux jeunes, les fast-foods font recette. Mais les menus qu'ils proposent sont loin d'être un modèle d'équilibre nutritionnel. Combinant frites, hamburger, soda et glace ou gâteau, ils sont riches en graisses et en sucres rapides. Ils contiennent pour seuls légumes quelques rondelles d'oignon et de cornichon, et ne proposent aucun produit laitier. Les apports en fibres, vitamines et minéraux sont donc inexistants. Un tel repas fournit néanmoins un apport satisfaisant de protéines. Ce déséquilibre, caractéristique du fast-food à l'américaine, peut se retrouver dans la restauration rapide (snacks, pizzas, plats à emporter…) ou dans les sandwicheries.

On doit boire 2 litres d'eau par jour

On a toujours prêté à l'eau, précieux liquide vital, une forte importance symbolique. Dans l'Antiquité grecque, on lui attribuait des pouvoirs guérisseurs. Mais, au fait, combien faut-il en boire chaque jour ?

L'eau est essentielle à la vie. Le corps en recèle autour de 60 %, toute perte (urine, sueur, air expiré…) devant être compensée par un apport. Dans la plupart des cas, boire environ 1,5 litre d'eau par jour suffit, ce à quoi s'ajoute environ 1 litre d'eau contenue dans les aliments (80 à 90 % dans les fruits et légumes, environ 70 % dans la viande).

La proportion d'eau dans le corps varie en fonction de la corpulence (les tissus gras en contiennent moins), du sexe et de l'âge. L'eau est présente dans les cellules, dans les interstices des tissus et dans le sang. Son rôle est essentiel dans le transport et les échanges de substances entre les différents organes, ainsi que dans de nombreuses réactions chimiques.

L'organisme perd en moyenne 2,5 litres d'eau par jour, mais plus il fait chaud et plus on est actif, plus les pertes sont importantes. Le fait de manger salé augmente aussi les besoins. Comment ajuste-t-on les quantités bues ? Si les cellules se déshydratent, un signal d'alarme est envoyé au centre de la soif, dans l'hypothalamus ; la réduction du flux de salive incite également à boire. Dans le même temps, des hormones « coupent le robinet » des pertes urinaires. L'urine devient plus concentrée, plus foncée… C'est un signe qui ne trompe pas : il faut boire ! ■

Ce n'est pas bon de boire glacé

Pour se rafraîchir, deux méthodes : celle des Touaregs du désert algérien, qui s'abreuvent de thé brûlant, et celle des Occidentaux, qui sortent une canette du frigo… Chacune se justifie par un savoir né de l'expérience.

Paradoxalement, le thé brûlant aide les Touaregs à rafraîchir leur corps plongé dans la fournaise du désert. Quand la température ambiante dépasse celle de l'organisme, impossible en effet d'évacuer le trop-plein de chaleur par les mécanismes habituels d'irradiation, de convection ou de conduction. Le seul moyen efficace pour le maintenir à 37 °C reste l'évaporation de la sueur.

Or boire un thé très chaud stimule le centre de commande de la sudation. Revers de la médaille, il faut boire beaucoup sous peine de déshydratation.

Sous nos latitudes, les températures sont rarement supérieures à celle du corps. Le risque majeur lié au fameux coup de chaleur n'est pas de ne pas suer comme sous les tropiques, mais de se déshydrater sans même s'en rendre compte, la soif ne se manifestant que quand l'organisme est déjà en manque d'eau. Lors de la canicule de l'été 2003, les autorités sanitaires ont donc conseillé de boire de l'eau à 10-15 °C, une température optimale pour une réhydratation rapide. Une boisson froide apporte effectivement une sensation momentanée de fraîcheur en raison des échanges thermiques (elle prend

▲ *Au Cameroun, un enfant bororo prend le thé avec un adulte. Une pratique saine sous un climat chaud.*

de la chaleur au corps pour se mettre à température). Boire glacé, toutefois, n'est pas recommandé, car le choc thermique subi par le système digestif freine la vidange gastrique et peut entraîner des troubles comme la diarrhée. ■

HISTOIRES D'EAUX

L'eau du robinet peut provenir de sources ou de nappes phréatiques, ou encore de lacs ou de rivières. Elle est débarrassée des impuretés et des germes qui la contaminent grâce à une série d'opérations préalables : filtration, traitement au chlore ou à l'ozone, etc. Les eaux en bouteille sont quant à elles issues de sources souterraines bactériologiquement et chimiquement saines. Elles peuvent être gazéifiées naturellement ou artificiellement, ce qui modifie leurs propriétés gustatives. Toutes ces eaux se sont enrichies en sels minéraux en traversant le sol. Les eaux dites minérales, qui se distinguent des autres eaux de source par leur composition constante en minéraux et en oligo-éléments, sont même reconnues d'intérêt public pour la santé : eaux faiblement minéralisées convenant à l'alimentation des nourrissons, eaux riches en calcium recommandées dans la prévention de l'ostéoporose, eaux riches en bicarbonates employées contre les troubles digestifs…

Après un effort, rien de tel qu'une bière

Au temps des pharaons, la bière était pour les Égyptiens une boisson sacrée, un philtre d'immortalité… Nos contemporains lui attribuent plus modestement des vertus réconfortantes. Elles sont bien illusoires… Toutefois, la bière a quelques qualités nutritives.

Une randonnée à vélo ou une heure d'aérobic, ça fait transpirer et ça donne soif ! Après, le corps a impérativement besoin de se réhydrater. Et, c'est vrai, la bière contient beaucoup d'eau… Mais elle est aussi connue pour ses propriétés diurétiques, qui ne favorisent pas la réhydratation. La bière est énergétique : n'est-ce pas ce qui convient pour récupérer ? Justement non, car elle est hypertonique, c'est-à-dire très concentrée en sels minéraux et en sucre. Les boissons de ce type retardent la vidange de l'estomac, donc la disponibilité de l'eau pour la réhydratation de l'organisme. En outre, il faut savoir que, dans l'organisme, les concentrations des différents liquides ont tendance à s'équilibrer spontanément par des transferts d'eau à travers les membranes des cellules (c'est ce qu'on appelle l'osmose). La bière favorise ainsi un « appel d'eau » des cellules vers le tube digestif. Là encore, voilà qui ne favorise pas la réhydratation… Notons au passage que certains sodas, que le marketing associe un peu trop volontiers aux compétitions sportives, présentent le même inconvénient et qu'ils peuvent en outre troubler la digestion ou présenter des effets diurétiques en raison de leur teneur en caféine.

Agence SH Benson - Artiste : John Gilroy - 1949

Les qualités nutritives de la bière sont par ailleurs surévaluées. Sa richesse en sels minéraux est relative et ne permet pas, en particulier, de compenser les pertes en sodium par la sueur. Toutefois, si la bière contient effectivement des vitamines du groupe B, qui peuvent aider à la récupération, celles-ci se trouvent aussi dans la levure de bière et les céréales complètes ! Au final, l'eau reste préférable, à condition d'adapter ses apports alimentaires avant et après l'effort. On peut aussi consommer une boisson isotonique du commerce (les fameuses boissons de l'effort) ou bien un jus de fruits dilué avec de l'eau riche en minéraux. ■

LA BIÈRE BONNE POUR LE CŒUR ?

Pendant huit ans, 14 000 Français ont été suivis dans le cadre de l'étude Suvimax (supplémentation en vitamines et en minéraux), dont l'objectif était de vérifier les effets protecteurs des vitamines et des minéraux sur la santé. Les chercheurs ont notamment examiné l'état de santé d'un groupe de volontaires buveurs de bière. Ils ont observé que la bière provoque une légère baisse du taux sanguin d'homocystéine, une substance révélatrice de l'inflammation associée aux troubles cardio-vasculaires (des phénomènes inflammatoires au niveau de la paroi des vaisseaux jouent notamment un rôle majeur dans l'athérosclérose). Ils attribuent cet effet à la présence de vitamines du groupe B. Boire des quantités modérées de bière serait donc bénéfique pour le cœur et les vaisseaux.

Un digestif fait digérer

Tradition bien ancrée dans les campagnes depuis des lustres pour faire passer un repas copieux et relayée par le « petit dernier pour la route » des automobilistes, le digestif mérite-t-il son nom ?

La consommation d'un alcool fort en fin de repas – eau-de-vie, liqueur ou vin liquoreux – fait partie de notre culture. L'historien Jean-Louis Flandrin y voit une survivance de la diététique moyenâgeuse. La fabrication d'alcools préconisés pour leurs vertus digestives était alors l'apanage de moines et de médecins, qui avaient de la digestion une conception pour le moins fantaisiste. Aujourd'hui, on sait que l'alcool est agressif pour le système digestif. Il peut provoquer nausées, vomissements ou diarrhées et, à long terme, des ulcères, des hépatites ou des cirrhoses…

Comment expliquer, alors, que la tradition du digestif soit si répandue dans le monde ? Est-ce seulement en raison de l'euphorie qu'apporte ce dernier verre qu'on s'obstine à croire qu'il fait digérer ? C'est ce qu'a voulu vérifier le Dr Bernard Schmitt, du Centre d'enseignement et de recherche en nutrition (Cern) de Lorient. En 2004, il a constaté que, chez des personnes en bonne santé, une eau-de-vie de vin en fin de repas renforçait la sécrétion d'un enzyme digestif, la

▲ *Le digestif servi par la bonne à deux curés replets : une image d'Épinal non dénuée de fondement.*

gastrine, améliorait le transit digestif et n'avait pas d'effets délétères particuliers. Cela serait dû à des molécules autres que l'éthanol encore non identifiées. Car l'eau-de-vie ne contient pas que de l'alcool. De la même façon, certaines plantes (angélique, génépi…) présentes dans certaines liqueurs pourraient aider à digérer… ■

Un verre de vin

Bon pour les artères et le cerveau, efficace contre le cancer… Le vin, en particulier le rouge, aurait toutes les vertus. À condition d'en boire modérément !

Le *french paradox* (paradoxe français), mis en évidence par le cardiologue français Serge Renaud en 1991, n'est plus à prouver. La plupart des données épidémiologiques montrent qu'une consommation modérée – de 1 à 3 verres de vin par jour, c'est-à-dire 10 à 30 g d'alcool pur – et régulière d'alcool diminue le risque de maladies cardio-vasculaires. Ainsi, avec des facteurs de risques identiques (tabagisme, cholestérolémie, sédentarité…), les Français meurent moins d'affections coronariennes que les populations du nord de l'Europe et d'Amérique du Nord. C'est plus particulièrement le vin rouge qui aurait de telles vertus, car il contient jusqu'à quatre fois plus de polyphénols que le vin blanc, des composés

L'alcool donne des forces

**Dans les tranchées,
on distribuait aux poilus
de la « gnôle » censée
leur donner du courage.
Le bénéfice de l'alcool
est pourtant bien mince !**

C'est une erreur de boire pour reprendre forces et courage, pour se réchauffer le corps et le cœur… Chaque hiver, on retrouve ainsi sur le trottoir des personnes sans domicile fixe victimes de l'alcool, en hypothermie et en grand danger de mort, quand il n'est pas trop tard…

Les propriétés de l'alcool éthylique – également appelé éthanol – sont bien connues. Après ingestion, il passe rapidement dans la circulation sanguine (pic d'alcoolémie atteint en environ trois quarts d'heure à jeun, en une heure et demie quand la boisson est

absorbée avec un repas) et se diffuse dans l'organisme. Une petite partie est éliminée dans la sueur, l'urine ou l'air expiré. Le reste est métabolisé, c'est-à-dire transformé par oxydation avec production d'énergie. Un gramme d'alcool apporte ainsi 7 kcal. Mais cette énergie n'est pas synonyme de force car, sur le plan nutritionnel, il s'agit de calories vides. En effet, l'alcool étant un toxique et non un nutriment, il n'intervient pas dans l'édification de matière organique et ne favorise en rien, par exemple, le renouvellement des tissus. Par ailleurs, son apport énergétique n'est pas mis à profit pour le travail musculaire car la dégradation de l'éthanol provoque une production excessive d'acide lactique, à l'origine de crampes.

L'absorption d'alcool provoque par ailleurs une trompeuse sensation de chaleur. Elle est due à la dilatation des

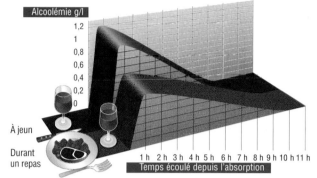

LES EFFETS DE L'ALCOOL

< 0,7 g/l : *euphorie, levée des inhibitions ; vigilance, mémoire et équilibre faussés.*

< 2g/l : *état d'ébriété : troubles de l'équilibre, confusion mentale, agressivité, apparition d'hallucinations, de délires, d'effets sédatifs.*

> 2g/l : *risque de coma éthylique.*

vaisseaux sanguins superficiels (vasodilatation), laquelle favorise les échanges thermiques à la surface de la peau. La chaleur est évacuée vers l'extérieur, tandis que l'organisme se refroidit. Le thermostat qui maintient normalement le corps à 37 °C est faussé. D'où le risque d'hypo-

thermie, d'autant plus grave que l'état d'euphorie provoqué par les propriétés psychotropes de l'alcool (dès 0,7 g/l) annihile le jugement et que des effets sédatifs se manifestent lorsque l'alcoolémie s'élève, provoquant la somnolence, voire un coma éthylique. ■

ça ne peut pas faire de mal

réputés pour leurs propriétés vasodilatatrices, antioxydantes et anti-inflammatoires. À faible dose, le vin rouge augmente le niveau de HDL (lipoprotéines de haute densité) dans le sang. Or ces lipoprotéines, connues sous le nom de bon cholestérol, récupèrent le cholestérol dans les organes et le drainent vers le foie, où il est éliminé. Elles nettoient aussi nos artères de tous les dépôts lipidiques de mauvaise qualité.

Le vin – à condition d'en boire peu – protégerait aussi du cancer : d'après des données épidémiologiques, le resvératol, l'un des polyphénols du vin rouge, jouerait un rôle dans la prévention de ces pathologies. Toutefois, ça n'est pas le cas pour le cancer du sein chez la

femme, où l'on note une augmentation du risque dès le premier verre de vin.

Par ailleurs, la consommation de 3 à 4 verres de vin par jour réduirait significativement le risque de maladie d'Alzheimer ; c'est ce que conclut l'étude Paquid menée de 1988 à 2003 sur plus de 4 000 personnes de 65 ans et plus, en Dordogne et en Gironde. Cependant, l'alcool n'est pas dénué de risques pour le cerveau : la Mildt (Mission interministérielle de lutte contre la drogue et la toxicomanie) rappelle qu'il peut notamment causer la mort de nos cellules nerveuses. Sur le long terme, sa consommation peut entraîner des maladies du systèmes nerveux (polynévrite, encéphalopathie) et

des troubles psychiques (dépression, schizophrénie, suicide…).

Si l'on boit de l'alcool, il est préférable de le faire à table, car il passe de façon plus progressive dans la circulation sanguine que lorsqu'il est pris en dehors des repas. Mais attention, à dose importante, tous les effets bénéfiques du breuvage s'inversent : au-delà de 2 verres par jour en moyenne pour les femmes et 3 verres pour les hommes, les risques de cancer (voies aérodigestives supérieures, sein…), de maladies cardio-vasculaires, de cirrhose du foie, de maladies nerveuses et psychiques augmentent considérablement. Mais, entre bienfaits et méfaits, le dosage est difficile. ■

Rien ne vaut la nourriture faite maison

Depuis l'après-guerre, notre alimentation s'est considérablement industrialisée au détriment de sa qualité. Les craintes des consommateurs se font de plus en plus entendre. À tort ou à raison ?

Trop de sel, trop de sucres, trop d'acides gras… Les produits industriels sont taxés de tous les vices, et pour cause ! L'industrie agroalimentaire a, en effet, beaucoup recours à ces ingrédients pour conserver les aliments, rehausser leur goût, éviter celui du rance, et faire des économies. Or, consommés en trop grandes quantités, ils augmentent les risques de maladies cardio-vasculaires, voire de cancer.

Une surconsommation de sel, par exemple, augmente la pression artérielle et entraîne à terme des problèmes cardio-vasculaires. Or, selon l'OMS (Organisation mondiale de la santé), on en consomme le double de nos besoins ! Mais ce sel ne provient que très peu de notre salière : il est issu à 75 % des produits que nous achetons (sauces, plats préparés, charcuteries, fromages, viennoiseries…). Longtemps utilisé comme conservateur, le sel l'est aujourd'hui pour masquer les saveurs amères et faire ressortir le goût sucré, à un moindre coût. De plus, en retenant l'eau, il augmente le poids des produits…

Mais il n'est pas le seul ingrédient qui pose problème : depuis plusieurs années, on assiste à une utilisation croissante, par les industriels, des acides gras trans (AGT), graisses solides obtenues par hydrogénation d'huiles insaturées. Ces acides gras, dont la proportion varie entre 1 et 30 %, servent notamment à produire de la margarine, des pâtes à tartiner, des biscuits, des bonbons, des potages. Au bout du compte, le consommateur moyen avalerait entre 1,2 et 6,7 g par jour de ces matières grasses particulières.

Or les acides gras ne sont pas métabolisés par notre organisme. Ils ont les mêmes effets que les acides gras saturés : ils augmentent le taux de cholestérol LDL (le mauvais cholestérol). Mais en plus, ils semblent faire baisser le bon cholestérol, le HDL. Il est donc préférable de les éviter. C'est d'ailleurs la recommandation qu'ont faite les autorités sanitaires américaines en janvier 2005. Outre-Atlantique, les acides gras trans devront obligatoirement figurer sur les étiquettes à partir de janvier 2006.

Autre élément incriminé : les sucres raffinés (purifiés). Présents dans de nombreux aliments comme les pâtisseries, la confiture, les céréales, le riz et le pain blanc, ils diminuent eux aussi le bon cholestérol. Le raffinage des aliments réduit également leur teneur en minéraux, vitamines et oligo-éléments, des substances dont les effets bénéfiques sur la santé ne sont plus à démontrer.

Enfin, dans les pays industrialisés, 75 % des aliments consommés ont subi un traitement industriel. Bon appétit ! ∎

GLUTAMATE ET AUTRES ADDITIFS ALIMENTAIRES

Les additifs alimentaires sont des substances ajoutées aux produits afin de faciliter leur fabrication, d'améliorer leur conservation ou d'augmenter leur attrait ou leur valeur nutritive. Ils regroupent les émulsifiants, conservateurs, colorants, exhausteurs de goût, antioxydants… Le glutamate (de sodium) fait partie de ce grand groupe et appartient, plus précisément, à celui des exhausteurs de goût. C'est avant tout un acide aminé naturel, que l'on trouve dans certains aliments comme la viande et les produits laitiers. Sur les étiquettes des produits transformés, il apparaît sous le code E621 (« E » pour Europe). Très utilisé dans notre alimentation, il permet de renforcer le goût des aliments lorsqu'il est ajouté aux plats préparés, en particulier ceux accommodés à la manière chinoise, à certaines sauces et aux potages. On l'accuse souvent d'induire des réactions de type allergique comme des nausées, des sueurs, des maux de tête ou des picotements… Pour l'instant, aucune étude scientifique n'a toutefois montré un lien entre le glutamate et ces effets négatifs. Par ailleurs, le glutamate contient trois fois moins de sodium que le sel de cuisine, d'où son intérêt pour ceux qui doivent veiller à leur consommation de sel.

Les pommes de terre, ça fait grossir

Plat du pauvre, légume lourd et rond, voire vieillot : l'image boulotte de la pomme de terre lui a longtemps collé à la peau. Aujourd'hui, elle tombe sa robe des champs et dévoile ses attraits nutritionnels.

Peur d'être aussi rondouillette qu'une patate ? D'être alourdi par ce gros tubercule ? Une solution : mangez-en. Trois fois moins consommée que dans les années 1960, la pomme de terre est aujourd'hui réhabilitée par les nutritionnistes. Pommes de terre, mais aussi pain, riz, pâtes, haricots blancs (céréales et légumes secs) : les féculents tiennent au corps mais ne font pas grossir.

Une belle pomme de terre ne contient que 85 kcal : moins que le pain (250 kcal pour 100 g) les pâtes (150 kcal) ou même le riz cuit (130 kcal). Très riches en amidon (16 à 20 % pour la pomme de terre), les féculents, qui sont une longue chaîne de sucres, mettent longtemps à se faire broyer par la digestion. D'où leur appellation de sucres lents, des glucides complexes qui rendent leur énergie progressivement disponible pour un effort intellectuel ou physique. Voilà l'intérêt d'adopter le régime spaghettis la veille d'une compétition… et de manger un féculent à chaque repas.

D'autant plus que les féculents renferment aussi une quantité importante de fibres, utiles au transit intestinal, de vitamines B et C, de minéraux – fer, potassium (qui s'échappent lors de la conservation et de la cuisson, surtout sans peau).

Finalement, ce qui fait grossir, c'est surtout la crème, le beurre, l'huile ou les lardons, donc les matières grasses qui agrémentent le plat. Quand on les fait sauter ou frire, les féculents perdent leur eau et absorbent les lipides. Et plus les pommes de terre sont coupées finement, plus cet échange est intense. La cuisson vapeur ou à l'eau reste la plus saine : ainsi, trop vite grignotés, un cornet de frites de 100 g ou un petit paquet de chips de 30 g apportent autant d'énergie que trois pommes de terre bouillies de la taille d'un gros œuf mais sont dénués de toutes propriétés nutritionnelles. ■

Manger du pain, d'accord, mais pas de la baguette !

L'image du Français avec son béret et sa baguette de pain a fait le tour du monde. Dès les années 1950, ce pain fantaisie apparu au XIXe siècle a supplanté la bonne vieille miche d'antan grâce à ses qualités gustatives, à sa mie blanche, aérée et fondante et à sa croûte dorée et croustillante. Pourtant, aujourd'hui, les diététiciens déconseillent souvent sa consommation. Ils lui reprochent en particulier sa faible valeur nutritionnelle et l'accusent de générer diabète et obésité. Un point de vue qu'il convient de relativiser…

La baguette est fabriquée à partir de farine blanche, issue de l'amande du blé. Elle n'intègre ni le son (l'enveloppe broyée) ni le germe, contrairement aux farines bises ou complètes. Cette farine blanche s'avère la plus pauvre en micronutriments et en fibres. Ainsi, les apports en vitamines B1, B2 et PP de la

Si les qualités nutritionnelles du pain sont aujourd'hui reconnues, la baguette – qui représente 70 % de la consommation française – a la réputation d'être le plus mauvais des pains. Faut-il vraiment la mettre à l'index ?

baguette sont faibles. D'autres minéraux et oligoéléments – le phosphore, le potassium, le fer – y sont toutefois présents en quantité notable. De même, la baguette reste une source de fibres bien qu'elle en contienne deux fois moins que le pain complet.

Autre critique : son indice glycémique élevé, facteur de diabète ou d'obésité. Cet indice reflète la capacité des sucres – dans le cas de la baguette, l'amidon – à élever le taux de glucose sanguin. Car on sait aujourd'hui que des sucres complexes comme l'amidon, qui est constitué par l'assemblage de très nombreuses molécules de glucose, peuvent être digérés et passer dans la circulation sanguine presque aussi vite qu'une seule molécule de glucose. Les tables nutritionnelles internationales donnent un indice de 95 (sur une échelle de 1 à 100) pour la baguette, contre 57 seulement pour le pain au levain. En 2004, ces chiffres ont toutefois été remis en cause par le Dr Salwa Rizkalla, à l'Hôtel-Dieu de Paris. Il a constaté qu'ils avaient été obtenus à partir de baguettes élaborées dans des pays anglo-saxons. En vérifiant sur des baguettes bien de chez nous, le Dr Rizkalla a trouvé un indice de 57… ■

Le barbecue est mauvais pour la santé

Difficile, l'été, de résister à l'appel des grillades ! Cependant, le corps médical s'élève contre ce mode de cuisson festif autant que gourmand. Devons-nous vraiment bannir le barbecue de nos loisirs ?

Il fait beau et, la chaleur revenue, un barbecue donne un air de vacances anticipées à votre dimanche en famille ou entre amis. Saucisses, côtelettes et brochettes s'alignent, prêtes à griller… Vous en salivez d'avance ! Vision idyllique ou cauchemar de nutritionniste ? La question mérite d'être posée…

Griller à haute température des aliments à la fois riches en protéines et en glucides comme la viande apporte aux aliments une agréable palette de nouvelles odeurs, couleurs et saveurs dues aux réactions de Maillard – un brunissement non enzymatique des protéines qui s'accompagne de la formation d'amines hétérocycliques. Hélas, ces composés dits aromatiques sont soupçonnés de favoriser la survenue de cancers du tube digestif. Le grillage de la viande diminue en outre la disponibilité de la lysine, un acide aminé indispensable à la croissance. Il faut donc éviter de griller la viande destinée aux enfants.

La combustion du bois ou du charbon de bois dégage, quant à elle, des fumées contenant des hydrocarbures (apparentés au pétrole). On retrouve d'ailleurs ces substances dans les produits fumés tels que les saucisses ou le lard. Enfin, lorsque de la graisse animale tombe sur les braises, il se forme du benzo-pyrène, qui favorise l'apparition de cancers de l'estomac, du gros intestin et de l'intestin grêle. Suies et benzopyrène se retrouvent ensuite à la surface – si délicieusement croustillante ! – des aliments.

Ne rayez pas pour autant cet acte festif et convivial de votre vie. Pour que le barbecue reste un plaisir sain, limitez ce mode de cuisson à une fois par semaine. Choisissez du bois non traité ou du charbon de bois certifié NF – cageots, vieilles poutres et arbres de culture (notamment les ceps de vigne) ont été traités par des pesticides nocifs.

Pour que la cuisson des aliments s'effectue à température douce, attendez que les braises soient faites et recouvrez-les de cendres. Évitez surtout que des flammes ne lèchent les aliments. Vous limiterez non seulement le risque d'incendie mais aussi celui de fumées nocives en optant pour des aliments maigres (volaille, poisson, steak). Sinon, ôtez le gras des côtes et côtelettes, et dégraissez partiellement les saucisses à l'eau bouillante. Pour prévenir la carbonisation des aliments, diminuez leur temps de cuisson en les précuisant par un marinage ou une brève cuisson à la vapeur ou à l'eau. Enfin, durant la cuisson, mouillez-les avec une marinade plutôt que de les enduire de beurre ou d'huile. Bon appétit ! ■

DIOXINES OU PAS ?

Parmi les 210 molécules de la famille des dioxines, 17 favorisent l'apparition de cancers et de mutations génétiques et sont nocives à très faible dose. Or la cuisson au barbecue produit effectivement des dioxines. Celles-ci se forment lors de la combustion incomplète des sucs de viande. Les quantités émises sont toutefois minimes (incomparables, par exemple, avec ce que peut produire un incinérateur d'ordures ménagères) mais non nulles.
Ces dioxines sont emportées par les fumées – c'est donc avant tout la personne qui s'occupe du barbecue qui risque de les inhaler. Il suffit d'éviter de respirer les fumées lorsqu'on manipule les aliments et de se tenir un peu éloigné du barbecue entre deux interventions pour ne pas y être exposé.

Le lait donn

Un bébé qui vomit ou qui a la diarrhée, et l'on accuse immédiatement le lait. Nombre d'adultes disent aussi ne pas le supporter. Et, c'est vrai, un enzyme nécessaire à la digestion peut être absent ou trop peu efficace. Mais bien moins souvent qu'on ne le croit…

Le sel n'est pas bon pour la tension

Indispensable à la vie, le sel est consommé depuis le paléolithique. Cela fait toutefois des décennies qu'il est mis en cause dans l'hypertension artérielle. Les régimes sans sel, cependant, se sont avérés moins efficaces que prévu et les médecins prônent aujourd'hui la modération plutôt que l'éviction.

LE SEL DE LA VIE...

Si les cellules contiennent très peu de sel, tous les liquides corporels à l'extérieur des cellules – sang, larmes, eau des interstices des tissus... – sont en revanche salés (ils contiennent du chlorure de sodium ou du bicarbonate de sodium). Leur concentration en sodium est même remarquablement fixe. Un excès de sodium entraîne une rétention d'eau, tandis qu'un taux trop faible se traduit au contraire par une perte d'eau. Par ce mécanisme, le sodium joue un rôle majeur dans le contrôle de l'hydratation de l'organisme. L'élimination du sodium par le rein est modulée en fonction des besoins. Les pertes « incompressibles », dans la sueur ou les selles, sont faibles mais doivent être compensées. Pour cela, le sel contenu naturellement dans les aliments est habituellement suffisant, le sel ajouté l'étant pour des raisons de goût.

a diarrhée

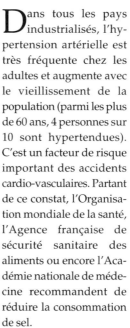

L'intolérance au lait, qui est en réalité une intolérance au lactose, principal sucre du lait, est très rare. Elle est due à l'absence congénitale ou acquise de la lactase, un enzyme de la muqueuse intestinale nécessaire à la digestion du lactose. Dans la plupart des cas, la diarrhée du nourrisson a une autre cause : maladie infectieuse ou inflammatoire, allergie aux protéines, prise de médicaments... Mais, parce que ces troubles affectent la muqueuse intestinale, ils peuvent empêcher temporairement l'action de la lactase. Mieux vaut donc alors éviter le lait.

À savoir aussi : chez les trois quarts des adultes et des adolescents, l'activité de la lactase diminue, comme chez les autres mammifères, qui eux cessent de boire du lait après le sevrage. Résultat : ballonnements et selles liquides dès qu'ils ingèrent trop de lactose (quelques grammes chez certains, quelques dizaines de grammes chez d'autres)... Mais la plupart des produits laitiers passent bien : le fromage, qui a perdu son lactose à l'égouttage, les yaourts, dont les bactéries aident à digérer le lactose... Le lait est aussi mieux digéré quand il est distribué lentement dans l'intestin. C'est le cas lorsqu'il est pris avec un repas. Et aussi, paradoxalement, lorsqu'il est entier, car il est retenu dans l'estomac en raison de sa teneur en gras, ce qui limite les problèmes de tolérance au lactose. Au bout du compte, il est rare de ne pouvoir consommer aucun produit laitier. En France, le Programme national nutrition santé en conseille trois par jour, car leur apport en calcium, bon pour les os, est difficilement remplaçable. ■

Dans tous les pays industrialisés, l'hypertension artérielle est très fréquente chez les adultes et augmente avec le vieillissement de la population (parmi les plus de 60 ans, 4 personnes sur 10 sont hypertendues). C'est un facteur de risque important des accidents cardio-vasculaires. Partant de ce constat, l'Organisation mondiale de la santé, l'Agence française de sécurité sanitaire des aliments ou encore l'Académie nationale de médecine recommandent de réduire la consommation de sel.

Le rôle de l'excès de sel dans l'hypertension artérielle est toujours débattu. Au niveau de l'intestin, le sel passe dans la circulation sanguine. S'il est apporté en excès et insuffisamment éliminé dans les urines ou la sueur, cela entraîne une rétention d'eau et une augmentation du volume sanguin, donc de la pression artérielle. Cependant, les mécanismes de régulation de la tension sont complexes et font intervenir de nombreux facteurs neuro-hormonaux. Il existe par ailleurs une susceptibilité individuelle à la consommation de sel et certains hypertendus ne réagissent pas à la restriction de cet apport : chez les personnes non sensibles, le sel alimentaire n'aurait pas ou que peu d'effets sur la tension.

Quoi qu'il en soit, depuis l'étude Intersalt de 1998, de nombreux travaux internationaux ont confirmé une relation entre la consommation habituelle de sel des populations et leur pression artérielle moyenne. Les bénéfices d'une restriction en sel chez les hypertendus sont également largement démontrés. Puisque nous consommons beaucoup plus de sel que nécessaire (autour de 7 à 8 g par jour en moyenne, alors que 3 à 5 g suffiraient), il semble raisonnable de diminuer les apports, en limitant les aliments industriels très salés (fromages, charcuteries, conserves, plats industriels et surgelés), en continuant de saler normalement à la cuisson mais en bannissant la salière de la table. La prescription d'un régime sans sel n'est heureusement réservée qu'aux hypertensions compliquées d'une insuffisance cardiaque avancée. ■

Les œufs donnent du cholestéro[l]

Économiques et nutritifs, les œufs ont toujours été à l'honneur dans nos assiettes. Leur réputation d'aliments sains s'est ternie quand la médecine du XXᵉ siècle s'est mise à faire la chasse au cholestérol, accusé d'encrasser les artères.

C'est connu, les œufs figurent avec les abats parmi les aliments les plus riches en cholestérol. Celui-ci se trouve dans le jaune, qui en recèle de 200 à 270 mg. Pendant longtemps, on a donc conseillé aux personnes présentant un excès de cholestérol sanguin de bannir les œufs de leur assiette.

Or, depuis quelques années, plusieurs études – dont une menée en 1999 à Harvard sur plus de 100 000 personnes – ont démontré que le cholestérol alimentaire influe peu sur le taux de cette substance dans le sang et sur le risque associé d'encrassement des artères (formation de plaques graisseuses d'athérome) et de troubles cardio-vasculaires. En effet, la plus grande source de cholestérol, c'est l'organisme lui-même ! Le foie en est le principal producteur et en fabrique d'autant plus que l'alimentation est riche en graisses animales saturées. C'est donc celles-ci qu'il faut éviter pour faire baisser son cholestérol. Pour ce faire, les nutritionnistes conseillent de remplacer le beurre par des graisses végétales, de privilégier le poisson et les laitages allégés, d'éviter les plats en sauce, d'augmenter la consommation de fruits et légumes…

En cas d'hypercholestérolémie, mieux vaudra toutefois diminuer les apports alimentaires de cholestérol, mais non les supprimer sous peine d'en stimuler la production par le foie. En mangeant trois ou quatre œufs par semaine, on bénéficiera d'une source de protéines d'excellente valeur biologique, de phosphore et de fer, ainsi que de vitamines A, B et D. ■

Manger « orange » donne[...]

Il est depuis longtemps admis que la consommation de fruits et légumes orange donne une bonne mine, grâce à leur richesse en bêta-carotène. Mais cet antioxydant préserve aussi notre santé.

Les carottes, abricots, pêches, potirons et autres fruits et légumes orange sont bons pour le teint, d'où l'expression « avoir un teint de pêche ». Ces aliments sont riches en bêta-carotène ou provitamine A, un puissant antioxydant converti par l'organisme en vitamine A. Comme d'autres antioxydants tels les vitamines C et E, les minéraux et les oligoéléments (sélénium, zinc, polyphénols…), le bêta-carotène et la vitamine A aident à préserver la peau des agressions extérieures. Car les antioxydants sont capables de lutter contre les radicaux libres. Ces molécules, produites par les cellules phagocytaires de notre système immunitaire (polynucléaires, macrophages) à partir de l'oxygène, permettent de détruire les micro-organismes pathogènes (bactéries, parasites). Mais, lorsqu'ils sont produits en excès et circulent librement dans l'organisme, les radicaux libres sont responsables du processus d'oxydation et dégradent les cellules de notre organisme. Très instables, ils s'approprient, en effet, des composants d'autres molécules comme les graisses, les protéines, l'ADN ou l'ARN (le matériel génétique de nos cellules). Certaines situations sont particulièrement favorables à la production de radicaux libres : une exposition aux ultraviolets ou à la pollution, le tabac et l'alcool. Très exposée, la peau, organe le plus grand et à l'interface du milieu extérieur et intérieur, est la première victime de ce stress oxydatif à l'origine du vieillissement. C'est alors que les antioxydants interviennent :

Les fruits rouges sont allergènes

Pour éviter de sérieuses crises d'urticaire, la tradition conseille de passer les fraises dans de l'eau chaude citronnée. Peine perdue : l'ennemi est à l'intérieur.

Les fruits rouges ne sont en fait pas vraiment des aliments allergènes. Contrairement aux fruits à noyau ou exotiques, vraiment riches en protéines allergisantes, les fruits rouges ne provoquent « que » de vraies crises d'urticaire. Chez certaines personnes particulièrement sensibles, l'ingestion de ces fruits peut provoquer des réactions inflammatoires de la peau allant de simples rougeurs à la formation d'œdèmes.

La fraise est régulièrement mise en cause. Ce fruit contient en effet, en quantités particulièrement importantes, la substance responsable de ces désagréments cutanés : l'histamine. C'est ce composé, naturellement synthétisé par l'organisme pour éliminer les corps étrangers, qui provoque la réaction allergique. L'histamine apportée par la fraise se fixe sur des récepteurs cellulaires qui lui sont propres, présents notamment sur les muqueuses. L'inflammation guette alors les personnes sensibles. Par ce processus, la fraise peut donc provoquer tous les symptômes d'une allergie, tout comme les autres aliments riches de cette même substance (chocolat, tomate). Mais si les effets sont semblables à ceux d'une allergie, le mécanisme mis en jeu est différent, l'histamine provenant de l'extérieur. Pour une véritable allergie, l'organisme synthétisera sa propre histamine. ■

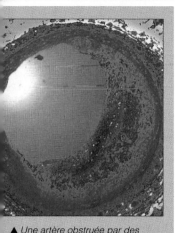

▲ *Une artère obstruée par des dépôts de lipides – essentiellement du cholestérol. C'est ce qu'on appelle la plaque d'athérome. Celle-ci peut s'ulcérer et libérer du pus ou durcir en se calcifiant. Survient alors l'athérosclérose.*

n teint de pêche

ils neutralisent les radicaux libres. Ils semblent, de plus, jouer un rôle protecteur dans la carcinogenèse (mécanisme d'apparition du cancer).

Le bêta-carotène est donc particulièrement recommandé pour préparer l'organisme à une exposition prolongée au soleil. Il colore légèrement la peau en stimulant la production de mélanine. Il protège également des maladies cardiovasculaires. On en trouve dans tous les légumes et fruits à pulpe orangée mais aussi dans les légumes verts. Toutefois, attention à ne pas en abuser : deux études, l'une réalisée en Finlande en 1994 et l'autre aux États-Unis en 1996, ont montré une forte corrélation entre l'administration d'un supplément de bêta-carotène à une population à haut risque de cancer du poumon et l'augmentation des risques de ce cancer. ■

DU BÊTA-CAROTÈNE, OUI, MAIS PAS POUR LES FUMEURS !

Lancée en Finlande au milieu des années 1980, l'étude ATBC (*Alpha-Tocopherol Beta-Carotene Cancer Prevention Study*, 1994) avait pour but d'évaluer l'effet d'un apport quotidien de 20 mg de bêta-carotène pendant huit ans sur l'apparition de maladies cardio-vasculaires. Elle a porté sur 29 133 Finlandais ayant un tabagisme important mais ne présentant au départ aucun problème cardio-vasculaire. Mais, sur les 1 473 cas à issue fatale, l'étude montra un nombre plus important de décès dans le groupe bêta-carotène (taux de mortalité : 77,1 ‰) que dans le groupe placebo (taux de mortalité : 68,9 ‰). Une autre étude lancée en 1996 et réalisée aux États-Unis, l'étude Caret (*Carotene and Retinol Efficacy Trial*), confirma ces observations. Elle porta sur 18 300 personnes à haut risque de cancer du poumon, c'est-à-dire des fumeurs et des travailleurs exposés à l'amiante. Le supplément quotidien était de 30 mg de bêta-carotène et de 25 000 UI (unité internationale) de vitamine A. Attendus pour 1999, les résultats ne sont jamais parus, car l'étude a dû être interrompue en raison d'un nombre accru de décès par cancer et accidents cardio-vasculaires par rapport au groupe placebo.

Il convient, toutefois, de relativiser ces résultats, les études ayant uniquement porté sur des sujets à haut risque de cancer du poumon. De plus, dans ces deux études, les doses de bêta-carotène étaient respectivement 6,6 et 10 fois supérieures à l'apport journalier recommandé. Ces fortes doses ont pu entraîner des effets antagonistes.

Mange des épinards, c'est riche en fer !

Surnommés « balais de l'estomac » au XIXe siècle, les épinards sont connus pour leur teneur en fer. D'ailleurs, on vous l'a répété toute votre enfance : si vous voulez être fort, il faut en manger. Mais si Popeye s'était trompé ?

Les épinards contiennent, certes, du fer, mais très peu : 2,7 mg de fer pour 100 g, rien d'extraordinaire quand on sait que le boudin noir, lui, en contient 14 mg ! De plus, seulement 5 % du fer des épinards est utilisé par l'organisme. En effet, les fibres et les oxalates contenus dans ces légumes emprisonnent le précieux minéral, l'empêchant d'être absorbé par le corps. Or du fer, l'organisme en a besoin : 9 mg par jour pour un homme, 16 mg pour une femme et 30 pour une femme enceinte. Ce minéral entre en effet dans la composition de l'hémoglobine et de la myoglobine des muscles, et est indispensable à de nombreuses réactions enzymatiques nécessaires à la respiration des cellules. Une carence, et c'est l'anémie : pâleur, essoufflement dû au manque d'hémoglobine et fatigue sont au rendez-vous.

Mais s'ils ne sont pas riches en fer, ce n'est pas une excuse pour ne pas consommer d'épinards : ils sont nutritionnellement intéressants à cause de leur richesse en fibres et en vitamine C. Et surtout en folates, ou vitamine B9. C'est d'ailleurs dans les feuilles d'épinards que cette vitamine fut découverte. Indispensable au bon développement du système nerveux du fœtus, elle est aussi essentielle pour la synthèse de toutes les nouvelles cellules, et intervient dans la production des globules rouges. ■

POPEYE AVAIT TOUT FAUX !

Savez-vous d'où vient l'idée que les épinards sont très riches en fer ? En 1890, un Américain étudiant une feuille d'épinard fit une erreur de virgule en tapant son rapport, ce qui multiplia le taux de fer dans les épinards par 10 ! La rumeur s'installa définitivement grâce au mythe de Popeye, créé en 1933 par les dessinateurs Dave et Max Fleischer. Mais Popeye avait tout faux !

ALIMENTS RICHES EN FER (EN MG/100 G)			
Pigeon rôti	20	Foie de veau cuit	8
Levure alimentaire	18	Lentille	7,6
Petit déjeuner genre All-Bran	14	Moule cuite	7,3
Boudin noir cuit	14	Cœur de bœuf cuit	7
Poudre de cacao sans sucre	11,5	Pistache	7
Lapin en ragoût	10,5	Pâté de campagne	6,1
Foie de volaille cuit	9,1	Jaune d'œuf	5,7
Farine de soja	9	Muesli	5,6
Germe de blé	9	Bœuf rôti	4,5

Les légume

Rien de mieux qu'une bonne soupe de légumes pour prendre des forces ou faire grandir les enfants. Vitamines, fibres, sels minéraux : a priori, tout y est. En réalité, certains éléments sont détruits ou amoindris par la cuisson...

Plus on soumet un légume à la chaleur, plus il perd de vitamines et de sels minéraux. Et comme la plupart des vitamines sont hydrosolubles (solubles dans l'eau), plus on utilise une grande quantité d'eau pour la cuisson, plus la perte est élevée. En bref : rien n'est plus destructeur pour les vitamines que de cuire les légumes à l'eau bouillante. Parmi elles, l'une des plus précieuses, la vitamine C, antioxydante, protège nos cellules

Un jus d'orange tous les matins, ça fait du bien

Chaque hiver, les médecins recommandent des cures de jus d'orange pour leur vitamine C afin d'éviter de tomber malade. Mais cette vitamine a d'autres vertus et doit être consommée quelle que soit la saison.

Fruit peu calorique, l'orange présente en outre une excellente richesse vitaminique et minérale. Avec 50 mg de vitamine C pour 100 g, ce fruit permet de couvrir une grande partie de l'apport journalier recommandé en vitamine C. Celui-ci varie en fonction de l'âge : un nourrisson a besoin de 50 mg par jour, alors qu'il en faudra 130 mg à une femme allaitante. Or cette vitamine possède maintes propriétés protectrices. Elle aide en particulier à lutter contre les agressions microbiennes et virales de l'hiver en stimulant nos défenses immunitaires : moyen de prévention privilégié contre la grippe, la vitamine C, à raison de 1000 mg par jour, s'avère également capable, toujours grâce à ses propriétés immunisantes, de réduire la durée et l'importance des rhumes. Antioxydant naturel, elle neutralise par ailleurs les radicaux libres formés par l'organisme et soupçonnés d'être impliqués dans l'apparition de certains cancers et de maladies cardio-vasculaires. La vitamine C permet aussi d'améliorer l'absorption du calcium du lait et des produits laitiers.

La teneur de l'orange en vitamine C reste stable dans le temps, car elle est protégée par l'acidité naturelle du fruit et la peau épaisse qui l'isole de l'oxygène. Il n'en est pas de même pour le jus, qu'il faut consommer rapidement : la vitamine C est détruite par l'oxgène de l'air.

La chair vert vif du kiwi est aussi une excellente source de vitamine C : 100 g de kiwi contiennent l'équivalent de la quantité journalière recommandée pour un adulte. ■

LES FRUITS TONUS

L'orange n'est pas le seul fruit qui soit riche en vitamine C. Le pamplemousse en apporte 40 mg pour 100 g : manger un demi-pamplemousse (150 g) permet donc de couvrir les deux tiers de l'apport journalier recommandé. Le cassis, la fraise, la clémentine, la mangue en renferment également beaucoup. En revanche, la pomme et la poire pelées, le raisin, la banane ou la cerise contiennent en général moins de 10 mg de vitamine C pour 100 g. Une restriction cependant : mieux vaut éviter la consommation de vitamine C en fin de journée, car cet excitant peut perturber l'endormissement.

...ouillis perdent toutes leurs vitamines

contre les agressions les plus diverses. Elle est aussi l'une des plus fragiles : le simple fait de couper une orange en deux fait perdre de la vitamine C, par oxydation, c'est-à-dire au contact avec l'oxygène de l'air. À température ambiante, les épinards perdent ainsi 29 % de leur teneur en vitamine C en une journée ! La vitamine C supporte, du reste, très mal la chaleur. Après une demi-heure de cuisson vapeur, 63 % de la vitamine C de la pomme de terre est perdue ; au bout d'une heure, 95 %. Plus généralement, entre le stockage, le lavage, l'épluchage et la cuisson, jusqu'à 90 % de la teneur en vitamine C d'un légume peut disparaître. La vitamine B1 (fenouil cru) s'avère très sensible, elle aussi, à la chaleur. Alors que la vitamine E (avocat, carotte, tomate) l'est très peu mais se détruit rapidement au contact de l'oxygène. Il en va de même pour la vitamine A (patate douce, épinard, chou, carotte), qui supporte aussi très mal les rayons ultraviolets. Ainsi, à la cuisson, les légumes verts perdent 15 à 20 % de leur teneur en vitamine A et les légumes jaune-orange (carotte, potiron), 30 à 35 %.

Dans tous les cas, moins on transforme les légumes, plus vite on les consomme et mieux on profite de leurs éléments nutritifs. En évitant de le peler avant la cuisson, on protégera mieux l'aliment contre la chaleur. Lorsque l'épluchage est obligatoire, l'emploi d'un économe permet de retirer le moins de chair possible. Mieux vaut également cuire le légume entier ou coupé en gros morceaux. La surface entrant directement en contact avec l'air puis avec l'eau chaude sera diminuée, ralentissant ainsi les pertes. Reste à profiter de l'eau de cuisson : elle a récupéré l'essentiel des minéraux et une partie des vitamines. Enfin, pas d'inquiétude si l'on conserve un bon coup de fourchette pour les légumes : même si certains éléments se perdent en route, il en reste souvent assez dans notre assiette. Sachez également qu'une portion de 200 g de chou cuit couvre nos besoins élémentaires quotidiens. ■

LA MEILLEURE FAÇON DE CUISINER LES VITAMINES

Pour préserver au mieux les atouts nutritionnels des légumes, il faut les faire cuire rapidement (pour limiter les pertes par la chaleur) et sans ajout de liquide (pour limiter les pertes par solubilité). L'autocuiseur est idéal puisqu'il répond à ces impératifs ; il cuit dans très peu d'eau, vite et à l'abri de l'air. Les pertes en vitamines sont inférieures à 30 % si l'on utilise le panier-vapeur et que l'on cuit les légumes al dente. Pomme de terre, chou vert, carotte, navet sont bien adaptés à l'autocuiseur. La cuisson à l'étouffée est aussi avantageuse : poivron, aubergine, champignon... cuisent dans leur eau. Les minéraux sont concentrés et, plus le temps de cuisson est réduit, plus les vitamines sont préservées : 30 % de pertes environ. Faire sauter les légumes à la poêle ou au wok préserve aussi les vitamines et les minéraux. Seul inconvénient : l'ajout d'un corps gras, qui rend le plat plus calorique.

Les fruits secs, c'est plein d'énergie

Dans le sac à dos, abricots secs, raisins secs et pruneaux ne prennent pas de place. Et, grâce à eux, on peut faire le plein de carburant, même dans le désert, la montagne… ou l'espace.

Déshydratés, les fruits secs sont du concentré d'énergie : 300 kcal pour 100 g. Certes, 100 g de chips ou de bonbons contiennent jusqu'à deux fois plus d'énergie, mais les fruits secs possèdent l'avantage d'être riches en fibres, vitamines, minéraux et oligoéléments, comme le potassium et le magnésium, très utiles pour l'activité musculaire (ils évitent les crampes, par exemple).

En petite quantité, ils constituent une excellente collation énergétique pour se redonner du punch lors des efforts de longue durée : courses d'endurance, randonnée, ski de fond, tennis, vélo… De composition simple (ce qui n'est pas le cas pour l'amidon des féculents), les sucres des fruits possèdent l'avantage d'être dégradés en quelques minutes en glucose, le sucre le plus simple, qui pénètre ensuite dans le sang. Contrairement aux graisses, ils ne sont pas stockés, mais rendus immédiatement disponibles pour les cellules des muscles. En effet, pendant l'effort, l'organisme doit pomper son carburant, le glucose. Lorsque le taux de sucre dans le sang baisse (hypoglycémie), les cellules puisent dans leurs réserves (sous forme de glycogène) au niveau du foie, puis des muscles, entraînant fatigue et baisse de vigilance. Pour rester au meilleur niveau, il faut s'hydrater et assurer un apport de sucres rapides régulier pendant l'exercice physique. Mais attention : si le sucre n'est pas utilisé, il finit par se stocker sous forme de poignées d'amour ou de culotte de cheval… ■

LA RÉGULATION DE LA GLYCÉMIE

▶ *Lorsque le taux de sucre dans le sang passe au-dessus d'une certaine valeur, le pancréas libère une hormone, l'insuline, qui va permettre au foie, aux muscles et au cerveau de stocker le sucre excédentaire sous forme de glycogène. À l'inverse, quand la glycémie atteint des valeurs trop basses, le pancréas libère une autre hormone, le glucagon, chargée de fabriquer du sucre (sous forme de glucose) à partir du glycogène. En situation de sous-nutrition, le glucagon peut aller jusqu'à commander la dégradation en sucres des protéines (les muscles) et des lipides (les graisses). Quand le taux de sucre approche des valeurs dangereuses, l'insuline ordonne le stockage sous forme de graisses.*

Glycémie ⊖ ⊕
Glucose
Graisses Protéines (muscles)
Insuline
Glycogène (stockage)
Glucagon
Cellules β
Foie Muscles Cerveau
Cellules α
Pancréas

L'ananas,

De nombreux régimes prônent la consommation d'ananas, car ce fruit aurait, dit-on, la propriété de brûler les graisses. Mythe ou réalité ?

Il faut le dire tout net : il n'existe, malheureusement, aucun aliment mange-graisse. Si certains ont prêté de tels pouvoirs à l'ananas, c'est sans doute à cause d'une substance qu'il contient : la broméline. Produite par les plantes de la famille des broméliacées, cet enzyme décompose les protéines et faciliterait ainsi leur digestion. Cette action, démontrée en laboratoire, n'a pas encore fait vraiment ses preuves dans notre organisme. On peut néanmoins supposer qu'il se produit la même chose dans l'estomac humain. Par ailleurs, la broméline est surtout présente

Les carottes, c'est bon pour la vue

Grâce au bêta-carotène qu'elles contiennent, les carottes sont excellentes pour la prévention des affections de la vue, mais aussi pour l'acuité visuelle diurne comme nocturne.

L'adage « les carottes sont bonnes pour les yeux » repose sur la richesse de ces légumes en bêta-carotène (un précurseur de la vitamine A) et en vitamine A (ou rétinol). Ces deux composés sont, en effet, essentiels pour garder une bonne vue.

Le bêta-carotène, associé aux vitamines E et C, participe à la régénération de tous les pigments visuels et protège le cristallin. Il est capable de retarder l'apparition de la cataracte et de la dégénérescence maculaire liée à l'âge (DMLA). Cette pathologie, qui apparaît chez les sujets de plus de 50 ans, altère la macula, une petite zone située au centre de la rétine et responsable de l'acuité visuelle. Une tache noire se forme alors et se projette sur l'objet regardé. La DMLA, qui fait perdre la vision centrale en quelques semaines ou quelques mois, représente 50 % des cas de cécité après 50 ans dans les pays industrialisés. L'évolution de la maladie peut être freinée par la prise, à fortes doses, d'antioxydants (vitamines C et E) et d'oméga-3 et -6.

La vitamine A de la carotte, quant à elle, aide à régénérer la rhodopsine, un pigment de la rétine sensible à la lumière. Cette vitamine facilite donc la vision en basse luminosité. Elle prévient aussi la xérophtalmie, un épaississement et une sécheresse de la cornée – la surface de l'œil – pouvant provoquer une cécité irréversible chez le jeune enfant. Chaque année, on recense 350 000 nouveaux cas de cette maladie, surtout dans les pays du tiers-monde, où 50 % des enfants présentent une carence grave en vitamine A. La consommation de foie, de fromage et d'œufs, qui sont des aliments riches en vitamine E, permet de lutter contre l'avitaminose A. ■

DES MYRTILLES POUR AVOIR DES YEUX DE LYNX

La myrtille et le bleuet, son cousin d'Amérique du Nord, ont longtemps eu la réputation d'être bénéfiques pour les yeux, et tout particulièrement pour la vision crépusculaire. Durant la Seconde Guerre mondiale, les pilotes britanniques de la Royal Air Force en consommaient même de grandes quantités, sous forme de confitures, de jus…

Et ils avaient raison ! Les baies (groseilles, cassis, myrtilles, mûres…) sont, en effet, assez riches en vitamine E, essentielle à la régénération des cônes visuels. Les ophtalmologistes prescrivent même des cures de vitamine E en comprimés aux personnes sujettes aux éblouissements – les myopes en particulier.

▲ *Test des mouvements réflexes d'un pilote de la Royal Air Force durant la Seconde Guerre mondiale. L'histoire ne dit pas si la myrtille a aidé la RAF à gagner la bataille d'Angleterre.*

ça fait maigrir

dans la tige ; or c'est le fruit que nous consommons… Et son activité sur les protéines est négligeable, comparée à celle des enzymes produits par notre corps.

Les gélules d'ananas vendues dans le commerce n'ont donc aucun pouvoir amincissant. En revanche, l'apport en fibres – aux propriétés laxatives indéniables – de l'ananas, très appréciable, permet de lutter contre la paresse intestinale, c'est-à-dire contre la constipation due à un manque d'exercice physique, à une mauvaise alimentation… Mais d'autres fruits et légumes comme l'artichaut ont aussi cette vertu. Grâce à la cynarine qu'il contient, ce dernier stimule les sécrétions biliaires et la production, par les cellules pancréatiques, d'insuline. Il facilite donc à la fois la digestion et l'utilisation du glucose par l'organisme. Sa concentration en potassium lui confère également une action diurétique et contribue ainsi à augmenter la sécrétion urinaire.

Inutile cependant d'abuser de ces fruits et légumes pour affiner sa silhouette : seul un régime hypocalorique combiné à un exercice physique régulier permet de perdre de la masse graisseuse de façon durable ! ■

Manger une pomme
soir et matin
chasse le médecin

Rafraîchissante, source de vitamines, de minéraux, de fibres, la pomme est un véritable aliment santé que l'on peut croquer à toute heure de la journée sans culpabiliser.

Si l'on en croit un dicton anglais, *an apple a day keeps the doctor away*, une pomme par jour éloigne le médecin. Il faudrait même en manger plusieurs, car elle a de multiples atouts. Elle contient, d'abord, tout une gamme de vitamines : de la vitamine A, B1, B2, PP, B5, B6, B9, E, de la provitamine A (bêta-carotène) et, surtout – si on ne la pèle pas –, de la vitamine C. Or cette dernière est réputée pour stimuler les défenses immunitaires de l'organisme.

Les vitamines étant davantage réparties dans la peau – elle renferme quatre à cinq fois plus de vitamine C que le reste du fruit –, il est préconisé de consommer la pomme sans la peler, mais après l'avoir lavée.

Ce fruit renferme aussi de nombreux minéraux et oligoéléments. Il est riche en potassium (120 à 200 mg pour 100 g de fruit) mais pauvre en sodium (10 mg) et est constitué à 85 % d'eau. Cette association confère à la pomme ses qualités diurétiques et fait d'elle un bon allié des régimes sans sel. Sa teneur en potassium permet également de lutter contre l'hypertension artérielle. Mais la pomme contient encore du phosphore, du calcium, du magnésium, du soufre, du zinc, du cuivre, du manganèse, du bore et du sélénium, autant d'éléments qui tiennent un rôle important dans le métabolisme cellulaire.

La pomme possède, de plus, un indice glycémique faible, c'est-à-dire qu'elle augmente le taux de sucre dans le sang lentement par comparaison à d'autres aliments. Consommer deux ou trois pommes par jour peut ainsi aider à abaisser un taux de cholestérol sanguin excessif et à stabiliser la glycémie, réduisant du même coup les risques de diabète de type II. C'est aussi un fruit utile pour l'intestin : sa forte teneur en fibres (cellulose, pectine…) bien tolérées par l'organisme régularise en douceur le transit intestinal et aide à lutter contre la constipation. Râpée, la pomme permet de lutter contre la diarrhée.

Dotée d'un puissant pouvoir antioxydant, elle pourrait encore permettre de diminuer le risque de cancer digestif : des chercheurs de l'Ircad (Institut de recherche contre les cancers de l'appareil digestif) de Strasbourg ont, en effet, mis en évidence en mars 2005 les propriétés « anti-cancer du côlon » des polyphénols que contient la pomme. Cet effet protecteur observé chez les rats pourrait exister chez l'homme à condition qu'il consomme au moins deux pommes par jour. ■

◄ *En commettant le pêché originel, Adam et Ève ont apporté un grand bienfait à l'humanité : la pomme, fruit quasi idéal...*

Le bio,
c'est bon –
et en plus,
c'est bon

Cultiver et élever à l'ancienne, dans le respect de la nature et des animaux, tel est le credo de l'agriculture biologique. Mais manger bio est-il vraiment meilleur ou est-ce juste une mode ou un choix de société ?

Les fruits, légumes et animaux biologiques, cultivés ou élevés avec tant de précautions, sont-ils vraiment meilleurs? L'Agence française de sécurité sanitaire des aliments (Afssa) a publié en 2001 un rapport s'appuyant sur des données, hélas encore limitées, comparant les valeurs strictement nutritionnelles des aliments bio et traditionnels – mais pas leur goût ! Le rapport conclut qu'il n'y a, globalement, pas de différence significative dans leurs teneurs en minéraux et oligoéléments, en vitamine C (sauf pour la pomme de terre bio, légèrement plus riche), en bêta-carotène (provitamine A) et en lycopènes (colorants de la tomate peut-être anticancérigènes).

Cependant, la teneur en polyphénols (molécules que l'on trouve dans le vin, réputées anti-inflammatoires) des fruits et légumes bio est plus élevée, et la teneur en protéines des céréales est légèrement plus faible mais plus équilibrée en acides gras. Surtout, les résidus de pesticides et de nitrates – et donc les risques liés à ces contaminants – sont quasi nuls.

Quant aux aliments d'origine animale, l'Afssa dispose de trop peu de données pour se prononcer, mais a constaté que, comme les bêtes n'ont pas une croissance forcée et qu'elles font plus d'exercice pour s'alimenter, la viande bio est moins grasse et plus riche en acides gras polyinsaturés, elle ne contient aucun résidu d'antibiotiques et les risques de contamination croisée (type ESB, due aux farines animales contaminées) sont très faibles grâce à un mode d'élevage privilégiant la production des aliments sur l'exploitation. En revanche, le risque de contamination par des parasites est a priori supérieur.

Ces avantages semblent avoir convaincu 6 % des Français, qui mangent régulièrement des produits bio (au moins 6 par semaine), et près du tiers de la population, qui le fait occasionnellement (1 à 5 par semaine), malgré un prix supérieur à celui des produits traditionnels. De l'autre côté de l'Atlantique, le Québec est en avance sur le reste du Canada : l'alimentation bio n'y représente pourtant que 2 % du marché, mais elle croît de 20 à 30 % par an. Il faut dire que, présentés souvent en petites quantités bien conditionnées et rigoureusement étiquetés, les produits bio sont attractifs. Les fruits et légumes sont, en outre, cueillis plus près de leur maturité, ce qui leur donne meilleur goût. Alors pourquoi s'en priver ? ■

QUELLES GARANTIES OFFRE LE LABEL AB ?

Pour recevoir le label AB (agriculture biologique), l'agriculture bio européenne doit se plier à de rigoureuses contraintes. Les sols où poussent les végétaux doivent être fertilisés uniquement par la culture de légumineuses et l'apport de matières organiques biologiques. La lutte contre les maladies se fait par la sélection d'espèces et de variétés naturellement résistantes, la rotation des cultures, des procédés mécaniques, l'utilisation d'ennemis naturels des parasites, le désherbage par le feu et, exceptionnellement, certains produits précis en cas de danger immédiat pour la culture. Ces principes doivent être respectés pendant au moins deux ans avant l'ensemencement ou, dans le cas de cultures pérennes telles que les fruits, au moins trois ans avant la récolte. Le bétail dont la viande est certifiée AB ne consomme que des graines, céréales et fourrages bio produits à la ferme, au plus 20 % de produits végétaux transformés à partir de matières premières bio, du lait et des produits laitiers, des vitamines et des oligoéléments.

Mange ta **soupe,** ça fait **grandir** !

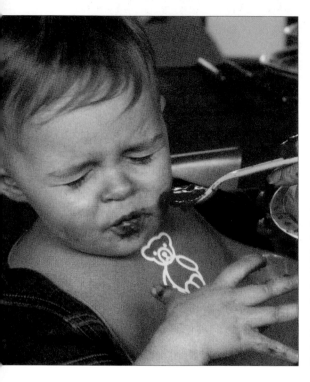

Voilà une antienne que des générations de parents ont ressassée pour faire manger leurs enfants. Avec une once de mauvaise foi et un solide bon sens nutritionnel…

À l'origine, il y a sans doute une évidence : il faut manger pour grandir. Or la soupe a longtemps été servie quotidiennement dans tous les foyers. Économique, rassasiante, permettant de recycler les restes, elle offrait de nombreux avantages mais parfois guère d'attraits gustatifs, notamment pour les enfants difficiles.

Alors on leur disait que la soupe fait grandir. En enjolivant un peu : car la croissance nécessite un apport de substances incorporées dans les nouveaux tissus – des protéines pour le muscle ou l'os, du calcium pour l'os… Or un potage n'en recèle que peu. L'apport en protéines végétales est quasi nul (sauf si on ajoute des légumineuses ou des céréales), et la viande ne figure que rarement dans la recette. Quant au calcium, il est certes présent dans les légumes à feuilles comme le chou, mais en quantité bien moindre que dans les laitages.

Néanmoins, les vertus de la soupe sont nombreuses. Elle est généralement digeste, car elle comporte peu d'aliments difficiles à digérer et évite aux personnes qui ont du mal à mâcher d'ingérer des aliments insuffisamment broyés. Sur le plan nutritionnel, elle permet de manger des légumes – les plans nationaux de nutrition santé recommandent au moins cinq fruits ou légumes par jour. Elle apporte des vitamines, des sels minéraux, des oligoéléments et des fibres. Enfin, elle aide à atteindre rapidement la satiété, donc à moins manger. Elle a donc un rôle important dans l'équilibre alimentaire de l'enfant. ∎

Le micro-ondes, c'est mau

Lorsque les fours à micro-ondes sont apparus, dans les années 1980, certains ont crié au loup. À leur décharge, il faut bien dire que ce mode de cuisson n'est pas très naturel et avait de quoi inquiéter au début…

Que l'on se rassure : cuire au micro-ondes n'est pas plus dangereux que cuire à l'eau ou à la vapeur. L'effet des micro-ondes sur la cuisson des aliments est étudié par les scientifiques depuis… 1962, et plus de 200 études ont été publiées sur ce sujet. Elles concluent toutes que les pertes vitaminiques ne sont pas alarmantes par rapport aux autres modes de cuisson. Sous l'effet de la tempé-rature, la plupart des vitamines sont en effet de toute façon détruites…. Les vitamines seraient même un peu moins malmenées par les micro-ondes que par l'eau bouillante, la cuisson à l'eau ajoutant un autre phénomène, dit d'entraînement : de nombreuses vitamines se dissolvent dans l'eau et ne se retrouvent plus dans l'aliment consommé. Comme ils cuisent dans très peu d'eau, les légumes préparés au micro-ondes sont ainsi réputés plus riches en vitamines que les légumes cuits à la vapeur, eux-mêmes plus riches en vitamines que les légumes cuits à l'eau. Quant aux autres éléments nutritionnels, ils ne seraient pas détruits non plus par les micro-ondes : en 2002, une étude de cher-cheurs polonais a montré, en testant l'effet des micro-ondes sur la cuisson du hareng, que les acides gras essen-tiels étaient par exemple intégrale-ment préservés.

Il faut cependant préciser que le four à micro-ondes ne cuit pas comme un four classique, car il repose sur l'utili-sation d'ondes électromagnétiques, de même nature que les ondes lumi-neuses ou encore les ondes des télé-

C'est dans les vieux pots qu'on fait les meilleures soupes

Les sceptiques ajouteront : « À condition d'avoir l'os ! » Pourtant, les adeptes des ustensiles en fonte ont largement vérifié cet adage – plutôt employé au figuré, cela dit !

Avec le temps et l'usage, tout récipient en fonte se bonifie : il se culotte d'un dépôt qui en tapisse toute la surface, bouchant les pores du matériau. Quand il s'agit d'une marmite, ce dépôt est d'autant plus intéressant qu'il est constitué d'un film gras qui, en outre, n'est pas assimilable par l'organisme. Dans une marmite neuve ou non préparée, la nourriture a tendance à attacher, du fait de la porosité de la fonte. C'est pour cela que, pour pouvoir utiliser sa marmite sans attendre, il suffit… de bien l'imprégner de gras ! Ainsi, après l'avoir légèrement poncée à la toile émeri fine, il faut la rincer et y faire bouillir durant au moins deux heures de l'eau additionnée de gras. Puis, après avoir vidé l'eau, en enduire largement l'intérieur avec une matière grasse culinaire, sans oublier le couvercle. …

Par la suite, après chaque usage, comme le dépôt gras est précieux, il vaut mieux ne pas gratter la marmite ni utiliser de détergent : il suffit de la rincer à l'eau chaude, de bien l'essuyer et de la graisser à nouveau.

Dans les théières en fonte, un phénomène semblable se produit : les tanins contenus dans le thé forment un dépôt solide sur les parois de la théière. Cette couche permet de réduire l'exposition du thé au métal. Ce qui explique que les amateurs de thé tiennent en haute estime ces théières ainsi bonifiées pour préparer leur breuvage favori. ■

vais pour la santé

phones portables. Ces ondes ne chauffent pas : elles font tourner les molécules d'eau et c'est le mouvement de ces molécules qui va entraîner un échauffement. La chaleur se propage ensuite aux autres composants de l'aliment (mais jamais à plus de 100 °C, la température maximale à laquelle l'eau peut encore être de l'eau). Aussi, lorsque les premiers fours à micro-ondes sont arrivés sur le marché, un vent de panique s'est levé : comme nous sommes composés à plus de 70 % d'eau, les ondes ne risquaient-elles pas de nous agiter l'eau des cellules au point de les faire cuire ? A priori, non, puisque les fours doivent posséder une sécurité qui bloque l'émission d'ondes lorsque l'on ouvre la porte. Les seules fuites peuvent survenir en cours de fonctionnement, au niveau de la porte, ce qui explique que l'on recommande généralement de ne pas rester le nez collé devant pendant la cuisson.

Par contre, tout cela explique pourquoi le four à micro-ondes est plus particulièrement adapté à la cuisson des aliments congelés, au réchauffage ou à la cuisson, dans un récipient empli d'eau, de tout ce qui peut être cuit dans l'eau bouillante (œufs sans leur coquille, poissons, légumes...). En revanche, y cuire une viande est plus que hasardeux : l'eau qu'elle contient s'évapore, ce qui revient à cuire à la vapeur, et à obtenir ni plus ni moins qu'une viande… bouillie. ■

LES ENNEMIS JURÉS DES FOURS À MICRO-ONDES : LE MÉTAL ET LE VIDE

Un four à micro-ondes comprend en son centre un magnétron, l'émetteur d'ondes électromagnétiques. En passant par un conduit en aluminium, ces ondes parviennent dans le four et irradient ainsi les aliments qui s'y trouvent.

C'est d'ailleurs pour cela qu'il ne faut pas placer de récipient métallique au four à micro-ondes : le métal étant conducteur, il y a un grand risque de décharge électrique, et le magnétron peut être endommagé. Par sécurité, mieux vaut prohiber tout métal, y compris le papier aluminium et certaines céramiques décorées contenant des pigments métalliques ; seuls sont sûrs les récipients en verre ou en plastique.

Et c'est aussi pour cela qu'il vaut mieux ne pas faire tourner son four à vide : les ondes non absorbées seraient réfléchies vers le magnétron et risqueraient de l'endommager.

La conservation
mise au goût du jour

Les méthodes actuelles de conservation sont nées de découvertes empiriques – séchage, salaison, utilisation de récipients étanches… – remontant parfois à plusieurs millénaires. Récemment, de nouvelles exigences sont apparues : garantir la sécurité alimentaire, disposer d'aliments prêts à consommer et ralentir leur détérioration par les micro-organismes tout en préservant leur goût et leurs qualités nutritives. Un défi pour la technologie…

La déshydratation : du séchage à la lyophilisation

Le séchage au soleil de la viande, du poisson, des graines ou des fruits était connu dès l'Antiquité. Aujourd'hui, il est plus souvent pratiqué dans des fours artisanaux ou industriels (pruneaux d'Agen…), dans des séchoirs à air chaud, sous des rampes à infrarouges, etc. La perte d'eau due à la dessiccation ralentit la multiplication des bactéries et moisissures qui rendent les aliments impropres à la consommation et concentre les saveurs. Pourtant, certaines propriétés des aliments sont modifiées par la chaleur. La lyophilisation (déshydratation par le froid) respecte mieux leur teneur en vitamines. Son principe ? Congeler les aliments, puis sublimer la glace directement en vapeur d'eau sous l'effet du vide. Inventé dans les années 1900 par les Français d'Arsonval et Bordas et l'Américain Shackell, ce procédé a été appliqué aux aliments dans les années 1950. Mais son origine remonterait aux Incas : le soir, ceux-ci plaçaient la nourriture sur le toit de leur demeure, et le gel nocturne de la cordillère des Andes, associé à une faible pression atmosphérique, la desséchait.

▼ *Salage à sec.*
Saupoudrée, la viande perd son eau, qui est attirée par les cristaux de sel. Déshydratée, la viande n'est plus un terrain de prédilection pour les micro-organismes.

LES SALAISONS

▼ *Salage par immersion.*
Plongée dans une saumure (une eau sursalée), une viande perd son eau par osmose : son eau la quitte pour diluer la saumure. Or, sans eau, les bactéries et les levures responsables de la décomposition ne vivent pas très longtemps.

Les salaisons d'hier et d'aujourd'hui

Souvent associé au fumage ou au séchage, le salage est le plus populaire des moyens de conservation traditionnels. Hygroscopique, le sel attire l'eau contenue dans les aliments et les déshydrate. Par ailleurs, l'excès de sel stoppe le développement microbien. La découverte du salage remonterait à la préhistoire : nos ancêtres auraient saupoudré leurs tranches d'aurochs de salpêtre ou de sel gemme et introduit l'usage de la saumure (eau salée) recueillie en bord de mer. Plus tard, toutes les civilisations antiques inscrivent les salaisons à leur menu, des Sumériens (qui combinent salage et fumage) aux Celtes, experts en jambon, ou aux Romains, amateurs de salades (étymologiquement, « mets salés » : olives, radis et autres légumes en saumure). Fromages romains plongés dans la saumure et séchés au soleil, poissons et viandes salées, charcuteries, etc., se conservent de quelques semaines à plusieurs mois. Aujourd'hui, ces produits restent très consommés, mais leur fabrication se fait en grande partie de façon industrielle.

▲ *Travail à la chaîne dans une ferme allemande en 1930. Après la récolte, les concombres sont pelés pour être mis en conserve.*

▶ Clostridium botulinum *est la bactérie responsable du botulisme, principale cause de mortalité par empoisonnement alimentaire. Elle se développe dans les conserves, les charcuteries non cuites et les poissons fumés.*

La conservation par le froid : de la cave au frigo

On sait bien que les denrées périssables se conservent mieux l'hiver que l'été. Depuis toujours, on entrepose les aliments à l'abri de la chaleur, dans des trous ou des caves. Les Romains préservaient dans la glace les poissons du Rhin qu'ils rapportaient à Rome ; dès l'Antiquité, on a construit des glacières (cavités comprenant un puits de stockage de glace et une évacuation d'eau), qui se sont généralisées dans les châteaux français du XVIIᵉ siècle avec la mode des sorbets. Vers le milieu du XIXᵉ siècle, l'invention des machines industrielles à réfrigérer a ouvert l'ère des transports frigorifiques et révolutionné l'approvisionnement. En 1913, le premier réfrigérateur domestique est fabriqué à Chicago. Le congélateur suivra dans les années 1960. L'avantage ? En dessous de –18 °C (congélation), le développement des bactéries est stoppé, alors qu'il est seulement ralenti entre 2 et 8 °C.

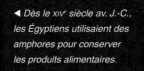

◀ *Dès le XIVᵉ siècle av. J.-C., les Égyptiens utilisaient des amphores pour conserver les produits alimentaires.*

Des amphores romaines aux conserves stérilisées

Les jarres antiques étanches ou les caques, barriques scellées de harengs en saumure du Moyen Âge, préfigurent les conserves. En préservant les aliments des contaminations et de l'oxygène de l'air – qui favorise la croissance de la flore microbienne et les réactions d'oxydation –, ces systèmes prolongent leur conservation. Un grand pas est franchi lorsque le Français Nicolas Appert (1749-1841) invente un procédé de stérilisation par la chaleur : les aliments enfermés dans des récipients en verre hermétiques sont plongés dans une sorte de bain-marie, la marmite de Papin. Ce procédé – l'appertisation – permet bientôt le développement des conserves familiales, puis industrielles (boîtes en fer-blanc). En 1856, Louis Pasteur introduit la pasteurisation pour détruire les bactéries du vin. Chauffés à une température définie – entre 65 et 100 °C –, puis refroidis à 4 °C après un délai déterminé, les aliments pasteurisés gardent bien leurs qualités nutritives et organoleptiques. Mais ils se conservent moins longtemps qu'avec la stérilisation à ultra-haute température (UHT), au cours de laquelle les produits sont chauffés à 140 °C pendant deux à trois secondes avant d'être conditionnés.

Conservateurs naturels et nouveaux additifs

Les additifs, qu'ils soient naturels ou chimiques, créent des conditions physico-chimiques défavorables au développement des germes pathogènes et améliorent la stabilité des aliments (goût, couleur…). Au cours des siècles, outre le sel, ce sont le miel, les épices, l'alcool, le vinaigre, l'huile ou encore la fumée qui ont été testés. Le sel non raffiné utilisé empiriquement contenait des nitrites aux propriétés antioxydantes et bactéricides. Aujourd'hui, on emploie pour les salaisons du sel contenant entre 0,6 et 1 % de nitrites de sodium et de potassium. Le gras (confits, conserves à l'huile) protège les aliments de l'oxygène de l'air, tandis que l'acidité (vinaigre, fermentation lactique) inhibe la multiplication des microbes pathogènes. À ces agents naturels vient désormais s'ajouter toute une série de conservateurs (E200 à E297) qui améliorent la sécurité alimentaire en inhibant la croissance des bactéries (composés soufrés), par une action antifongique (acide benzoïque), etc. Une procédure d'autorisation garantit en théorie leur innocuité. Dans l'ensemble, on relève peu d'effets indésirables démontrés. Mais les rares cas d'allergie, notamment au groupe des sulfites, pourraient bien se multiplier en raison de leur usage immodéré. Quant aux effets sur le goût…

Les meilleures confitures
se font dans des bassines e

C'est écrit en gros sur l'étiquette : « préparée dans des bassines en cuivre ». Pour la confiture, respecter scrupuleusement ce mode de cuisson ancestral (retrouvé dans des recettes du XIXᵉ siècle) est la meilleure garantie de fermeté… mais au détriment de la vitamine C.

Oxydé, le cuivre des bassines traditionnelles crée une sorte de filet avec les acides de fruit, les pectines, libérés par la cuisson. En piégeant eau et fruits, ce filet aide les confitures à prendre. Les expériences simples d'Hervé This, un physico-chimiste spécialisé dans ce qu'il nomme la gastronomie moléculaire, ont décrypté le rôle des bassines de grand-mère.

Une confiture (autant de sucre que de fruits, plus de l'eau) cuite sans sulfate de cuivre reste plutôt coulante, alors qu'avec du sulfate de cuivre elle devient beaucoup plus ferme. En fait, la cuisson des fruits libère les molécules de pectine, surtout dans les fruits rouges (groseille, framboise, etc.) et acides (agrumes). Le sel de cuivre peut former deux liens : il sert de pont entre les molécules de pectine, formant alors une sorte de solide réseau moléculaire : la confiture prend sa consistance. Malheureusement, dans des bassines en cuivre ou en fer, la perte de vitamine C due à la cuisson s'accroît par oxydation. Le mieux est d'utiliser un matériau inoxydable (Inox),

et du citrate de calcium. En effet, comme le jus de citron, le citrate augmente l'acidité, et le calcium possède des vertus raffermissantes. Mais sur l'étiquette de

Pour rester verts

La couleur d'origine des légumes verts résiste-t-elle à l'eau bouillante ? A priori, non, mais quelques recommandations peuvent effectivement limiter les dégâts…

Ce qui fait la couleur verte des légumes, c'est la chlorophylle qu'ils contiennent. Or, lorsqu'on les chauffe, les cellules végétales éclatent et libèrent des acides qui, en passant en solution, viennent réagir avec les molécules de chlorophylle. Pour parler plus précisément, les ions hydrogène, qui se concentrent dans l'eau de cuisson, vont remplacer les ions magnésium qui se trouvent à l'intérieur des molécules de chlorophylle. C'est cette réaction chimique qui

cuivre

la confiture, « préparée à l'ancienne dans des bassines en cuivre » est plus vendeur que la mention « citrate de calcium » ! ■

Le poisson
se défait
à la cuisson

**« Difficile à cuisiner »,
admettent les anciens livres
de cuisine. Surtout lorsqu'elle
est cuite à l'eau, la chair du
poisson se disloque, perdant
ainsi son raffinement.**

Si le poisson contenait autant de collagène que la viande, les cuisiniers ne seraient pas obligés d'aller pêcher ses miettes dans l'eau de cuisson. La chair est constituée de fibres musculaires gainées de collagène, une longue protéine qui forme un réseau souple pour maintenir les fibres ensemble. Or, à partir de 55 °C, ce collagène se dissout lentement dans l'eau. Très riche en collagène, la viande est plutôt dure : seule une cuisson prolongée peut dissoudre son collagène et le transformer en gélatine, donc attendrir la chair. En revanche, la cuisson du poisson à l'eau bouillante dissout le maigre collagène qui entoure les fibres musculaires du poisson : la chair se défait en un instant.

Pour garder le poisson entier, il faut soit faire appel à la cosmétologie pour une injection de collagène – méthode gastronomiquement peu convaincante –, soit durcir l'intérieur des fibres en coagulant les protéines qu'elles contiennent sans dissoudre le collagène – ce qui équivaut au classique pochage : on plonge le poisson dans une casserole d'eau bouillante (ou, mieux, un court-bouillon au vin blanc et aux épices), puis on éteint aussitôt le feu et on remet ensuite à cuire à feu très doux. Autre solution : on peut aussi cuire le poisson au four à basse température, avec un peu de matière grasse pour prévenir le croûtage des chairs par évaporation. Alimentaire, mon cher Watson ! ■

les légumes verts cuisent à découvert

entraîne le changement de couleur du vert franc au brun-vert.

Lorsque l'on ne met pas de couvercle sur la casserole, les acides ont plus de chances de s'évaporer avec la vapeur d'eau, et donc de moins réagir avec la chlorophylle. Une autre astuce est de les faire cuire dans beaucoup d'eau, pour diluer d'autant la concentration en acides. Ou bien encore à la vapeur : hors de l'eau, les légumes restent bien verts car les acides ne peuvent pas agir…

En revanche, ce qu'il ne faut pas faire, c'est les cuire trop longtemps, (ce qui augmente d'autant le contact avec l'eau acide) ou y ajouter du vinaigre. Un dernier conseil, qui réussira en revanche parfaitement aux endives et autres légumes blancs : ils resteront d'autant plus blancs que l'on aura ajouté un filet de vinaigre blanc ou du jus de citron à l'eau de cuisson – leur changement de couleur, qui est aussi un brunissement, étant dû ici à une réaction d'oxydation. ■

DU BICARBONATE DE SOUDE POUR CONSERVER LA COULEUR DES LÉGUMES

La cuisine étant une histoire de réactions chimiques, on peut imaginer empêcher les légumes verts de brunir en ajoutant un produit capable de neutraliser l'acidité. Ainsi, un composé à base de soude peut en partie contrer la réaction. La solution chimique était déjà connue des Romains, qui préconisaient d'ajouter du nitre (salpêtre ou sulfate de soude) à l'eau de cuisson. On obtient un résultat semblable en employant du bicarbonate de soude. L'inconvénient étant, bien sûr, que ces produits chimiques gâtent quelque peu le goût !

Une **croûte légère** signale le rôti **bien cuit**

Croûter n'est pas brûler ! La formation d'une croûte à la surface d'une viande rôtie, du pain ou de certains gâteaux résulte d'une réaction chimique très complexe : la réaction de Maillard.

En 2002, des chercheurs suisses et britanniques ont découvert que la réaction de Maillard pouvait entraîner la formation d'acrylamide, l'un des composants de la fumée de cigarette, cancérigène potentiel qui se forme lorsque des acides aminés et des sucres (comme l'amidon) sont chauffés ensemble au-delà de 180 °C. Des chercheurs suédois ont ensuite trouvé des quantités d'acrylamide 1 000 fois supérieures aux normes internationales dans des denrées de consommation courante (frites, chips, céréales, pain…). Des quantités qui, selon les conclusions des experts de l'OMS en mars 2005, pourraient présenter un risque pour notre santé.

Sous l'action d'une vive chaleur, les glucides et les protéines que contiennent de nombreux aliments comme la viande, la pâte à gâteau ou le pain réagissent entre eux. Cette réaction particulière, dite réaction de Maillard, aboutit à la formation d'une croûte constituée de molécules goûteuses et colorées, les molécules cycliques aromatiques. Elle doit son nom à son découvreur, Louis-Camille Maillard (1878-1936), un médecin et chimiste originaire de Nancy, qui l'a détaillée en 1912.

Si cette réaction ne met en jeu que des glucides et des protéines, pourquoi dit-on alors qu'il vaut mieux cuire une viande dans un peu de graisse ? C'est parce que la graisse permet d'élever plus vite la température à la surface de la viande, déclenchant ainsi plus efficacement la réaction. À l'inverse, si la viande bouillie (ou cuite au micro-ondes) est si insipide, c'est parce que le mode de cuisson ne permet pas de dépasser les 100 °C. Or la réaction ne se déclenche qu'à partir de 145 °C.

Pour tirer le meilleur parti de cette réaction chimique aux vertus culinaires certaines, il convient donc de saisir les viandes en les chauffant d'abord vivement, pour initier la réaction, puis plus prudemment afin qu'elles ne se dessèchent pas… Ou encore d'ajouter du sucre, comme les Chinois, inventeurs du canard laqué et du porc au caramel. ■

Ne pas ouvrir le **four** pendant la cuisson d'un **soufflé**

Plus qu'une superstition de cuisinière, c'est une réalité physique tout à fait démontrable…

Un soufflé, c'est une préparation à base de blancs d'œufs montés en neige, donc de bulles d'air (puisque ce sont les bulles d'air qui permettent aux œufs de monter en neige…). Sous l'action de la chaleur, l'air contenu dans les bulles se dilate, les bulles gonflent et le soufflé monte. Mais, selon les physiciens, ce mécanisme ne peut suffire à lui seul à faire gonfler le soufflé, compte tenu de sa masse. Il faut en effet ne pas oublier que l'eau s'évapore de la préparation et que la vapeur formée vient d'autant plus grossir les bulles. S'y ajoute l'ultime phénomène qui marque la fin de la cuisson du soufflé : avec la chaleur, les protéines de l'œuf coagulent, piégeant les bulles d'air dans une sorte d'armature rigide.

Si l'on ouvre la porte du four trop tôt, avant que les protéines n'aient coagulé, la température diminue brusquement, l'air des bulles refroidit et se contracte : les bulles se dégonflent et le soufflé retombe, d'une façon irréversible, sans espoir de rattrapage puisque la paroi des – désormais petites – bulles va coaguler avant d'avoir le temps de regonfler. Un soufflé réussi, cœur humide sous croûte dorée, cuit autour de 200 °C, durant 25 à 30 minutes ; passé sous le gril au préalable, le haut du soufflé fera un toit solide qui se soulèvera uniformément lors du gonflement des bulles.

Le soufflé doit cependant toujours être mangé sans attendre, car on ne peut pas éviter qu'il retombe lorsqu'il refroidit. À moins de placer le bas du récipient au bain-marie à la sortie du four, seul petit truc permettant de retarder temporairement l'échéance fatale. ■

C'est dans l'eau bouillante qu'on fait les œufs durs

La recette des œufs durs semble se perdre dans la nuit des temps, à partir du moment où l'on a commencé à cuire les aliments dans l'eau bouillante, voilà vraisemblablement une bonne dizaine de milliers d'années…

COUPE DE L'ŒUF

1 Coquille
2 Membrane coquillière
3 Chambre à air
4 Chalazes
5 Blancs (albumen)
6 Membrane du jaune
7 Jaune
8 Disque germinatif

Pour faire des œufs durs, l'usage est de les plonger dans l'eau bouillante. Pratique, certes, mais plutôt radical, car 70 °C suffiraient ! Les recherches menées par les chimistes ont en effet établi que le blanc d'un œuf devenait solide entre 62 et 65 °C, tandis que son jaune durcissait entre 65 et 70 °C. Un phénomène qui s'explique par la chimie des protéines du blanc et du jaune :

sous l'action de la chaleur, elles coagulent. Initialement, elles se présentent comme de minuscules pelotes repliées sur elles-mêmes. Avec la température, elles se déroulent pour former un réseau, une sorte de maillage solide. Plus la température augmente, plus les mailles du réseau se resserrent. Selon la nature de la protéine qui les constitue, les pelotes se dérou-

lent à des températures différentes. Ainsi, c'est à 61 °C que la première protéine du blanc (l'ovotransferrine) commence à se dérouler et à former un filet très fragile. Ce fin maillage donne au liquide la consistance d'un gel. À 70 °C, d'autres protéines du blanc (l'ovalbumine et la conalbumine) se déroulent, le filet d'ovotransferrine se renforce, d'autres filets protéiques se forment. Plus la température augmente, plus le nombre de filets augmente… Quant au jaune d'œuf, il se comporte un peu comme le blanc, la première transformation importante se faisant à 68 °C. Il est donc possible de cuire un œuf à une température avoisinant les 70 °C, mais, à moins d'utiliser un thermomètre pour contrôler la température, s'en tenir à l'eau bouillante reste tout de même le procédé le plus pratique. ■

LES MYSTÈRES DE LA CHAMBRE À AIR

Un œuf est composé d'une coquille calcaire et poreuse doublée d'une membrane qui, au sommet le plus arrondi de l'œuf, laisse un espace appelé chambre à air.
La taille de cette chambre à air varie avec le temps : elle augmente par exemple lorsque le contenu de l'œuf se déshydrate, ce qui arrive lorsque l'œuf a été pondu il y a longtemps. Cette propriété explique pourquoi un vieil œuf flotte : il contient plus

d'air. Elle explique aussi pourquoi les œufs risquent d'éclater lorsqu'on les plonge dans l'eau bouillante : en effet, l'air, en se dilatant, augmente de volume et risque de fissurer l'œuf. Deux solutions pour empêcher cela : percer un petit trou pour que l'air puisse s'échapper à l'extrémité de l'œuf ou mettre du sel (ou du vinaigre) dans l'eau de cuisson, ce qui fait très vite coaguler le blanc.

COMMENT RÉUSSIR SA MAYONNAISE

La mayonnaise est une émulsion qui s'opère entre l'huile et l'eau contenue dans le jaune d'œuf. Naturellement, les gouttes d'huile qui pénètrent dans l'eau ont tendance à se rassembler pour surnager. Pour stabiliser l'émulsion, il faut des molécules tensioactives (comme le savon), dont une extrémité « aime » l'eau et l'autre « aime » l'huile. Ainsi, ajoutée progressivement, l'huile se sépare en gouttelettes qui vont être emprisonnées dans des bulles microscopiques : une mousse onctueuse se forme. Plusieurs molécules jouent ce rôle d'entremetteuses : la lécithine du jaune d'œuf, l'albumine du blanc d'œuf, la moutarde et même la gomme arabique, utilisée en industrie. Attention : si on verse l'huile d'un coup ou qu'on utilise des ingrédients trop froids, les gouttelettes ne peuvent se séparer : la mayonnaise est ratée. En revanche, les acides tels que le jus de citron ou le vinaigre séparent les gouttelettes d'huile et fluidifient ainsi la mayonnaise.

Jamais de couvercle
sur une casserole de lait

Les anti-monte-lait étaient bien connus de nos grands-mères. Le dispositif, très simple, consiste en un petit disque de verre ou de métal, aux bords épais, que l'on place au fond de la casserole de lait. Étant beaucoup plus lourd que la peau du lait, il permettait de retarder, voire d'éviter le débordement et avait en outre l'avantage d'alerter les oreilles de la cuisinière lorsque le lait bouillait : soulevé par la vapeur d'eau, il générait, en tapotant le fond de la casserole, un bruit caractéristique... Une invention aujourd'hui disparue de nos supermarchés, mais que l'on peut aisément remplacer : une soucoupe retournée, une petite cuillère ou un petit caillou auront exactement le même effet. Il est aussi possible par la même occasion d'éviter que le lait n'attache au fond de la casserole : il suffit d'ajouter quelques gouttes d'eau froide dans le récipient avant d'y mettre le lait...

Le lait qui bout risque de monter et de se répandre autour de la casserole. Mettre un couvercle ne ferait qu'accélérer le phénomène !

On sait bien que l'eau qui bout ne déborde pas. Alors pourquoi est-ce le cas du lait ? C'est parce qu'il contient une matière grasse. Dans son état normal, le lait est une émulsion, c'est-à-dire que la matière grasse y est dispersée en d'innombrables sphères minuscules. Le lait renferme en outre de nombreuses molécules dites tensioactives parce qu'elles ont une partie soluble dans l'eau et une autre soluble dans la graisse. Ces molécules permettent de stabiliser la dispersion des globules de graisse dans l'eau. Or cette dispersion est renforcée par une autre substance contenue dans le lait, la caséine, une protéine dont les molécules, toutes négativement chargées, vont enrober chaque globule et faire en sorte qu'ils se repoussent les uns les autres... Le lait étant un liquide, les molécules qu'il contient sont tout le temps en mouvement et il arrive que les globules de graisse se rencontrent ; ils fusionnent alors et coagulent malgré leur enrobage de caséine. Devenant de plus en plus gros, ils sont soumis à la poussée d'Archimède et remontent en surface. C'est ce qui explique, lorsqu'on laisse le lait reposer un peu, que sa surface se charge de crème...

Quand on chauffe le lait, le phénomène est renforcé, car les globules, plus rapides, fusionnent plus vite. Par ailleurs dès 80 °C, la caséine coagule (d'où la formation de la peau du lait). La vapeur d'eau qui se forme ensuite depuis le fond de la casserole est piégée sous la peau : celle-ci finit par être soulevée ; la vapeur s'échappe alors, entraînant une partie du liquide avec elle... ■

Il faut beurrer
les moules

Lorsque l'on beurre un moule, c'est pour éviter que le gâteau n'attache. Même si ce n'est pas vraiment le beurre qui empêche le gâteau d'attacher...

D'un point de vue scientifique, observons comment se comportent les molécules qui constituent le beurre. Le beurre étant une matière grasse, il est formé principalement de lipides. Or les lipides sont des molécules dites tensioactives qui comportent deux extrémités : l'une, dite hydrophile, est capable de se lier avec des molécules d'eau, alors que l'autre, dite hydrophobe, n'aime pas l'eau. Or la pâte du gâteau contient des molécules d'eau, du fait des ingrédients qui entrent dans sa composition (les œufs, par exemple) : c'est donc vers elle que va se diriger la partie hydrophile des molécules de lipides. Quant à la partie hydrophobe, elle va naturellement s'orienter à l'opposé de la pâte, c'est-à-dire vers la surface du moule. Les parties hydrophiles

Avec le sel, l'eau bout plus vite

Saler l'eau de cuisson des aliments est une pratique largement répandue dans les pays occidentaux. Ce n'est pourtant pas indispensable, puisque les Asiatiques, par exemple, s'en passent depuis toujours.

gâteau

attirant l'eau, une fine couche d'eau se forme entre le beurre du moule et le gâteau : c'est grâce à elle que le gâteau ne colle pas au moule au cours de la cuisson.

Lorsque le moule beurré est passé au réfrigérateur avant que l'on y verse la pâte, l'effet est renforcé, car le froid stabilise les molécules de lipides en les fixant de façon homogène sur toute la surface du moule. En farinant ensuite le moule, comme cela est souvent préconisé, on facilite la formation de la couche d'eau antiadhérente, puisque la farine attire l'eau à la surface du gâteau, permettant ainsi aux molécules de lipides du beurre de se lier plus facilement aux molécules d'eau de la pâte. ∎

Pourquoi sale-t-on l'eau de cuisson des aliments ? Pour le goût, bien sûr, bien que l'on puisse toujours saler les plats après les avoir fait cuire. Mais aussi parce que certains prétendent qu'ainsi l'eau bout plus vite… En fait, c'est exactement l'inverse.

En effet, l'eau salée bout à une température supérieure à 100 °C, le chiffre précis dépendant de la quantité de sel. Pourquoi ? Parce que seule l'eau pure bout à 100 °C. Cette propriété ne concerne donc pas les eaux mélangées car, dès que l'on introduit un élément étranger – que ce soit du sel, du sucre ou du sirop de menthe –, il faut des calories supplémentaires pour atteindre le point d'ébullition. Ce qui explique qu'au final la température d'ébullition de l'eau salée soit supérieure à celle de l'eau pure…

D'où nous vient alors cette idée que le sel fait bouillir l'eau plus rapidement ? Peut-être du fait que, lorsque l'on verse du sel dans une casserole d'eau bouillante, on observe effectivement une recrudescence de bulles. Il s'agit en réalité d'une vive effervescence, provenant tout simplement de la dissolution des cristaux de sel dans l'eau. Les bulles de vapeur d'eau en formation vont être soumises aux petites irrégularités qu'entraîne ce phénomène de désagrégation.

En revanche, il est certain que les aliments bouillis dans l'eau salée cuisent plus vite. Pour la bonne raison que, dans l'eau salée, ils sont portés à une température plus élevée que dans l'eau non salée. Encore convient-il de manier la salière au bon moment, c'est-à-dire juste au début de l'ébullition, car, comme on l'aura compris, l'eau salée met plus longtemps à bouillir. ∎

Pas de pain sans levure

Le pain est l'un des plus vieux aliments du monde. Probablement inventée au néolithique par les Égyptiens, sa recette est d'une simplicité légendaire : de la farine et de l'eau essentiellement. Mais, pour lever, il lui faut de la levure ou du levain.

omme l'attestent les représentations retrouvées sur les murs des tombeaux de l'Ancien Empire, les Égyptiens connaissaient déjà le pain quelque 3 000 ans avant notre ère. À l'origine de cette recette révolutionnaire se trouve la découverte de la fermentation, une technologie qui, avec celle du four, est à l'origine même du pain levé.

Car ce qui gonfle le pain, c'est le gaz dégagé à travers la pâte à pain par la fermentation de la levure ou du levain. Dans ce mécanisme, le gluten est une substance de la plus haute importance : il résulte de la combinaison avec l'eau de deux protéines, la gluténine et la gliadine, particulièrement présentes dans la farine de blé, ce qui justifie peut-être l'utilisation empirique de cette dernière depuis des millénaires. Grâce à son élasticité, le gluten va piéger les bulles de gaz. Or le gluten est d'autant plus élastique que l'on y fait entrer de l'air, ce qui justifie aussi sans doute l'importance ancestrale du pétrissage.

Les bulles résultent de l'activité de la levure de boulanger, qui est un champignon unicellulaire *(Saccharomyces cerevisiae)*, totalement inactif lorsqu'il n'est pas nourri. Au contact de l'eau chaude, la levure se « réveille » et se met à se nourrir des sucres contenus dans la farine, tels que l'amidon : elle produit alors du gaz carbonique qui va peu à peu faire monter la pâte, mise au repos au chaud avant cuisson. L'amidon absorbe par ailleurs l'eau durant la cuisson, et permet ainsi au gluten d'être plus résistant et de mieux conserver les poches de gaz produites par la levure. Au début de la cuisson, la levure continue à se nourrir et les poches de gaz à gonfler, mais, lorsque la température augmente, la levure meurt, le gluten durcit et la pâte se solidifie. Tel est le pain classique du boulanger.

Il est tout à fait possible de se passer de levure, comme le prouve le pain au levain. Le levain est un mélange de farine et d'eau, placé à une température de fournil (autour de 70 °C) dans un milieu nutritif particulier : des ajouts tels que petit-lait, miel ou alcool non pasteurisé permettent en effet au mélange de développer une flore de levures et de bactéries, source de fermentations lactiques et alcooliques génératrices de gaz carbonique. Un bon levain, nourri quotidiennement par des apports en sucres (farine ou petit-lait, par exemple) et brassé régulièrement pour l'aérer (le manque d'oxygène tue la flore), est le gage d'un bon pain. Un secret de fabrication que les boulangers pouvaient se transmettre de père en fils. ■

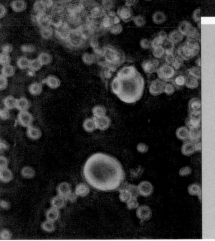

LA LEVURE CHIMIQUE

La levure chimique, comme son nom l'indique, n'est pas un organisme vivant, mais une molécule chimique, proche du bicarbonate de soude : mélangée à la farine, elle réagit aussi avec les sucres pour former du gaz carbonique, mais à la cuisson seulement, ce qui explique que l'on ne s'en serve pas en boulangerie. Le processus est d'ailleurs figé par les proportions du mélange.

◀ *Le champignon* Saccharomyces cerevisiae *(levure de bière ou levure de boulangerie) transforme le sucre en gaz carbonique, ce qui fait lever la pâte.*

LE PAIN AZYME

On rapporte que, lorsque les esclaves hébreux conduits par Moïse s'enfuirent d'Égypte, ils durent se passer de levure dans le désert. C'est ainsi qu'ils découvrirent le pain azyme (« sans levure »), devenu pain d'offrande car réputé plus pur. La fermentation qui permet au pain de lever était en effet assimilée à un processus de putréfaction, puisque c'est un champignon qui se développe au milieu de la farine et de l'eau...

Une bonne gelée refroidit lentement

Un poulet mis au four va libérer un jus transparent et, en refroidissant, ce jus va se solidifier pour former une gelée. Cette opération s'explique par… la chimie des macromolécules. Explication.

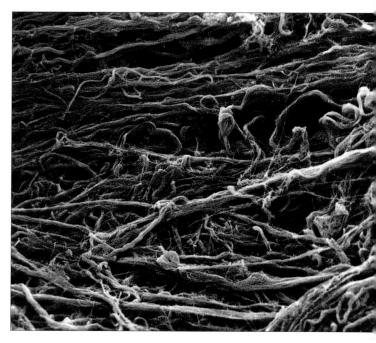

▲ *Ces fibres de collagène constituent la maille fondamentale de tous les tissus de soutien de l'organisme (exemple : le tissu conjonctif). Elles sont synthétisées par des cellules spécialisées, les fibroblastes.*

ET LES CONFITURES ?

Lorsque l'on fait cuire des fruits, ceux-ci libèrent de la pectine, une protéine qui ressemble à la gélatine. Comme cette dernière, la pectine, contenue dans les parois des cellules végétales, a la propriété de gélifier la solution dans laquelle elle se trouve. Il peut être nécessaire d'ajouter un peu de jus de citron pour acidifier le milieu et éviter que les molécules de pectine, de nature acide, ne s'ionisent au contact de l'eau :

en prenant toutes la même charge électrique, elles se repousseraient les unes les autres, ce qui empêcherait la confiture de prendre. Mais pourquoi doit-on ajouter également du sucre ? Parce que cela fait mieux sortir l'eau des cellules ! L'eau sucrée, comme l'eau salée d'ailleurs, bout à plus haute température que l'eau nature : cette chaleur plus élevée (qui dépend bien sûr de la quantité de sucre ajoutée) attaque la paroi des cellules, leur permettant ainsi de libérer toute la pectine qu'elles contiennent. Par ailleurs, comme le sucre piège aussi l'eau, il permet aux molécules de pectine de s'assembler librement en gel au lieu de se lier à l'eau comme elles ont tendance à le faire.

En 1926, un chimiste allemand, Hermann Staudinger, a découvert l'existence de macromolécules, des molécules de très grande taille constituées de l'assemblage en chaîne d'autres molécules. Une découverte qui lui a valu le prix Nobel près de trente ans plus tard.

Quel rapport avec le jus du poulet ? Depuis que l'on sait faire rôtir la viande (soit depuis la préhistoire), on a observé que le jus de viande se solidifiait en refroidissant, comme s'il gelait. Mais ce n'est que depuis le XIXᵉ siècle que l'on sait que ce jus est constitué d'eau et d'une solution de collagène, le tissu fibreux qui assure le maintien de la peau, des muscles et des os. Lors de la cuisson, le collagène, formé de filaments enroulés en triple hélice, est décomposé en filaments simples de gélatine, la protéine qui le constitue. Celle-ci ne contient pas le mot gel par hasard : c'est bien évidemment parce qu'elle se retrouve dans les gelées que les chimistes l'ont ainsi baptisée.

La chimie des macromolécules a permis de comprendre le processus de gélification : lorsque la température refroidit, les filaments de gélatine ont tendance à se réassocier entre eux et à former de très longues molécules disposées comme un maillage. Ce maillage immobilise la solution comme si elle était gelée. Très peu de molécules suffiront pour une grande quantité d'eau… C'est d'ailleurs ce pouvoir gélifiant très élevé (avec une seule petite feuille de gelée alimentaire de 2 g, on peut gélifier plus de 10 litres d'eau) qui motivera, dès 1860, la fabrication industrielle de la gélatine.

La chimie a permis aussi d'expliquer pourquoi il est nécessaire d'arroser la viande que l'on cuit : l'eau aide à mieux dégrader le collagène, et donc à obtenir une bonne gelée. Avec la chaleur, les molécules d'eau s'intercalent entre les molécules de collagène et les font passer en solution… Attention, cependant, car la formation des filaments est un processus fragile : mieux vaut ne pas bouger le récipient où le gel se forme, car on risque de défaire les filaments formés et de retarder la prise du gel… Mieux vaut aussi ne pas le mettre au réfrigérateur : cela figerait trop vite des filaments qui doivent d'abord bien s'aligner avant de se lier. ■

Les blancs montent mieux en neige quand on les fouette toujours dans le même sens

La montée des blancs en neige est un phénomène culinaire impressionnant, associé à des croyances anciennes : selon certaines, par exemple, on ne pourrait les faire monter qu'en tournant dans le sens des aiguilles d'une montre…

Ceux qui s'y sont essayés l'ont déjà constaté : dans un sens ou dans l'autre, les blancs finissent toujours par monter en neige, surtout à l'ère des batteurs électriques !

La formation des blancs en neige est le résultat d'un processus physique et chimique particulier : le blanc de l'œuf incorpore des bulles d'air et les stabilise grâce aux protéines qu'il contient. Ces dernières sont des molécules qui peuvent établir des liaisons chimiques à la fois avec l'eau, autre élément constitutif du blanc d'œuf, et avec l'air (elles sont dites tensioactives).

En fouettant le blanc de l'œuf, on y introduit des bulles d'air. Au début, celles-ci sont grosses, mais plus on va fouetter, plus on va les casser et plus elles vont devenir petites. Par ailleurs, au fur et à mesure du battage, les protéines contenues dans le blanc d'œuf sont brisées : elles vont alors se déplier et entourer, à la manière de membranes, les bulles d'air. Ces films protéiques sont très solides, mais ils sont soumis à deux forces contradictoires, issues, pour l'une, de l'air contenu dans les bulles et, pour l'autre, de l'eau qui les entoure. Cette tension superficielle conduit les bulles à se rétracter au maximum de leur surface. L'air ainsi comprimé fait monter la pression : les bulles se dilatent et le blanc de l'œuf monte en mousse. La chaleur aidant, les protéines coagulent et blanchissent le tout, jusqu'à ce qu'un équilibre s'installe entre pression interne des bulles et tension superficielle des membranes protéiques qui les entourent.

Si le sens du fouet importe peu, il faut tout de même un certain tour de main, ou tout du moins une certaine délicatesse. Il ne faut en effet pas battre les œufs trop longtemps : les liaisons des protéines avec l'eau se casseraient et cela ferait « perler » les blancs. Quelques gouttes de jus de citron, en revanche, facilitent la montée : en effet, les acides (par l'intermédiaire de leurs ions hydrogène H+) permettent aux protéines de se déplier plus vite… Ainsi, le film protéique va être plus stable. Une pincée de sel a aussi un effet positif : en retenant l'eau, elle permet aux protéines d'être mieux hydratées. Mais point trop n'en faut car, si le sel retient trop l'eau, les protéines ne peuvent plus se lier du tout à celle-ci, donc former des liaisons stables avec les bulles d'air.

Quant à la petite goutte de jaune d'œuf qui suffit à empêcher les blancs de monter, la chimie permet aussi de fournir une explication : le jaune d'œuf contient des matières grasses, également tensioactives, qui viennent se placer à la surface des bulles, faisant concurrence aux protéines et empêchant la mousse de se stabiliser. ■

LE SECRET DE L'OMELETTE NORVÉGIENNE

Mélange de blancs d'œufs et de sucre cuit à plus de 100 °C, la meringue est dotée d'une propriété physico-chimique des plus intéressantes : les nombreuses bulles d'air qu'elle contient en font un très bon isolant thermique ! Ce qui explique notamment pourquoi il est possible de faire cuire de la glace badigeonnée de ce mélange sans qu'elle ne fonde : en coagulant sous l'effet de la chaleur, les blancs en neige isolent l'intérieur des effets de la température. Et voici le mystère de l'omelette norvégienne dévoilé.

Trop vite tournée, la crème fouettée fait du beurre

Réussir une crème fouettée, c'est tout un savoir-faire qui se transmet depuis des générations de cuisiniers et de cuisinières… Le risque est en effet qu'elle ne se transforme en beurre.

La crème fouettée, c'est une texture particulière de crème dans laquelle on est parvenu à introduire des bulles d'air. Et ce n'est pas aussi facile qu'il n'y paraît !

La raison en est que la crème, tout comme le lait, est une émulsion de matière grasse et d'eau, deux substances qui ne peuvent pas se mélanger vraiment. Elle est composée de milliers de petites gouttelettes de matière grasse qui sont en suspension dans l'eau. Lorsque l'on fouette la crème correctement, les bulles d'air introduites dispersent les petites gouttelettes de matière grasse de façon homogène dans tout le mélange et la crème prend une texture de mousse aérienne et onctueuse. Mais si l'on fouette la crème sans précaution ou trop longtemps, les gouttelettes de matière grasse risquent de fusionner entre elles et de former du beurre.

Heureusement, on sait éviter cette transformation malencontreuse. En effet, on a observé depuis longtemps que la crème a tendance à devenir plus visqueuse lorsqu'elle est placée au froid et à se liquéfier lorsque la température s'élève. On peut aisément le vérifier en observant un petit morceau de beurre plongé dans un bol d'eau : lorsque l'eau est chaude, le beurre fond, lorsqu'elle est froide, le beurre reste solide et remonte à la surface…

Aussi, pour réussir une belle chantilly, il suffit de placer la crème (voire les ustensiles) au réfrigérateur avant de la fouetter : les gouttes de matière grasse, plus solides, auront d'autant mieux tendance à cristalliser autour des bulles d'air introduites par le fouet. Le risque qu'elles fusionnent entre elles sera moindre, ce qui favorisera d'autant la réussite ! ■

COMMENT RATTRAPER UNE CRÈME FOUETTÉE ?

Précisons que faire tourner une crème en beurre n'est pas si facile que cela avec un fouet à main. Hervé This, le spécialiste français de la gastronomie moléculaire, est formel : *Même quand il fait chaud, on ne fait tourner la crème que si l'on insiste.*
Et puis, si la crème fouettée tourne, il ne s'agit guère que d'un problème mécanique de mélange et il est possible de la rattraper. En effet, la crème, même tournée, est toujours constituée de gouttelettes de matière grasse. Il suffit donc de la faire chauffer tout doucement pour récupérer l'émulsion de départ, puis de refroidir fortement le tout pour augmenter la viscosité du mélange : pour ce faire, on place par exemple le récipient dans de la glace pilée. En fouettant la crème, on peut alors à nouveau espérer la transformer en mousse en incorporant, correctement cette fois, les bulles au mélange.

Le pastis se trouble au contact de l'eau

Les anciens ne l'ont pas nommé pastis par hasard : le mot vient de l'italien *pasticcio*, signifiant situation embrouillée – tout comme le terme pastis en provençal (« Quel pastis ! »). Reconnaissons que cette boisson est un curieux mélange !

L e pastis est un mélange d'eau, d'alcool éthylique à 45° et d'extraits végétaux, notamment de l'huile essentielle d'anis pur. S'il prend une apparence laiteuse lorsqu'on y ajoute de l'eau, c'est en raison des lois de miscibilité des solutions.

L'huile essentielle d'anis est un mélange de différents composés chimiques, dont 90 % d'anéthol. Comme toutes les huiles essentielles, elle ne peut pas se mélanger à l'eau, au contact de laquelle elle se décompose en petites gouttelettes. En revanche, dans l'alcool, elle est tout à fait soluble : cela explique que le pastis pur soit totalement translucide, d'une couleur ambrée caractéristique, car l'alcool et l'anéthol y sont parfaitement mélangés. En revanche, lorsque l'on ajoute de l'eau, on diminue de fait la proportion d'alcool du mélange. L'anéthol forme alors des gouttelettes de la taille d'un micron, c'est-à-dire d'un millième de millimètre, qui se dispersent dans tout le mélange. Chacune de ces petites billes d'huile essentielle agit comme un miroir sphérique (un dioptre), c'est-à-dire qu'elle réfléchit la lumière dans toutes les directions. La lumière reste emprisonnée dans le mélange, qui devient opaque : c'est le louchissement de la solution, qui prend une couleur laiteuse jaunâtre.

L'ouzo ou le raki, respectivement d'origine grecque et turque, ont le même comportement. Ces deux alcools sont également fabriqués à partir d'huiles essentielles de plantes anisées. Ce qui explique qu'ils manifestent les mêmes caractéristiques optiques que le « petit jaune » lorsqu'on y ajoute de l'eau. ■

▲ *Institution française, le pastis – devenu un terme générique désignant tout apéritif anisé – est un breuvage du littoral méditerranéen. On le trouve en de multiples endroits, sans doute pour ses vertus rafraîchissantes et la profusion d'anis dans la botanique régionale. La science moderne lui a décerné le triste brevet de boisson hypercalorique – et accidentogène sur la route.*

Le chocolat crain

Ma grand-mère m'a toujours dit que la chaleur faisait moisir le chocolat. Il est vrai que, après un coup de chaud, le chocolat devient tout blanc. Est-ce mauvais signe ?

Qu'on se rassure, un chocolat blanchi n'est pas un chocolat moisi. Le blanchissement signe juste la cristallisation du beurre de cacao. Le chocolat, c'est du sucre, de la poudre de cacao et, surtout, du beurre de cacao, issu du pressage des graines de cacao. Le beurre de cacao joue le rôle d'un liant, assurant la répartition homogène de tous les éléments contenus dans le chocolat. À température ambiante, il est constitué de 80 % de matière solide

Le goût de bouchon vient du bouchon

Cet arrière-goût de moisi, quelquefois accompagné d'une odeur caractéristique, altère les meilleures bouteilles de vin. Et pour cause ! Il y a dans le bouchon de liège une fâcheuse molécule, découverte récemment.

On estime que le goût de bouchon frappe 4 à 5 % des bouteilles bouchées avec du liège, ce qui représente plusieurs centaines de millions de bouteilles chaque année à travers le monde. Ce goût provient d'une contamination du liège par des composants organiques. Diverses bactéries présentes dans le liège transforment certaines molécules organiques en d'autres molécules, volatiles et nauséabondes : les chloroanisoles et tout particulièrement le trichloroanisole, ou 2,4,6-TCA. On trouve ces molécules à des teneurs infimes, de l'ordre de quelques milliardièmes de gramme par gramme de liège, mais néanmoins suffisantes pour altérer la saveur du vin. Les procédés classiques de bouillage des bouchons permettent de réduire leur présence mais pas de les éradiquer complètement.

Début 2005, Guy Lumia, chercheur au Commissariat à l'énergie atomique, a développé un procédé de décontamination des bouchons de liège grâce à du gaz carbonique « supercritique ». À une température supérieure à 31 °C et sous une pression de 74 atmosphères, le CO_2 est entre l'état liquide et l'état gazeux. Il pénètre dans le liège tel un gaz, et agit comme un solvant – liquide – pour en extraire le TCA. En outre, ses propriétés antifongiques et bactériostatiques empêchent la prolifération des moisissures et des bactéries. Mais surtout, les propriétés mécaniques du liège ne sont pas affectées lors du processus. Le liège ainsi traité révèle un taux d'extraction du TCA supérieur à 99 %, faisant chuter sa concentration à un seuil indétectable par les palais les plus délicats ! Une bonne nouvelle pour les amateurs de grands crus… ■

◀ *Le goût de bouchon ne vient pas du bouchon mais du travail de quelques bactéries. Il a fallu que le Commissariat à l'énergie atomique se penche sur la question pour que le problème soit résolu.*

a chaleur

et de 20 % de matière liquide. Cet équilibre peut être rompu lorsque la température change, ce qui est le cas, naturellement, lorsque le chocolat est stocké dans un endroit chaud. La proportion de matière liquide augmente dans ce cas, car une partie de la matière solide se dissout. Elle migre alors vers la surface, où elle se dépose sous forme de minuscules cristaux de quelques dizaines de microns qui forment une fine pellicule blanche.

Contrairement aux apparences, cette cristallisation n'est pas néfaste pour la santé : le chocolat mettra juste un peu plus de temps à fondre dans la bouche, car la modification de l'équilibre solide-liquide entraîne une légère augmentation de sa température de fusion : plus de 36 °C contre 34 habituellement. Mais cette lenteur empêchera ses arômes de se dégager complètement, ce qui se traduit par une perte aromatique.

Pour éviter cette cristallisation qui, si elle n'est pas dangereuse, reste peu appétissante, il est conseillé de stocker le chocolat à basse température, au réfrigérateur par exemple, en prenant soin de l'en sortir quelques heures avant dégustation. Le chocolat peut ainsi être conservé jusqu'à un an sans blanchir. Après, tout est encore question d'arômes, car ceux-ci, avec le temps, ont toutes les chances de se volatiliser. ■

Chapitre VIII

La société
en question

Après la pluie, le beau temps

Et après le beau temps ? La pluie, bien entendu ! La marche du monde serait ainsi réglée selon des cycles, les époques fastes succédant aux périodes de vaches maigres. La preuve ? Plus ça change et plus c'est pareil !

Au siècle des Lumières, savants et philosophes se plaisaient à célébrer l'inexorable progrès des sociétés humaines. Inexorable, vraiment ? Cette conception s'est toujours heurtée à une conviction populaire tenace : les hommes et les lieux ont beau changer, l'Histoire ne serait qu'un éternel recommencement… Aucun secteur de notre vie ne semble y échapper.

Ainsi, en économie, les tenants de l'amélioration irréversible s'opposent aux théoriciens du fonctionnement cyclique ; ces derniers s'appuyant sur les travaux de Nikolaï Kondratieff, un économiste russe du début du XXᵉ siècle. En étudiant la variation des prix entre 1789 et 1920, Kondratieff avait cru pouvoir discerner l'existence de cycles d'une cinquantaine d'années, constitués d'une phase ascendante et d'une phase descendante. L'économiste Joseph Schumpeter a expliqué cette alternance par le progrès technique. Pour lui, les phases ascendantes se caractérisent par de nombreuses innovations, progressivement abandonnées ensuite au cours des périodes moins fécondes, qui précèdent à leur tour un renouveau, selon un processus répété de « destruction créatrice ». Si l'on en croit cette théorie des « montagnes russes », nous sommes proches de la transition entre phase descendante et période faste… Les beaux jours d'une économie prospère seraient donc devant nous ! ∎

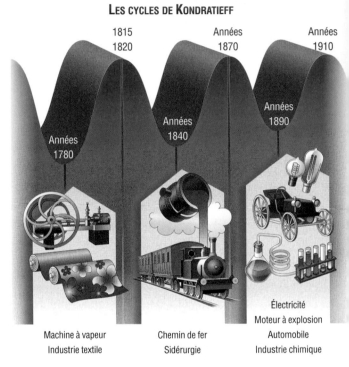

LES CYCLES DE KONDRATIEFF

1815
1820

Années
1870

Années
1910

Années
1890

Années
1840

Années
1780

Machine à vapeur
Industrie textile

Chemin de fer
Sidérurgie

Électricité
Moteur à explosion
Automobile
Industrie chimique

On ne respecte jamais ce qui e

Pour éviter de coûteuses réparations, mieux vaut faire réviser régulièrement sa voiture. Mais pourquoi prendre soin d'un téléphone portable fourni gratuitement ? Accorderions-nous moins de prix aux objets qui en sont dépourvus ?

Dans le bus, on ne paie aucun supplément pour s'asseoir. Ce qui explique que certains individus n'aient pas de scrupules à poser leurs pieds sur les sièges… alors qu'ils ne le feraient pas chez eux. S'ils le faisaient, c'est eux qui devraient supporter le coût (en temps ou en argent) du nettoyage. Ce comportement peut paraître odieux, mais il est assez rationnel. Il entre dans le cadre de la théorie économique classique, qui lie directement la valeur d'un bien à son prix.

Si l'on suit ce raisonnement, les visiteurs admis gratuitement dans un musée devraient se montrer moins respectueux des collections. Or ce n'est pas le cas, comme l'a constaté une équipe de chercheurs mandatée par le ministère de la Culture français. Enquêtant auprès des visiteurs du Louvre, Dominique Bourgeon-Renault a pu conclure : *L'attitude change lorsque l'entrée n'est pas payante. Mais on ne peut pas parler de manque de respect, plutôt d'un plus grand détachement : beaucoup de gens hésitent moins à faire une visite de courte durée, à explorer une seule salle, à rester devant un tableau. Ils ne cherchent plus à « rentabiliser » leur passage.*

Même si elle modifie le comportement, la gatuité n'annule pas la valeur du bien. Pour le musée non plus, d'ailleurs. Et ces opérations se traduisent souvent par un tarif plus élevé des expositions temporaires – ou des impôts… ∎

Charité bien ordonnée commence par soi-même

Satisfaire ses propres besoins avant de s'occuper de ce qui nous regarde moins est un réflexe naturel. Mais qui s'occupe de ce qui ne concerne personne et intéresse tout le monde ?

Le spectre du passager clandestin ne terrorise pas seulement les propriétaires de compagnies aériennes. Il fait aussi frémir bon nombre d'économistes, car c'est sous ce vocable évocateur que l'on désigne un comportement familier : notre tendance à tirer les marrons du feu, en réduisant notre engagement au strict minimum. Or, dans certains domaines, l'individualisme forcené conduit au désastre.

Imaginons par exemple qu'un ensemble d'individus s'aperçoive de la nécessité d'assainir l'air ambiant. Tous les membres de cette communauté bénéficieraient de cette amélioration. Mais chacun aurait intérêt à prétendre qu'il n'est pas gêné personnellement par la pollution, en espérant que les autres engageront les frais sans son concours. Au final, l'atmosphère risquerait de rester détestable, faute de volontaires pour payer l'assainissement. Dans ce cas de figure, quelle est la solution ? Déléguer la responsabilité à une structure autonome financée par l'ensemble des citoyens, à savoir l'État, qui est alors seul capable d'assurer des missions dites de service public, qui profitent à tous et que nul n'aurait intérêt à financer individuellement.

L'existence de l'État trouve ici sa pleine justification… même au yeux des économistes les plus libéraux ! ■

▲ *Chaque citoyen bénéficie des services de la Défense nationale. Et le fait qu'il soit défendu, lui particulièrement, ne réduit en rien la protection dont dispose son voisin. C'est cela le bien public.*

gratuit

La beauté de la Joconde n'est pas moins appréciée lorsque le Louvre est accessible gratuitement.

SURFER SUR LA VAGUE DU GRATUIT POUR DOPER LES VENTES

Journaux, accès à Internet, téléphonie, musique… la gratuité est à la mode et bouscule sur son passage quelques mastodontes du marché ! Dans un premier temps, les éditeurs de presse se sont surtout interrogés sur la qualité et l'objectivité d'une information financée uniquement par les recettes publicitaires. Aujourd'hui, comme les maisons de disques ou les gestionnaires de réseaux téléphoniques, ils s'inquiètent pour leur propre avenir : qui acceptera demain de payer un service devenu gratuit ? Leur faut-il renoncer définitivement au financement par les utilisateurs et se contenter de vendre aux publicitaires une image de marque ? Quoi qu'il en soit, si les consommateurs prennent l'habitude de ne pas payer, les sociétés les plus rentables risquent bien de se retrouver sur la paille. À moins que les théoriciens du marketing ne parviennent à prouver que le gratuit… peut payer ! Les petits génies de la vente ont en effet constaté que distribuer des cadeaux est une façon très efficace de stimuler les achats. L'explication avancée est la mise en place, grâce à cette action ciblée, d'un lien personnalisé. Ainsi abordé, le client est en position de débiteur et veut « rendre au centuple » (en restant fidèle à la marque) ce qu'il a reçu…

Le sourire de la crémière dope les ventes d'œufs

Pour nous décider, il suffit parfois d'une gentille vendeuse, d'un camelot gouailleur ou… d'un escroc à l'air rassurant ! Le « sourire commercial » n'est pas un mythe : en affaires, inspirer confiance est primordial.

▲ *Accueillis à bras ouverts, les clients potentiels ont, de fait, plus envie d'acheter.*

Avez-vous déjà joué au jeu de l'investissement ? La règle du jeu est la suivante : Anne reçoit 10 euros. Elle a alors le choix entre tout garder pour elle ou reverser une partie de l'argent à Baptiste (par exemple 3 euros ou toute autre somme). Dans le second cas, Baptiste reçoit trois fois plus que le cadeau d'Anne (9 euros). Il a alors le droit de tout conserver ou de rendre une partie de l'argent qu'il vient de gagner à sa généreuse donatrice. Ce petit jeu est révélateur de l'importance des relations humaines dans nos choix économiques. Des individus guidés par leurs seuls intérêts ne peuvent s'y amuser beaucoup : Baptiste aurait intérêt à tout garder pour lui et Anne le devinerait, donc elle ne lui donnerait rien. Or la majorité des participants se conduisent autrement.

Le neurobiologiste américain Paul Zak a cherché à comprendre l'origine de cette confiance innée envers nos semblables. Il a constaté l'apparition d'un brusque pic d'ocytocine dans le sang des plus généreux. Cette hormone a la particularité d'être sécrétée en quantité lorsque nous mangeons, prenons un bain ou encore faisons l'amour. Paul Zak pense donc avoir trouvé l'hormone de la confiance.

À quand la mise au point de vaporisateurs pour représentants de commerce en difficulté ? ■

LE JEU DE L'INVESTISSEMENT

Anne reçoit 10 euros.

Anne a le droit de renoncer à une partie de cet argent en faveur de Baptiste. Elle choisit de lui donner 1, 2, 3…, 10 euros, ou rien.

Baptiste reçoit trois fois plus que la somme à laquelle Anne a renoncé…

… et peut la remercier en choisissant de lui reverser une partie de l'argent qu'il vient de gagner (de 0 euro à la totalité de la somme).

À force de dire des **choses horribles,** elles finissent par **arriver**

Ne dis pas ça, tu vas nous porter la poisse ! **Comment une remarque jugée négative pourrait-elle modifier la réalité ? Ce qui ressemble fort à de la superstition n'est pourtant pas sans fondement.**

Tous les sportifs le savent : partir perdant diminue les chances de gagner une compétition. L'idée que nous nous faisons de nos performances modifie notre comportement, c'est une règle de base de la psychologie. Nos proches ont aussi le pouvoir de nous influencer ; et lorsqu'ils formulent un jugement sur nous, la perception que nous avons de notre personnalité peut changer. Ce qui nous fait évoluer. De fait, beaucoup de vainqueurs racontent qu'ils ont réussi parce que quelqu'un a cru en eux !

Ce phénomène de « prophétie autoréalisatrice » s'applique à tous les domaines : même en économie. Un exemple célèbre est celui du papier-monnaie émis au XVIIIe siècle par le banquier John Law. Ces billets de banque étaient une nouveauté et, pour en répandre l'usage, l'homme d'affaires assura que chacun serait libre de les échanger à tout moment contre de l'or. Le royaume ayant besoin d'argent, il a émis plus de billets qu'il n'y avait d'or, ce qui n'empêchait pas les détenteurs de papier-monnaie de régler leurs achats. Mais, les affaires de Law devenant moins florissantes, les Français pensèrent que ses billets allaient perdre leur valeur. Tous réclamèrent en même temps l'équivalent en or, ce qui entraîna la faillite du banquier... et la chute généralisée de la

▲ *1929. Sur un mouvement de panique des investisseurs, la Bourse de New York s'effondre. Ce « jeudi noir » entraînera la grande crise.*

valeur des billets. En Bourse, ce mécanisme est courant. Le célèbre économiste John Maynard Keynes compara les marchés boursiers à un concours de beauté. Si l'on offre un prix à ceux qui auront deviné le trio gagnant d'un concours de beauté, les gens ne votent pas pour les trois femmes qui leur semblent les plus belles, mais pour celles qu'ils croient que les autres trouvent belles... voire pour celles qu'ils pensent que la majorité estime les plus susceptibles d'être choisies ! Appliqué au marché, ce mécanisme déconnecte le prix d'un titre de sa valeur intrinsèque, conduisant à la formation de

bulles (hausses) comme celles de la nouvelle économie, à la fin des années 1990. Ces bulles prêtent le flanc aux prophéties autoréalisatrices : si quelqu'un affirme que les cours vont s'écrouler et que les autres le croient, tout le monde vend en même temps et les cours s'effondrent. Le souvenir de semblables mésaventures explique sans doute la méfiance actuelle des particuliers pour les investissements boursiers... ■

Protéger la nature, c'est cher

Des millions : les sommes débloquées pour l'environnement peuvent sembler colossales au regard de leur impact direct pour les habitants du pays. Toutefois, en France, elles ne représentent même pas 3 % du budget de l'État (la moins lotie étant la gestion des eaux usées et des déchets), contre 11 % pour la Défense. La multiplication des programmes européens pour l'environnement n'absorbe que 0,3 % du budget communautaire. Pourtant, l'environnement délivre des « services » vitaux aux hommes : fertilisation du sol, bois, oxygène, absorption du gaz carbonique, filtration de l'eau, produits de santé, poissons, pollinisation des plantes, loisirs, tourisme, enrichissement culturel et spirituel.

Dégrader l'environnement, c'est se priver, à terme, des services fournis par les

On donne des sous pour sauver les arbres alors qu'il y a des gens qui crèvent de faim dans la rue. C'est vrai, l'environnement coûte cher... surtout quand on ne s'en occupe pas !

écosystèmes. Alors qu'il coûte plus cher de polluer puis de restaurer que de conserver, les activités de destruction de l'environnement sont comptabilisées en positif dans le PIB (produit intérieur brut) ! Heureusement, les mentalités évoluent. Signe révélateur, les compagnies d'assurances commencent à prendre en compte dans leurs calculs le risque environnemental, lié par exemple à l'activité d'une entreprise polluante. Les collectivités locales font des choix plus

rationnels en matière de pollution. Ainsi, pour son approvisionnement en eau, il a coûté moins cher à la ville de New York de restaurer les filtrations naturelles des collines alentour que de construire une usine de retraitement.

Dans un rapport de l'ONU paru en mars 2005, 1 300 experts se sont attelés à évaluer le coût économique et social des services environnementaux, dont la dégradation touche plus durement les populations pauvres. Dans les années 1990, les inondations ont tué 100 000 personnes et coûté 243 milliards de dollars (à peu près le budget annuel français), alors que, par exemple, la sauvegarde des tourbières et des forêts permettrait de retenir l'eau, donc d'éviter les inondations. La protection des forêts permet aussi de limiter la désertification, donc la perte de production agricole et les famines. Des marais intacts fournissent 6 000 dollars à l'hectare contre 2 000 dollars lorsqu'ils sont asséchés pour l'agriculture ; et ils limitent le déplacement des ouragans aux États-Unis. De même, une mangrove asséchée pour l'agriculture a cinq fois moins de valeur qu'une mangrove intacte... qui, en plus, protège des tsunamis. La surpêche de la morue a conduit des millions de personnes au chômage, entraînant pour la société une perte de près de 2 milliards de dollars... Ces quelques exemples ont amené Klaus Toepfer, directeur du Programme pour l'environnement des Nations unies, à déclarer en 2005 : *Dégrader notre capital naturel, c'est aller au suicide économique.* ■

◀ *Pour la municipalité de Curitiba (Brésil), l'écologie n'est pas qu'un mot : tout citoyen qui trie ses ordures est récompensé, et reçoit 1 kg de légumes frais contre 4 kg d'ordures triées. Les enfants comme les adolescents sont intégrés aux programmes de ramassage.*

À trop vouloir gagner, tout le monde y perd

Vivre en société demande de faire un minimum de concessions. Pourtant, la nature humaine est ainsi faite que chacun préfère suivre son propre intérêt… au détriment de l'autre. Et pas nécessairement pour le bien de tous !

Dans une société d'individualistes, au fond, personne n'est gagnant. Cette idée intuitive est illustrée par un dilemme bien connu des économistes que l'on peut énoncer ainsi : en l'absence de votre patron, vous partez à la pêche avec un collègue plutôt que de vous rendre au bureau. Pris de doutes, mais ne pouvant prouver ce qui s'est passé, votre chef vous menace. Il précise que, si vous niez tous les deux, vous serez privés d'augmentation cette année. Si l'un avoue alors que l'autre dément, le premier ne sera pas pénalisé mais son complice perdra ses primes pendant dix ans. Enfin, si vous avouez tous les deux, aucun n'aura d'avancement au cours des cinq prochaines années. Lorsque le perfide vous invite à venir chacun à votre tour présenter votre version des faits, vous vous interrogez… Si votre compère décide de nier, vous avez intérêt à reconnaître les faits pour être absous. Et s'il avoue, mieux vaut en faire autant pour réduire votre punition. En toute logique, chacun suit le même raisonnement et vous reconnaissez tous les deux votre faute… sanctionnée plus lourdement que si vous aviez nié tous les deux ! Ce résultat contre-productif ne s'arrange même pas si vous vous mettez d'accord avec votre acolyte pour nier : car, de toute façon, chacun des deux a intérêt à ne pas tenir parole et à avouer ! ■

LA MAIN INVISIBLE

Le dilemme énoncé ci-dessus a connu un certain succès. Notamment parce qu'il met en échec une idée qui fonde la théorie économique classique : lorsque chacun suit son intérêt, le bien-être général augmente. Bernard de Mandeville avait formulé ce concept au XVIIIe siècle. En prenant l'exemple d'une ruche d'abeilles, il avait dépeint une société dans laquelle les individus, en toute immoralité, laissent libre cours à leurs envies… Ce qui selon lui favorisait le commerce, donc le travail et le bien-être général ! Ainsi, comme le résume l'auteur, *les vices des particuliers contribuaient à la félicité publique.* Une idée qui sera reprise par l'économiste anglais Adam Smith, dont les écrits évoquent la célèbre « main invisible ». Celle-ci guiderait inexorablement le marché vers un progrès global, même lorsque chacun se contente de s'occuper de satisfaire ses désirs. L'intérêt général rejoignant l'intérêt particulier, une régulation extérieure s'avérerait superflue.

Il faut investir dans le dur

Mettre ses économies dans la pierre, c'est du solide. Rien à voir avec les fluctuations des indices boursiers. Mais dans l'immobilier aussi les prix montent très haut… et dégringolent très bas.

Le dur : ce terme résume bien ce que l'on attend de l'immobilier. Un placement en béton armé qui n'est pas soumis aux insaisissables mécanismes boursiers. Et même lorsque les prix baissent, tout n'est pas perdu : on possède encore un logement et on n'a pas de loyer à payer.

De fait, ceux qui ont fait le choix de placer ainsi leur argent ces dernières années n'ont pas eu à s'en plaindre. En huit ans, selon *la Vie financière*, les prix ont grimpé de 80 % à Paris et en province. La bulle immobilière s'observe ailleurs, au Canada par exemple. Pourtant, croire qu'acheter un appartement met à l'abri de toute fluctuation des cours serait une erreur.

À partir du moment où certains investissent, il peut y avoir spéculation. Même si, lors d'une flambée des prix, il est plus difficile de revendre immédiatement une maison qu'une action, la tentation existe, d'ailleurs facilitée par l'existence de fonds de placement en commun, qui permettent à tout un chacun, même avec un capital de départ bien inférieur au prix d'un appartement, d'investir dans le dur… et de revendre un peu plus vite. Les analystes craignent alors la naissance d'une bulle spéculative, c'est-à-dire une déconnexion des prix du marché par rapport à la valeur des biens… avec un risque d'atterrissage brutal lors du retour à la normale ! ■

Seuls les riches s'enrichissent

L'argent va à l'argent, dit-on. Il est vrai que, dans les échanges commerciaux, les pays riches s'en sortent toujours mieux. Est-il possible de briser ce cercle vicieux ?

▲ *Le commerce équitable se fonde sur un double respect : celui du producteur, payé au juste prix, et celui du consommateur, assuré de la qualité du produit.*

Le marché mondial est basé sur un système pensé pour et par les riches. Rien d'étonnant à ce que les pauvres en fassent les frais ! C'est en tout cas ce qu'affirment les tenants de « l'échange inégal ». Ces économistes dénoncent les effets de la mondialisation sur les finances des pays en développement. Exportateurs de matières premières, beaucoup de ces États sont en effet obligés d'importer en retour de coûteux produits manufacturés. D'où un déséquilibre difficile à rattraper. Car, même lorsque le commerce international génère des bénéfices, les inégalités ne diminuent pas toujours : il arrive même que le sort des plus pauvres se dégrade.

Le commerce équitable a pour ambition de remédier à cet engrenage. Le principe ? Des marques garantissent aux producteurs du Sud l'achat à un prix rémunérateur. Les organismes gestionnaires, comme Max Havelaar, mettent en relation industriels et producteurs, incitent ces derniers à s'organiser de façon autonome en créant des coopératives et veillent à la dignité de leurs conditions de travail. Aujourd'hui, on estime que plus de 800 000 petits producteurs d'Afrique, d'Asie et d'Amérique du Sud vivent du commerce équitable. Autrefois difficiles à trouver, leurs produits sont désormais largement représentés en grande surface. Mais si les producteurs sont mieux rémunérés, le reste de la filière ne fait pas toujours d'efforts particuliers en termes d'éthique, ni de concessions sur les marges commerciales… au détriment du portefeuille du consommateur. ■

MONDIALISATION : UN VRAI CAUCHEMAR

Dans le documentaire *le Cauchemar de Darwin* (2005), le réalisateur Hubert Sauper montre un exemple saisissant des effets pervers du commerce international : depuis que la perche du Nil a été introduite dans le lac Victoria, en Tanzanie, la région a instauré des relations commerciales avec l'Europe. Une aubaine pour les propriétaires des pêcheries locales – et les trafiquants d'armes. En revanche, cette espèce vorace a décimé les poissons que consommaient traditionnellement les habitants et, comme la perche est désormais intégralement exportée, la région est soumise à des famines dramatiques.

Un tiens vaut mieux que deux

De peur de lâcher la proie pour l'ombre, on préfère souvent un bénéfice immédiat, même un peu moins important, à l'assurance d'un gain futur. Calcul prudent ou perte de sang-froid ?

Dix euros aujourd'hui ou 11 euros demain ? La plupart des heureux volontaires à qui l'on offre le choix entre ces deux aubaines optent pour la première. Or, aucune banque ne concédant des taux d'intérêt de 10 % par jour, on aurait pu s'attendre à ce que la préférence des cobayes aille à la somme d'argent la plus élevée. Plus étrange encore : si l'on propose aux mêmes individus 10 euros dans un an ou 11 euros dans un an et un jour, la majorité choisit cette fois la deuxième solution. De quoi faire passer quelques nuits blanches aux économistes qui se fient à la seule « raison éclairée » de nos choix : réagir ainsi dénote une réelle inconstance dans la façon d'associer temps et argent.

Intrigués par ce paradoxe, quatre chercheurs américains ont soumis des étudiants à un test comparable en observant le fonctionnement de leur matière grise. Lors de la prise de décision, ils ont constaté que deux

L'argent ne fait pas le bonheur

**Mais il peut y contribuer !
Il n'y a guère que les milliardaires
pour soutenir que l'argent
est superflu. Quoique… La richesse
n'est pas vécue de la même façon
partout et par tous.**

Mieux vaut être riche et en bonne santé que pauvre et malade. Ou, plus exactement : quand on est malade, mieux vaut ne pas manquer d'argent. C'est ce que vient de démontrer une étude américaine publiée dans la revue *Psychological Science*. Les chercheurs ont suivi 478 personnes âgées pendant neuf ans. Bilan : au départ, les plus aisées (celles qui possédaient un patrimoine supérieur à 76 000 dollars) n'étaient pas plus satisfaites de leur sort que les moins favorisées. Mais, au fil des années, avec la perte des capacités nécessaires à l'accomplissement des tâches quoti-diennes, la différence s'est creusée. Comme notre intuition l'indique, l'argent ne fait pas le bonheur, mais il rend le malheur bien plus confortable !

Toutefois, ce que l'on appelle malheur dépend des circonstances. En France, par exemple, un agriculteur qui, à la suite d'une sécheresse, ne récolte pas de quoi payer ses factures d'électricité peut à juste titre s'estimer infortuné. Mais la plupart des habitants du monde n'ont pas accès à l'électricité… Ainsi, les membres de l'ethnie massaïe, en Afrique de l'Est, vivent sans eau ni courant électrique dans des huttes en terre. Or un sondage qui les a comparés aux 400 Américains les plus riches a mis en évidence un taux de satisfaction géné-rale à peu près équivalent ! La richesse diminuerait-elle la capacité à trouver son bonheur là où il est ? ∎

▲ *Chez les Massaïs, monnaie n'est pas synonyme de bonheur… et vice versa !*

ı l'auras

zones du cerveau entraient en ébul-lition : la première liée à l'émotion, l'autre au raisonnement et au calcul. Sans surprise, l'aire du calcul est plus active chez ceux qui choisissent un gain à plus long terme alors que les autres semblent donner libre cours à leurs émotions. C'est peut-être l'ori-gine de ces deux petites voix, dont l'une vous pousse à craquer pour les achats les plus fous tandis que l'autre susurre que vous avez mieux à faire de vos économies. ∎

LE TEMPS, C'EST DE L'ARGENT

Cet argent serait mieux dans ma poche que dans la sienne ! Cette pensée nous effleure toujours au moment de verser des arrhes importantes pour une réservation ou des mois de loyer d'avance. Et, pourtant, s'agissant de sommes qu'il faudra bien payer un jour ou l'autre, faire un versement par anticipation pourrait nous laisser indifférents. Mais le fait est là : la plupart d'entre nous préféreraient, s'ils le pouvaient, attendre le dernier moment pour délier les cordons de leur bourse ; et, à l'inverse, recevoir le plus tôt possible ce qui leur est dû, même s'ils n'en ont pas besoin immédiatement. Et si l'on vous propose, toutes choses égales par ailleurs, de vous offrir la même somme aujourd'hui ou demain, pourquoi choisir demain ? Les biens présents sont plus désirables que les biens futurs, et c'est cela qui justifie l'existence des taux d'intérêt. Puisque le temps « vaut » quelque chose, la mise en dépôt mérite rémunération… immédiate, si possible !

On ne prête qu'aux riches

Pour emprunter de l'argent à la banque, il est préférable d'être sur son trente-et-un. Car le banquier aime savoir que son débiteur a de quoi le rembourser.

▲ *Au Bangladesh, la Grameen Bank a pu financer les plus pauvres et leur donner ainsi une chance de survivre.*

Garantie : le mot est lâché ! Il résume parfaitement toutes les exigences des banques et explique pourquoi les plus démunis sont exclus du crédit. Non salariés, ils n'ont pas de proches susceptibles de se porter caution ni de biens immobiliers garantissant leur solvabilité.

Pourtant, quand on n'a pas d'argent, on peut avoir des idées ! Pourquoi la société se priverait-elle de la créativité de ses citoyens les moins bien lotis ? C'est dans cet état d'esprit qu'a été créée la Grameen Bank. Son fondateur, Muhammad Yunus, avait un jour prêté une vingtaine d'euros à quarante-deux femmes du Bangladesh employées comme rempailleuses de chaises. Enthousiastes, elles avaient su faire fructifier l'argent en se lançant elles-mêmes dans le commerce et avaient pu rembourser dans les délais. M. Yunus étendit alors son système et devint le « banquier des pauvres ». Aujourd'hui, la Grameen Bank compte près de 4 millions de débiteurs au Bangladesh, dont 96 % de femmes. Ce système a inspiré d'autres pays. L'État français a ainsi décidé en avril 2005 de soutenir les organismes de microcrédit en se portant caution pour l'allocation de petites sommes à des personnes en difficulté souhaitant créer leur entreprise. En 2004, cette formule, financée entre autres par le crédit solidaire (type nouveau de compte d'épargne proposé par des organismes financiers), avait permis de créer 10 000 emplois en France. ■

On ne doit pas parler d'argent

Parler d'argent est indécent, vulgaire ou grossier. On ne cite pas non plus son salaire, ni pour se faire mousser, ni pour se plaindre. Pourtant, on ne peut pas dire que le sujet n'intéresse personne…

Il n'y a pas que l'argent dans la vie… sauf quand on en manque. Personne n'oserait affirmer que c'est son sujet de préoccupation principal, mais ne pas gagner assez est souvent vécu comme un déni de sa valeur. Notre société nourrit une ambiguïté fondamentale vis-à-vis de la richesse. L'origine de cette attitude réside peut-être dans la conception ambivalente de l'argent dans nos sociétés judéo-chrétiennes. Les biens terrestres y sont considérés à la fois comme une bénédiction divine (ou une réussite personnelle dans une version actualisée) et comme d'éphémères vanités, indignes de nous détourner de plus hautes préoccupations. Selon le sociologue Max Weber, le catholicisme retient plus volontiers la seconde version alors que le protestantisme a davantage valorisé l'implication dans la cité, le travail et l'épargne.

C'est ce qui expliquerait que le capitalisme soit d'abord apparu dans des pays protestants. Comme le souligne l'historien Paul-André Linteau, les catholiques canadiens accusaient d'ailleurs un net retard économique par rapport à leurs concitoyens protestants jusqu'au milieu du XXᵉ siècle. Ainsi, en 1901, 50 % des anglophones non catholiques occupaient des postes à responsabilités contre 40 % des anglophones catholiques et 30 % des francophones catholiques. ■

Ce n'est pas ce qui est beau qui est cher, mais c'est ce qui est cher qui est beau

Comme le montre ce proverbe yiddish, le consommateur n'est pas vraiment rationnel. La valeur qu'il accorde à un produit dépend en grande partie des symboles sociaux qu'il véhicule… grâce à la pub.

Consommer, c'est satisfaire des besoins. Besoins de manger, de se vêtir, de se déplacer, mais aussi besoins de représentation sociale. La valeur d'un produit est donc liée à ses avantages économiques (prix, augmentation de la productivité), à ses avantages fonctionnels (le produit lui-même), mais aussi – de

plus en plus – à ses avantages psychologiques : par exemple le confort, la sécurité, la puissance, la liberté, l'appartenance à des valeurs (celles du terroir…). Or plus les clients attachent de valeur au produit, moins ils sont sensibles à un prix élevé. D'où des publicités souvent axées sur une ambiance, qui promet subtilement bonheur, séduction, réussite sociale, « branchitude »…, pour donner une valeur symbolique à la marque, et donc à ses acheteurs. Cette valeur est bien sûr liée à la notoriété : comment imaginer qu'un concert d'un grand groupe de rock ou une robe de grand couturier aient le même prix qu'un concert d'un groupe local ou une robe vendue sur les marchés ? Les produits, surtout de luxe, vendent

du rêve. Et le rêve (de manger chez un chef étoilé, de porter un costume Kenzo ou de rouler en Jaguar), c'est cher, sinon il perd sa justification et ne se vend plus. Tout en recherchant théoriquement le meilleur rapport qualité-prix, le consommateur a tout de même tendance – et quel que soit le produit – à établir inconsciemment un lien fort : prix élevé signifie qualité assurée ; à prix trop bas, le produit devient douteux. Alors que des marques prestigieuses, en cosmétique par exemple, n'offrent pas beaucoup mieux que celles de supermarché.

Consommer permet de s'insérer dans un groupe social, en possédant des baskets de la même marque que celles du voisin, en avalant des sachets hyperprotéinés pour maigrir, etc. La consommation va jusqu'à forger une identité personnelle, via la voiture, le parfum, les livres, les objets de décoration, la boisson préférée, la matière de son écharpe ou de ses bijoux, ses cours de sport… Au-delà du simple usage du produit, la consommation est non seulement un moyen de communication entre individus, mais également un indice du statut social et un signe de distinction. Dans toutes les couches sociales, revenu, achat de prestige et surtravail forment ainsi la ronde infernale de la consommation, qu'entretient avec perversion la publicité. ■

◀ *L'attachement aux marques et à la valeur sociale qu'elles représentent est très important dans nos sociétés. Avec comme effet pervers le développement du marché de la contrefaçon.*

Le prix du café augmente sans cesse

**On a beau nous assurer du contraire : les tarifs s'envolent !
Il n'y a qu'à voir le prix d'un petit noir au comptoir, d'une baguette de pain ou d'un ticket de métro… Mais économiste et ménagère ne parlent pas le même langage !**

Un caoua pour 5 francs ? Ce n'est plus qu'un souvenir du bon vieux temps ! Le petit café ne cesse d'augmenter et le passage à l'euro n'a rien arrangé. Entre le 15 décembre 2001 et le 10 janvier suivant, le prix de l'expresso a grimpé de 1,8 %, les réparations automobiles de 1,6 % et les locations de vidéos de 5,5 %. Peut-on en déduire que tous les tarifs ont explosé en janvier 2002 ? Non, rétorquent les experts. Pour eux, les ménages surestiment l'inflation. En effet, ils ont les yeux rivés sur leurs achats quotidiens, surtout s'ils sont effectués séparément (comme une baguette de pain ou un paquet de cigarettes), et négligent les autres. Or le coût du café, par exemple, est négligeable dans l'inflation. D'ailleurs, les Français ne sont pas les seuls à se tromper. Toute la zone euro a été touchée par cette déconnexion entre statistiques officielles et ras-le-bol de la ménagère, désorientée, paraît-il, par la nouvelle monnaie.

L'institut Panel international explique cela autrement. Chaque année, le phénomène « nouvelle formule » touche un produit de grande consommation sur cinq.

Ainsi, un fabricant de papier essuie-tout remplace son ancien modèle par un autre, plus résistant, très compact, avec un imprimé à fleurs…, et modifie le prix en conséquence. L'Insee considère alors qu'il s'agit d'un autre produit et ne peut évaluer l'impact précis du nouveau prix sur nos porte-monnaie. Reste donc à prier pour que le nouveau café « vu à la TV » épargne le bistrot du coin. ∎

Dans les marques, c'est la publicité que l'on paie

Depuis le début des années 1990, les industries tournées vers le marché grand public ne font plus leur beurre en innovant. En un peu plus de quinze ans, les dépenses marketing ont doublé, pour atteindre jusqu'à 40 % du chiffre d'affaires, et parfois même supplanter les coûts de recherche et de développement.

Développer un vrai nouveau produit de qualité est long, cher, et n'assure plus le succès. En effet, le consommateur occidental solvable est saturé de produits et croule sous la multiplicité des offres. Pour maximiser les profits à court terme, satisfaire les actionnaires, et donc soutenir les cours boursiers, les managers misent donc sur la promotion du produit. Publicité dans les médias, mais aussi sites Internet, services d'information, événements, objets siglés et mise en valeur par la force de vente (tête de gondole, etc.) : on ne lésine pas sur les ressources marketing. Et le plus tôt possible ! Un blockbuster, c'est-à-dire le

L'innovation, ça a payé… mais ça ne paie plus. Face à un marché en forte saturation, les entreprises préfèrent miser aujourd'hui sur le tout-marketing pour vendre leurs produits… Exit les blouses blanches, place aux vendeurs !

produit jackpot qui rapporte 1 milliard de dollars dans l'année, doit être soutenu durant toutes les phases de son développement pour assurer un positionnement compétitif : des études de marché, des rencontres avec les leaders d'opinion et une préparation des commerciaux. Les nouveaux blockbusters ne sont pas forcément les premiers entrants sur le marché, ni des produits révolutionnaires : ils emboîtent même souvent le pas à du préexis-

tant (remix-tube de l'été, logiciels de Microsoft, films tirés de livres fédérateurs…).

Cette tendance lourde touche moins le secteur du luxe, des parfums et des cosmétiques que celui des jouets, des produits culturels (livres, disques, films, spectacles, etc.), voire celui des médicaments. D'autant plus étonnant que, pour ces deux derniers secteurs, la publicité directe est fortement limitée. Néanmoins, les produits à forte valeur ajoutée créative finissent par être traités comme de vulgaires paquets de biscuits.

En l'an 2000, les budgets consacrés au marketing constituaient 35 % du chiffre d'affaires des laboratoires, soit le double des investissements en recherche et développement. D'autant que les médicaments vedettes (Viagra, contre les troubles sexuels, Zantac, l'anti-ulcéreux le plus prescrit au monde) constituent plus des réponses au mode de vie des pays riches qu'à de réels problèmes de santé publique. ∎

▲ *Au début du siècle dernier, les enfants descendaient travailler dans la mine, comme leurs parents.*

Les gens
travaillaient plus avant

*De mon temps, les jeunes en faisaient plus que maintenant et les conditions de travail étaient plus dures !
Certes, les temps ont changé. Mais les impératifs d'efficacité et de productivité n'ont pas réellement amélioré la vie professionnelle.*

Interdiction de faire travailler les enfants, allongement des congés payés, réglementation sur les volumes d'heures supplémentaires : l'histoire de l'encadrement législatif des conditions de travail est aussi celle de la diminution du nombre d'heures passées au boulot. Le nombre d'années, les jours de présence par an et le temps de travail hebdomadaire ont tous diminué. Plus récemment, l'allongement de la durée des études, les préretraites, les jours de RTT (réduction du temps de travail) ou tout simplement les périodes de chômage ont accentué la tendance. Du moins, individuellement. Car, parallèlement, de plus en plus de monde participe à l'effort général ! L'augmentation de la population et la généralisation du travail des femmes contribuent en effet à grossir l'effectif des travailleurs.

Il faut également se rappeler que l'organisation de la société autour du travail est assez récente. Et si l'on se réfère à une période plus ancienne, dans la Rome antique, les esclaves étaient pour ainsi dire les seuls à travailler. Sans aller si loin, au Moyen Âge, et pratiquement jusqu'aux temps modernes, on trouvait plusieurs classes « non travaillantes » (religieux, aristocrates...). Aujourd'hui, il n'y a que les rentiers qui puissent encore entrer dans cette catégorie ! ■

Les Français sont-ils condamnés à faire toujours moins bien que les Américains, invariablement plus efficaces et plus productifs que la vieille Europe ? Eh bien, non ! En fait, la productivité horaire des salariés français est supérieure à celle des américains. Trente-cinq heures obligent, les employés abattent souvent le même travail qu'avant, en un temps plus court. D'ailleurs, c'est assez compréhensible : si vous travaillez dix heures dans une journée, vous serez moins efficace au cours de la dixième heure. Supprimez-la et votre productivité horaire moyenne augmentera ! En revanche, le temps de travail total d'une vie est supérieur outre-Atlantique. Et pour cause : en France, les jeunes entrent plus tard dans la vie active (ils sont moins nombreux à avoir un job d'étudiant), les horaires hebdomadaires sont plus légers et les heures supplémentaires plus encadrées. Quant à la retraite, elle se prend plus tôt. Au final, les Américains battent les Français sur la longueur.

Le travail de la jeunesse fait le repos de la vieillesse

Ce proverbe grec signifie-t-il que le travail des jeunes doit servir à aider les personnes âgées ? Ou qu'il faut travailler quand on est jeune pour être tranquille plus tard ? Quoi qu'il en soit, la prise en charge de nos aînés reste un énorme problème.

L'argument est fréquent : vu le montant des cotisations, on pourrait s'attendre à un revenu décent une fois à la retraite. Or chacun sait que les retraités crient misère ! En fait, contrairement à ce que l'on pourrait penser, leurs revenus sont, en moyenne, équivalents à ceux des actifs. Encore faut-il s'entendre sur

AVEC LES FONDS DE PENSION, LES RETRAITÉS AMÉRICAINS MAÎTRES DU MONDE ?

7 000 milliards de dollars. De quoi laisser rêveur n'importe quel participant au supertirage du Loto ! Cette somme correspond en fait au montant total estimé des fonds de pension américains.
Les fonds de pension sont des cotisations versées dans un portefeuille (un fonds) en vue d'assurer une rente à long terme. Il s'agit d'un placement individuel : les montant récoltés ne sont pas utilisés pour payer la retraite de quelqu'un d'autre mais sont gérés jusqu'au versement au cotisant lui-même. En attendant, ces sommes plus que coquettes sont souvent placées en actions dans des entreprises. Résultat : les futurs retraités disposent parfois d'un poids non négligeable dans la gestion de certaines firmes. Dans les pays anglo-saxons, où ils sont très en vogue, les fonds de pension de bon nombre de professions, comme chez les fonctionnaires, peuvent influer sur les méthodes de gestion et, parfois, œuvrer pour plus d'éthique dans les conditions de production. Une pression qui pourrait favoriser le contrôle citoyen sur les agissements des patrons. Toutefois, il ne faut pas idéaliser. Si certains fonds de pension revendiquent une action socialement responsable, leur but premier reste tout de même de garantir aux investisseurs une retraite confortable. La priorité est donc souvent donnée aux placements sûrs et rentables, qui ne sont pas forcément les plus éthiques.

ce que sont ces revenus. Les pensions de retraite n'y entrent que pour les trois quarts. Il faut donc y ajouter un éventuel salaire et des revenus financiers, et surtout patrimoniaux. Il y a ainsi de fortes disparités entre les retraités « possédants » et les autres… Cette moyenne ne prend pas en compte les écarts liés à l'âge : les plus âgés perçoivent moins que les autres. De toute façon, le principal problème concernant les retraites est à venir. La génération du baby-boom, qui cesse en ce moment de travailler, est en effet plus nombreuse que celles qui précèdent et qui suivent. Le montant de ses cotisations était nettement plus important que le nombre de pensions à payer. Le système par répartition, selon lequel les actifs paient les rentes des retraités au lieu de cotiser pour leur propre

retraite, a donc profité à la génération précédente. Mais, aujourd'hui, comment vont faire les travailleurs, moins nombreux, pour entretenir tous ces papies et mamies-boomers ? D'autant que l'espérance de vie augmente ! Le système risque d'imploser. Pour plus de sécurité, faudra-t-il généraliser le système privé complémentaire, par capitalisation, dans lequel on cotise pour sa propre retraite ?

Toutefois, même si cette pratique semble la solution aux problèmes démographiques, elle n'échappe pas à l'impact des variations de population. En effet, si de nombreux salariés en passe de prendre leur retraite réclament des produits financiers, le coût de ces derniers va augmenter ; et lorsqu'ils seront remis sur le marché quelques années plus tard, pour être revendus à des travailleurs moins nombreux, leur prix va s'effondrer. Or, si la Bourse chute, le bilan est totalement catastrophique !

Y a-t-il une solution miracle ? Si oui, elle n'a pas l'air de s'imposer comme une évidence à nos hommes politiques. Jusqu'ici, la plupart se sont surtout souciés de passer cette patate chaude à leurs successeurs… ■

Le travail, c'est la

Et la sagesse populaire de rajouter : rien faire, c'est la conserver ! Aujourd'hui, même si travailler reste un moyen de se valoriser, on craint aussi de perdre sa vie à la gagner.

Tu travailleras à la sueur de ton front. Le châtiment divin frappant Adam a longtemps stigmatisé le travail comme une nécessité, aussi désagréable qu'inéluctable. De nos jours, pourtant, on a beau chanter les louanges du temps libre, le travail est considéré comme une fin en soi, source de fierté, de reconnaissance sociale et d'accomplissement personnel. Là où Aristote condamnait le commerce, *contraire à la vertu,* on brocarde aujourd'hui la paresse des inactifs de tous poils. Comment une activité réservée aux

« classes laborieuses », tout juste tolérable puisqu'elle détournait des vraies préoccupations, forcément d'ordre spirituel, a-t-elle pu ainsi changer de réputation, au point que l'on se mette à parler de vocation, terme jusque-là réservé au domaine religieux ? Pour Pierre Bouvier, professeur de sociologie à l'université de Nanterre et auteur de nombreux ouvrages sur le sujet, c'est précisément l'évolution de la pensée religieuse qui explique ce retournement. En effet, au Moyen Âge, prêtres et seigneurs ne travaillaient pas.

Les inégalités sociales
ont toujours existé

L'histoire de la domination d'un groupe d'hommes par un autre groupe ne date pas vraiment d'hier… À la fin du paléolithique déjà, des petits malins surent saisir leur chance !

À partir de – 5000 et jusque vers – 2000 environ, des monuments réalisés avec de grandes et lourdes pierres commencent à s'élever sur la façade atlantique, de l'Angleterre au Portugal. Chaque mégalithe (qui signifie en grec « grosse pierre ») peut peser plus de 30 tonnes, et provenir d'un gisement distant de 10 km à 200 km du lieu de son érection ! Pour faire ce travail, les populations devaient être très motivées, soit par conviction religieuse, soit par peur des représailles ! Il fallait donc un pouvoir fort, capable de les y contraindre.

D'après l'ethnologue Alain Testart, il faut rechercher l'origine des inégalités sociales à la fin du paléolithique supérieur, vers – 10000, lorsque les hommes commencent à conserver leur nourriture. Certains ont dû fatalement stocker plus vite et davantage que d'autres. Que survienne une pénurie, puis la disette, et ils occupent alors une place privilégiée qui leur permet d'exercer un ascendant sur leurs congénères, devenus leurs obligés.

Deuxième facteur : l'invention des divinités, au Proche-Orient, entre – 12500 et – 9000. Les hommes sont encore chasseurs-cueilleurs mais vivent déjà dans des villages. Deux personnages apparaissent : la déesse mère et le taureau, couple divin primordial. Pour la première fois, l'homme se pense comme le servant d'êtres supérieurs qui peuvent sévir : il faut donc leur être agréable. Pour l'archéologue Jacques Cauvin, cette idée d'asservissement et de devoir à accomplir a poussé les gens à cultiver la terre, travail épuisant s'il en est. Ajoutons que certains hommes ont dû être choisis pour rendre le culte et veiller sur le dogme. Ces prêtres ont gagné en influence et accentué les inégalités en créant une nouvelle caste sociale qu'il fallait entretenir, car elle était non productive.

Troisième facteur : la métallurgie, vers – 3000. Pour la production du bronze (alliage de cuivre et d'étain), par exemple, certains groupes contrôlaient les gisements d'étain, d'autres ceux de cuivre, d'autres enfin les voies de passage. Les péages qu'ils exigeaient ont fait leur fortune. Puis, pour protéger les mines et les convois, certains deviennent des professionnels de la guerre. Producteurs et passeurs se mettent donc volontairement sous leur protection, puis sous leurs ordres. Ces personnages prennent ainsi une place de leaders. La société devient pyramidale, peu à peu les États se constituent… On est bien loin du paradis terrestre. ■

santé

Cette vie de contemplation, ou d'oisiveté, a été remise en cause par le protestantisme. La Réforme a, au contraire, valorisé l'implication dans les réalités sociales et économiques pour se réaliser et accomplir sa destinée. Le travail, source d'aliénation, est devenu moyen d'action et vecteur de liberté. Le mot travail pouvait enfin échapper à sa lourde étymologie : de *tripalium,* qui désigne en effet l'instrument à trois pics que l'on utilisait pour marquer (douloureusement) les bœufs !

Mais, depuis la fin des Trente Glorieuses (1975), la tendance à la glorification du travail commence à s'effriter. Certains analystes soutiennent que, si la mécanisation réduit inexorablement l'emploi, il faut s'en réjouir. Les salariés sont de plus en plus nombreux à voir dans leur travail une simple façon de gagner de quoi manger. L'idée que l'entreprise est un lieu d'épanouissement a du plomb dans l'aile. Les partisans de la réduction du temps de travail donnent de la voix ; les plus audacieux parlent même de passer deux heures par jour au bureau en gagnant autant. Les ouvrages qui incitent à ne pas trop se fatiguer font recette, comme *Bonjour Paresse,* de Corinne Maier, vendu à près de 200 000 exemplaires.

Est-ce la fin du travail, comme le prédisait Jeremy Rifkin ? Pas vraiment. Dans un récent sondage du Centre d'étude pour l'emploi, 98 % des Français se réfèrent positivement à leur gagne-pain. Une vraie profession de joie ! ■

LA PARESSE, MÈRE DES VERTUS

Se mettre les doigts de pieds en éventail, un comportement de fainéant ? Pas forcément ! Artistes et créatifs de tous poils revendiquent eux aussi le droit de ne rien faire. Et cela se révèle bénéfique pour leur travail en permettant la maturation de leurs idées. Les professeurs, d'ailleurs, le savent bien : les étudiants qui se lancent bille en tête dans la réalisation d'un devoir sont rarement les plus brillants. Au bureau aussi, un travail acharné, intensif, ne peut que nuire à la créativité. Les entrepreneurs branchés l'ont bien compris : start-up et sociétés innovantes se sont mises à aménager… des coins sieste. Un bon calcul, puisque la Nasa a constaté qu'un somme de trois quarts d'heure augmente d'un tiers les performances. De quoi confirmer l'intuition de Paul Lafargue, qui s'exclamait dans son ouvrage *le Droit à la paresse* : *Ô paresse, mère des arts et des nobles vertus.* Manifestement, il est temps de réhabiliter celle que l'on traitait de « mère de tous les vices » !

Petite histoire de la monnaie

Une simple carte à puce permet aujourd'hui de régler ses achats. Mais il n'en a pas toujours été ainsi. Il a fallu du temps aux hommes pour qu'ils acceptent de réaliser des échanges avec des objets symboliques (pièces, papier-monnaie, carte de crédit…) et non des biens matériels.

Au commencement était l'échange

Il est probable que, très tôt, les groupes humains ont pris l'habitude de s'échanger des produits de première nécessité ou des services. Si, par exemple, une tribu occupait un territoire où affleurait un gisement de silex de bonne qualité, apte à fournir de beaux outils, mais devait se rendre, pour chasser, sur le territoire d'une autre tribu, elle devait verser une sorte de droit de passage sous la forme de blocs de matière première. Par ailleurs, les préhistoriens pensent que les sociétés paléolithiques d'une même région se réunissaient périodiquement dans des « sites d'agrégation », où des informations ainsi que des biens devaient passer de main en main. Mais, parmi les objets échangés, apparurent très vite des colliers, des coquillages, des statuettes, bref des objets au caractère symbolique (et peut-être magique) affirmé. Leur importance devait être très grande, puisque nous retrouvons aujourd'hui par exemple une dent de cachalot sculptée sur un site du fin fond des Pyrénées (Le Mas-d'Azil). Ou que, en Rhénanie (Allemagne), ont été découverts des coquillages d'origine méditerranéenne !

La naissance du

Le simple troc trouve rapidement ses limites. Comment être sûr de ne pas se faire rouler ? Comment savoir précisément si le produit que l'on veut troquer est équivalent à celui que l'on nous propose ? Un référentiel stable est nécessaire. Il peut prendre diverses formes, apparues à l'âge des métaux (– 4000). Par exemple, dans les Côtes-d'Armor, des haches à douille, forgées dans un matériau trop malléable pour être utilisées à des fins pratiques, sont stockées et échangées comme valeurs prémonétaires. C'est-à-dire qu'elles sont

◄ La monnaie de pierre de Yap, une île de Micronésie, est sans nul doute l'une des formes de paiement les plus étonnantes du monde.

Don, contre-don, troc

Imaginez que pour la Saint-Sylvestre votre voisin vous offre une Ferrari. Mais que, l'année d'après, vous deviez lui offrir en retour une Lamborghini. Sinon, vous perdrez votre liberté et deviendrez son obligé, voire son esclave. C'est, ici caricaturé, le principe du don et du contre-don, tel qu'il a été formulé par l'ethnologue Marcel Mauss et tel qu'il a été observé pour la première fois par l'ethnographe Franz Boas dans les années 1880, chez les Indiens Kwakiutl du Nord-Ouest américain. Ceux-ci pratiquent le potlatch, une sorte de défi qui consiste pour un chef à se ruiner en dons fabuleux, tels que de grands boucliers métalliques, face à un autre chef. Si celui-ci, au cours du potlatch suivant, se révèle incapable de surpasser son adversaire en magnificence, il perd son indépendance politique et sociale. Une forme atténuée de cet échange de dons est le troc : ici, il ne s'agit pas de surpasser son adversaire, mais d'échanger avec lui des dons d'importance égale, commerciale ou symbolique. Certains s'enrichissent en stockant plus de « Ferrari » et de « Lamborghini » que les autres. Il a dû se passer la même chose aux temps préhistoriques : quelques-uns réussissaient à thésauriser. Ils pouvaient alors aider les autres et prêter à intérêts. La banque est probablement aussi vieille que le commerce !

...ommerce

étalonnées et formatées pour servir d'équivalent symbolique à une vache, un lingot de sel, etc. D'autres moyens d'évaluation ont pu être employés, comme des lingots de métal brut ou des grains de céréales. En ce qui concerne les lingots de métal (or, argent, bronze, plomb), c'étaient le poids et la pureté qui comptaient. Pour une transaction, on découpait un morceau d'un certain poids, qui correspondait à la valeur de l'opération. À des fins de vérification, on pouvait prélever un fragment du lingot et procéder à une coupellation, c'est-à-dire mélanger dans une coupelle le fragment avec du plomb, porter le tout à incandescence (jusqu'à 1 100 °C), ventiler fortement, puis recueillir les impuretés sous la forme d'oxyde de plomb. Cette méthode, lourde, ne devait s'effectuer que pour les transactions les plus importantes.

Et la monnaie fut

Au début du VIᵉ siècle av. J.-C., dans le royaume de Lydie (Asie Mineure), le roi Alyattès, père de Crésus, crée la monnaie. Il s'agissait de petites pièces de métal, d'une forme et d'un poids définis précisément, frappées à l'aide d'un coin, et qui portaient, sur les deux faces, les signes distinctifs de la puissance qui les avait émises. La pièce de monnaie devenait ainsi un pur signe de valeur, ce qui facilitait les échanges. Plus besoin de peser les pièces : il suffisait désormais de les compter.

Les premières pièces ont été fabriquées en électrum, un alliage naturel d'or et d'argent que la rivière Pactole charriait en abondance. Pourquoi ? D'abord, parce que cela permettait de contourner les systèmes en vigueur, basés sur l'or et l'argent. En en créant un nouveau, il était plus facile de s'affranchir de traditions bien ancrées dans les populations. Par ailleurs, dans l'électrum naturel, le pourcentage en or avoisinait 70 %. Or, dans les pièces de monnaie, il tombe à près de 54 %. C'est que les rois lydiens enrichissaient leur électrum en argent. En injectant dans le marché des pièces d'un poids équivalent mais d'une pureté d'alliage inférieure à celle attendue, l'État encaissait un bénéfice énorme. Or l'utilité de cette première monnaie était avant tout fiscale. Et c'est ainsi que le roi Crésus a pu bâtir une des plus grandes fortunes de son temps ! Les premières monnaies en or apparaissent dans la seconde moitié du VIᵉ siècle av. J.-C. On les appelle des créséides, bien qu'il ne soit pas certain que ce soit Crésus qui les ait créées. Il est probable que leur auteur est plutôt le roi Cyrus, qui conquit la Lydie vers 546.

▲ Monnaie crétoise du Vᵉ siècle av. J.-C. représentant le labyrinthe de Cnossos.

▲ Frappe de la monnaie de la République de Venise. Au Moyen Âge, la ville établit un quasi-monopole sur la circulation d'or et d'argent en Europe et en Asie.

Le papier-monnaie

Le papier-monnaie fut utilisé au Xᵉ siècle par les négociants en thé. C'était pour eux un gage de sécurité que d'effectuer de grosses transactions avec des billets, plutôt que de transporter des sacs de pièces. En 1204, l'administration impériale chinoise adopte officiellement ce nouveau mode de paiement. Ce sont Marco Polo et son père qui l'introduiront en Occident au XIIIᵉ siècle. Le papier-monnaie n'y a pas bonne réputation. Inflammable, facilement reproductible, il crée aussi l'inflation. On le rendit responsable de la banqueroute du banquier Law, en 1720, sous la Régence : on en avait tellement émis qu'il ne valait plus rien du tout !

▶ Dans l'Allemagne des années 1920, des enfants jouent avec des liasses de billets. L'inflation était telle que 1 dollar valait 4,2 millions de marks.

Aux chefs, il faut des hommes et aux hommes, un chef

Nous avons parfois du mal à le reconnaître, mais il semble bien que nous ayons besoin de leaders pour conduire nos sociétés… Une réalité que nous partageons avec nos cousins primates.

Comme tous les animaux grégaires, les primates (groupe biologique dont les humains et les singes font partie) sont organisés en sociétés très hiérarchisées. L'existence de chefs et leur comportement ne sont pas une spécificité de notre espèce, au contraire. Les individus au statut dominant ont tendance à avantager leurs plus proches parents. C'est d'ailleurs leur intérêt : les gens de notre famille ont plus de gènes en commun avec nous ; les aider est une façon de favoriser la transmission de notre propre patrimoine héréditaire. Le népotisme n'est donc pas une invention humaine. Outre les rapports de domination, les primatologues ont même mis en évidence chez nos cousins les singes la formation de coalitions ou même l'émergence de putschs pour évincer le mâle dominant.

◄ Chez les singes (ici, un gélada), le mâle dominant sait choisir ses proches et ses femelles, et il doit se méfier des tentatives de putsch.

L'existence de ces hiérarchies est la clé du fonctionnement des communautés concernées. Pour comprendre ces sociétés, il faut donc élucider les rapports de subordination qui régissent les comportements. C'est précisément le but du chercheur américain Michael Platt, qui a introduit chez des chimpanzés une véritable monnaie de singe : du jus de fruits. Son équipe a ainsi constaté que les singes étaient prêts à céder cette richesse en échange de l'autorisation d'observer la photographie d'un membre dominant du groupe. Si l'on extrapole ce résultat en le comparant aux comportements de l'espèce humaine, on peut être tenté de se poser une question : ce fort besoin de voir les membres dominants expliquerait-il le succès des produits à l'effigie de stars ?

En fait, transposer les conclusions des primatologues à l'espèce humaine ferait bondir de nombreux chercheurs pour qui les comportements humains ne sauraient être réduits à leur seule composante instinctive. Chez nous, en effet, l'importance de la culture permet de s'abstraire partiellement des réalités biologiques. À moins que ces réserves ne soient que l'expression de la vanité de notre espèce, vexée d'être comparée aux animaux ? Certains n'hésitent pas à l'affirmer. ■

Il y a des choses
qui ne se font pas

De *Cachez ce sein que je ne saurais voir* à *Ne mets pas les doigts dans ton nez*, les interdits énoncés par l'éducation censurent et structurent la vie sociale. Analyse sans tabou.

Jouir sans entraves, réclamait la rue en mai 68. Pourtant, les pouvoirs politiques, religieux, et même familiaux, martèlent sans cesse des lois d'interdiction : interdits alimentaires, règles de politesse, respect de la propriété, etc. Le non-respect des interdits entraîne des sanctions liées au rejet – momentané ou non – du groupe social : simple réprobation, exclusion, emprisonnement, jusqu'à la peine de mort. Certaines lois sociales s'appuient sur une réalité rationnelle ou un impératif moral collectif (interdiction du meurtre, par exemple), mais d'autres reposent sur des interdits plus généraux, implicites : les tabous.

Issue du polynésien *tapu* – littéralement « ce qu'il est interdit de toucher » –, cette notion est apparue avec les ethnologues du XIXᵉ siècle. Sacrés, ou au contraire impurs, des actes (relations sexuelles, violence, rot, alimentation, etc.), des personnes (rois, mères, femmes durant la menstruation, guerriers…), des objets (cheveux, sang, sexe, armes, excréments, boissons, végétaux, animaux, etc.) ou des mots (noms des divinités, des morts…) peuvent être frappés de tabou.

Établis par les autorités lors de « révélations », ces interdits indicibles protègent la valeur de certains biens ou êtres fragiles, tout en soumettant l'individu à la loi du groupe : ils permettent ainsi l'intégration sociale. Renvoyant à des symboles, les tabous magico-religieux expriment la crainte d'un châtiment surnaturel et consti-

CRACHER, C'EST DÉGOÛTANT

Parmi les actes jugés vulgaires et répugnants, il en est un qui fait saliver : cracher. Si futile puisse-t-il paraître, le sujet a passionné Martin Monestier au point qu'il lui a consacré un livre sociologique et historique, *le Crachat*, publié en mars 2005.

90 % des gens crachent, mais pour des raisons très différentes. Excuse physiologique pour les Chinois, acte religieux dans certaines tribus du Pacifique, *le crachat est devenu en Europe de l'Ouest un des comportements les plus prolétaires du monde. Il révèle un manque profond d'éducation, est inesthétique, surtout pour les femmes – qui crachent de plus en plus. Considéré comme vecteur de maladie fondamental, il a été combattu par le gouvernement national. Car, entre les deux guerres mondiales, les Français crachaient en moyenne 27 fois pas jour*, révèle Martin Monestier. Aujourd'hui encore, 60 % des Français avouent être des cracheurs réguliers. Mais on crache différemment selon son milieu social. Comme quoi, ce qui ne se fait pas, en fait se fait… et couramment.

tuent ainsi des sacrifices destinés à sauver la communauté. Par exemple, dans la Rome antique, répandre de la nourriture sur le sol était censé attirer dangereusement les esprits des défunts. En Mélanésie, toucher les cheveux d'une personne est un sacrilège qui peut lui porter malheur. En Afrique, laver les marmites dans le fleuve Niger pourrait appeler les génies de l'eau…

Pour les ethnologues, le tabou est un instrument d'explication du monde. Pour les anthropologues comme Levi-Strauss, il ordonne les

▼ *Un bien bel objet que ce crachoir ancien, exposé au musée de l'hôpital Notre-Dame à la Rose, à Lessines (Belgique).*

valeurs sociales. Pour les psychologues tel Sigmund Freud, il établit une limite au désir (sexuel, par exemple), le rendant fascinant et appelant à sa transgression.

Mais il peut y avoir des dérogations pour les détenteurs du pouvoir, ou lors de fêtes. Des rituels sont en effet nécessaires pour renforcer les tabous, se purifier, et ainsi rassembler la communauté.

Les sociétés occidentales, même profanes, sont loin d'y échapper. Le « politiquement correct » voudrait faire respecter les tabous des groupes sociaux par la pensée unique, voire des termes aseptisés : le chômeur devient un sans-emploi, l'homme de ménage un technicien de surface, le clochard un sans domicile fixe… Quant à la « levée des tabous », en particulier ceux liés au corps humain, elle hante le discours public : par exemple sur l'homosexualité, la prostitution, les biotechnologies (le clonage), l'euthanasie… De révélateur de civilisation, le tabou devient ainsi peu à peu obstacle au progrès technique et à l'évolution des mœurs. ∎

Il ne faut pas parle:

Non seulement on n'évoque pas la mort au cours des repas, mais la tendance est plutôt à l'occulter totalement.

Dans les sociétés occidentales, la mort reste un sujet tabou. Bien sûr, elle fait peur, à cause de l'idée de souffrance qui y est attachée, de son caractère inéluctable et de son imprévisibilité : la fin de la vie nous est imposée, et on ne sait ni quand ni comment elle surviendra. Pourtant, les progrès de la médecine et une meilleure hygiène de vie ont permis de repousser sa venue. Ainsi, aujourd'hui, en France, une femme a une espérance de vie de 83 ans alors qu'au XIXᵉ siècle elle n'était que de 50 ans. Ce n'est pas pour autant que nous pouvons échapper à notre

L'EUTHANASIE : UN DÉCALAGE ENTRE L'OPINION ET LA LÉGISLATION

Du grec *eu*, bien, et *thanatos*, mort, l'euthanasie signifie « mort douce et sans souffrance », d'après le *Petit Robert*. Cette définition porte la complexité de la problématique : peut-il y avoir mort sans souffrance ? La souffrance des proches doit-elle être prise en compte ? Dans la plupart des pays développés, l'opinion publique se prononce en faveur de l'euthanasie. Selon un sondage Ifop publié en décembre 2002, 88 % des Français sont globalement favorables à cette pratique pour « des personnes atteintes de maladies insupportables ou incurables ». Mais la législation ne suit pas. En novembre 2004, l'Assemblée nationale a adopté à l'unanimité une proposition de loi instaurant le droit au « laisser-mourir ». Cette loi permet de limiter ou d'arrêter tout traitement (euthanasie passive) pour une personne en phase terminale mais exclut toute euthanasie active.

Les médecins qui, dans les faits, pratiquent depuis des décennies le non-acharnement thérapeutique, longtemps interdit, ne courront désormais plus le risque d'être inquiétés par les tribunaux. Mais le texte ne répond pas au problème posé par la mort du jeune Vincent Humbert, alors que d'autres affaires du même type émergeront sans doute. Dans le monde, seuls les Pays-Bas et la Belgique ont pris position : ils dépénalisent partiellement l'euthanasie depuis 2002. Par ailleurs, depuis avril 2005, les médecins belges voulant pratiquer une euthanasie au domicile d'un patient peuvent se procurer dans certaines pharmacies du pays les produits et matériels d'injection nécessaires. La délivrance de ce matériel est strictement encadrée et les médecins doivent rendre à la pharmacie le produit restant après utilisation.

◄ *En Orient, la mort n'est pas un sujet d'angoisse comme elle a pu le devenir dans les pays occidentaux. L'attachement des populations aux philosophies de renaissance et de réincarnation y est certainement pour beaucoup.*

de la mort à table

condition de mortels. Or l'homme des sociétés occidentales continue à se comporter comme s'il ne devait jamais mourir : il préfère l'ignorer, ne pas en parler. Peut-être parce qu'il côtoie moins la mort qu'autrefois. Dans un passé récent, tous les membres d'une famille assistaient au décès d'un aïeul ou d'un petit enfant, et une période de deuil s'ensuivait. Aujourd'hui, 75 % des décès ont lieu à l'hôpital, contre 39 % en 1969. D'autre part, il est rare que les différentes générations d'une même famille cohabitent ; dès lors, pour les enfants, la période qui précède la disparition de leurs parents est souvent vécue de façon plus distanciée. La plupart des gens ont donc une très mince expérience de la mort. Dans leur ouvrage *Parlons de la mort et du deuil,* le Pr Pierre Cornillot et le psychiatre Michel Hanus expliquent qu'il y a même une mise à l'écart, un rejet presque universel de la mort et du deuil dans les sociétés occidentales, très portées vers les choses matérielles, la réussite, la jeunesse éternelle…

Toutefois, des disparités existent au sein de l'Europe : par exemple, contrairement aux Anglo-Saxons, les Français sont moins nombreux à entreprendre une psychothérapie après la mort d'un proche. Pour eux, le deuil relèverait plutôt d'une affaire privée ou, tout au plus, familiale.

En Orient, la perception de la mort est tout autre : en croyant à la renaissance, les bouddhistes, par exemple, arrivent à un certain détachement face à la fin de vie. La psychologue clinicienne Dana Castro rappelle d'ailleurs, dans son ouvrage *la Mort pour de faux et la mort pour de vrai,* que le caractère effrayant de la mort est véhiculé par la culture ambiante. La peur de la mort n'est pas instinctive. Il est cependant important de sensibiliser les enfants au décès, à l'occasion de celui d'un proche par exemple, mais en utilisant les bons mots. À la formule : « Papi ne s'est pas réveillé », on préférera l'explication, plus franche et nourrissant moins d'interrogations : « Le cœur de Papi s'est arrêté de battre, il ne bouge plus, il ne respire plus, il n'a pas mal. » Quitte à faire perdre aux enfants leurs illusions d'immortalité… ∎

LE DON D'ORGANES : UN AUTRE TABOU

Nous sommes pour, mais sommes les seuls à le savoir ! Ce paradoxe a été mis en évidence lors d'un sondage Louis Harris pour l'Établissement français des greffes (juillet 2003). En effet, si plus de deux Français sur trois se déclarent favorables au don d'organes, la moitié d'entre eux n'en ont jamais informé leurs proches. Or avoir fait connaître son choix, c'est soulager sa famille d'une décision très lourde à prendre dans des circonstances dramatiques. De plus, une famille non informée sur trois s'oppose au prélèvement alors que le défunt ne l'aurait pas forcément refusé. Parler de son choix à ses proches, c'est aussi faciliter la recherche, si délicate, de cette volonté par le personnel médical auprès de la famille endeuillée. Il existe cependant d'autres moyens de faire connaître sa décision : avoir une carte de donneur d'organes, ou – en France –, si l'on s'oppose au prélèvement, s'inscrire au Registre national des refus, qui recense aujourd'hui 50 000 personnes. Comme le rappelle la dernière campagne de sensibilisation de l'EFG : « Que l'on soit pour ou contre, il faut en témoigner. »

Il faut savoir garder ses distances

Il y a ceux qui restent dans leur coin et ceux qui ne peuvent s'empêcher de s'accrocher à vous… Le tout est de trouver la bonne place. Car, dans les relations sociales aussi, il y a des limites à ne pas franchir.

Ne pas percevoir les distances sociales est l'apanage des jeunes enfants. Savoir vivre en société passe donc par l'apprentissage d'un certain nombres de règles basées sur le respect des autres. Les adultes qui s'autorisent des privautés avec leurs supérieurs ou même établissent un peu trop vite des relations de camaraderie avec leurs collègues de travail ne sont pas bien perçus.

Les spécialistes en communication soulignent d'ailleurs qu'il faut savoir garder ses distances, au sens propre, pour établir avec les autres des relations sociales harmonieuses. Ils distinguent en effet quatre « zones de sécurité » autour de nous. La plus éloignée est la zone publique, celle de la parole devant un groupe : on se trouve en général à plus de 2,50 m (voire plus de 8 m) de son auditoire), sauf si la salle est très petite, ce qui constitue souvent une gêne pour le conférencier.

La deuxième zone, dite zone sociale, est située entre 1,20 et 2,50 m : elle permet à deux personnes de se parler sans se toucher.

La troisième zone est appelée la zone personnelle : elle s'étend entre 45 cm et 1,20 m environ (à peu près la distance d'un bras tendu) de chacun de nous. Seules les relations nécessaires à la vie de tous les jours sont autorisées à y pénétrer. C'est la frontière ouverte à ceux et celles à qui l'on tend la main.

Pour ceux qui désireraient tendre la joue, bref, pour plus d'affinités, il faut percer l'ultime bouclier, celui de l'intime, qui s'étend jusqu'à 45 cm de notre personne. L'odeur et la chaleur du corps de l'autre, le rythme de sa respiration, son haleine nous sont perceptibles. Faites l'expérience : approchez votre visage à quelques centimètres de celui de votre voisin et vous verrez sa tête ! Dans les transports en commun aux heures de pointe ou dans une foule, cette distance est d'ailleurs abolie de fait, et les individus se sentent comme agressés par cette transgression. Est-ce pour cela que l'on voit si peu de sourires dans le métro ? ∎

Qui se ressemble s'assemble

Des amis qui ont les mêmes passions, travaillent dans le même domaine, vivent les mêmes situations… nous en connaissons tous. Il y en a même qui finissent par avoir un air de famille !

Tout le monde vous prend pour la sœur de votre meilleure copine ? Lisa DeBruine ne s'en étonnera pas. Cette psychologue canadienne qui travaille à l'université St Andrews l'a vérifié : les gens qui nous ressemblent nous inspirent une plus grande confiance. Pour tester la validité de cette intuition, elle a invité des inconnus à participer, sans se voir, à un jeu d'argent. Résultat : un joueur est plus généreux lorsqu'on lui présente la photo de son partenaire… retouchée pour avoir avec lui un air de famille. Mieux, parmi une série de clichés, les volontaires jugent plus sympathiques les gens du même sexe ainsi familiarisés, mais pas ceux du sexe opposé ! Interprétation de la scientifique : des traits physiques proches augmentent la probabilité de partager des gènes. Ainsi, en coopérant avec ceux qui nous ressemblent, nous les aidons à survivre, donc à se reproduire. Nous augmentons la probabilité que nos propres caractéristiques soient transmises à la génération suivante. Ce qui, si l'on en croit la théorie de l'évolution, est notre but à tous ! On a beau se rêver ouvert à la diversité, avoir beaucoup en commun reste un motif solide d'attachement. En amitié du moins, car en amour, mieux vaut éviter une trop grande similitude génétique. Là, les contraires s'attirent ! ■

L'enfant roi

Lorsque l'enfant paraît, le cercle de famille applaudit à grands cris… aujourd'hui plus encore qu'avant. Car de prince héritier, l'enfant est passé au statut de souverain – presque – tout-puissant.

Il y a deux générations, les grandes fratries de plus de cinq enfants étaient encore monnaie courante. Pas question alors, pour l'un ou l'autre, de réclamer toute l'attention parentale ! Pendant longtemps, la société a été organisée de telle façon que les petits ne se trouvaient pas constamment au centre de l'attention. L'enfance était en fait considérée non pas en tant que telle mais comme une transition, qui devait être le plus rapide possible, vers l'âge adulte. Avec la diminution du nombre de bébés par famille, davantage de parents ont pu porter leur attention individuellement sur chacun de leurs rejetons. Ce qui n'a fait qu'accentuer le passage de l'enfant « utile » (parce qu'autorisé à travailler, ou parce qu'il fallait un héritier) à « l'enfant roi », placé aux centre des préoccupations. Et glorifié du fait même de son jeune âge. Une situation qui tend à augmenter la confiance en soi de l'enfant… tant qu'il est enfant. Car, après, il devient moins intéressant de grandir !

La fascination croissante de nos sociétés pour la jeunesse, mais aussi pour l'enfance et sa créativité, alimente ce phénomène. Des adultes revendiquent aujourd'hui ouvertement une part d'enfance. Ceux que l'on appelle les kidults, ou adulescents, participent à des soirées au cours desquelles ils dansent avec nostalgie sur les génériques de dessins animés de leur enfance. Fascinés par tout ce qui est mignon, ils ne peuvent d'ailleurs que donner, en toute logique, un statut enviable aux vrais enfants.

Autre signe des temps : les études de marketing montrent que les bambins qui accompagnent leurs parents au supermarché ne sont pas passifs. Ils sont de plus en plus souvent prescripteurs, c'est-à-dire qu'ils peuvent avoir une influence significative sur le contenu du panier de leur maman. Ils acquièrent ainsi un réel pouvoir, au point que les publicitaires leur font assidûment la cour… jusque dans la cour de récréation ! Une stratégie d'autant plus payante que les kidults se laissent eux aussi tenter de temps en temps par les produits conçus et packagés pour les plus jeunes. ■

Si jeunesse savait, si vieillesse pouvait

Les uns ont la vigueur, les autres ont la sagesse. Les aînés sont souvent laissés de côté dans nos sociétés modernes… Pourtant ces « jeunes vieux » ont encore la pêche !

Troisième âge. Cette expression volontariste est née dans les années 1970, avec une idée forte : la vie n'est pas finie lorsque l'on arrive à la retraite. On entame même une seconde jeunesse ; on entre dans un nouvel âge. L'évolution du vocabulaire suit de près celle de la société : avec l'allongement de la durée de vie et l'amélioration de la forme physique, le visage de nos têtes grises a bien changé. La population des pays industrialisés ne cessant de vieillir, les seniors ne sont plus une petite minorité. Et, il y a quelques années, ils ont commencé à essayer de se faire entendre. Ce qui témoigne d'une incertitude quant à leur statut. L'inquiétude porte plus particulièrement sur la rupture des liens avec la « vraie » société , sur leur isolement futur.

Le départ à la retraite est souvent très mal vécu. De nombreux retraités souffrent de se sentir soudain inutiles, mis sur la touche alors qu'ils ont toutes leurs capacités physiques et intellectuelles. Peu de structures sont prévues pour qu'ils puissent faire bénéficier les autres de leur expérience. Une fois sortis du monde du travail, quel autre monde leur reste-t-il pour participer à la vie collective ? Certains choisissent la vie associative, d'autres se replient sur le noyau familial. La question de l'utilité se pose donc avec d'autant plus d'acuité lorsque les familles sont éclatées. Et la canicule de l'été 2003 a dramatiquement révélé l'isolement des plus âgés.

Plus généralement, les seniors ont souvent l'impression que leur voix ne compte pas. Un problème qui ne se pose pas dans certaines sociétés traditionnelles. Chez les Surmas et les Mursis d'Éthiopie, par exemple, ce sont les anciens qui prennent les décisions les plus importantes. Considérés comme sages, ils sont écoutés et respectés. Est-ce pour cela que nos plus éminents hommes politiques ont souvent un âge respectable ? ■

L'homosexualité, c'est génétique

Distinguer l'inné et l'acquis est très difficile dans certains domaines. La préférence sexuelle en fait partie… Et la question n'en finit pas de faire débat.

Beaucoup d'homosexuels disent qu'is ont senti leur différence dès l'enfance. D'où une question : naît-on avec des préférences sexuelles ou celles-ci proviennent-elles des expériences de la vie, de l'éducation, de l'environnement affectif ou d'un choix ? Lorsque le « tout-génétique » avait le vent en poupe, il y a une quinzaine d'année, les recherches tendaient à réduire nos comportements en toute circonstance à notre patrimoine héréditaire. Des scientifiques ont alors recherché des gènes : pour l'alcoolisme, la violence, l'orientation sexuelle… On a aussi étudié les jumeaux pour déterminer la part du message inscrit sur les chromosomes dans le comportement sexuel.

En fait, aucun biologiste n'a jamais trouvé de gène de l'homosexualité ! Tout au plus certains ont-ils cru pouvoir conclure de leurs travaux que l'orientation sexuelle était influencée à la fois par le patrimoine héréditaire et par l'histoire individuelle. Et encore, même ces conclusions font débat. Les arguments scientifiques dans ce domaine ont toujours été bien maigres au regard du débat social qu'ils contribuaient à alimenter. Chaque camp a repris à son compte des preuves rationnelles, avalisées par la recherche. Les courants religieux ultraconservateurs défendaient la thèse environnementale. Avec cette idée : on devient gay dans des circonstances précises, du fait d'un vécu particulier, et on peut changer si l'on vit autre chose. À l'inverse, les associations pro-gays ont longtemps utilisé l'argument génétique pour faire taire ceux qui voulaient les « guérir » ou les culpabiliser.

Aujourd'hui, l'essoufflement des recherches et la remise en cause de conceptions strictement déterministes ont conduit à ramener dans le champ du social une controverse qui n'avait pris que pendant un temps un visage scientifique. ■

◀ *Buchenwald, 1945. Le monde découvre avec consternation les camps de la mort. Comment des êtres humains ont-ils pu faire subir de telles horreurs à d'autres êtres humains ? Difficile de tirer les leçons de l'Histoire : le Tribunal pénal international de La Haye en est le témoin.*

Un génocide de nos jours, après la Shoah ? Impossible !

**« Plus jamais ça ! »
Ce slogan risque
de rythmer encore
longtemps l'Histoire
d'épisodes terribles.
Capable du meilleur, les
hommes peuvent aussi
révéler un côté obscur qui
fait froid dans le dos…**

En 1963, Stanley Milgram mène à l'université de Yale une expérience dont les conclusions vont rester gravées dans les mémoires. Quarante personnes, issues de toutes les classes sociales, sont réunies pour participer à ce qu'ils croient être un test évaluant « les effets de la punition sur l'apprentissage et la mémorisation ». Le sujet testé énonce des mots qu'un « élève » doit apprendre. À la moindre faute, le sujet doit lui administrer une décharge électrique. D'abord faible. Puis il augmente la puissance à mesure que l'élève se trompe, la décharge maximale équivalant à la mort. Milgram supervise le processus, donne les ordres, et incarne ici l'autorité scientifique. Le sujet ignore que l'élève, qui est en fait le complice du chercheur, ne reçoit (heureusement) aucune décharge. Les résultats sont consternants : 68 % des sujets testés sont allés jusqu'à délivrer la décharge mortelle. Les 32 % restants ne se sont abstenus que lorsque l'élève feignait le coma ! Conclusion : dans leur grande majorité, les gens obéissent à l'autorité, même si celle-ci leur enjoint de commettre des actes moralement répréhensibles. En 1971, Philip Zimbardo mène une expérience complémentaire à Stanford. Cette fois, vingt-quatre étudiants se prêtent à une reconstitution du milieu carcéral. Objectif : comprendre le phénomène de déshumanisation et le sentiment de stress éprouvé par les détenus. Dès la première rébellion, réprimée à coups de châtiments corporels, les « gardiens » se révèlent sadiques et les « prisonniers » craquent rapidement. Zimbardo y voit la preuve que, dans un contexte de violence, un individu jugé normal et équilibré peut se révéler terriblement cruel, pour peu qu'on lui octroie une parcelle de pouvoir. ■

Un affamé n'a plus la force de se révolter

On dit que la faim fait sortir le loup du bois… à moins qu'il ne soit trop faible pour y parvenir. Quand nos forces nous font défaut, même la volonté de survivre peut nous abandonner.

Un seul camp de la mort nazi a connu une insurrection victorieuse : Sobibór. Le 14 octobre 1943, des détenus rebelles ont tué une dizaine d'officiers nazis et permis aux occupants du camp de se sauver. La plupart d'entre eux ont péri dans l'explosion des mines qui entouraient le camp, mais une cinquantaine ont survécu et ont pu raconter ces moments tragiques. Les représailles furent sanglantes (250 000 détenus exterminés) et le camp ferma définitivement.

Pourquoi Sobibór et pas les autres ? Sans doute parce que, sous la direction d'un officier soviétique, un groupe de prisonniers politiques a su imposer l'entraide et la discipline nécessaire à l'organisation secrète d'une émeute. Pourquoi, dans les autres camps de la mort, les hommes n'ont-ils pu se révolter et ont-ils semblé se résigner ?

Affamés, malades, affaiblis, amoindris, déprimés, déshumanisés, les détenus des camps de concentration nazis faisaient face à d'insurmontables épreuves. Chaque jour, ils avaient besoin de toute leur énergie pour se battre contre la mort. Évidemment, la faim amoindrit les capacités de résistance physique et morale. Évidemment, une rébellion aurait demandé une énergie encore plus grande, presque surhumaine dans un contexte aussi terrible. À elle seule, cette explication suffit peut-être à comprendre pourquoi presque aucun mouvement d'insurrection n'a eu lieu dans les camps.

Certains continuent pourtant de s'interroger : les victimes étaient plus nombreuses que leurs bourreaux et n'avaient plus rien à perdre. Pourquoi furent-elles si peu à tenter une évasion collective ? Plusieurs hypothèses peuvent être avancées. Elles vont de la peur des représailles au sentiment d'impuissance, en passant par l'incrédulité devant ce qui était en train de se passer ou encore la dépendance psychologique vis-à-vis de l'agresseur. Mais aucune de ces théories n'a vraiment réussi à répondre à la question. Et, devant une telle horreur, ceux qui n'étaient pas présents ne peuvent que faire preuve d'humilité lorsqu'ils prétendent essayer de comprendre ce qui s'est passé. ■

LE SYNDROME DE STOCKHOLM

En 1973, une tentative de hold-up se solde par une prise d'otages à la Kreditbanken de Stockholm. Le malfaiteur obtient la libération d'un de ses anciens complices, qui le rejoint. Après six jours de négociations, ils libèrent leurs otages. À l'étonnement général, ceux-ci prennent fait et cause pour leurs ravisseurs, allant jusqu'à déclarer que les deux hommes les protégeaient de la police. Après l'arrestation des deux preneurs d'otages, leurs anciennes victimes refusent de témoigner à charge, contribuent à leur défense et vont ensuite leur rendre visite en prison. Ce cas extrême a permis au psychiatre F. Ochberg de décrire quelques années plus tard ce qu'il appellera le « syndrome de Stockholm », qui conduit les victimes à se sentir solidaires de leurs ravisseurs. Un phénomène qui peut disparaître une fois que tout est fini… ou se poursuivre et bouleverser une vie. Une employée de la banque suédoise a même fini par épouser l'un des deux preneurs d'otages !

LA DÉTRESSE DU SURVIVANT

On entend souvent les rescapés d'un drame se demander pourquoi ils sont restés en vie alors que d'autres n'ont pas eu cette chance. Parfois, cette interrogation se transforme en culpabilité. Les vétérans de guerres particulièrement meurtrières, les rescapés des camps de la mort, les victimes d'attentats terroristes sont nombreux à ne pas pouvoir tourner la page. Parfois même, ce sentiment de culpabilité les conduit à des comportements autodestructeurs. Dans tous les cas, il ne permet pas de reprendre sa vie normalement. C'est même souvent ce qui rend tellement nécessaire la mise en place de cellules psychologiques pour ceux qui ne sont pas blessés physiquement. Un phénomène un peu comparable est apparu avec l'épidémie de sida. Certaines personnes qui n'avaient pas été contaminées ont ressenti le besoin d'adopter des conduites à risque. Ce comportement suicidaire serait lié à la fois à une grande angoisse et à un fort sentiment de culpabilité, ou encore dans certains cas à l'incapacité de faire le deuil d'une personne décédée des suites de la maladie.

◄ *Sur 2201 passagers, seuls 711 survécurent au naufrage du* Titanic.

La télévision rend les enfants

Régulièrement diabolisé, le petit écran n'est peut-être que le reflet de ce qui se passe dans nos sociétés. La question reste ouverte...

Selon une étude américaine basée sur l'observation de plus de 700 jeunes sur une période de dix-sept ans, regarder la télévision incite à commettre des actes violents. Et ce quel que soit l'âge : adolescents et adultes seraient donc loin d'être épargnés par ce phénomène... Pour les auteurs de cette étude, parue en 2002 dans le magazine *Science*, les conclusions sont indiscutables : plus les jeunes restent quotidiennement devant le petit écran et plus ils sont violents. Ainsi, 42 % des garçons de 14 ans passant plus de trois heures par jour devant la télévision avaient commis des agres-

sions (bagarres, utilisation d'armes, menaces, etc.). Un taux qui n'atteignait en revanche que 9 % chez les garçons regardant la télévision moins d'une heure par jour. Une différence considérable retrouvée quels que soient le niveau de vie de la famille et le niveau d'éducation des parents y compris en présence d'antécédents psychiatriques.

Toutefois, ces conclusions ne font pas l'unanimité. Déjà, comme le rappelle le psychiatre français Serge Tisseron, il ne faut pas oublier que *ces études se déroulent aux États-Unis, pays où l'environnement est bien différent de celui de la*

Qui vole un œuf vole un bœuf

Avouez-le, vous aussi vous avez du mal à faire confiance à quelqu'un qui a déjà commis une faute. Pourtant, tout le monde a droit à une seconde chance. Mais cette idée n'est pas la mieux partagée au monde.

En Californie, les délinquants ayant déjà été condamnés trois fois au pénal sont « priés » de ne pas recommencer : la quatrième fois, ce sera la perpétuité, quel que soit le délit ! Pour les promoteurs de cette politique intransigeante, un citoyen qui a passé la ligne jaune une fois recommencera forcément, s'éloignant toujours plus de la norme. Le crime serait donc impossible à maîtriser ; les criminels naîtraient criminels ou apprendraient à le devenir dans un milieu criminogène. Une idée développée en Europe au XIXᵉ siècle, qui a justifié ici et là l'eugénisme et les pratiques autoritaires.

L'idée selon laquelle on ne change pas est évidemment fausse : des milliers de cas d'anciens délinquants devenus honnêtes en témoignent. Malgré tout, nous restons méfiants. Et pourquoi juger un voleur d'œuf aussi sévèrement qu'un voleur de bœuf parce qu'il *aurait pu* voler un bœuf ? Ce principe est évidemment contraire à l'éthique et au droit : on ne peut pas condamner quelqu'un pour un crime qu'il n'a pas commis.

Pourtant, le principe de la « tolérance zéro », importé des États-Unis, s'inspire de cette idée. Le postulat de base est le suivant : en éradiquant la petite délinquance, on lutte aussi contre la grande criminalité. Une hypothèse qui n'est pas prouvée et qui, même si elle peut se révéler utile en certaines circonstances – en empêchant la délinquance d'être exploitée par les réseaux du crime organisé comme un vivier de recrutement –, conduit aussi à des absurdités. Et au recours à une logique de répression plutôt que d'éducation, notamment pour les mineurs. Or, en mettant en prison les jeunes voleurs d'œufs, on risque justement de les mettre en relation avec les voleurs de bœufs, ce qui pourrait leur donner des idées ! ■

LA MORPHOPSYCHOLOGIE RACIALE

L'importance des facteurs biologiques pour expliquer notre comportement est une question qui intéresse les scientifiques depuis longtemps. Au XVIIIᵉ siècle, plusieurs savants ont cru pouvoir relier les traits de notre visage à notre psychologie. Partant d'observations dans le même ordre d'idée que « un menton volontaire trahit une personnalité affirmé » ou « un visage rond révèle la bonhomie », certains de ceux qui étudiaient les populations humaines ont voulu les rendre plus scientifiques en fondant une discipline, la phrénologie. Franz Joseph Gall (1758-1828) a ainsi inventorié les différentes protubérances du visage et les a reliées, de façon plus ou moins fantaisiste, aux compétences des individus. De ces travaux, qu'aucun biologiste actuel ne corrobore, il nous reste une boutade : avoir la bosse des maths. D'autres, comme Gobineau, ont bâti de prétendues classifications des formes de crâne selon les « races ». Ses travaux ont surtout servi à... Hitler.

◄ *Selon F.J. Gall, les fonctions du cortex avaient des localisations précises correspondant à des proéminences osseuses appelées bosses.*

violents

France : on connaît le goût des Américains pour les armes… D'autres chercheurs ont également un tout autre point de vue. Par exemple, les conclusions de George Gerbner, qui travaille sur le sujet depuis 1967, sont formelles : *La violence à l'écran contribue à proportion de 5 % peut-être à la violence réelle : c'est dire si sa contribution est relativement insignifiante.* Pour lui, les actes violents à la télévision développeraient un sentiment de danger et de vulnérabilité chez les populations les plus défavorisées plutôt qu'un réel désir d'en découdre avec leur entourage. ■

Les **démographes** prédisent toujours l'**Apocalypse**

Surpopulation, épuisement des ressources, papyboom… Le pire est toujours pour demain et cela dure depuis plusieurs siècles ! Mais ne dit-on pas aussi qu'un homme averti en vaut deux ?

*E*n *l'an 2000, nous serons 12 milliards sur la planète.* Dans les années 1950, les démographes nous prédisaient le pire. Certains estimaient même que 50 milliards d'êtres humains peupleraient notre petite planète au XXIᵉ siècle ! De 1960 à 1990, leurs prévisions ont été revues à la baisse, passant à 10 milliards, puis à 9 et enfin à des chiffres proches de la réalité : 6 milliards d'habitants. Même

MALTHUS, UN PASTEUR PRÉVOYANT

Au XVIIIᵉ siècle, le pasteur et économiste Robert Malthus affirme que le nombre d'êtres humains croît de façon géométrique (2, 4, 8, 16, 32…) alors que les ressources naturelles augmentent de façon arithmétique (2, 4, 6, 8, 10…). Cette conclusion a été remise en cause depuis. Mais il en avait déduit la nécessité de limiter les naissances. Le pasteur proposait ainsi plusieurs solutions pour éviter cet écart excessif entre population et subsistances : se marier tard, pratiquer l'abstinence au sein du couple, éviter les relations sexuelles hors mariage. À la fin du XIXᵉ siècle, le courant néomalthusianiste a repris l'idée de limiter les naissances, avec des moyens qu'aurait réprouvés Malthus : la contraception et l'avortement. L'idée était d'améliorer le bien-être de la population, d'éviter à un couple la souffrance de voir un fils mourir à la guerre ou de libérer les femmes, avec un slogan « Grève des ventres »…

s'ils se sont trompés, les démographes persistent dans leurs déclarations alarmistes. Prendraient-ils un certain plaisir à jouer les Cassandre ? Faire ce procès aux scientifiques spécialisés dans les prévisions d'évolution de la population est un peu facile. Plus, peut-être, que tout autre objet d'étude, ce secteur est délicat. Comment prévoir quels seront nos comportements sociaux ou sexuels alors qu'ils dépendent très largement d'autres facteurs difficiles à anticiper ? En prolongeant les tendances actuelles, les prévisions peuvent être relativement fiables à quelques années d'échéance ; mais les extrapolations à plus long terme sont un exercice périlleux. Tout au plus les experts peuvent-ils supposer que deux pays qui suivent une évolution comparable à quelques années d'écart verront leurs populations varier de manière similaire. C'est ainsi que la transition démographique (passage d'un nombre élevé à un nombre faible de nais-

sances et de décès) qui avait eu lieu au XIXᵉ siècle dans les pays industrialisés a pu être anticipée ailleurs dans le monde. Pour le reste, on ne peut demander aux experts de jouer les devins ! Qui pourrait aujourd'hui décrire avec précision les préoccupations et le mode de vie des Français ou des Canadiens en 2075 ?

Même s'ils sont incapables de prévoir exactement ce qui va se passer demain, les démographes peuvent attirer l'attention sur les conséquences des choix politiques actuels : qu'arriverait-il si certaines tendances se poursuivaient et si aucune mesure n'était prise ? D'où une tonalité parfois alarmiste… Cela permet d'éveiller l'attention des décideurs, qui ont tendance à négliger les effets à long terme – surtout lorsque leur mandat doit se terminer… Les démographes sont avant tout des observateurs qui, le cas échéant, doivent savoir tirer la sonnette d'alarme. ■

Dans un siècle, l'Allemagne et l'Italie auront disparu faute d'une natalité suffisante

Il naît plus

La nature ne respecte vraiment pas la parité : à l'aube de la vie, il y a plus de garçons que de filles mais, au crépuscule, plus de filles que de garçons. À quand l'égalité des sexes ?

On le sait et on le répète : la natalité est en baisse dans les pays occidentaux et l'allongement de la durée de vie ne la compense que partiellement. Côtoyons-nous aujourd'hui les derniers Allemands et les derniers Italiens ?

CARRIÈRE OU FAMILLE ? ON PEUT CHOISIR LES DEUX

La France, meilleure élève européen en natalité ? Il y a seulement quinze ans, une telle interrogation aurait fait sourire les démographes. Aujourd'hui, pourtant, avec un taux de fécondité de 1,89 enfant par femme, les Françaises ne sont pas loin du seuil de 2,1 nécessaire au maintien de la population. Ainsi, l'Allemagne, dont le taux de fécondité plafonne à 1,3, louche sur les politiques françaises en matière de natalité : aides familiales, construction de crèches et surtout acceptation par la société des jeunes mamans qui travaillent. Car, en Allemagne, une mère qui travaille est plutôt mal vue. Résultat : alors que la grande majorité des Allemandes entre 29 et 43 ans disent vouloir au moins deux enfants, une femme sur trois se retrouve sans descendance. Elles ne sont que 9 % en France. Les politiques de ce pays ont donc décidé d'investir massivement dans l'aide à la garde des enfants. Carrière ou famille : les jeunes Allemandes vont peut-être enfin être dispensées de choisir.

Avec moins 0,1 %, les taux de croissance démographique de l'Allemagne et de l'Italie ont été les premiers en Europe à être des taux de… décroissance ! Un scénario qui guette tous les pays industrialisés. Car autant les populations des pays du Sud explosent, au point que l'on craigne une surpopulation à long terme, autant celles du Nord semblent se rétrécir inexorablement. En 2003, le nombre de décès sur l'ensemble du continent européen a dépassé pour la première fois le nombre de naissances. Ce déficit de 63 000 naissances, ajouté à l'allongement de la durée de vie, provoque un vieillissement inéluctable de la population. Et cette « révolution grise » touche tous les pays occidentaux.

Allemands ou Italiens sont-ils en voie de disparition ? La plupart des experts n'envisagent pas vraiment ce scénario catastrophe. Ce serait oublier les effets de l'immigration et du métissage. De plus, à long terme, la natalité devrait reprendre… Encore faudrait-il que cette question ne reste pas un débat d'experts ! Toutefois, il est clair que les gouvernements allemand et italien – ainsi que, dans une moindre mesure, ceux des autres pays occidentaux – ne peuvent plus éluder la question. ■

de garçons que de filles

Pour 100 filles, il naît 105 garçons. Découverte au milieu du XVIIᵉ siècle par un marchand anglais, John Graunt, cette loi universelle continue à étonner les biologistes trois siècles et demi plus tard ! Graunt a fait cette constatation tout simplement en compilant les registres de baptême londoniens. Restait à comprendre la raison de ce déséquilibre. Au moment de la conception, il est même encore plus important : 125 garçons sont conçus pour 100 filles, mais ils sont plus nombreux à mourir in utero.

A priori, rien dans la biologie de la reproduction ne permet d'expliquer ce phénomène. Le sexe de l'enfant est déterminé par le chromosome sexuel transmis par le père. L'ovule de la mère porte un chromosome X. Si c'est aussi le cas du spermatozoïde, la paire de chromosomes sexuels de l'enfant est XX : c'est une fille. Si, au contraire, le père transmet son chromosome Y, l'enfant hérite d'une paire XY : c'est un garçon. Or, le mécanisme de formation des spermatozoïdes étant symétrique, on ne voit pas pourquoi plus de chromosomes Y seraient transmis. Certains scientifiques ont proposé une autre explication : les X étant plus grands, les spermatozoïdes filles seraient moins rapides et se feraient « doubler » par les garçons. Une hypothèse qui n'a jamais pu être démontrée. ■

▲ *Peu de roses dans ce jardin… Là encore, les choux sont largement majoritaires !*

◄ *À l'inverse des pays occidentaux, la Chine incite les jeunes parents à ne faire qu'un seul enfant, et si possible un garçon !*

L'ENFANT UNIQUE CHINOIS

La politique de certains pays aggrave le déséquilibre à la naissance entre hommes et femmes. C'est le cas en Chine. Pour réguler l'explosion démographique, le gouvernement a fait pression en faveur de l'enfant unique. Ce qui a conduit de nombreuses familles, qui préféraient un descendant mâle pour des raisons socioculturelles, à pratiquer l'avortement sélectif après échographie, et parfois l'infanticide, l'abandon des filles ou encore leur non-déclaration (qui fausse les statistiques officielles). Depuis le début des années 1990, on a toutefois autorisé les ménages paysans à avoir un deuxième enfant si le premier est une fille. Et pourtant… En augmentation continue depuis vingt-cinq ans, le sex-ratio à la naissance (ici, le nombre de garçons pour 100 filles) atteignait 117 en Chine lors du dernier recensement, en 2000. Ce phénomène est un peu compensé à l'âge adulte par la plus forte mortalité des hommes à tous les âges. Le sex-ratio global est ainsi de l'ordre de 107 en Chine, contre 101 dans le monde entier.

Chapitre IX

En avant le progrès

La roue est
une invention universelle

Sans la roue, pas de rouage, et pas de technologie. Perçue comme un événement majeur de l'histoire de l'humanité, la roue n'a pourtant pas été inventée par tous les peuples.

La plus ancienne roue connue est slovène. Elle est datée d'entre 5350 et 5100 av. J.-C. au carbone 14. L'invention de la roue est expliquée généralement par l'observation empirique de la rotation des rondins de bois ou des troncs d'arbres placés sous des objets lourds (comme des menhirs) pour faciliter leur transport. Les roues, d'abord pleines, servaient à faire avancer des chariots tractés par des bœufs, mais aussi à faire tourner le métier du potier. Ce n'est qu'au IIIe millénaire avant notre ère, avec l'invention de la roue à rayons, bien moins lourde, que le cheval fut employé à son tour, pour tracter cette fois des chars légers et rapides. Ainsi, sur les parois rocheuses du Sahara, autrefois verdoyant, de splendides peintures représentent des chars tractés par un cheval au grand galop. D'autres chars, en terre cuite, accompagnent pour l'éternité la dépouille de Qin Shi Huangdi, premier empereur de Chine, qui régna de 221 à 206 av. J.-C.

La roue est aujourd'hui si bien intégrée dans notre univers que nous avons du mal à imaginer la vie sans elle. Bien plus : nous y voyons un signe d'évolution. Une société sans roue serait une société attardée, incapable d'accéder à la modernité dont une telle invention représenterait une des étapes nécessaires. Pas si simple ! Personne n'oserait affirmer que la civilisation inca (1200–1572) n'était pas évoluée. Pourtant, l'empire andin ne connaissait pas la roue (pas plus que l'écriture ou la monnaie, d'ailleurs), donc pas le rouage indispensable au machinisme. Les routes royales, qui couvraient près de 25 000 km, étaient adaptées aux piétons ainsi qu'aux caravanes de lamas, et rythmées par des auberges tous les 20 km environ. Cette absence de la roue peut bien sûr s'expliquer par les pentes abruptes de la cordillère des Andes. Mais il faut bien admettre que la roue n'est qu'une simple innovation technique mais que ce n'est pas la seule possible, ni forcément la meilleure. ■

La Cocotte-Minute est l'ancêtre du train

Inventée au XVIIᵉ siècle, la machine à vapeur a mis plus de cent ans à convaincre les hommes de son intérêt.

Personne n'a oublié que le point commun entre la Cocotte-Minute et le train, c'est la machine à vapeur de Denis Papin. Lorsqu'en 1679 ce Français a l'idée d'ajouter une soupape de sûreté à une marmite à vapeur, il fixe le protoype des autocuiseurs que nous utilisons encore aujourd'hui. Mais il subodore aussi que cette soupape, qui se meut grâce à la vapeur comme un piston, peut exercer suffisamment de force sur des cylindres pour les faire tourner et entraîner un déplacement : c'est ainsi que, dès 1670, il met au point un bateau à vapeur qu'il teste sur la Fulda, en Allemagne. Curieusement, son invention ne suscite pas plus d'engouement que cela, et il meurt dans la misère en 1714.

Ce n'est qu'un siècle plus tard, en 1770, que le sujet revient au goût du jour : l'ingénieur français Nicolas Joseph Cugnot construit un véhicule à vapeur terrestre, le fardier, qui tient son nom de sa capacité à transporter de lourds fardeaux. Quelques années plus tard, en 1803, le Britannique James Watt met au point un moteur capable de mouvoir des machines. Cette invention, qu'il aura ensuite l'idée novatrice de produire en série, restera à la postérité comme la première production industrielle, et donc le déclencheur de la révolution du même nom en Europe.

Quant au train, c'est au mécanicien britannique Richard Trevithick que nous le devons : il est en effet l'inventeur, en 1803, de la première locomotive à vapeur, qui roulait à 20 km/h à vide, et à 8 km/h en charge ! Une invention qui eut la vie longue puisqu'en France, par exemple, la vapeur a continué d'entraîner les locomotives de bon nombre de nos trains jusqu'en 1974… ∎

D'OÙ VIENT L'ÉCARTEMENT DES RAILS DE CHEMIN DE FER ?

L'écartement des rails de chemin de fer est égal à 1,44 m (soit 4 pieds 8 pouces) en France, en Angleterre et en Amérique du Nord. La raison en est que les premiers chemins de fer étaient miniers et que les chariots étaient tirés par des chevaux. Les rails – en bois, puis en fer – devaient tenir compte de la largeur des chevaux, tout comme d'ailleurs les ornières des voies antiques sur lesquelles circulaient les chariots romains. Et, comme le train à vapeur empruntait au début les mêmes rails, les roues de ses wagons devaient tenir compte de ce paramètre, avec ou sans chevaux. D'ailleurs, on parlait même de chevaux-vapeur pour exprimer la puissance des moteurs. Néanmoins, cette explication ne tient plus lorsque l'on s'aventure dans le Transsibérien : si l'écartement des rails n'est pas le même en Sibérie et en Chine, c'est pour des raisons plus politiques que zoologiques. Les contrôles douaniers sont en effet largement facilités par l'immobilisation complète du train, vingt-quatre heures durant, pour en changer les roues !

DES TRAINS EN LÉVITATION

Utiliser des champs magnétiques pour sustenter un véhicule au-dessus d'une voie de guidage ? La technologie mise en œuvre fait l'objet de recherches depuis plus de trente ans et commence à trouver des applications commerciales : ainsi, en Chine, une ligne de trains reposant sur ce principe relie depuis 2003 Shanghai à son aéroport : les trains y circulent sur 30 km, à une vitesse de pointe de 430 km/h… Et le trajet s'effectue en sept à huit minutes au lieu de une heure en voiture. Au Japon, début 2005, le Linimo a été mis en service sur une ligne d'environ 9 km reliant une station de métro au site de l'Exposition universelle. Ce Superconducting Maglev (pour « lévitation magnétique par superconduction ») peut franchir la barre des 581 km/h – le record mondial – et a été testé sur une voie expérimentale de 18 km. Comme le véhicule en déplacement n'entre jamais en contact avec la voie de guidage, il n'y a pas de frottements, source première de ralentissement – et plus besoin de roues, de freins, de moteur ni même de conducteur ! Le secret de cette lévitation au-dessus du sol est sous la voie : des enroulements de câbles génèrent un champ magnétique qui se déplace tout du long. Il ne reste plus qu'à placer sous le véhicule des électroaimants qui, en exerçant des forces magnétiques réciproques, placeront le véhicule en sustentation.

▲ *Le Maglev japonais en janvier 2000. Plus rapide que le TVG français, ce train consomme aussi infiniment plus d'énergie : la sustentation est extrêmement vorace en électricité.*

La vapeur a condamné les bateaux à voiles

Les bateaux à voiles ont régné sans conteste sur les mers pendant près de 6 000 ans. Il faudra l'alliance de la machine à vapeur et de l'hélice pour les cantonner dans le domaine des loisirs, au début du XXᵉ siècle.

Les premières représentations de bateaux à voiles ont été retrouvées sur des fresques moyen-orientales datant de 4000 av. J.-C. La voile ne fournit alors qu'une poussée complémentaire en cas de vents favorables : ce sont les rames qui assurent l'essentiel de la propulsion, et ce durant toute l'Antiquité. Le Moyen Âge voit se généraliser l'emploi d'une voile unique puis, dès le XVIᵉ siècle, les mâts et les voiles se multiplient.

Les navires à voiles régneront en maîtres absolus sur toutes les mers. Mais leur temps est compté car l'application à la propulsion des bateaux de la machine à vapeur, mise au point par l'ingénieur français Denis Papin, est réussie dès 1783 par Claude Jouffroy d'Abbans, qui fait naviguer sur la Saône son deuxième pyroscaphe à vapeur et à roues à aubes. En 1838, déjà, le *Great Western* effectuera la première traversée de l'Atlantique uniquement à la machine à vapeur. Mû par des roues à aubes, ce bateau en bois met quinze jours et demi pour rejoindre l'Amérique.

Et puis la vapeur et les coques en fer vont révolutionner les transports maritimes en accélé-rant, et surtout en régularisant, les voyages qui, jusqu'alors, étaient soumis aux caprices des vents. De grandes compagnies de navigation sont créées pour exploiter les navires à vapeur en fer, telle la Compagnie générale transatlantique en France (1862). Leurs paquebots ne mettent pas plus d'une dizaine de jours à relier l'Europe aux États-Unis.

Les bateaux à voiles résiste-ront néanmoins à cette concurrence jusqu'à l'invention de l'hé-lice propulsive, brevetée par Samuel Miller en 1776. Les progrès techniques qui s'accé-lèrent ensuite scellent la défaite du bateau à voiles, moins auto-nome et moins rapide : 1884 voit la mise à flot du *Turbinia* du Britannique Charles Parsons, le premier navire à turbines, et, en 1896, Rudolf Diesel met au point son fameux moteur, qui sera adapté à la navigation dès 1900.

Mais certains armateurs ne veulent pas renoncer à la voile et, pour battre les cargos sur le prix du fret, ils augmentent les tonnages. Au début du XXᵉ siècle, la généralisation de la construction métallique des coques et des mâts (au nombre de quatre, voire cinq) permet de réaliser des voiliers de 4 000 tonnes de port, spécialisés dans le transport du charbon, des minerais ou des céréales. Ces clippers, dont les plus célèbres – les cap-horniers – contournaient le cap Horn, ont navigué jusqu'à la veille de la Seconde Guerre mondiale. Ils portèrent la navigation à voiles à sa perfection : le cinq-mâts *France* (126 m) transportait

8 000 tonnes sous une voilure de 6 000 m². Néanmoins, après avoir supplanté son rival antique, le navire à rames, le voilier se réfugie à son tour dans le domaine sportif. ■

▲ Sovereign of the Seas *a été construit en Angleterre en 1637 ; il mesurait 45 m de long et jaugeait 1 500 tonneaux. Avec ses 104 canons, c'était l'un des plus puissants navires de guerre de l'époque.*

Voler en ballon

En 1937, la catastrophe du *Hindenburg* a scellé le sort des aérostats comme moyen de transport aérien. De fait, ils étaient non seulement dangereux, mais aussi et surtout difficiles à manœuvrer.

L'homme a assouvi pour la première fois son désir de voler en 1783, grâce à la montgolfière, qui flotte parce qu'elle est plus légère que l'air. L'engouement fut tel que les recherches sur les appareils plus lourds que l'air (hélicoptère, avion) furent suspendues durant une dizaine d'années.

Deux ans plus tard, les frères Mont-golfier, François Pilâtre de Rozier,

Jacques Charles et les frères Robert font voler les premiers ballons afin d'effectuer des mesures atmosphériques. C'étaient des enveloppes de papier et d'étoffe de petites dimensions, gonflées à l'air chaud (moins dense que l'air froid) ou avec un gaz plus léger que l'air comme l'hydrogène, identifié la même année par Henry Cavendish. Les premiers ballons montaient dans l'atmosphère, puis redescendaient immanquablement parce que leur gaz fuyait à travers l'enveloppe ou que l'air s'était refroidi. Cela n'empêcha pas Blanchard et Jeffries de traverser la Manche en ballon en 1785 ! Des ballons capables de se maintenir à une altitude constante pendant plusieurs heures ne seront mis au point que vers 1947.

L'autre type d'aérostat est le dirigeable. C'est un ballon disposant d'ailerons lui permettant de se diriger et d'hélices, actionnées par des moteurs, qui le propulsent. Son déplacement n'est donc pas, comme celui de la montgolfière, totalement soumis aux caprices des courants aériens. Cette manœuvrabilité relative a laissé croire un temps

qu'il ferait un excellent moyen de transport aérien de passagers, notamment de troupes armées. Le premier dirigeable équipé d'un moteur à explosion est celui de l'Allemand Wölfert, en 1888, mû par un moteur Daimler. Cependant, le plus célèbre concepteur de dirigeables est le comte von Zeppelin. Le zeppelin vola avec succès de la fin des années 1890 à 1910. En dépit de sa vulnérabilité, son créateur étudia ses applications militaires et son armement, et la Première Guerre mondiale relança les commandes.

À la suite de la catastrophe du dirigeable *Hindenburg,* en 1937, les aérostats seront définitivement abandonnés pour transporter des passagers au profit des avions, plus maniables, plus rapides et plus solides. Cet énorme dirigeable gonflé à l'hydrogène avait pris soudainement feu et s'était consumé en un éclair juste avant son atterrissage à Lakehurst, près de New York, après sept allers-retours sans incidents entre l'Allemagne et Rio de Janeiro et dix autres entre l'Allemagne et Lakehurst depuis 1932.

Les ballons modernes restent cependant un outil de choix pour la météo-

rologie et la surveillance, car ils peuvent circuler de nombreuses heures à altitude constante (quelques mètres à 40 km) au prix d'une pollution, de perturbations atmosphériques, d'une nuisance sonore et de dépenses en carburant réduites. Ce sont aussi des véhicules aériens de loisir : de nombreux clubs d'aérostiers proposent des vols en montgolfière. ■

LE PREMIER TOUR DU MONDE EN BALLON

Jules Verne avait décrit dans *Cinq Semaines en ballon* (1863) le voyage d'explorateurs en montgolfière et dans *le Tour du monde en quatre-vingts jours* (1873) le pari insensé de faire le tour du monde en moins de douze semaines. Plus d'un siècle plus tard, le Suisse Bertrand Piccard et le Britannique Brian Jones, à bord du *Breitling Orbiter-3*, ont dépassé ces deux exploits en bouclant le tour du monde en 19 jours 21 heures et 47 minutes. Leur véhicule ? Une rozière, combinaison d'une montgolfière et d'un ballon à gaz analogue à celle utilisée par Pilâtre de Rozier lors de son dernier vol en 1785, d'où

son nom. Le jour, on utilise la partie ballon à gaz (l'hélium se dilatant sous les rayons du soleil) et, la nuit, la partie montgolfière (la flamme des brûleurs au propane réchauffant l'hélium). Ce vol cumule les records de durée, d'altitude pour ce type d'aérostat (11 755 m) et de distance, avec 40 813 km parcourus. Pour réussir cet exploit en partant de l'hémisphère Nord, il a fallu décoller en hiver pour profiter des plus puissants et réguliers des courants-jets – des vents soufflant d'ouest en est sur plusieurs milliers de kilomètres entre 7 000 et 12 000 m d'altitude, où les aérostats peuvent s'engouffrer.

est dangereux

◄ *La catastrophe du dirigeable* LZ129 Hindenburg. *Long de 245 m, il emportait 200 000 m³ d'hydrogène ; poussé par quatre moteurs Diesel Daimler, il pouvait atteindre 132 km/h. Inaugurée le 4 mars 1936, sa carrière s'acheva, un an et deux mois plus tard, par un incendie dont 64 des 97 passagers réchappèrent miraculeusement.*

Un plus lourd que l'air ne pourra jamais voler

L'aviation est née du désir irrépressible de voler, comme en témoignent les innombrables légendes d'hommes et de dieux volants. Il faudra des siècles pour concrétiser ce rêve.

On s'est longtemps moqué des partisans de l'aéroplane à l'époque où les moins lourds que l'air avaient le vent en poupe. Car faire voler un plus lourd que l'air ne va pas de soi : l'invention de l'avion est indissolublement liée aux progrès de la science, alors que l'automobile et le bateau ont pu se développer de façon empirique au fil des siècles.

L'homme a d'abord dû vaincre un obstacle quasi philosophique : l'idée que, pour évoluer dans l'air, il fallait être plus léger que lui. Il lui a fallu comprendre que, pour voler, le planeur (l'avion le plus simple) doit seulement, mais impérativement, tomber. Surprenant ? En fait, dans sa chute – due à la force d'attraction de la gravité terrestre –, le plus lourd que l'air acquiert une vitesse qui retarde précisément cette chute : la pression de l'air et son écoulement sous l'aile exercent, en effet, une force qui le soulève vers le ciel. Dans le cas d'un avion motorisé qui n'est pas lâché d'une hauteur mais décolle depuis le sol, c'est l'hélice ou le réacteur qui, en propulsant l'appareil, lui donne cette vitesse qui l'appuie sur l'air comme sur un solide.

Le mécanisme du vol est connu dans ses grandes lignes depuis Aristote. Longtemps des condamnés à mort seront accrochés à des oies ou dotés d'ailes artisanales puis précipités de points élevés pour en tester les modalités ! Au XVIe siècle, l'Anglais Bate introduit en Europe la mode du cerf-volant, empruntée aux Chinois.

C'est avec ce matériel qu'un serrurier du Mans, Besnier, aurait réussi à voler en 1673. Soixante-neuf ans plus tard, le marquis de Bacqueville aurait même parcouru quelque 300 m au-dessus de la Seine, à Paris...

Mais, en 1783, le succès du premier vol d'un ballon à air chaud suscite un tel enthousiasme que les recherches sur les plus lourds que l'air stagnent durant plusieurs décennies. L'Anglais George Cayley met en évidence l'importance de l'aéro-dynamique en 1799 : il prouve qu'un plus lourd que l'air, pour voler, n'a pas besoin de battre des ailes. Une avancée fondamentale qu'il met en pratique cinquante ans plus tard en faisant voler un jeune garçon sous un planeur... L'Allemand Otto Lilienthal poursuit ces travaux en contruisant des planeurs biplans qu'il pilote lui-même.

Cependant, pour qu'il y ait véritablement vol, il faut qu'un appareil soutienne une trajectoire, puisse être dirigé et ne se contente pas de tomber d'une falaise. Bref, il lui faut un moteur ! Le premier à faire décoller un avion est le Français Félix du Temple, en 1874. Clément Ader réussit le même exploit en 1890 mais, comme son prédécesseur, il est incapable de voler.

Les frères Wright sont vraisemblablement les premiers à faire décoller, voler puis atterrir un avion motorisé, le 17 décembre 1903. Six ans plus tard, Blériot traverse la Manche. Dès lors, les progrès seront fulgurants. ∎

PREMIER VOL D'ESSAI RÉUSSI POUR L'A380

Avec l'essor du transport aérien, les aéroports sont saturés et le contrôle de la circulation aérienne approche de sa limite technique. L'une des solutions est d'augmenter la capacité d'accueil des avions commerciaux, qui tournait encore autour de 150 à 400 places dans les années 1980. C'est la réponse offerte par l'Airbus A380, conçu dans un souci d'économie et de désengorgement du trafic aérien. Fleuron de l'industrie aéronautique européenne, l'A380 a réussi son vol d'essai le 27 avril 2005 à partir de l'aéroport de Toulouse-Blagnac. Il peut accueillir jusqu'à 840 passagers pour des trajets de 16 000 km maximum ; le prix du billet est de 17 % inférieur à celui de son concurrent direct, le Boeing 747. Pour réussir ce tour de force, les ingénieurs européens ont dû concevoir un appareil totalement nouveau et non juste la version agrandie d'un appareil préexistant.

L'A380 est, en effet, gigantesque. Par exemple, la surface de son empennage horizontal couvre à elle seule celle de la voilure principale d'un avion moyen courrier comme l'A310. Seuls les avions de transport militaire C-5A Galaxy (américains) et Antonov AN124 et AN125 (russes) sont un peu plus gros – mais aussi beaucoup plus lourds. Pour limiter sa masse, les ingénieurs ont notamment remplacé la plupart des métaux par des matériaux composites et réduit la taille de certaines parties comme l'empennage. Les contraintes mécaniques auxquelles est soumis l'appareil sont un véritable défi car plus un avion est gros, plus il vibre et donc plus il doit être souple pour ne pas rompre. Mais cette souplesse ne peut être augmentée indéfiniment ; aussi, pour éviter que les vibrations des diverses parties de l'appareil entrent en résonance (c'est-à-dire s'ajoutent) et le fassent exploser, un dispositif de contrôle actif engendre des vibrations supplémentaires qui neutralisent les vibrations indésirables – une grande première dans l'aéronautique civile.

▲ Les pièces de l'A380 arrivent d'Espagne, de France, du Royaume-Uni et d'Allemagne jusqu'à la chaîne d'assemblage de Toulouse (la plus grande du monde). Au final, l'avion fait 73 m de long pour 79,80 m d'envergure et 24,10 m de haut.

On pourra bientôt relier
Paris à New York
en une heure

Depuis la fin du Concorde, on ne traverse plus l'Atlantique en quatre heures. Pourtant, cela fait des années que l'on prédit des Paris-Montréal en une heure trente…

Le 20 mai 1927, le pilote américain Charles Lindbergh effectuait sans escale le vol New York-Paris en 33 h 30. Aujourd'hui, un vol commercial long courrier dure typiquement 7 à 8 heures – mais seulement 3 h 26 avec feu le Concorde, dont 2 h 54 de vol à deux fois la vitesse du son. Les compagnies aériennes rêvent de réduire encore ce temps.

Car la course à la vitesse s'est engagée dès les origines de l'aviation. Après la guerre, à une époque où franchir le mur du son (Mach 1, soit 330 m/s dans l'air à 0 °C) relevait chaque fois du défi, on imaginait mal des avions capables de voler au-delà de Mach 5 dans un avenir proche. Pourtant, le dernier record de vitesse, en date du 16 novembre 2004, a permis à l'X43, un prototype d'avion-fusée, de voler à près de 11 000 km/h (Mach 10) – ce qui met, potentiellement, n'importe quel point du globe à moins de 2 heures. Ce vol n'a toutefois duré que 10 secondes, et ce dans la stratosphère (la région de l'atmosphère située entre 12 et 50 km d'altitude, où se trouve la couche d'ozone), que l'X43 a atteinte en décollant fixé à un bombardier B52 puis en étant propulsé jusqu'à 29 km d'altitude par une fusée Pégasus.

Cette vitesse hypersonique, seules les navettes spatiales l'at-teignent régulièrement (l'avion-fusée prototype d'une navette spatiale X15 avait atteint Mach 6,7 et 150 km d'altitude en 1967 !). Cependant, tous ces engins ne peuvent atteindre de telles vitesses en décollant du sol par leurs propres moyens. Parce qu'il est totalement autonome, le SR71, l'avion le plus rapide du monde actuellement, plafonne à Mach 3,5.

Nous ne sommes donc pas près de voyager couramment à plus de Mach 6. De telles vitesses ne peuvent être atteintes, en effet, que dans la stratosphère, où l'air se raréfie et où, par conséquent, l'échauffement dû aux frictions est moindre. Outre qu'il faut actuellement des moyens techniques exorbitants pour atteindre une telle altitude de vol, des vols commerciaux à cette altitude sont impensables car ils endommage-raient la couche d'ozone.

L'X43 a toutefois démontré qu'il pouvait se propulser en extrayant de l'air l'oxygène nécessaire à la combustion de son carburant et en le compri-mant par sa seule vitesse (prin-cipe du statoréacteur). La vali-dation d'une technologie qui évite aux engins spatiaux réuti-lisables du type navette d'avoir à emporter de lourds (et explo-sifs) réservoirs d'oxygène inté-resse l'industrie spatiale. Le programme X43 vise, en fait, à permettre aux États-Unis de mettre en chantier pour 2015 un lanceur de fusée réutilisable, capable de diviser par 100 le prix de l'accès à l'espace et de multi-plier par 10 000 la sécurité des vols. ∎

▲ L'X43, ou Hyper-X. Une fois largué en vol par un B52, ce petit appareil (3,60 m de long pour 1,50 m d'envergure et 1 200 kg) atteint la stratosphère grâce à un propulseur autonome : une fusée aéroportée Pégasus. Il vole alors grâce à un superstatoréacteur, un scramjet, qui brûle du kérosène en puisant l'oxygène de l'air.

LE STATORÉACTEUR

Dès 1913, l'ingénieur René Lorin avait imaginé un dispositif de propulsion par réaction sans aucune pièce mobile, en réduisant le propulseur à un simple tube. Mais son invention arrivait bien trop tôt. En effet, pour que son statoréacteur puisse fonctionner, il fallait (afin d'obtenir la compression nécessaire) que la vitesse de l'air à l'entrée de la tuyère atteigne 200 km/h, ce qu'aucun avion de l'époque n'était en mesure de faire. Il fallut attendre la redécouverte du procédé par René Leduc pour que l'idée prenne corps. Le statoréacteur semblait être le moteur idéal, en particulier pour la conquête des grandes vitesses. Il souffre pourtant d'un défaut majeur : son impossibilité à faire décoller seul un quelconque engin puisqu'il ne fonctionne qu'au-delà de 200 km/h. Un appareil équipé de ce mode de propulsion doit donc nécessairement être largué par un appareil porteur ou équipé d'une propulsion mixte assurant son décollage, ou encore catapulté depuis un chariot spécial. Cela n'est pas gênant lorsque le statoréacteur équipe un missile (lancé par un tube) ou un avion de chasse (dont le coût de fonctionnement, même élevé, n'est pas dissuasif) ; cela le devient pour un avion commercial destiné à transporter des passagers.

On ira tous bientôt dans

Jules Verne en a rêvé, l'Agence spatiale russe puis une société privée américaine l'ont concrétisé : des gens « ordinaires » sont allés contempler la Terre depuis l'espace. Le tourisme spatial est-il pour bientôt ?

Le tourisme spatial a récemment basculé du domaine de la science-fiction dans la réalité. Après Denis Tito, Mark Shuttleworth a séjourné à bord de la Station spatiale internationale en avril 2002. Toutefois, le coût du billet proposé par les Russes (30 millions d'euros), qui utilisent pour le voyage un lanceur Soyouz déjà rentabilisé, reste dissuasif pour le commun des mortels... Peut-on espérer une évolution favorable le mettant à la portée de tous ?

Actuellement, le prix du kilogramme mis en orbite est d'environ 5 000 euros. Au poids du passager, il faut ajouter celui du

▶ *Space Ship One et son avion porteur, White Knight.*

Si on va à la vitesse de la lumière

Comparé à son jumeau resté sur la Terre, celui qui voyage dans son astronef à la vitesse de la lumière ne vieillit pas – c'est le fameux paradoxe des jumeaux, une conséquence de la théorie de la relativité générale d'Albert Einstein, publiée en 1915.

Au début du XXe siècle, de grands noms de la physique et des mathématiques tels que Lorentz, Langevin et Einstein ont clairement démontré une propriété de l'Univers difficile à appréhender pour le sens commun : le temps de même que la vitesse n'ont pas de valeur en soi mais dépendent du point de vue de l'observateur (de son « référentiel »).

Notre expérience quotidienne nous permet néanmoins de comprendre en partie ce concept de relativité aux conséquences révolutionnaires. Imaginez, par exemple, que vous êtes à un bout d'une avenue tandis qu'un ami est à l'autre bout et qu'une voiture

de police, toutes sirènes hurlantes, débouche à ce moment-là. Vous notez que le son de la sirène s'approchant de vous est plus aigu que lorsque la voiture de police passe devant vous, et qu'il devient plus grave à mesure que la voiture s'éloigne de vous (c'est l'effet Doppler-Fizeau, particulièrement perceptible pendant une course de voitures).

Le son est ce qu'il est : la sirène qui l'émet n'a pas changé physiquement et, pour le policier dans la voiture, il est toujours le même. Pourtant, quand la voiture s'approche, vous l'entendez (c'est une réalité physique) plus aigu – la fréquence du son, mesurée, est vraiment plus élevée. Puis quand

la voiture s'éloigne de vous, sa fréquence devient plus basse – mais au même moment, pour votre ami qui est au bout de la rue et pour qui la voiture continue de s'approcher, le son perçu est plus aigu.

Quel est donc le son réel ? La fréquence d'un son étant un nombre de vibrations par seconde, cela signifie-t-il que la seconde – le temps – s'étire ou se contracte selon qu'un objet se déplace d'une façon ou d'une autre ? Et que signifie la notion de simultanéité si deux personnes, au même moment, perçoivent des sons différents issus d'un même objet ?

En fait, tout est une question de référentiels en mouvement. Le

l'espace

scaphandre, de la nourriture, de l'eau et de l'équipement de survie (de 500 kg à 1 tonne). Ce coût concerne la seule participation d'un passager à une mission déjà planifiée. Dans le cas d'un vol exclusivement touristique, il faut ajouter le prix du vaisseau spatial s'il n'est pas réutilisable, de sa maintenance s'il l'est, des équipes au sol et de l'entraînement du candidat astronaute. Les agences spatiales nous promettent cependant une baisse significative de ce montant dans le futur. À l'horizon 2010, le prix du kilogramme en orbite pourrait être divisé par 10, et par 100 en 2025.

Pour hâter l'accès de l'espace au plus grand nombre, le milliardaire Peter Diamandis a ouvert une compétition extraordinaire : l'Ansari X Prize, qui offrait une récompense de 10 millions de dollars à la première équipe privée qui enverrait trois personnes à une altitude de 100 km et pourrait répéter l'opération moins de deux semaines après. C'est la société américaine Scaled Composites, avec l'avion spatial Space Ship One, qui a remporté le prix en avril 2005. Cependant, elle a utilisé une méthode de transport déjà éprouvée : un avion spatial de type navette, emmené jusqu'à 16 km d'altitude par un avion biréacteur classique avant que son moteur-fusée classique ne prenne le relais.

Tous les compétiteurs de l'X-Prize avaient d'ailleurs opté pour un concept d'avion spatial réutilisable. L'avion vainqueur n'est actuellement pas en mesure de rester longtemps en orbite, encore moins de s'amarrer à une quelconque station spatiale : son moteur-fusée de très forte poussée et de courte durée est destiné à la satellisation, pas à des manœuvres orbitales ni au voyage spatial, qui requièrent une poussée plus faible et fonctionnent plus longtemps.

Il apparaît clairement aujourd'hui que la propulsion par fusée, fondée sur la réaction exercée par l'expulsion de gaz brûlés résultant de la combustion de gaz ou de poudres emportés dans des réservoirs volumineux, ne constituera jamais un moyen économique de lancement. Seule une rupture technologique envoyant nos fusées chimiques rejoindre les locomotives à vapeur et les diligences au musée des transports peut y parvenir. ■

on ne vieillit pas

son de base de la sirène est celui que l'on mesure dans son référentiel immobile – celui qu'entend constamment le policier dans la voiture et que vous entendez à l'instant où la voiture passe devant vous. La fréquence du son est modifiée quand l'objet qui l'émet se déplace par rapport à vous (ou encore que son référentiel se déplace par rapport au référentiel de l'observateur). Plus grande est la vitesse de l'objet par rapport à l'observateur, plus la distorsion temporelle observée est importante. À la limite, si sa vitesse approche de la vitesse de la lumière, son temps vous semblera s'écouler infiniment lentement.

Le paradoxe des jumeaux, appelé également « paradoxe du voyageur de Langevin », est similaire : si vous restez sur la Terre alors que votre jumeau parcourt l'espace à très grande vitesse, celui-ci vieillira très lentement par rapport à vous. Pour lui, toutefois, le vieillissement physiologique s'effectuera de façon normale – tout comme le policier dans sa voiture entend le son normal de sa sirène –, mais le temps s'écoulera plus lentement que pour vous. À la vitesse limite de la lumière (la vitesse maximale dans notre Univers), le temps ne s'écoulera plus – et pour le frère resté sur la Terre, son jumeau « luminique » ne vieillira plus. ■

LE PARADOXE DES JUMEAUX VÉRIFIÉ PAR UNE EXPÉRIENCE

En octobre 1971, une vérification spectaculaire du paradoxe des jumeaux a été réalisée. Des horloges atomiques au césium placées à bord d'avions commerciaux à réaction ont été envoyées autour du monde par des vols réguliers partant l'un vers l'ouest et l'autre vers l'est, et leur état a été comparé à celui d'horloges de référence restées à l'Observatoire naval américain. Selon la théorie de la relativité générale d'Einstein qui quantifie ces effets, la courbure de la trajectoire d'espace-temps pour l'horloge liée à la Terre et à son champ gravitationnel est, pour une altitude donnée, moins forte que celle de l'horloge volant vers l'est et plus forte que celle de l'horloge volant vers l'ouest. Or les résultats mesurés ont été parfaitement conformes à la théorie, et il n'y a aucun doute que les voyageurs accompagnant les horloges n'aient subi la même distorsion du temps. Pour ce tour de la Terre complet, les voyageurs volant vers l'ouest ont perdu 273 nanosecondes et ceux qui volaient vers l'est ont gagné 59 nanosecondes durant leur voyage par rapport aux horloges restées à Washington.

La théorie de la relativité générale est aujourd'hui utilisée couramment dans le système de positionnement global (GPS), constitué par un réseau de satellites dans lesquels sont embarquées des horloges ultraprécises. Si l'on ne tenait pas compte du décalage gravitationnel du temps des horloges, les positions calculées seraient fausses de plusieurs kilomètres.

Tous les chemins mènent à Rome

Les vestiges de la civilisation romaine sont encore largement présents dans les paysages européens. Ainsi en est-il des voies romaines qui préfigurent le réseau routier actuel du Vieux Continent.

Le proverbe le dit bien : tous les chemins mènent à Rome. De la Ville éternelle s'élançaient en effet 29 routes vers tous les points de l'Empire romain, qui s'étendait sur toute l'Europe. Ces routes tissaient un réseau de communication tout à fait capable de rivaliser avec le nôtre : il comportait près de 10 000 km de grandes routes (les voies publiques ou *viae publicae*, qui reliaient entre elles les villes et les agglomérations de moyenne importance) et près du double de voies secondaires (les voies vicinales ou *viae vicinales*). À l'origine de sa mise en place se trouvait bien sûr la volonté d'annexer d'autres territoires, et donc la nécessité de pouvoir asseoir rapidement une autorité politique. Mais aussi celle de faciliter la collecte des impôts et d'augmenter la vitesse de circulation de l'information.

Les routes romaines n'ont pas grand-chose à voir avec les sentiers empruntés à pied par les hommes et les animaux. Ces derniers peuvent facilement contourner des obstacles alors que, pour que les attelages de chevaux des chariots romains puissent se déplacer rapidement, les routes sont autant que possible rectilignes et suffisamment larges (au moins 8 pieds, soit près de 3 m). Leur tracé était une véritable prouesse technique, qui nécessitait des mesures topologiques très précises et des aménagements de terrain importants – les virages, par exemple : l'avant-train des chars romains ne pouvant pas pivoter, il fallait aménager des espaces très larges (au moins le double de la largeur habituelle des routes).

Les Romains avaient acquis un tel art dans la construction des routes que les procédés n'ont pas beaucoup varié depuis. Il faut d'abord creuser une fosse de 1 à 2 m de profondeur. Le sol est ensuite nivelé et recouvert d'une couche de pierres afin de faciliter l'écoulement des eaux. Ensuite, une sorte de mortier fait d'une couche de sable et d'un lit de cailloutis vient compléter les interstices. La surface est déjà à peu près lisse, mais parfois la route est complétée d'un dallage. Au final, les routes romaines étaient particulièrement solides, durant largement plusieurs siècles. Après la chute de l'Empire romain, ces voies ont continué à être empruntées par les brigands de grand chemin, les épidémies de peste et les diligences… Certaines ont été utilisées jusque dans les années 1960, comme quelques tronçons de la *via militaris* de Trajan, qui reliait l'Allemagne à Istanbul en suivant le Danube. La plupart des routes européennes et moyen-orientales étaient également des *via salariae* (routes du sel) qui ont perduré jusqu'au XIXe siècle. ■

Les routes romaines

Le tracé d'une route exige une très haute technologie. Comment alors Chinois et Romains ont-ils pu étirer leur réseau routier ?

◀ *Utilisé entre le IIᵉ et le Iᵉʳ siècle avant notre ère, le groma n'était fiable que sur terrain plat et pour de faibles valeurs d'angle.*

L'arpentage était une activité de la plus haute importance pour la construction des routes romaines – en revanche, on en sait peu sur celles de la Chine ancienne. Les Romains ne disposaient en effet ni d'appareils de visée à lunette optique, ni de boussoles pour s'orienter ; pourtant, la précision du tracé de leurs routes nous laisse pantois. Comment faisaient-ils ? Ils recouraient à la corporation des *agrimensors*, littéralement « ceux qui mesurent la terre ». Ceux-ci étaient notamment sollicités lorsque l'armée romaine conquérait de nouveaux territoires : les *agrimensors* arpentaient la terre des

كوكبة الاسد على رؤى السماء

خارج الصورة

◄ *La constellation du Lion, dessinée au XIVᵉ siècle par Abd al-Rahman al-Sufi. Avec onze autres constellations, celle du Lion forme le zodiaque, bande de ciel où se déplacent le Soleil et ses planètes visibles à l'œil nu (Vénus, Mars, Jupiter, Saturne). Le Soleil met un mois pour traverser chacune des douze constellations.*

Avec l'étoile Polaire, impossible de se perdre

De tout temps, les hommes ont su s'orienter dans la journée grâce à la trajectoire apparente du Soleil. Mais comment faisaient-ils la nuit ?

Les marins ont la chance d'avoir l'étoile Polaire : dans le ciel de l'hémisphère Nord, c'est un point fixe qui indique le nord. Il aura fallu les observations des astronomes arabes du VIIᵉ siècle pour établir que les regroupements d'étoiles que sont les constellations tournaient autour de cette étoile, dans le sens inverse des aiguilles d'une montre. Cette bizarrerie s'explique par le fait que ce mouvement observé dans le ciel n'est qu'apparent, puisque c'est bien sûr la Terre qui tourne, effectuant en un jour un tour autour d'un axe qui passe actuellement par l'étoile Polaire. Mais cet axe apparemment fixe aura lui aussi bougé dans quelques milliers d'années. Dans 15 000 ans environ, il passera par Vega… Précisons que, si l'aspect du ciel est le même pour tous les hommes vivant à une même latitude, il change selon que l'on va vers le nord ou vers le sud de l'hémisphère : ainsi, dans le sud de l'hémisphère Nord, l'étoile Polaire semble proche de l'horizon, alors qu'elle s'y confond à l'équateur et se trouve au zénith au nord. À l'inverse, l'étoile Polaire est invisible dans l'hémisphère Sud, où aucune étoile ne semble fixe. Ce qui compliquerait fortement le repérage si une constellation ne définissait une sorte de croix, la croix du Sud, au centre de laquelle passe également l'axe de rotation de la Terre et qui semble pointer vers le pôle Sud céleste. ■

LES CONSTELLATIONS N'EXISTENT PAS !

Nos 88 constellations n'ont pas d'existence réelle : ce ne sont que des regroupements apparents d'étoiles, très éloignées les unes des autres. Elles définissent des figures qui ont toujours su inspirer les hommes : certaines sont universellement évoquées, comme le Scorpion, d'autres varient selon les lieux et les époques. Ainsi, la Grande Ourse est associée en Chine à une louche et à un troupeau de bœufs chez les Romains. Dans l'hémisphère Nord, la nomenclature s'inspire de la mythologie grecque : elle est fondée sur les 48 constellations répertoriées par Ptolémée au IIᵉ siècle de notre ère. Les constellations australes ont été quant à elles observées beaucoup plus récemment, aux XVIIᵉ et XVIIIᵉ siècles. Ces constellations portent en conséquence des noms « modernes » d'oiseaux, d'objets ou d'instruments techniques, scientifiques ou religieux.

ont pas eu besoin de géomètres

vaincus, établissant le cadastre et le tracé des routes. Ils disposaient de moyens extrêmement simples, tels que des perches munies de fils à plomb, qui permettaient de mesurer le terrain horizontalement et de poser les jalons permettant de construire des alignements. Mais les arpenteurs disposaient surtout d'un instrument particulièrement ingénieux, le groma, dont l'usage s'est ensuite étrangement perdu. Le groma était un bâton au bout duquel se trouvait une croix aux branches métalliques perpendiculaires, chacune d'entre elles étant équipée d'un fil à plomb. En positionnant le groma en un point, il était ainsi possible de définir deux axes principaux : le premier (le kardo) se référait au nord géographique, qui était donné par ailleurs par les mesures de l'ombre d'un piquet planté verticalement ; le second (le documanus) était perpendiculaire au premier. Ainsi l'espace était-il découpé en quatre quadrants, d'où l'origine probable du quadrillage des terrains. Ils faisaient ainsi coup double, permettant une cartographie très fine des territoires ainsi que des tracés tout à fait rectilignes… Un savoir-faire antique qui n'a pas grand-chose à envier à celui des topographes modernes. ■

McADAM ET MACADAM

C'est à un Écossais du nom de John McAdam (1756-1836) que l'on doit l'invention du macadam, en 1815. Ce mélange de pierres concassées et de sable qui n'avait plus qu'à être lissé au rouleau compresseur a fait les beaux jours du revêtement des routes dès les années 1830 : il permettait enfin aux diligences de rouler vite (pour l'époque) – à des vitesses moyennes de 15 km/h. Mais le macadam était loin d'être parfait : il s'est avéré particulièrement friable, comme le montraient les épais nuages de poussière dégagés lors du passage des véhicules. Les routes ont commencé à se troter et dès la fin du XIXᵉ siècle, et il a fallu les recouvrir d'un revêtement protecteur composé d'un mélange de substances bitumineuses ou de goudron : l'asphalte était né. Le macadam n'est plus utilisé depuis, même si son nom continue de l'être – à tort. Aujourd'hui, les routes sont constituées d'une couche de graviers recouverte d'une couche de ciment et d'une couche d'asphalte.

La boussole était inconnue des grands navigateurs

Si les navigateurs ont toujours su se diriger par rapport aux constellations, c'est la boussole qui leur a fait découvrir le monde.

▲ *Une feuille de fer magnétisée flotte dans un seau. C'est la première boussole, inventée par les Chinois.*

La boussole, une invention récente ? Ce serait oublier un peu trop facilement que les Chinois avaient découvert les propriétés de la magnétite, la « pierre qui aime le fer », plus de 1 000 ans avant notre ère. Cette pierre, sorte d'aimant naturel, équipait déjà les jonques chinoises qui sillonnaient l'océan Indien. Ainsi que les drakkars des Vikings qui, dès les VIIIe et IXe siècles, s'en servent pour naviguer. En Occident, le tout premier dispositif d'orientation reposant sur ce principe remonte au Xe siècle : c'est la calamite, un roseau creux contenant du fer aimanté et posé sur une petite cuve remplie d'eau.

C'est dès la fin du Moyen Âge que la boussole telle que nous la connaissons aujourd'hui a été inventée, probablement à la suite de la rencontre des Chinois avec les marchands arabes. Depuis, elle n'a pas beaucoup changé : son nom est issu de l'italien *bossola*, petite boîte. Elle est munie d'un couvercle de verre pour la protéger de l'air. À l'intérieur, une aiguille (le barreau), barre de métal aimantée, repose sur un pivot de cuivre. Également nommée compas de mer, elle entraîne une rose des vents, invention arabe qui indique les points cardinaux.

Néanmoins, le fonctionnement de la boussole n'a été compris que plus récemment, lorsque les lois du magnétisme terrestre ont été découvertes, c'est-à-dire au début du XVIIe siècle : la Terre se comporte comme un gigantesque aimant, avec son pôle Nord et son pôle Sud. L'axe de ces deux pôles est presque superposable à l'axe de rotation de la planète. Lorsqu'elle est aimantée (par le frottement d'une pierre d'aimant comme la magnétite), l'aiguille de la boussole obéit à cette attraction et vient se placer dans cet axe magnétique nord-sud. ■

Christophe Colomb n'avait pas la bonne

Colomb, Magellan et Vasco de Gama n'avaient ni cartes précises ni GPS. Cela les a peut-être aidés à découvrir de nouveaux mondes.

Si la carte de Christophe Colomb n'avait pas été fausse, le Nouveau Monde n'aurait pas été découvert si tôt ! Les navigateurs de la Renaissance disposaient, en effet, de cartes basées sur une mauvaise estimation de la circonférence de la Terre et qui mettaient les Indes (l'Amérique) beaucoup plus près des côtes européennes qu'elles ne l'étaient réellement. Ce qui a certainement contribué à motiver Colomb !

La cartographie grecque antique contenait déjà toutes les notions fondamentales de la cartographie moderne : sphéricité de la Terre, mesure des latitudes et longitudes, coordonnées terrestres, systèmes de projection (voir encadré). Les premières cartes avaient été ébauchées en Grèce dès le VIe siècle av. J.-C. par Anaximandre et Hécatée. Elles décrivaient les terres connues et les itinéraires maritimes ou terrestres découverts par les militaires et les marchands autour de la Méditerranée. Les cartes évolueront peu jusqu'aux XIVe et XVe siècles et l'emploi généralisé de la boussole, à l'origine de toute une série de cartes marines simplifiées, les portulans, qui servaient à naviguer de port en port.

Des cartes marines naîtront les cartes terrestres. Cette nouvelle cartographie est l'œuvre de mathématiciens et d'astronomes, la plupart allemands ou flamands, qui proposent d'autres projections pour englober l'ensemble de la Terre. Le plus vieux globe terrestre connu date de 1492. En 1569, Mercator représente le monde connu sur dix-huit projections planes où méridiens et parallèles se coupent à angle droit, mais

◄ *Cette carte, attribuée à Christophe Colomb et datant probablement de 1492, décrit très précisément le contour de l'Afrique de l'Ouest.*

LE **GPS** ET AUTRES SYSTÈMES DE POSITIONNEMENT PAR SATELLITES

Où suis-je ? Quel est le chemin le plus court ou le plus rapide pour aller là où je veux ? Depuis les années 1990, vous pouvez le savoir en temps réel en interrogeant la balise GPS glissée dans votre sac de randonnée ou intégrée au tableau de bord de votre voiture ou bateau. Grâce à un réseau de satellites en basse orbite dans lesquels sont embarquées des horloges ultraprécises, les systèmes de positionnement par satellites permettent, en effet, de connaître une position à quelques mètres près. Comment ? Votre balise note les temps mis pour recevoir les signaux radiopériodiques envoyés simultanément par quatre satellites. Comme les différences de temps mis par les signaux dépendent de votre position par rapport à chacun des satellites, un calcul simple permet d'en déduire celle-ci.

Les systèmes de navigation militaires – le GPS américain (pour *global positioning system*) et le Glonass russe – seront complétés vers 2008 par le système européen civil Galileo, comprenant trente satellites orbitant autour de la Terre à environ 23 600 km d'altitude. Galileo offrira une meilleure précision et une meilleure fiabilité que celles du GPS seul – et un service gratuit pour tous les utilisateurs civils. L'ensemble des systèmes GPS, Glonass et Galileo constituera le Système global de navigation par satellites.

COMMENT FAIRE UNE CARTE ?

La première étape est la détermination de la forme et des dimensions de la Terre ou géoïde, puis des coordonnées géographiques (latitude et longitude) de certains points caractéristiques (points géodésiques) qui serviront de référence aux positions de tous les autres points observés. Mesures de terrain et photographies aériennes et satellitaires permettent de calculer un globe de référence (l'ellipsoïde de référence) qui sert de base aux différents systèmes de projection cartographique.

La deuxième étape consiste à projeter les points de l'ellipsoïde sur un plan – cela revient à tenter de mettre à plat une peau d'orange : c'est impossible sans découper ou déformer la peau. Les cartographes ont donc cherché divers systèmes permettant de conserver une des propriétés de la surface projetée, forcément au détriment des autres. Les projections conformes ne conservent pas les surfaces, c'est pourquoi les terres des hautes latitudes (Groenland) sont démesurées par rapport aux tropiques (l'Afrique). Les projections équivalentes conservent en revanche les rapports des surfaces au prix de quelques déformations des contours.

La dernière étape est le choix de l'échelle, c'est-à-dire du rapport constant existant entre les longueurs mesurées sur la carte et les longueurs mesurées sur le terrain. L'échelle s'exprime par une fraction – telle que 1 : 50 000, qui signifie que 1 mm sur la carte représente 50 000 mm (soit 50 m) sur le terrain. Plus la région du globe terrestre à représenter est vaste, plus l'échelle est petite et moins la carte est détaillée.

carte

dont l'écart entre les parallèles augmente avec la latitude. Cette représentation, dite projection de Mercator, est encore employée pour les cartes marines et certains atlas.

La cartographie géographique moderne dispose de moyens techniques de traitement comme d'investigation infiniment supérieurs, mais les principes géométriques de représentation du monde restent les mêmes. Au début du XXᵉ siècle, elle profite des progrès de la géophysique dans la détermination de l'ellip-

soïde de référence, de l'usage systématique de la photographie dans les traitements graphiques et du développement de l'impression polychrome. À partir de 1930, l'emploi de la photographie aérienne puis de la télédétection par satellite dans les levés de terrain et l'introduction du traitement informatique des données inaugurent une ère nouvelle. ■

Rien de plus simple que de faire du feu

On peut faire du feu en frottant deux cailloux. Tout le monde a essayé. Et tout le monde a échoué. Le feu est facile à créer, encore faut-il maîtriser une technique très particulière !

L'homme sait faire du feu depuis 450 000 ans au moins. À force de tailler ses outils en silex, il se serait aperçu que de petites étincelles surgissaient chaque fois qu'il tapait dessus. Il aurait alors eu l'idée d'utiliser cette propriété singulière pour enflammer du bois…

Pas si simple ! Le silex seul produit bien de petites flammes, mais d'un pouvoir calorifique insuffisant. Il vaut mieux le frotter contre un morceau de minerai de fer (pyrite ou marcassite). Ce frottement produira une flamme chaude qui pourra enflammer une portion d'amadou (de l'amadouvier séché, un champignon qui pousse sur le tronc des arbres). Silex, fer, amadou : voilà le briquet primitif !

Une autre façon de produire du feu consiste à frotter deux morceaux de bois. La chaleur dégagée par le frottement entraînera là aussi l'embrasement d'un morceau d'amadou ou de touffes d'herbes bien sèches. Bien des apprentis Robinson se sont écorché les mains sur ce problème. Ici encore, la technique ne s'invente pas. L'homme préhistorique (si on en croit les observations faites sur les tribus qui pratiquent encore cette méthode) utilisait une sorte d'archet. Il enroulait le fil autour d'un bâton pointu, dont la pointe reposait sur un autre bout de bois. Grâce à l'armature (le manche), qu'il faisait glisser comme un archet sur un violon, le fil entraînait le bâton dans une rotation accélérée. Le frottement sur le bout de bois créait une énergie suffisante pour enflammer l'étoupe. La main qui tenait le bâton était protégée par un morceau de cuir ou un coquillage. Le tout prenait quelques secondes. Quelques secondes que nous serions bien incapables de reproduire, conditionnés que nous sommes à simplement appuyer sur des boutons. ∎

L'électricité date de

L'électricité a révolutionné la vie des hommes. Certes, il nous a fallu des siècles pour lui trouver un usage, mais nous la connaissons depuis l'Antiquité.

La découverte de l'électricité est très ancienne. Dès le VIᵉ siècle av. J.-C., le savant grec Thalès avait remarqué que l'ambre jaune (en grec *elektron*, dont dérivent les mots électron et électricité) attire certains corps légers lorsqu'on le frotte – c'est l'électricité statique. Le magnétisme – force indissociable de la force électrique, comme le montreront les savants modernes – était également connu par les propriétés de la pierre dite d'Héraclée ou de Magnésie, qui constituait les aimants d'alors (la magnétite, d'où le terme magnétisme), comme l'atteste le traité sur l'aimant écrit par Démocrite au IVᵉ siècle av. J.-C.

Si les phénomènes étaient connus, on n'y comprenait en revanche pas grand-chose, et personne ne les reliait encore entre eux ou à d'autres phénomènes naturels comme les éclairs, la foudre ou les aurores boréales.

La révolution industrielle, c'est le charbon

On associe le charbon au décollage industriel du XIXᵉ siècle. Connu depuis la nuit des temps, il a été abandonné à la fin du XXᵉ pour des raisons économiques.

Le charbon est la source d'énergie dont les progrès de l'exploitation ont permis la révolution industrielle du XIXᵉ siècle. Mais son utilisation ne date pas d'hier. Le premier charbon dont l'homme s'est servi est le charbon de bois, issu directement de la combustion (accidentelle ou volontaire) de débris végétaux. On pense qu'*Homo ergaster* (apparu il y a environ 1,8 million d'années en Afrique) s'est rendu compte assez vite qu'une pointe de bois durcie au feu était beaucoup plus dangereuse et vulnérante. Voilà 450 000 ans, la maîtrise du feu a permis d'obtenir de telles pointes plus facilement, ainsi que de se chauffer et de se protéger des fauves. Puis le charbon récolté dans les foyers fut utilisé pour marquer les corps et, bien plus tard (il y a 32 000 dans la grotte Chauvet), pour dessiner sur les parois des cavernes.

Pour le charbon minéral, c'est une autre histoire. Il se présente essentiellement sous trois formes, au pouvoir calorifique croissant : tourbe, lignite et houille. Dans l'état actuel des connaissances, c'est le lignite qui semble être le plus ancien charbon minéral utilisé par l'homme. C'est il y a quelque 73 500 ans, dans l'abri des Canalettes (Larzac), que l'homme de Neandertal s'en est servi comme combustible. Et ce n'était pas par manque de bois, comme l'ont démontré les études paléo-environnementales, mais bien en raison de ses qualités. D'un pouvoir calorifique plus élevé que le bois, plus facile à ramasser (car il affleure dans certaines zones à proximité du site), plus facile à stocker également, brûlant sans flamme, le lignite était le matériau idéal pour faire mijoter les cuissots de renne ! Plus récemment, au néolithique et à l'âge des métaux, c'est la tourbe, d'un pouvoir calorifique médiocre, qui fut le principal substitut du bois.

Puis, les besoins de la population et de la métallurgie augmentant, le lignite et la houille furent exploités, d'abord dans des gisements à ciel ouvert, puis de plus en plus profondément. En France, c'est le XIIIᵉ siècle qui voit les débuts de l'exploitation charbonnière. Le 6 avril 1201, sous Philippe Auguste, est publié

un acte officiel qui concerne des mines du sud-est du territoire, comme Le Creusot (déjà !). C'est au début du XIXᵉ siècle que le charbon devient la principale source d'énergie. Pour le mettre à profit, on invente des machines à vapeur qui équipent ensuite les filatures, puis les trains : c'est la révolution industrielle. Par la suite, le pétrole détrônera le charbon, trop cher à exploiter. ■

LE RENOUVEAU DU CHARBON

D'ici cinquante ans peut-être, nous n'aurons plus une goutte de pétrole. Adieu la voiture, le plastique, les rouges à lèvres provoquants ! À moins que… En 2005, deux entreprises, l'une allemande et l'autre anglaise, ont demandé l'autorisation d'ouvrir chacune… une mine de charbon. Moins dangereux, meilleur marché que le pétrole ou le gaz, devenu très cher, et surtout présent encore en grandes quantités sur la planète, le charbon est revenu à la mode. Ce sont les pays émergents comme la Chine, premier producteur et premier consommateur mondial de charbon, qui sont les responsables de ce renouveau. La Chine, qui est aujourd'hui capable, grâce à une technique de gazéification puis de liquéfaction du charbon, d'obtenir de l'essence et du méthane de houille, extrêmement calorifique : 1 000 m³ de méthane de houille dégagent une chaleur équivalant à 1 tonne de pétrole ! Mais le charbon pollue : sa combustion accentuera l'effet de serre par les abondants rejets de gaz carbonique qu'elle entraîne.

emps modernes

Ce n'est qu'au XVIIᵉ siècle que l'on réussit à produire de l'électricité à volonté grâce aux machines à électricité statique de Guericke et Huygens. On pense alors que l'électricité est une sorte de fluide qui peut être de deux natures : l'électricité vitrée (positive, tirée du frottement du verre) et l'électricité résineuse (négative, tirée du frottement de l'ambre et d'autres résineux). Au XVIIIᵉ siècle, Cavendish et Coulomb échafaudent les premières théories globales.

Cependant, l'électricité produite expérimentalement est encore uniquement statique. Il faudra attendre 1800 et la mise au point de la pile électrique par Alessandro Volta (voir encadré) pour que l'on puisse obtenir des courants électriques : c'est l'électricité dynamique. La pile Volta révolutionne ce domaine de la physique, donnant lieu à des lois rigoureuses établies parallèlement par Ampère et Ohm. En 1873, Maxwell explique enfin que les charges électriques fixes sont responsables de l'électricité statique tandis que les charges électriques mobiles (le courant électrique) engendrent les phénomènes magnétiques. Une révolution. ■

Les Grecs ont inventé l'atome

Les Grecs connaissaient empiriquement la nature atomique de la matière – qui ne fut décrite qu'au XIXe siècle.

Selon la légende, c'est au bord d'une plage que le philosophe grec Démocrite émit, au Ve siècle av. J.-C., l'idée qui fonde toute la physique de la matière d'aujourd'hui. Démocrite se serait demandé si l'eau ne pouvait pas être subdivisée en gouttes de plus en plus petites, des « grains » d'eau similaires aux grains de sable qu'il avait observés. Et aurait alors émis l'idée que la matière pouvait être caractérisée par une entité ultime, l'atome (en grec, « qui ne peut être coupé »). La légende est belle mais quelque peu inexacte, car Démocrite n'avait pas l'ambition d'étudier la matière : il philosophait sur la nature du vide pour en exclure les dieux ! Car s'il y a du vide, il y a des espaces où Dieu n'est pas… et si Dieu n'est pas partout, il n'est pas vraiment Dieu non plus. Qui aurait créé le vide ? D'ailleurs, sa conception des atomes est très fantaisiste : ceux de l'eau sont ronds, tandis ceux du feu ont les bords tranchants, par exemple.

Mais le mot atome est lancé, et il donnera même lieu au courant philosophique des atomistes, comprenant Lucrèce et Épicure. Près de 2 500 ans s'écouleront avant que la physique ne le remette au goût du jour. C'est un chimiste anglais, John Dalton, qui établira un semblant de démonstration au début du XIXe siècle en montrant que certains composés sont constitués d'éléments plus simples, qu'il fait ressembler à des boules de billard miniatures. Puis, en 1897, Joseph John Thomson découvre que les atomes contiennent des électrons, qu'il imagine comme des raisins de Corinthe dans une sorte de plum-pudding… Quelques années plus tard, en 1919, un savant anglais, Ernest Rutherford, observe, en projetant des particules sur une feuille d'or, que certaines d'entre elles traversent la feuille, tandis que d'autres sont renvoyées. Ce qui prouve que la feuille d'or est constituée d'atomes (là où les particules sont renvoyées) espacés de vide (là où les particules traversent). Il définit un modèle atomique semblable au système solaire, l'atome étant un soleil autour duquel les électrons et les protons gravitent comme des planètes, modèle que mettra vite à mal la mécanique quantique. Par ailleurs, les physiciens ne sont pas au bout de leurs découvertes sur la structure atomique : dans les années 1930, James Chadwick met en évidence la nature du neutron, constituant neutre du noyau. À la fin des années 1960, les physiciens ont découvert que les particules étaient constituées d'objets encore plus petits : les quarks. Et espèrent aujourd'hui débusquer le mystérieux boson de Higgs, particule définie par le modèle standard de la physique des particules élémentaires. ■

L'homme

Le XXe siècle a été sans conteste celui du nucléaire. À la base de cette industrie se trouve une propriété physique de certains éléments : la radioactivité.

DES ÉQUIPEMENTS GIGANTESQUES POUR TRAQUER L'INFINIMENT PETIT

C'est en renouvelant en quelque sorte l'expérience de Rutherford que les physiciens peuvent aller de plus en plus loin dans la compréhension de l'atome. En étudiant les collisions entre particules, ils peuvent établir la structure de l'infiniment petit. Et, pour ce faire, ils doivent construire des accélérateurs de particules, c'est-à-dire des machines couvrant de très longues distances afin de pouvoir conférer beaucoup de vitesse aux particules… Ainsi en est-il des diverses expériences menées dans le futur LHC *(large hadron collider)*, en cours d'installation à Genève, dans un tunnel de 27 km de long, et qui devrait être opérationnel dès avril 2007. Pourquoi déployer tant d'énergie ? Pour augmenter d'autant la masse des particules qu'ils collisionnent, ainsi que le démontre l'équivalent masse-énergie de la célèbre équation d'Einstein $E = mc^2$. Les physiciens espèrent notamment trouver le boson de Higgs dont la théorie dite du modèle standard (qui régit toute la physique des particules) postule l'existence mais qui n'a encore jamais été observé. Cette mystérieuse particule serait à l'origine de la masse de toutes les particules… et donc de l'Univers.

...réé la radioactivité

La radioactivité des éléments n'est pas le résultat de manipulations complexes. Si elle peut être créée de façon artificielle par des bombardements d'atomes, c'est avant tout un phénomène naturel découvert il y a un peu plus de cent ans. C'est en 1896, en observant des sels d'uranium, que le physicien français Henri Becquerel découvre un drôle de rayonnement. Lorsqu'il pose ces sels sur une plaque photographique recouverte de feuilles de papier noir, il observe que la plaque est impressionnée. Au début, il pense que c'est un effet dû à la phosphorescence des sels d'uranium exposés au soleil. Alors il recommence son expérience sans exposer les sels à la lumière, et, comme le résultat est le même, il en déduit que ce rayonnement est d'une autre nature. Pierre et Marie Curie sont très intéressés par ces rayons dits « uraniques », et ils découvriront peu après que d'autres composés sont doués de cette propriété. Ces composés sont en fait des isotopes de minéraux à noyaux lourds, c'est-à-dire qu'ils ne se distinguent que par le fait qu'ils possèdent un nombre différent de neutrons. Par exemple, le carbone courant, ou carbone 12, possède 6 neutrons et 6 protons. L'un de

◀ *Marie Sklodowska Curie (1867-1934) dans son laboratoire parisien du V* arrondissement, qui se visite tous les jours. Marie Curie est entrée au Panthéon en 1995.*

ses isotopes, le carbone 14, contient toujours 6 protons, mais 8 neutrons. Comme il n'est pas stable, il émet spontanément des radiations pour tenter de retrouver cette stabilité : c'est ainsi qu'il est qualifié de radioactif. Ces radiations sont constituées de particules, plus précisément de particules alpha (neutrons et protons), de particules bêta (électrons) et de rayonnement gamma (semblable aux rayons X). Au bout d'un certain temps, du fait de ces radiations, les atomes se désintègrent, ce qui permet par exemple de les dater. La découverte de la radioactivité naturelle a suscité beaucoup d'enthousiasme chez les chercheurs, qui se promenaient toujours avec des composés radioactifs dans leurs poches et qui ne tardèrent pas à en constater les effets sur leur propre corps : provoquant brûlures et croûtes, ces composés radioactifs allaient bientôt trouver des applications en médecine. Mais le fait que cette radioactivité soit naturelle la rendait difficilement exploitable par l'industrie. Aussi l'ère du nucléaire ne s'ouvre-t-elle qu'en 1934, quand la propre fille de Marie Curie, Irène, et son mari, Frédéric Joliot, mirent au point le premier radioélément artificiel, le phosphore 30. Et que fut inventé le cyclotron, qui permet de créer des radioéléments artificiels… ∎

RADON ET POLLUTION

En 2003, en France, 12 % des 13 000 établissements contrôlés, c'est-à-dire des établissements dans lequels un laboratoire certifié par l'État a mesuré le taux de radon ambiant, avaient des taux de radon supérieurs à la norme (400 Bq/m³), ce qui a déclenché une véritable alerte à la pollution au radon. En effet, le radon est le deuxième facteur de risque de cancer du poumon après le tabac. Or ce gaz a une fâcheuse tendance à s'accumuler dans les locaux d'habitation. Pourtant, il existe naturellement et les hommes en respirent depuis toujours. Il est même en grande partie responsable de la radioactivité naturelle. Produit par la désintégration du radium 226, qui résulte lui-même de la dégradation de l'uranium 238, il est inégalement réparti dans les différents constituants du sol : les roches comme le granite en contiennent davantage que les sols sédimentaires. Au Québec, c'est la région d'Oka qui connaît le taux le plus élevé de radon, avec une concentration de 10 500 Bq/m³ dans une seule zone. Au total, la quantité de radon présente dans l'écorce terrestre est évaluée à 30 millions de tonnes, les concentrations locales variant suivant les régions selon la teneur du sol en uranium, les conditions météorologiques ou les conditions d'habitation (rez-de-chaussée ou étage..). Mais, lorsque le radon contamine une maison, les personnes exposées n'ont pour l'instant guère d'autre solution que de déménager.

LA RADIOACTIVITÉ AU SERVICE DE LA DATATION

Il est possible d'évaluer l'âge de la Terre grâce aux radioéléments que certaines roches contiennent. Lors de leur formation, ces roches ont incorporé un composé radioactif, comme l'uranium 238, qui se dégrade avec le temps. Ainsi, le rapport entre l'isotope radioactif (238 U) et l'isotope engendré par sa dégradation (du plomb par exemple) devenant de plus en plus petit au fil des siècles, il donne une indication de l'âge des roches : c'est la datation isotopique.
Autre méthode : toutes les matières emmagasinent la radioactivité présente dans l'atmosphère, une radioactivité qui se reflète par la quantité de lumière émise par le vestige lorsqu'on chauffe celui-ci à 500 °C. Plus le vestige est ancien, plus il a accumulé de radioactivité, et plus il brille lorsqu'on le chauffe : c'est ce qu'on appelle la datation par thermoluminescence.
Enfin, la célèbre méthode de datation au carbone 14 repose elle aussi sur la radioactivité : le carbone entre en effet dans la composition de toutes les matières vivantes (homme, plante, animal) ; une petite partie, le carbone 14, est radioactive. Avec le temps, ce carbone perd sa radioactivité et redevient « normal ». Ces méthodes ont cependant des limites : la thermoluminescence ne date que les pierres de foyer et les poteries de moins de 10 000 ans ; quant à la méthode du carbone 14, elle ne s'applique qu'aux matières organiques (os...) de moins de 50 000 ans.

Les alchimistes ont réussi à changer le plomb en or

À la recherche de la pierre philosophale, les alchimistes prétendaient changer le plomb en or. Il leur manqua juste un peu d'énergie…

On dit que certains alchimistes sont parvenus à changer du plomb en or. Si cela est vrai (mais personne n'en a vraiment la preuve), ils n'ont pas grand-chose à envier aux physiciens d'aujourd'hui ! Comment les alchimistes du Moyen Âge pouvaient-ils seulement émettre cette idée alors que la structure de la matière n'était même pas connue ? Avaient-ils la connaissance infuse de ce qui ne sera établi qu'au milieu du XIXe siècle, à savoir la classification périodique des éléments ? Personne ne le sait. En tout cas, ce qui est sûr, c'est que la transmutation du plomb en or est physiquement loin d'être une simple lubie. C'est au chimiste russe Dimitri Mendeleïev que l'on doit l'établissement d'une classification périodique des éléments chimiques, orga-nisés selon leurs poids atomiques, c'est à dire selon le nombre d'électrons et de nucléons qu'ils contiennent. Ainsi, le noyau de plomb est constitué de 208 nucléons (82 protons et 126 neutrons), alors que celui de l'or est constitué de 197 nucléons (79 protons et 118 neutrons). En bombardant une cible de plomb avec un faisceau d'atomes de carbone, par exemple, on peut tout à fait espérer arracher les 3 pro-tons et 8 neutrons du noyau de plomb et ainsi obtenir de l'or par transmutation du plomb. Ce n'est bien sûr pas réalisable dans un salon. Il faut pour cela au moins un accélérateur d'ions lourds, tel que le Ganil (Grand accé-lérateur national d'ions lourds), en service depuis 1983 en France. Il faut aussi beaucoup de patience. Car il faut compter plusieurs années de bombardement intensif pour obtenir 1 g d'or à partir d'un morceau de plomb, et à 2 000 euros l'heure (coût horaire de fonc-tionnement du Ganil en 2005), cela fait cher du gramme ! ■

▲ *Représentée par le peintre Stradanus en 1570, l'alchimie est une science traditionnelle comme l'astrologie. Matérielle, artistique et spirituelle, elle étudie les liens entre les métaux, la vie et l'âme. On peut la considérer comme le précurseur de la chimie.*

L'énergie inépuisable es

L'homme rêve depuis toujours d'une énergie abondante, inépuisable et bon marché. Un mythe que le réacteur Iter permettra peut-être de matérialiser.

LA FUSION FROIDE : L'EXPÉRIENCE DE PONS ET FLEISCHMANN

▲ *1ʳᵉ étape. Le courant électrique dissocie les molécules d'eau lourde (1) (une eau enrichie en oxyde de deutérium) en deutérium et en oxygène. Les noyaux de deutérium (positifs) sont attirés par la catode en palladium (2), où ils s'accumulent.*

▲ *2ᵉ étape. Les noyaux de deutérium (3) se faufilent dans les interstices entre les atomes de palladium (4) (A) et s'y accumulent (B). Ainsi rapprochés, ils finissent par fusionner deux à deux pour donner un noyau d'hélium (5) (C).*

un mythe

La réaction nucléaire appelée fusion consiste à transformer un élément chimique en un autre, plus lourd, par fusion des noyaux atomiques – par exemple, l'hydrogène en hélium ou le plomb en or. Ces réactions ont naturellement lieu au cœur des étoiles, qui synthétisent tout au long de leur vie tous les éléments chimiques existant dans la nature à partir du plus simple, l'hydrogène, dans des conditions de température et de pression extrêmes.

Au moyen de ses réacteurs nucléaires et de ses accélérateurs de particules, l'homme est parvenu à créer des conditions permettant de défaire l'assemblage rigoureux des protons et neutrons dans le noyau des atomes et de le reconstituer différemment. C'est ainsi que les physiciens ont fabriqué du deutérium et de l'hélium à partir de l'hydrogène, mais aussi toutes sortes de nouveaux noyaux jusqu'alors inconnus sur terre.

Ces réactions ne sont toutefois obtenues qu'au prix de dépenses énergétiques considérables. Or le rêve des alchimistes était de réussir la transformation des éléments dans leurs chaudrons à température ordinaire et non stellaire !

La fusion de deux noyaux est difficile : en effet, comme les noyaux (du fait de la présence des protons) sont tous de charge électrique positive, ils se repoussent dès qu'on essaie de les rapprocher. (En revanche, une fois cette répulsion vaincue, les forces nucléaires, attractives, favorisent la fusion.) Le choc des noyaux à très grande énergie – dans les accélérateurs de particules – ou une température de millions de degrés – au sein des réacteurs à fusion comme le futur Iter (*International thermonuclear experimental reactor*) – permet de vaincre cette répulsion, mais celle-ci est théoriquement rédhibitoire à température ordinaire.

Depuis quinze ans, plusieurs expériences tentent néanmoins de réaliser ce rêve, car l'obtention d'une telle fusion froide offrirait à l'humanité une source d'énergie quasi inépuisable. La plus médiatisée (et la plus controversée) de ces expériences est sans doute celle de Pons et Fleischmann (voir schéma ci-contre). Elle a cependant éveillé l'intérêt de nombreux scientifiques qui n'ont eu de cesse de mettre au point des expériences similaires mais, cette fois, reproductibles et aux résultats indubitables. Pour englober ces recherches, un nouveau terme, moins sulfureux qu'« alchimie » et moins médiatisé que « fusion froide », a tout de même été créé : la science nucléaire de la matière condensée. ■

LA FUSION NUCLÉAIRE À FROID ?

En 1989 deux chimistes, l'Américain Stanley Pons et l'Anglais Martin Fleischmann, annoncent avoir transformé du deutérium (un isotope de l'hydrogène) en hélium à température ordinaire. Cette « fusion froide » aurait été obtenue en comprimant le deutérium à l'intérieur d'une électrode poreuse en palladium. La réaction produisit environ 10 W de courant par centimètre cube de palladium, soit de 2 à 400 % plus d'énergie qu'on n'en fournissait au système. Elle produisit aussi un peu d'hélium – beaucoup plus que n'en pouvait céder l'environnement, ce qui corrobore l'hypothèse d'une fusion d'atomes. Par ailleurs, la production de cet hélium était directement liée à la production de chaleur.

Hélas ! leur expérience n'a pas été strictement reproductible tout de suite, ce qui est inacceptable pour la science officielle. En effet, la réaction fonctionne avec certains types d'électrodes de palladium et pas avec d'autres, sans qu'on s'explique vraiment pourquoi. Depuis dix ans, des expériences similaires en Italie, en France, au Japon et aux États-Unis ont aussi produit de la chaleur, de l'hélium, des neutrons ou d'autres éléments chimiques absents au début de l'expérience. Mais tous soulignent le caractère transitoire et rare du phénomène.

QU'EST-CE QU'UN ÉLÉMENT CHIMIQUE ?

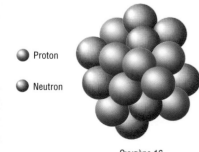

● Proton
● Neutron

Oxygène 16

Un élément chimique est une famille d'atomes ayant tous le même nombre de protons (de grosses particules positives) dans leur noyau. Par exemple, l'oxygène est l'élément chimique dont le noyau comporte 8 protons. Le nombre de neutrons présents dans le noyau peut varier – on parle alors des isotopes de l'élément chimique trouvé dans la nature. Ainsi, la forme la plus courante de l'oxygène comporte 8 protons et 8 neutrons (O_{16}) mais il existe aussi dans la nature de l'oxygène 17 (8 protons, 9 neutrons).

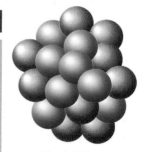

Oxygène 17

Quel avenir pour les énergies renouvelables ?

À mesure que l'on puise dans les réserves, le pétrole et le gaz se raréfient. Et ce qui est rare est cher, alors que toute notre civilisation est fondée sur les combustibles fossiles. Dans un avenir proche, il va donc nous falloir moins consommer et nous tourner vers d'autres sources d'énergie. Il y a deux siècles et demi, le charbon, jusque-là dénigré, est devenu compétitif parce que le bois, alors très rare en Europe, avait atteint des prix exorbitants. Ce passage d'une source d'énergie à une autre déclencha la révolution industrielle. Gageons que celui auquel nous serons confrontés provoquera la même effervescence technologique et économique...

Le retour d[u

Le processus de fission étant d'un point de vue énergétique très rentable, le coût de l'électricité nucléaire est très faible : moins de 20 centimes le kilowatt. Cependant, il ne prend pas véritablement en compte le coût réel du retraitement des déchets nucléaires – les produits de la fission de l'uranium, brûlants et très radioactifs, sont en effet en partie recyclés en nouveaux combustibles ou entreposés dans des sites sécurisés, car on ne sait toujours pas quoi en faire.

Le second problème urgent de l'énergie nucléaire est son obsolescence. Si les stocks

L'énergie de l'atome pour remplacer le pétrole et le charbon ?

Le nucléaire a deux visages : une face sombre avec les bombes, des accidents comme ceux de Tchernobyl et de Three Mile Island, des effets délétères sur la santé (mutations et cancers) ; et une face claire avec la médecine nucléaire, l'imagerie médicale, la production d'une énergie abondante et bon marché.

C'est ce dernier aspect qui a conduit la France à décider au début des années 1980, à la suite de deux chocs pétroliers successifs ayant enchéri le prix du baril de brut, de se libérer de la contrainte pétrolière. Le gouvernement français pencha donc pour la solution nucléaire : la technologie était quasiment maîtrisée et l'approvisionnement en uranium, moins difficile. Le nucléaire assure aujourd'hui 78 % de notre production d'électricité.

L'énergie nucléaire est tirée de la fission des gros noyaux d'uranium en noyaux d'éléments chimiques plus légers, ce qui libère l'énergie de cohésion du noyau sous forme de chaleur et de particules (radioactives). Dans une bombe, cette énergie non contrôlée a détruit Hiroshima et Nagasaki en août 1945. Dans une centrale nucléaire, en revanche, des barres de graphite absorbent, selon les besoins, les neutrons qui entretiennent les réactions en chaîne de fission de l'uranium pour que ces dernières ne s'emballent pas. La chaleur de la fission est récupérée hors du réacteur par des fluides caloporteurs (eau et parfois sodium liquide) afin de générer, de façon classique, de la vapeur qui produira de l'électricité en actionnant une turbine.

La fusion, l'avenir d[

À beaucoup plus long terme, la seule façon satisfaisante de remplacer la fission nucléaire pour produire une grande quantité d'énergie est la fusion contrôlée. Les nations industrielles en ont pris tardivement conscience, et la fusion contrôlée n'en est encore qu'au stade expérimental.

Recréer les conditions de température et de pression régnant au cœur des étoiles pour obliger des atomes à fusionner (ce qui dégage une énergie exceptionnelle, comme en témoignent les bombes à hydrogène) est en effet une gageure. Peut-être le programme Iter parviendra-t-il au but.

hénix

d'uranium ne sont pas éternels, l'approvisionnement est encore assuré pour 70 à 210 ans environ. En revanche, le parc nucléaire français, construit dans les années 1980, était conçu pour durer 30 ans et sera totalement obsolète à partir de 2020.

Mais la décision du tout-nucléaire a engagé la France dans une voie finalement étroite. Peut-on – et doit-on – en sortir ? À court terme, on pourrait prolonger la vie du parc actuel une dizaine d'années encore et y introduire progressivement des réacteurs à eau pressurisée, censés être plus propres et diviser par dix le risque d'accident grave. À moyen terme, les surgénérateurs représentent une évolution plus importante. Le premier du genre, le réacteur expérimental Superphénix, a été arrêté en 1998 parce qu'on le jugeait trop peu fiable. Pourtant, ces surgénérateurs, qui fabriquent de l'énergie à partir de thorium ou d'uranium 238 – beaucoup plus abondant que l'uranium 235 des centrales classiques – et, surtout, le régénèrent en partie, semblent la solution idéale à l'échelle de deux générations.

◀ La centrale nucléaire de Cattenom, en Moselle. 80 % de la production française d'électricité est d'origine nucléaire.

ucléaire

Mais il existe d'autres pistes : la fusion froide, théoriquement possible, observée une fois en laboratoire au cours d'une expérience que les scientifiques du monde entier peinent à reconduire ; et la sonoluminescence (à l'intérieur des bulles de gaz générées dans un liquide par des ultrasons, la température dépasserait le million de degrés Celsius durant un temps très bref, lorsque ces bulles se contractent avant d'exploser), pour laquelle le département américain de la Défense a débloqué des crédits importants. En attendant, seules les énergies renouvelables ont un potentiel de développement très important.

▶ La force de l'eau a été la première source d'énergie en Europe jusqu'à l'invention de la machine à vapeur.

Mieux exploiter la force de l'eau…

Le vent et l'eau sont les sources d'énergie renouvelable les plus anciennement employées. En assurant 18 % de la production d'électricité dans le monde en 1994, les centrales hydroélectriques (qui tirent leur énergie de la chute sur une turbine de l'eau retenue par un barrage) sont la principale filière de production mondiale d'électricité de masse. En Europe, toutefois, où il ne reste plus que trois rivières libres, le potentiel maximal de l'hydroélectricité est presque atteint. La France a ainsi exploité plus de 90 % de sa capacité. Dans les pays en développement, en revanche, seul 20 % du potentiel hydroélectrique est utilisé. Pour autant, les investissements sont très lourds et ne sont rentables que sur 15 à 30 ans. Et la construction de barrages n'est pas sans conséquences sur l'environnement. L'avenir de l'hydro-électricité est donc pour l'instant assez flou.

En revanche, l'énergie marémotrice, qui utilise l'action des marées lunaires sur le niveau des océans, reste à développer. Elle est utilisable quand l'amplitude du mouvement moyen du niveau des océans dépasse 5 m (en France, cela représente un potentiel annuel de 15 GW – gigawatts ou milliards de watts). En théorie, l'énergie des courants marins, de la houle et des vagues est également exploitable, mais son utilisation est encore du domaine de la recherche.

▼ Le barrage d'Ice Harbor, sur la Snake River, dans l'Idaho (États-Unis). En 2001, un tribunal fédéral a déclaré que les barrages construits sur cette rivière ne répondaient pas aux critères de la loi « Eau propre ».

… et celle du vent

L'énergie du vent, très employée avant l'ère industrielle, a d'abord été convertie en énergie mécanique par les moulins. Aujourd'hui, dans certaines conditions, et quand le vent souffle entre 20 et 60 km/h (au-delà, il faut les freiner !), les éoliennes produisent de l'électricité avec un rendement de 40 à 50 % qui les place au niveau des sources d'électricité conventionnelles. La capacité de production éolienne augmente d'ailleurs de 30 % par an dans le monde depuis dix ans. Pourtant, en France, où la première éolienne a été opérationnelle dès 1993, le parc ne produit que 389 MW – 42 fois moins qu'en Allemagne – alors que le potentiel éolien marin français est estimé à 40 GW (l'équivalent de 30 réacteurs nucléaires), un peu moins pour l'éolien terrestre (30 GW). Pour rattraper (un peu) son retard, la France prévoit notamment un projet d'éoliennes en mer de 500 MW dont la production pourrait démarrer avant 2007. D'ici 2010, la France devrait en théorie accueillir également sur son sol 10 000 éoliennes (une tous les 30 km, en moyenne), soit une puissance totale de 4 GW – une manière d'arriver aux 21 % d'énergies renouvelables demandées par l'Union européenne.

Un objectif d'autant plus difficile à atteindre que les éoliennes ont mauvaise réputation. On dit qu'elles font du bruit : néanmoins, à 300 m d'une habitation (distance réglementaire d'implantation), le bruit n'est plus que de 45dB, soit le volume d'une rue tranquille. Plus près, sous un vent de moins de 29 km/h, le bruit est faible ; à plus de 29 km/h, le son du vent couvre celui des éoliennes. Les constructeurs ont par ailleurs déjà fortement réduit les bruits mécaniques et les vibrations par une meilleure isolation phonique et des engrenages adaptés. Et avec trois pales au lieu de deux, une éolienne est bien plus silencieuse. En outre, une étude européenne montre que la sensation de bruit n'est pas corrélée avec le niveau de bruit réel.

On dit aussi que les éoliennes gâchent le paysage. Il est vrai qu'elles ont besoin de beaucoup de place et que leur aspect ne fait pas l'unanimité. Mais soulignons au moins que les terrains occupés restent utilisables à 99 % par l'agriculture. Enfin, les éoliennes seraient des tueuses d'oiseaux. Certes, mais, pour limiter cette mortalité, il suffit de ne pas placer les éoliennes sur des falaises où les oiseaux de proie profitent des courants ascendants – comme en Californie, où le parc éolien tue 8 000 oiseaux par an, dont 1 300 aigles royaux. Et d'éviter les zones de passages migratoires comme les parages de Gibraltar : les sédentaires s'accoutument aux éoliennes, mais les migrateurs se font prendre au piège.

En définitive, le handicap principal de l'énergie éolienne est de ne pouvoir être stockée (comme toute forme d'énergie) et de dépendre… des humeurs du vent.

L'énergie solaire idéale pour les petites communautés

L'énergie du Soleil est directement exploitée par les centrales solaires, d'une puissance de 1 à 10 MW, telles que la centrale thermique Thémis d'Odeillo, dans les Pyrénées-Orientales. Une centrale de ce type concentre la lumière solaire pour chauffer de l'eau ou un autre liquide caloporteur et le convertir en électricité via une turbine à vapeur. Il existe, en outre, une panoplie de capteurs solaires thermiques qui fournissent de l'eau chaude à température moyenne (de 90 à 200 °C) mais aussi du froid (et donc permettent de climatiser), qui dessalent l'eau de mer, etc.

L'énergie solaire peut être également directement convertie en électricité par des capteurs solaires : la lumière qui frappe une cellule photovoltaïque y crée des électrons qui sont collectés vers une électrode pour produire du courant. Mais le rendement de telles cellules est très faible : 15 à 18 %. Un rendement encore

Capter la chaleur de la Terre

▲ *Islande, péninsule de Reykjanes. Le Blue Lagoon est un lac artificiel alimenté par le surplus d'eau de la centrale géothermique de Svartsengi. Captée à 2 000 m sous terre, l'eau, portée à 240 °C par le magma en fusion, est encore à 70 °C quand elle atteint la surface, où elle sert à chauffer les villes voisines. La géothermie couvre aujourd'hui les besoins énergétiques de 85 % des Islandais.*

En France, les applications de la géothermie se sont jusqu'à présent limitées à l'exploitation des sources thermales, car leurs eaux chaudes sont très souvent acides – donc corrosives – et très minéralisées ; il faut les traiter et les refroidir avant de les utiliser pour le chauffage central.

Un souci épargné par la géothermie profonde, qui permet de capter la chaleur produite par la Terre (à 45 km de profondeur, il fait en moyenne 1 000 °C !) en injectant de l'eau dans le sous-sol, où elle se réchauffe, puis en la récupérant rapidement en surface.

Le premier essai d'exploitation de cette énergie a démarré à Soultz, en Alsace, afin d'en évaluer la faisabilité technique et le coût. Or le potentiel géothermique du sous-sol français (30 000 km²) est énorme ; si l'expérience est concluante, l'exploitation de 5 % seulement du sous-sol produirait l'équivalent en énergie d'une dizaine de centrales nucléaires.

diminué par l'obligation de relier les panneaux à des batteries, où les pertes sont nombreuses, pour pallier l'absence de production au cours de la nuit. Rien d'étonnant, donc, à ce que l'énergie photovoltaïque ne fournisse aujourd'hui que 0,01 % de l'électricité mondiale, contre 17 % pour le nucléaire et 38 % pour le charbon, mais sa demande croît de 30 % par an. Selon les projections, l'énergie solaire devrait tout de même devenir compétitive vers 2020 en Europe (dès 2010 au Japon, à la politique plus volontariste), mais elle ne représentera pourtant qu'une part infime de la production totale d'énergie.

À l'échelle de l'individu, toutefois, l'énergie solaire s'avère une solution intéressante pour les personnes vivant en maison individuelle. La pose de panneaux solaires sur une toiture existante est assez simple et, en Europe, l'électricité excédentaire est réinjectée dans le réseau électrique et rachetée par les opérateurs (dont EDF en France). En théorie, car seules les régions très ensoleillées toute l'année peuvent offrir cette perspective. Il en est autrement du solaire thermique, nouveau nom du chauffage solaire : relié à un gros ballon d'eau chaude, ce système de chauffage direct de l'eau par le Soleil – sur le toit – remplace en été la chaudière traditionnelle, même à la latitude de Bruxelles.

▲ *Fabriquer du méthane en mettant les bouses de vache à fermenter est une source potentielle d'énergie très importante compte tenu du cheptel bovin planétaire. Mais ce n'est pas une énergie strictement renouvelable, car élever des vaches est une activité fortement consommatrice de pétrole.*

Le bois, énergie du futur ?

Le charbon, moteur de la révolution industrielle, a été utilisé lorsque le bois est devenu trop cher. Nos ancêtres se chauffant au bois depuis la nuit des temps, il n'y avait en Europe, dans la seconde moitié du XVIIIᵉ siècle, plus une seule forêt exploitable ! Depuis lors, les forêts ont recouvré leur superficie et, en France au moins, l'ont même dépassée. La bonne gestion de ces forêts fait que les coupes sont toujours, en volume comme en surface, inférieures aux surfaces replantées. Pourquoi alors ne pas brûler le bois comme par le passé ? C'est écologiquement correct, dans la mesure où le carbone émis dans l'atmosphère lors de la combustion correspond exactement à celui qu'a emmagasiné le bois lors de sa croissance. D'autre part, poêles, inserts et fourneaux à bois atteignent de nos jours des rendements approchant les 90 %, contre 30 à 60 % pour les cheminées à foyer ouvert. Alimentés par des bûches – bien sèches ou, mieux, des granulés de bois (sciure compactée) –, ces appareils peuvent chauffer des maisons de plain-pied pour un coût deux à quatre fois inférieur à celui du gaz naturel – qui n'est absolument pas renouvelable.

On est envahi d'ondes

Depuis la seconde moitié du XIXᵉ siècle, les ondes électromagnétiques ont envahi notre espace et sont devenues partie intégrante de notre vie quotidienne. Cependant, la multiplication récente des appareils communicants risque de saturer les réseaux et pose le problème de leur innocuité.

▲ Les toits couverts d'antennes et de paraboles sont des éléments du paysage urbain. Mais la saturation est proche, et les craintes pour la santé grandissent.

En 1864, James Maxwell établit les quatre équations qui décrivent les ondes électromagnétiques, leurs propriétés et leur évolution dans le temps. Vingt-trois ans plus tard, Heinrich Hertz démontra leur validité en produisant artificiellement des ondes radio. Nous baignions déjà dans ces ondes sans le savoir : la lumière, la chaleur, les rayons qui nous font bronzer sont autant d'ondes électromagnétiques. Après Maxwell et Hertz, les ondes électromagnétiques d'origine artificielle envahirent notre quotidien parce qu'elles véhiculent de l'information à la vitesse de la lumière : d'abord des mots avec le télégraphe sans fil (1895), puis des sons avec la radio (1906), et enfin des images avec le bélinographe (1907) puis la télévision (1925).

Dès la seconde moitié du XXᵉ siècle, l'utilisation des ondes s'est accrue, qu'il s'agisse des télécommandes sans fil (à infrarouges ou radio), du four à micro-ondes, de la sonnette d'entrée sans fil (radio), et plus récemment de la souris d'ordinateur sans fil (infrarouge), du téléphone mobile, du GPS ou des liaisons par satellites et wi-fi (ondes radio). Les ondes sont émises horizontalement (d'un point de la Terre à l'autre) ou verticalement (pour les communications avec les satellites).

En ce début du XXIᵉ siècle, la Terre entière est couverte d'un enchevêtrement de réseaux de télécommunication de tous types qui se complètent, se chevauchent, s'interpénètrent et se nourrissent constamment des techniques les plus modernes pour s'étendre et s'enrichir en nouveaux services dont nous nous passerions difficilement. Internet est en train d'introduire une nouvelle révolution dans cet ensemble, grâce au mariage des télécommunications avec l'informatique. Cependant, la plage des fréquences utilisables (les ondes radio dites hertziennes) n'étant pas infinie, il se profile une saturation du réseau hertzien. Déjà, les militaires ont dû abandonner certaines de leurs plages réservées afin de libérer des fréquences pour le domaine public.

Par ailleurs, on connaît encore mal l'effet des ondes électromagnétiques sur le vivant, si ce n'est que les molécules d'eau et les ions de notre corps vibrent à l'unisson des champs électromagnétiques. Mais tout effet est forcément lié à l'énergie dissipée dans nos cellules, qui est d'autant plus grande que l'émission électromagnétique est puissante ou proche. Il faut donc envisager que ces indéniables progrès aient quelque impact sur notre santé qui mérite d'être sérieusement étudié. ∎

ÉTIQUETTES RADIOFRÉQUENCE : VOUS NE FEREZ PLUS LA QUEUE AUX CAISSES !

Le code à barres classique sera bientôt remplacé par une identification par radiofréquence (RFID, *radio frequency identification*) ne nécessitant plus la manipulation des marchandises par les caissières. L'actuel code à barres est un code imprimé que les caissières doivent faire passer devant un lecteur laser – des manipulations longues et fatigantes qui engendrent d'interminables files d'attente. L'étiquette radiofréquence, en revanche, est une puce électronique que lit un faisceau radio situé à plusieurs mètres, même si la marchandise bouge. Elle sert déjà d'antivol et de badge d'accès sécurisé. Son application aux produits de consommation va faciliter leur traçabilité, de la production au lieu de vente. Dans le futur, elle permettra aux malvoyants d'identifier un produit ou à votre réfrigérateur de lire les dates de péremption des denrées stockées. Mais il faut veiller à ce que les puces RFID ne se transforment pas en mouchards électroniques à l'insu des consommateurs.

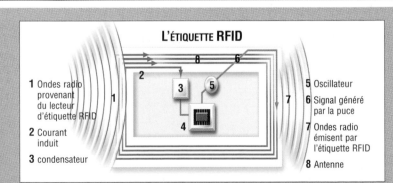

L'ÉTIQUETTE RFID

1 Ondes radio provenant du lecteur d'étiquette RFID
2 Courant induit
3 condensateur
5 Oscillateur
6 Signal généré par la puce
7 Ondes radio émisent par l'étiquette RFID
8 Antenne

▲ L'étiquette RFID est une puce contenant un numéro d'identification unique. La puce est reliée à une antenne. Le lecteur RFID émet des ondes radio qui induisent un courant électrique dans l'antenne afin d'alimenter la puce, jusqu'alors passive. Celle-ci répond en renvoyant au lecteur le contenu de sa mémoire (numéro identifiant, date limite de consommation, couleur, empreintes digitales, etc.) via l'antenne.

Les machines
ne se trompent jamais

La machine qui ne se trompe jamais est un des grands mythes de l'histoire humaine. On pensait avoir réalisé ce rêve avec l'ordinateur...

Pour calculer plus juste et plus vite, l'homme s'aide d'objets depuis des millénaires. En témoignent les cordelettes nouées des Incas, les baguettes à calculer chinoises, les abaques et bouliers divers de l'Antiquité et, plus tard, le compas de proportion de Galilée, les règles multiplicatives de Neper et la règle à calcul. L'avènement de l'électronique a simplement remplacé les manipulations d'objets par des séries de commutations d'un état (le courant passe) à l'autre (il ne passe pas) à l'intérieur de composants électroniques.

Ce qui a changé, en revanche, ce sont la puissance et la rapidité des calculs : des calculs exacts qui auraient pris toute la vie d'un mathématicien, de son fils et de son petit-fils sont effectués aujourd'hui en quelques heures par des machines qui ne se trompent pas. Un supercalculateur actuel effectue, en effet, des milliards d'opérations par seconde. On l'utilise pour faire des calculs longs et complexes mais aussi pour analyser des millions de données en parallèle. Les ordinateurs de ce type sont indispensables en météorologie ou en océanographie, pour dessiner des avions ou modéliser le comportement d'une turbine de barrage hydroélectrique.

Cependant, certains problèmes ne comportent pas de solution exacte mais seulement des solutions approchées – l'arrondi, par exemple : la division de 1 par 6 donne 0,1666666... (à l'infini), et ni l'homme ni l'ordinateur ne savent jusqu'où pousser la précision.

D'autres problèmes n'ont pas de solution analytique – par exemple, les équations de la mécanique des fluides utilisées en météorologie se résolvent seulement de façon numérique, par des approximations qui tentent de réduire leur complexité.

Or l'accumulation de plusieurs de ces approximations peut finir par fausser, par exemple, l'estimation de la pression exercée sur les parois d'un barrage, du trajet et de la puissance d'un cyclone ou de la résistance à l'échauffement d'un moteur de navette spatiale – et avoir de graves conséquences.

Un dernier problème résulte de l'effarante puissance de calcul des ordinateurs elle-même. Dans le domaine de la preuve mathématique, certaines lois ne peuvent être démontrées par l'analyse, mais un superordinateur peut calculer, avec du temps, tous les cas possibles d'application d'une loi. Reste à l'homme à imaginer le moyen pour que sa machine explore tous ces possibles, et à les vérifier ensuite – une tâche impossible tant le volume de calculs produits par l'ordinateur est important. On en arrive au paradoxe où le mathématicien peut seulement affirmer que telle loi est vérifiée à 95 % et doit faire confiance à l'ordinateur pour le reste ! ■

LES BAGUETTES À CALCULER CHINOISES, ANCÊTRE DES ORDINATEURS

Pour dire « calculer », la langue chinoise moderne utilise encore des termes comme *yansuan*, dont le sens premier est « manœuvrer les baguettes ». Dans l'Antiquité, les nombres y étaient, en effet, représentés à l'aide de baguettes verticales et horizontales d'une dizaine de centimètres – le zéro par un espace vide, les nombres négatifs par des baguettes rouges. Les calculs (y compris l'extraction de la racine carrée et cubique) s'effectuaient comme le calcul écrit, sur un échiquier dont les cases offraient des repères permettant de distinguer les divers ordres d'unités ou même de mémoriser le résultat d'un calcul intermédiaire. Les baguettes servaient aussi à exécuter des calculs plus complexes comme la résolution d'équations numériques.

Voici comment les Chinois écrivaient le nombre 2 346.

Les ordinateurs sont obsolètes au bout de six mois

Tous les dix-huit mois, la capacité de calcul des microprocesseurs double grâce à la miniaturisation. Résultat : un ordinateur est très vite obsolète. Jusqu'où ira cette course à l'innovation ?

Vous vous êtes sûrement déjà posé la question : dois-je attendre quelques mois pour disposer du dernier modèle d'ordinateur, deux fois plus rapide et puissant, ou dois-je acheter le modèle précédent, déjà très performant et beaucoup moins cher? Le même phénomène touche les supercalculateurs, qui exécutaient en 1972 des centaines de millions d'opérations par seconde et qui en effectuent aujourd'hui des milliers de milliards (téraflops) tel le Blue Gene d'IBM, actuel vainqueur de la course à la puissance, avec 135 téraflops (bientôt 360).

Cette progression géométrique de leur puissance de calcul suit la loi de Moore, qui postule que, depuis 1964 – date du premier microprocesseur (ou puce) à 32 transistors –, le nombre de transistors intégrés dans une puce, et donc la puissance de celle-ci, double tous les 18 mois. Cette loi de croissance, jusqu'ici vérifiée, s'explique avant tout par les progrès de l'électronique. La taille des transistors diminue continuellement, ce qui permet d'en mettre davantage sur une puce et donc d'augmenter sa puissance sans augmenter sa taille. Car les circuits électroniques sont désormais gravés dans le silicium et non

plus soudés. On approche néanmoins de la limite physique de la gravure (avec des épaisseurs de 100 millionièmes de millimètre seulement) et de la densité maximale de transistors sur un microprocesseur.

L'augmentation de la puissance de calcul des ordinateurs a des applications très concrètes. On peut désormais concevoir un avion, du moindre boulon jusqu'au profil des ailes, bien avant qu'une maquette en soufflerie vienne confirmer les calculs (ce qui réduit considérablement le temps et le coût de sa création). Des systèmes informatiques gèrent la circulation simultanée de centaines de métros ou d'avions, des ordinateurs experts assistent les chirurgiens dans leurs opérations délicates, et les plus gros supercalculateurs établissent des prévisions météorologiques pour plusieurs jours.

Cependant, rien ne sert d'augmenter indéfiniment la puissance des ordinateurs pour régler certains problèmes dont la résolution ne peut, par construction, être exacte. Les cybernéticiens se tournent donc vers d'autres approches de l'informatique telles que les réseaux neuronaux – des architectures d'ordinateurs inspirées des connexions en évolution constante du cerveau. Ceux-ci n'attendent pas qu'on leur fournisse les bonnes données et les bons programmes ; ils apprennent et modifient eux-mêmes leurs structures logiques en devenant des experts dans un domaine. ■

QUEL AVENIR POUR LES TRANSISTORS ?

Vers 2020, on aura atteint les limites physiques de la miniaturisation, et surtout de la densité des transistors sur une puce (notamment à cause de la chaleur dégagée). Quelles voies de recherche sont capables de contourner ces deux obstacles ?
On peut changer le matériau des processeurs. Les laboratoires d'IBM et de Bell essaient par exemple de remplacer le silicium des transistors actuels par du carbone. Un tel transistor moléculaire, environ un million de fois plus petit qu'un grain de sable, pourrait tout seul remplacer plusieurs milliers de transistors traditionnels tout en étant beaucoup plus rapide.
On peut aussi changer le support de l'information. Dans un semi-conducteur classique, on manipule la charge électrique, positive ou négative (0 ou 1 informatiques) des électrons pour transmettre l'information. Mais on peut aussi manipuler leur spin – une propriété quantique qui décrit leur mouvement de rotation sur eux-mêmes : en appliquant un champ magnétique, on peut inverser ce sens de rotation. Cette nouvelle électronique – ou spintronique – permet de démultiplier le nombre d'opérations de calcul simultanées et d'informations transmises à des vitesses inégalées et d'atteindre une miniaturisation en deçà du millionième de millimètre. Les premiers processeurs spintroniques, à l'étude chez Intel, sont attendus en 2020.
Parallèlement, des équipes américaines ont fait fonctionner pour la première fois des prototypes d'ordinateur quantique où l'information est transmise par le spin de noyaux, manipulé à l'aide d'ondes radio dont on module la fréquence et la durée ; ainsi, avec deux noyaux par molécule d'hydrogène, on peut effectuer simultanément quatre calculs simples. Personne n'a cependant pour l'instant une idée précise de la structure que pourrait prendre au final ce type d'ordinateur quantique, ni du délai nécessaire à sa réalisation.
Enfin, on essaie d'associer des cellules vivantes (notamment des neurones de rat) à des transistors classiques afin de bénéficier de la souplesse et de l'adaptabilité des cellules biologiques à traiter l'information. On n'améliore pas ainsi la rapidité de ce composant bionique mais plutôt son efficacité à traiter une information complexe et changeante.

Avec Internet, le livre va disparaître

Le livre existe depuis Gutenberg et l'on n'en a jamais autant vendu. La lecture sur écran finira-t-elle par contester son règne ?

L'informatique va-t-elle finir par tuer le papier ? C'est peu probable car, si elle permet de stocker beaucoup d'informations dans très peu d'espace, elle ne peut pas remplacer le papier, ne serait-ce que parce que ce dernier se conserve plus longtemps que tous les supports de stockage actuels. Alors que le papier imprimé est capable de traverser les siècles, le CD-ROM, par exemple, qui peut contenir 20 000 images ou 250 000 pages de texte, n'a une durée de vie que de cinq à quinze ans. De plus, les données numériques doivent être constamment reformatées pour que les logiciels et matériels en vigueur permettent de les lire. Il faut donc les mettre à jour périodiquement (tous les cinq à dix ans environ)… Enfin, si une donnée ne doit, en principe, jamais être perdue, le risque zéro n'existe pas : outre la durée de vie limitée du support de stockage, personne n'est à l'abri d'une panne matérielle.

Depuis quelques années, des chercheurs tentent de mettre au point un papier « intelligent ». Doté de composants électroniques miniaturisés, il s'agit en fait d'un écran ultra-mince pouvant servir à une prise de notes manuelle. Une connexion à un ordinateur permet la transcription directe de tout ce qui est écrit ou dessiné dessus, le stylo laissant une trace qui peut être échantillonnée. Ces nouvelles technologies risquent sans doute de perturber notre conception du papier, mais elles ne devraient pas en remettre en cause l'existence. N'en déplaise aux adeptes de la télédéclaration des revenus par Internet, face aux administrations (et à la justice), seul le papier a de la valeur ! ∎

Aller sur la Lune n'a servi à rien

Vieux rêve de l'humanité, aller sur la Lune a coûté une fortune. Face aux maux de la planète, la conquête spatiale semble un luxe outrageant.

▲ *Envisat, le dernier satellite de télédétection de l'Agence spatiale européenne. C'est le plus gros satellite d'observation de la Terre jamais lancé. Depuis 2002, il surveille depuis une orbite polaire les océans, l'atmosphère, le sol et les glaces de la Terre à l'aide de dix instruments travaillant dans les domaines de la lumière visible, de l'infrarouge et des ondes radar.*

Qu'est-ce qui justifie la conquête spatiale ? En vérité, le moteur essentiel de cette conquête est la connaissance scientifique et l'orgueil national. En explorant la Lune et les planètes, l'homme a mieux compris l'Univers, ce qui a paradoxalement bouleversé le regard qu'il porte sur lui-même et toute la société humaine. Cependant, la conquête spatiale a également eu de nombreuses retombées dont nous bénéficions tous les jours sans toujours le savoir.

Tout d'abord, à l'échelle de l'humanité, les exigences techniques de la conquête spatiale ont conduit les industries des nations concernées à progresser bien plus que leurs concurrentes, leur donnant une supériorité écrasante en ingénierie, en techniques de l'information et dans le domaine militaire. La méthodologie (avec la décomposition des problèmes en éléments précis traités, chacun, par un spécialiste) et l'expérience de la coopération (des hommes, des institutions et des industries) ainsi acquises ont également transformé la recherche et l'industrie et facilité le traitement d'autres problèmes plus lancinants comme… la famine (logistique internationale, localisation des camions de ravitaillement par GPS, images satellite des catastrophes ou des armées, etc.).

Plus concrètement, le développement des satellites a bouleversé notre vie quotidienne. Que seraient nos sociétés sans la téléphonie intercontinentale, le GPS ou Internet, assurés par les satellites de télécommunications ? Que serions-nous sans les satellites météorologiques ?

L'adaptation des engins spatiaux aux conditions extrêmes de l'exploration du cosmos (vide ou, au contraire, pression extrême des planètes géantes, bombardement par des particules chargées, froid ou au contraire chaleur intenses, atmosphères corrosives, etc.) a par ailleurs révolutionné l'industrie des matériaux. La nécessité de miniaturiser, d'automatiser et de traiter des millions de données a également formidablement développé l'électronique, l'informatique et la robotique.

Les ordinateurs personnels, les fours à porte froide, les plaques vitrocéramiques ou à induction, l'isolation thermique et phonique des maisons et des voitures, les traitements anticorrosion ou ignifuges, le Gore-Tex® sont autant de retombées directes et indirectes de cette Lune que nous avons décrochée. ∎

Les monuments antiques

Mis à part durant l'époque romaine, les monuments anciens tenaient avant tout par l'ajustement adéquat des pierres de construction. C'est seulement au XVIIIe siècle qu'on découvre le ciment, dont découlera le béton, omniprésent dans l'architecture contemporaine.

Durant la préhistoire et le début de l'Antiquité, les maçonneries étaient soit liées à l'argile ou au bitume (comme à Babylone), soit plus généralement réalisées sans liant, comme les murs incas (voir encadré). Les Grecs furent parmi les premiers constructeurs à employer la chaux, obtenue par cuisson du calcaire – hélas, très friable et perméable à l'eau. Les Romains améliorèrent ce liant dès le Ier siècle av. J.-C. en l'additionnant de roches volcaniques ou de briques pilées – c'est le *caementum* romain, dont dérive le mot ciment. Intermédiaire entre la chaux et le ciment moderne, il permit de construire de grands ouvrages imperméables, tel le pont du Gard.

Aucun progrès ne fut accompli pendant le Moyen Âge, dont les principales constructions – cathédrales, châteaux – doivent leur réussite à l'art de tailler et d'assembler les pierres. C'est seulement en 1756 que, les procédés de cuisson s'améliorant, l'Anglais J. Smeaton obtint un mortier aussi dur que la pierre de Portland en mélangeant de la chaux avec des pouzzolanes (des roches volcaniques) : le ciment Portland.

Puis, en 1817, le chimiste Français Louis Vicat découvrit les principes chimiques des ciments et définit leurs règles de fabrication. Le terme désigne aujourd'hui des liants dits hydrauliques parce qu'ils sont capables de durcir sous l'eau, via des réactions chimiques d'hydratation des silicates et des aluminates de chaux.

La principale utilisation du ciment est le béton, un mélange de ciment, de granulats et de divers adjuvants destinés à moduler la résistance mécanique, la vitesse de prise, l'étanchéité, la couleur, etc. Les granulats entrant dans la composition du béton sont souvent du sable et/ou des graviers, mais il peut aussi s'agir de fibres (de carbone, d'acier ou de verre, qui améliorent sa flexibilité), de billes de polystyrène (qui l'allègent) ou de tout autre matériau qui lui confère de nouvelles propriétés mécaniques, phoniques, isolantes, ingélives, hydrofuges, ininflammables, etc. Contrairement aux autres matériaux de construction, béton et ciment peuvent être moulés à la forme voulue, teintés et texturés. Ils offrent, de ce fait, une grande liberté et sont largement employés en architecture et en décoration contemporaines. ■

LES PYRAMIDES ÉGYPTIENNES SONT-ELLES EN CIMENT ?

Les pyramides ont été érigées il y a quelque 4 500 ans par une civilisation qui ne connaissait ni le fer, ni la roue, ni la poulie, mais déplaçait des blocs de pierre calcaire de plusieurs tonnes jusqu'à 146 m de haut (comme pour la grande pyramide de Kheops). Pour sceller les pierres, les Égyptiens utilisaient un plâtre grossier produit par la cuisson d'un gypse impur. De quelle carrière faisait-on venir ces énormes blocs monolithiques et par quel moyen ? Comment les élevait-on à une telle hauteur (la théorie classique du plan incliné implique, pour monter les dernières pierres de la Grande Pyramide, une rampe de 3 km de long) ? Comment l'ajustement des blocs entre eux et avec le soubassement rocheux peut-il être si parfait sans exiger des heures de taille et des manipulations répétées, peu compatibles avec les moyens de manutention et avec la rapidité de la construction ?

Divers ingénieurs, chimistes des matériaux et géologues ont émis l'hypothèse que les blocs calcaires égyptiens seraient des pierres reconstituées – un mélange de fragments de pierres calcaires naturelles et d'un ciment composé de limon du Nil, de chaux et de sel de natron (carbonate de sodium), coulé sur place. Si cette théorie se confirmait, elle résoudrait les mystères de l'approvisionnement, la manipulation et l'ajustement de ces centaines de milliers de blocs.

Il est difficile de distinguer à l'analyse chimique ou même au microscope électronique une pierre calcaire naturelle d'une pierre reconstituée. Actuellement, certains échantillons de blocs analysés en laboratoire laissent planer un sérieux doute sur leur caractère naturel. Cependant, ces échantillons sont trop rares et d'autres se sont révélés indubitablement naturels – ce qui ne réfute pas la théorie, car rien n'exclut l'emploi simultané de pierres naturelles et de pierres reconstituées.

tenaient sans ciment

Dans les régions sujettes aux tremblements de terre, les hommes ont de tout temps cherché à protéger leurs constructions : à Taxila, au Pakistan, les fouilles archéologiques ont permis d'établir que les fondations des bâtiments avaient été renforcées lors de la reconstruction de la ville, détruite par un séisme en l'an 25 après J.-C. On a constaté par ailleurs qu'à l'époque byzantine les modes de construction utilisés dans plusieurs villes de Syrie et d'Anatolie avaient radicalement changé : les maisons sont devenues moins hautes et leurs murs de brique ont été renforcés par des charpentes en bois, ce qui témoigne, pour les experts en architecture, d'une prise en considération du risque sismique. On retrouve aussi cette préoccupation dans les constructions anciennes en Chine et au Japon... ainsi qu'en Amérique du Sud : les murs des monuments incas sont formés de blocs irréguliers ajustés entre eux avec un soin extrême, une architecture très particulière qui paraît liée à un souci de protection parasismique.

◀ *Une femme quechua devant un mur inca qui a su résister à tous les soubresauts de la Terre.*

Les Anciens
bâtissaient sans calculs

Ce n'est pas parce qu'ils laissaient peu de traces écrites de leurs méthodes que les Anciens bâtissaient sans calculer. Merveille de leur empirisme, la clé de voûte a livré certains de ses secrets.

Aujourd'hui, la voûte clavée a complètement disparu de nos édifices modernes, mais la technique continue de passionner mathématiciens et architectes. Comment ne pas s'étonner, en effet, en contemplant la voûte splendide et démesurée de la cathédrale de Reims, qu'une pierre centrale, ou clé de voûte, la fasse tenir sans l'aide du moindre mortier ?

La clé de voûte, dernier posé des claveaux (pierres taillées en biseau) qui composent l'arc d'une voûte, joue en fait le même rôle qu'eux : répartir les forces de pression dues au poids des pierres du dessus vers les piliers, qui les transmettent à leur tour au sol. Elle repose sur les deux claveaux contigus, qui s'appuient à leur tour sur leurs voisins, et ainsi de suite jusqu'aux piliers. Si la voûte est bien construite, ces forces s'équilibrent et la clé de voûte (donc la voûte tout entière) ne tombe pas.

Les anciens bâtisseurs construisaient d'abord un arc en bois, ou cintre, qui soutenait les claveaux. Ceux-ci étaient posés sur les piliers, en commençant par les plus bas et en remontant jusqu'à la clé. Le cintre reposait sur des sacs de sable. Une fois la clé de voûte posée, les sacs de sable étaient percés ; le sable, en s'écoulant lentement, permettait à la voûte de s'ajuster progressivement aux forces de pression.

La solidité d'une cathédrale dépend aussi de la résistance des piliers et des murs latéraux, qui tendent à s'écarter sous la poussée de la voûte. Pour compenser cette poussée, on a construit des piliers et des murs de soutien de plus en plus épais à mesure que la voûte des constructions s'élevait. Puis l'arc-boutant et le contrefort sont inventés à la Renaissance : la poussée des voûtes hautes de plusieurs dizaines de mètres des joyaux de l'architecture gothique est alors contrebalancée par de nombreux piliers, de gracieux et fins arcs-boutants et des massifs de culée (des ouvrages de maçonnerie servant à caler le pieds des arches). Fenêtres et rosaces peuvent alors être percées dans les murs.

Si nous avons retrouvé comment les bâtisseurs de cathédrales déterminaient l'épaisseur des piliers, nous ignorons presque tout de la façon dont ils appréciaient, par exemple, l'épaisseur des massifs de culée – seul un procédé graphique retranscrit en 1643 et un travail théorique datant de 1695 en témoignent.

Les secrets de construction ont été beaucoup trop bien gardés. Si nous pouvons aujourd'hui renforcer des voûtes et des piliers, nous serions, hélas, incapables de reconstruire une cathédrale gothique si d'aventure elle s'effondrait. ■

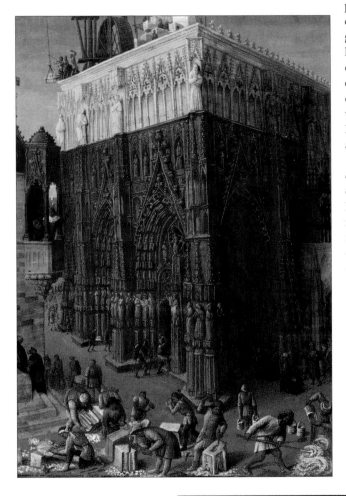

▲ *La construction du temple de Jérusalem selon le peintre Fouquet (tableau achevé entre 1465 et 1475). S'inspirant sans complexes des cathédrales gothiques, le peintre a composé son œuvre selon le nombre d'or, qui définit les « divines » proportions architecturales. Salomon se trouve à gauche, dans la loge dorée.*

Les bâtisseurs médiévaux ont hérité de la culture architecturale pratique et théorique de l'Antiquité (Aristote, Platon, Euclide et Ptolémée) et de l'architecture arabe, transmise par les universités espagnoles aux XIe et XIIe siècles. Ces savoirs étaient enseignés dans les écoles françaises de Chartres, Laon et Paris. Quelques traités d'architecture nous sont parvenus, tel le *De l'architecture* de Vitruve (une compilation des traités d'architectes grecs rédigée au temps de l'empereur romain Auguste dont il reste une cinquantaine de manuscrits, entiers ou fragmentaires) ou *les Aqueducs de la ville de Rome* de Frontin (Ier siècle). Les très rares textes de serments prêtés par les jeunes apprentis bâtisseurs montrent que leur savoir ne devait être révélé sous aucun prétexte à des étrangers.

Le métier d'appareilleur de pierres, si essentiel pour la construction d'édifices en pierre, apparaîtra vers 1200 – sa première mention date de 1292. Vers 1324, les architectes préparaient leurs premiers plans sur parchemin, probablement tracés au préalable sur des planchettes de bois. Les premières maquettes en cire, en bois et en plâtre apparaissent avec la généralisation de la pratique des concours d'architectes. Les grands projets étaient, comme aujourd'hui, l'œuvre d'assemblées de plusieurs architectes, qui étaient souvent aussi mathématiciens, compagnons maçons ou tailleurs de pierre.

L'ARCHITECTE ET LES NOMBRES

Dès l'Antiquité, les architectes sont obnubilés par les nombres qui leur donnent, croient-ils, la clé de l'harmonie des formes tout autant que de la solidité. Les grands principes des bâtisseurs grecs et romains tels que – *symmetria* – la symétrie – *proportio* – le rapport proportionnel des différents éléments d'un édifice – et *commodulatio* – la symétrie des modules et des volumes – seront repris par les bâtisseurs du Moyen Âge puis de la Renaissance. Les proportions des ouvrages religieux obéissent secrètement à des règles numériques, comme l'atteste, par exemple, le *Liber mathematicalis* de Bernward, copie du *De arithmetica* de Boèce (vraisemblablement rédigé avant 1003), qui explique l'étonnant axe longitudinal de l'église du Mont-Saint-Michel, défini selon la série du tétraèdre – une série développée à partir des nombres triangulaires 1, 4, 10, 20, 35, 56, 84, 120, etc.

Par exemple, pour la troisième construction de Cluny, l'abbé Hugues fera appel à un clerc mathématicien de Liège. Le petit transept faisait 162 pieds dans son envergure nord-sud, alors que le grand transept mesurait 100 pieds de plus, donnée qu'on obtient en multipliant la première dimension par le nombre d'or (1,618). Outre ces concordances, on peut découvrir dans le plan de cette abbaye de nombreux systèmes numériques qui prouvent à quel point les architectes du Moyen Âge souhaitaient atteindre l'harmonie grâce aux chiffres.

Les Romains
ont inventé l'aqueduc

Amenant l'eau potable dans les cités antiques, l'aqueduc est tour à tour conduite enterrée, pont ou tunnel selon les reliefs à franchir. Les Romains ont généralisé son usage pour des raisons hygiéniques plus qu'économiques.

Dans le vocabulaire courant, le terme aqueduc (du latin *aquae ductus*, conduite d'eau) désigne le pont qu'emprunte la conduite d'eau, comme un viaduc est un pont permettant le passage d'une voie ferrée ou routière. Ce n'est toutefois que la partie la plus spectaculaire d'ouvrages destinés, avant tout, à amener une eau pure dans les cités antiques, l'eau des citernes étant moins saine.

Des aqueducs existaient dès la plus haute antiquité : le plus ancien vestige d'aqueduc, celui de Jerwan, en Iraq, date du VIIᵉ siècle av. J.-C. Les Romains ont généralisé leur usage. L'aqueduc romain alimentait les thermes et les fontaines publiques, ainsi que certaines demeures privées et échoppes d'artisans.

L'eau était captée à des sources situées en hauteur, souvent dans les montagnes. Dans la conduite, l'eau s'écoule par gravité et, pour assurer son écoulement régulier, sa pente doit être constante ; Pline l'Ancien, au Iᵉʳ siècle, préconisait qu'elle ne soit pas inférieure à 0,02 %. Selon l'éloignement du captage et le relief, un aqueduc peut donc être très long – jusqu'à 132 km pour l'aqueduc de Carthage. Afin de couper au plus court, on construisait des ouvrages d'art : murs de soutènement, ponts, tunnels ou siphons.

La construction d'un mur de soutènement devenait nécessaire quand la pente du terrain était trop forte, que le canal

devait franchir un accident de terrain ou qu'on voulait maintenir l'aqueduc en hauteur pour avoir plus de pression ou éviter que les riverains ne prélèvent de l'eau. Au-delà de 2 m de haut, la maçonnerie était allégée par des arches. L'arche permettait aussi de franchir un ravin profond ou une rivière ; l'aqueduc devenait alors pont. Les Romains savaient construire des arches très larges (25 m déjà pour le pont Aemilius, à Rome, construit à la fin du IIᵉ siècle av. J.-C.) et superposaient jusqu'à trois niveaux d'arches afin d'élever les aqueducs à la hauteur voulue (une quarantaine de mètres au maximum). L'aqueduc le plus haut que nous connaissions est le célèbre pont du Gard, dans le sud-est de la France.

Pour franchir une montagne, les ingénieurs de l'Antiquité creusaient un tunnel. Le percement de galeries était maîtrisé

depuis l'âge du bronze : dès la fin du VIᵉ siècle av. J.-C., l'ingénieur grec Eupalinos perça un tunnel de près de 1,3 km de long pour amener l'eau à la ville de Samos. Pour franchir une dépression quand la construction d'un pont était impossible, les ingénieurs de l'Antiquité construisaient des siphons inversés utilisant le procédé des vases communicants.

Les aqueducs actuels s'apparentent plutôt à des pipelines construits sur le même modèle que les oléoducs et gazoducs : l'eau est mise en surpression par des pompes, ce qui la propulse dans la conduite de métal de section circulaire. Cela permet notamment de s'affranchir d'une partie des accidents de terrain et même d'envoyer l'eau à une altitude supérieure à celle où elle est captée. ■

▼ *Haut de 48,77 m, le pont du Gard permettait à l'aqueduc de Nîmes de franchir le Gard (ou Gardon). Les récentes fouilles archéologiques datent sa construction du milieu du Iᵉʳ siècle, sous l'empereur romain Claude.*
Nîmes (Nemausus) était alors une ville importante de 50 000 habitants, et la source de la Fontaine ne suffisait plus à assurer ses besoins en eau. Jusqu'à la première moitié du IIIᵉ siècle, l'eau transportée fut réservée à la consommation humaine, puis elle fut aussi destinée à l'irrigation. L'utilisation du pont en tant qu'aqueduc fut peu à peu abandonnée entre le Vᵉ et le VIIᵉ siècle.

Les ponts modernes son

Léger et puissant, le viaduc de Millau franchit avec grâce la vallée du Tarn, dans le sud de la France, sur seulement sept piles. Un exploit technique tout autant qu'une réussite esthétique, permis par les matériaux et méthodes de construction modernes qui ont révolutionné la conception des ouvrages d'art.

Inauguré en janvier 2005, le viaduc de Millau relie le plateau du causse Noir, au nord, au causse du Larzac, au sud. C'est un pont à haubans : son tablier (la partie horizontale où l'on circule) est soutenu par des câbles fixés à des pylônes qui l'empêchent de fléchir. Le viaduc enjambe la vallée du Tarn sur sept piles graciles (ses jambes). La finesse des piles, voulue pour des raisons esthétiques, a été rendue possible par l'utilisation d'un béton deux fois plus résistant que le béton moyen. Leur positionnement, précis à quelques millimètres près, a été déterminé à l'aide du système GPS de locali-

LES GRANDES FAMILLES DE PONTS

On distingue trois grandes familles architecturales selon la nature des réactions produites par l'ouvrage sur ses appuis. Les ponts qui travaillent en poutre n'exercent que des réactions verticales (en dehors des efforts horizontaux créés par le freinage des convois ou les effets du vent) ; ils doivent être construits avec des matériaux résistants en flexion comme le bois, le béton armé ou précontraint et l'acier. Les ponts en arc

exercent sur leurs culées des réactions de poussée tendant à les écarter ; ils peuvent donc être construits avec des matériaux résistant à la compression mais pas forcément à la traction, comme le béton, la pierre ou la fonte. Dans les ponts à câbles (suspendus ou à haubans), de grands câbles porteurs exercent des efforts de traction sur des massifs d'ancrage ; ils allient l'acier et le béton armé ou précontraint.

sation par satellites et de systèmes de visée laser.

Le choix de son architecture a ici été dicté par sa longue portée. Cependant, dans le passé, c'était la disponibilité des matériaux de construction qui commandait l'architecture des ponts.

Le bois a été le matériau le plus utilisé de l'Antiquité jusqu'au XVIIe siècle. On en a fait des ponts travaillant en poutre (qui n'exercent que des réactions verticales) – d'abord simples troncs d'arbres jetés entre deux appuis, puis treillis de plus en plus complexes travaillant aussi en arc (dont la poussée s'exerce en compression sur des culées). L'empereur Trajan fit construire l'un des plus grands (1 100 m) sur le Danube en 105. Il reste peu de vestiges de tels ponts.

Avec la pierre et la maçonnerie (pierres ou briques cimentées) ont été construits des ponts en poutre ou en arc, importants et durables, depuis la haute antiquité jusqu'à la fin du XIXe siècle. L'origine des arcs en pierre remonterait aux Sumériens (2500 av. J.-C.), mais ce sont surtout les Romains qui les ont développés, avec une compétence technique inégalée jusqu'à la Renaissance italienne, comme l'illustre le célèbre pont du Rialto, à Venise.

Les ponts métalliques se développent avec l'ère industrielle. La fin du XVIIIe siècle voit les premiers ponts occidentaux en fonte (tous effondrés ou démolis, car ce matériau résiste mal à la traction et aux chocs), puis en fer, plus flexible (comme le pont Maria-Pia de Gustave Eiffel à Porto : un arc de 160 m d'ouverture). Au milieu du XIXe siècle, le fer est remplacé par l'acier, encore plus élastique, et les structures sont progressivement allégées. Le premier pont en acier est celui de Saint Louis, sur le Mississippi (1874). Les ponts métalliques sont recouverts de bois, de tôle, de maçonnerie (comme dans les tronçons aériens du métro parisien), de béton armé ou, pour les ouvrages de grande portée, de dalles purement métalliques (pont de l'Alma, à Paris).

L'emploi du béton armé débute avec le XXe siècle, notamment pour les ponts en arc. Inventé par Eugène Freyssinet en

1926, le béton précontraint commence à supplanter le béton armé au milieu des années 1950. Son principe consiste à comprimer le béton de la structure par des câbles fortement tendus. Il permet de construire des ponts à câbles tels celui de Brotonne, en Normandie, premier grand pont à haubans moderne en béton précontraint (1977, portée de 320 m) et le pont de la Confédération (1997), au Canada, le plus long du monde (12,9 km) sur des eaux prises par les glaces en hiver.

Aujourd'hui, une majorité de ponts sont des poutres en acier, en ossature mixte acier-béton ou en béton précontraint. Les grandes portées (plus de 200 m) sont

les nouvelles cathédrales

Les fines piles, dont la base fait 15 m de côté, dépassent 200 m de haut (240 m pour la plus grande) et sont distantes de 342 m. Leur position a été déterminée à 5 mm près latéralement et 10 mm près verticalement. Par comparaison, la plus haute voûte de cathédrale du monde, celle du chœur de la cathédrale gothique Saint-Pierre de Beauvais, s'élève à 48,50 m de haut (à la clé de voûte) seulement.

Le tablier est un ruban d'acier de 2 460 m de long, souple, censé résister à des vents de 210 km/h. Il est composé de tronçons d'acier de 150 m de long provenant des usines Eiffel, en Alsace. Les tronçons ont été soudés sur place, de chaque côté du Tarn, en deux grandes travées. La plus longue, de 1 700 m, ne pèse « que » 36 000 tonnes (elle en aurait pesé le triple si elle avait été en béton). Les deux travées ont été progressivement avancées au-dessus du vide pour se rejoindre finalement à 270 m au-dessus du Tarn.

Le tablier fait 4,20 m d'épaisseur – le rapport longueur/épaisseur d'un bristol ! Cela lui confère une grande souplesse propre à encaisser la pression du vent : il peut osciller de 60 cm de haut en bas et de 20 cm latéralement – des oscillations, toutefois, a priori peu perceptibles pour les automobilistes.

réservées aux ponts à câbles et les très grandes portées – plus de 800 m – restent l'apanage des ponts suspendus tel celui du Grand Belt, au Danemark. Mais on construit des ponts à haubans ou suspendus de portée modeste pour des raisons esthétiques ou lorsqu'il existe des contraintes particulières.

La beauté des ponts modernes rappelle celle des cathédrales gothiques mais leur échelle est incomparable. Alors que le tablier du viaduc de Millau s'élève à plus de 200 m, la voûte de la nef de la cathédrale d'Amiens, la plus vaste cathédrale française, culmine « seulement » à 42 m – seule sa flèche de 112 m peut prétendre rivaliser. Et la distance entre deux piles du viaduc dépasse 350 m alors que la largeur entre les piliers de la nef d'Amiens est de 12,50 m. ■

UNE TROUPE MARCHANT AU PAS PEUT FAIRE S'ÉCROULER UN PONT

Nombre des premiers ponts suspendus se sont écroulés sous l'effet du vent ou d'autres vibrations – notamment celles induites par le passage d'une troupe marchant au pas cadencé –, parce que le pont entrait en résonance (les vibrations se synchronisaient et leurs amplitudes s'ajoutaient alors). Ce fut le cas du pont anglais de Broughton, en 1831, et celui de la Basse-Chaîne à Angers, en 1850. Pour résoudre le problème, les ingénieurs ont donc cherché à augmenter la rigidité des tabliers, mais ce n'est qu'à la fin du XIXe siècle, sous l'influence d'ingénieurs comme Roebling et Arnodin, que sont apparues les véritables poutres de rigidité qui évitent ce type d'accident.

On sait aménager les fleuves depuis l'Antiquité

Maîtriser l'écoulement de l'eau, éviter les crues d'un fleuve, irriguer des cultures… Tout cela, Égyptiens et Assyriens savaient déjà le faire, comme en témoignent les vestiges des tout premiers barrages.

À Jawa, en Jordanie du Nord, des vestiges de digues mesurant 5 m de haut, ainsi que des ruines d'un barrage en maçonnerie ont été datées du IVe millénaire av. J.-C. On sait que, sur les bords du Nil, les Égyptiens construisaient des digues afin d'empêcher l'inondation des maisons en cas de crue importante du fleuve. Ils avaient aussi inventé les premiers systèmes d'irrigation des cultures : des bassins aménagés qui préfiguraient les barrages. Lors d'une crue, ils étaient ouverts le temps de se remplir, puis colmatés

à nouveau pour pouvoir retenir l'eau. En Mésopotamie, les hommes aménageaient des canaux, des digues ou des bassins isolés par des barrages… Mais l'œuvre la plus accomplie en la matière est sans doute le barrage de Ma'rib, dans l'actuel Yémen, qui a fait toute l'opulence du royaume de Saba et de sa reine légendaire. Ce barrage est situé sur le fleuve Adhana, aux abords du mont Balaq. Difficile de dire précisément quand il a été construit : des ouvrages hydrauliques antérieurs au Ier millénaire av. J.-C ont été retrouvés dans le lit du fleuve, mais la première construction du barrage pourrait remonter au VIIIe siècle avant notre ère. Au début, il consistait en une simple digue de terre battue, recouverte ensuite d'un dallage de petites pierres plates. L'envahissement permanent du barrage par les limons charriés par le fleuve (près de 1 cm par an) obligeait les Sabéens à le surélever régulièrement : il atteignit au final 16 m de haut, pour 60 m de large et 620 m de long. Selon les estimations, il irriguait deux plaines, soit 9 600 ha au total… Entièrement rénové aux IIIe et Ve siècles de notre ère, il s'est définitivement rompu au VIe siècle, rendant au désert des terres dont la fertilité témoignait bien du savoir-faire de ces peuples en matière d'irrigation.

Accessoirement, un barrage peut aussi fermer une route et défendre un territoire. C'est en tout cas ce qu'a démontré un ingénieux seigneur anglais, Gilbert de Clare, en 1266. Ce dernier avait construit dans son château de Caerphilly, au pays de Galles, un système de trois lacs artificiels contrôlables à sa guise. Transformée en île, sa forteresse devenait ainsi imprenable. Si cet usage est assez anecdotique, il s'éloigne déjà de la fonction première des barrages, qui était l'irrigation. Plus tard, ces ouvrages d'art ont acquis une autre fonction, celle de produire, grâce à la force de l'eau qui passe au travers, la force suffisante pour faire tourner des turbines génératrices d'électricité. Une modernité qui nous ferait presque oublier que les barrages sont connus depuis l'invention de l'agriculture… ∎

▲ *620 m de long, 16 m de haut : les ruines du barrage de Ma'rib, au Yémen, sont probablement celles du plus ancien barrage de l'Histoire, bâti entre le VIIIe et le Ier siècle avant notre ère. Ma'rib était la capitale du royaume de Saba.*

On arrivera un jour à construire la tour de Babel

On le sait depuis l'histoire biblique de la tour de Babel : l'un des vieux rêves de l'homme est de construire aussi haut que possible pour aller « gratter » le ciel.

À force de construire des immeubles de plus en plus hauts, l'homme atteindra-t-il le ciel ? Non, et pour cause, mais il atteint déjà le demi-kilomètre d'altitude (508 m précisément pour la plus haute tour habitée du monde, Tapei 101 à Taïwan, inaugurée en décembre 2004), ce qui est déjà honorable. C'est que la construction d'un building est une vraie prouesse architecturale, dont la hauteur témoigne de l'évolution des techniques de construction : ainsi, les premiers sont nés aux États-Unis vers 1885, précisément au moment où au lieu d'empiler des pierres on commence à construire avec des structures métalliques capables de supporter les murs de maçonnerie, et où bien sûr on invente l'ascenseur ! Lorsque les murs peuvent être remplacés par de grandes baies vitrées, les immeubles peuvent devenir de plus en plus hauts, mais jusqu'à une certaine limite : en effet, le moindre souffle de vent exerce sur la façade d'un immeuble une pression de plusieurs milliers de tonnes, dont les effets mécaniques croissent avec l'altitude. D'où la nécessité de construire les immeubles « en tube », sur la base d'un noyau porteur constitué de larges poutres verticales rigides soutenant tous les étages par le centre et entourant ascenseurs et installations techniques. Il faut évidemment aussi ancrer solidement les fondations dans le sol. En outre, les occupants du dernier étage doivent avoir l'estomac bien accroché, car on tangue au sommet d'une tour comme sur un bateau ! D'ailleurs, le terme de gratte-ciel est la traduction littérale du terme marin *sky-scraper*, qui désigne en anglais une petite voile triangulaire fixée à la pointe des mâts. Ces contraintes importantes expliquent que la course au record de hauteur n'a pas été une course de vitesse : l'Empire State Building de New York, construit en 1931, est resté, du haut de ses 381 m (443 avec l'antenne), le plus haut gratte-ciel du monde jusqu'en 1974. La progression vers les cieux semble aujourd'hui de plus en plus rapide : plus de 400 m à Kuala Lumpur (Malaisie) en 1996, plus de 500 m à Taipei (Taïwan) en 2005 et plus de 700 m prévus à Dubaï en 2009.

Mais pourquoi, au fait, l'homme cherche-t-il à construire de plus en plus haut ? On peut bien sûr trouver des raisons symboliques semblables à celles qui ont motivé les hommes à construire la tour de Babel mentionnée dans la Bible. Le gratte-ciel, par sa hauteur, symbolise en effet la force… et le désir de s'approcher de Dieu. Mais il y a aussi des raisons économiques évidentes, car, pour un promoteur immobilier, il est beaucoup plus rentable d'empiler le maximum d'étages sur le minimum de surface au sol, d'autant plus lorsque le terrain est cher ! ∎

LA TOUR DE PISE A UN JOUR ÉTÉ DROITE

La construction de la tour de Pise en Italie a commencé en 1173 par la pose des fondations. Seulement… les architectes n'avaient pas remarqué que le terrain était sablonneux : les fondations se sont immédiatement tassées et la tour s'est mise à pencher, ce qui fait que la construction en a été arrêtée. Ainsi, non seulement la tour de Pise n'a jamais été droite, mais elle a continué de pencher tout au long des huit siècles suivants. En 1991, elle menaçait même de s'effondrer. Pour enrayer le processus et préserver ce haut lieu touristique si particulier, des ingénieurs l'ont équipé de « bretelles » de sécurité et lesté d'un contrepoids de 870 tonnes de plomb. Ils ont aussi creusé tout autour des galeries, dans lesquelles ils ont enfoncé des tubes métalliques de 20 m de long pour consolider les fondations. Tant qu'ils y étaient, ils auraient même pu la redresser ! Ce n'est que pour en garder le côté pittoresque (que serait Pise sans sa tour penchée ?) qu'il a été décidé d'en maintenir l'inclinaison.

◀ *Cet homme se repose, dans le vide, sur le squelette du futur Empire State Building (inauguré en 1931). En à peine plus d'un an, les 102 étages de cet immeuble furent assemblés sur une hauteur de 381 m. Un exploit à la gloire de l'Art déco.*

Les vieilles maisons
n'ont pas besoin
de climatiseurs

Les maisons de nos ancêtres n'avaient pas la climatisation, et pourtant elles savaient rester fraîches en été. Même en Orient, où les palais arabes, préservés de la chaleur extérieure, étaient réputés pour leur douceur de vivre…

Alors que les ingénieurs font aujourd'hui des calculs compliqués pour trouver des systèmes de climatisation adaptés aux bâtiments modernes, les principes rudimentaires qu'appliquaient nos ancêtres en construisant des murs épais suffisaient à rendre leurs maisons peu sensibles aux fluctuations de la température extérieure. Pourquoi ? Contrairement à ce que l'on pourrait penser, ce n'est pas vraiment parce que ces murs sont épais, mais, plus précisément, parce qu'ils sont denses. La densité d'un matériau, c'est son poids pour un volume donné. Plus un matériau est dense, moins il sera influencé par les variations de température : c'est ce que l'on appelle l'inertie thermique. En échangeant de la chaleur avec son environnement, la Terre fait de même : par son inertie thermique, elle s'oppose aux variations de température en profondeur.

Les maisons modernes, aux murs minces, peuvent être protégées de la chaleur par la pose d'une isolation extérieure. En effet, c'est en empêchant la température du mur intérieur de s'élever que l'on garantit la fraîcheur d'une pièce. Isoler par l'intérieur, pratique courante, est donc moins efficace que d'isoler par l'extérieur. Qu'il s'agisse de se protéger du chaud ou du froid d'ailleurs ; car, même pour maintenir la température acquise par le chauffage dans une pièce, il vaut mieux plaquer des isolants intérieurs, qui vont empêcher la chaleur de s'échapper de la pièce, que de plaquer des isolants à l'extérieur pour éviter au froid d'entrer !

Par ailleurs, en cas de grosse chaleur, des systèmes simples ont toujours existé pour refroidir une pièce, comme vaporiser de l'eau. Ce qui explique la présence de nombreuses petites fontaines dans les pays chauds, servant, elles aussi, à climatiser les pièces.

Comment ça marche ? Rien de plus facile à comprendre. L'eau réagit avec la chaleur de l'air et se transforme en vapeur ; c'est d'ailleurs pour cela qu'il fait toujours bon l'été près des cascades. On raconte que Léonard de Vinci avait ainsi inventé un dispositif de brumisation pour la reine de France, qui souhaitait refroidir la salle principale de son palais. ∎

LE GÉNIE DU MOUCHARABIEH

En inventant le moucharabieh, sorte de balcon fermé par un grillage de bois, les architectes arabes ont fait preuve d'une grande ingéniosité. Dans les pays chauds, rappelons que le confort thermique dépend du mouvement de l'air. Lorsqu'il fait chaud, on sait bien qu'il est très agréable d'avoir de nombreux courants d'air dans la maison. Mais en créant simplement de grandes ouvertures, on introduit… de l'air chaud ! D'où l'intérêt d'une ouverture grillagée de bois : le bois, comme toute fibre organique, absorbe l'humidité, aussi l'air qui passe par le moucharabieh est-il naturellement humidifié… Et, avec le mouvement, cet air légèrement humide est plus rafraîchissant. Par ailleurs, le moucharabieh a un autre avantage. Sachant que la sensation de fraîcheur dans une pièce vient aussi du fait qu'on la protège du soleil, fermer les volets pour la plonger dans la pénombre semble plutôt être une bonne idée… Si ce n'est que la fenêtre perd alors une de ses fonctions essentielles : celle de permettre de voir dehors ! Une fonction que permet de préserver naturellement le moucharabieh, tout en tamisant la lumière pour éviter une exposition trop forte aux rayons du soleil.

On s'est longtemps
chauffé à l

La bouse de vache est un déchet quasi emblématique, qui accompagne les hommes depuis la domestication des animaux d'élevage. Comment ceux-ci en tirent-ils profit ?

La bouse de vache est utilisée partout et pour tout, y compris pour le chauffage. Une utilisation extrêmement ancienne, qui remonterait aux temps de l'Égypte ancienne, 10 000 ans avant notre ère… et qui est loin d'être passée de mode ! Aujourd'hui, 25 % de la population mondiale n'a pas accès à l'électricité et ne consomme que du bois et de la bouse de vache pour se chauffer et cuire ses aliments. Car la bouse de vache, une fois séchée, brûle aussi bien que des bûches. Pour ce faire, elle est moulée en briques dans des moules ou directement sur le toit des maisons. À la chaleur, l'eau contenue dans la

Les Romains ont inventé le chauffage central par le sol

Les ressources géothermiques sont exploitées depuis longtemps par les hommes. La circulation de l'eau des sources chaudes servait par exemple à chauffer les différentes salles des thermes romains.

▲ Ruines de l'hypocauste de Sbeitla, en Tunisie : la chaleur emmagasinée dans ce foyer situé à l'extérieur des bâtiments était diffusée sous le sol de chaque pièce, surélevé par de petites piles ou des murets.

Les vestiges des thermes romains montrent que les Romains maîtrisaient l'art du chauffage par le sol. Mais ils n'en étaient pas les inventeurs : dès les premières civilisations (comme la civilisation minoenne, en Crète), à partir de 3500 av. J.-C., la pratique des bains thermaux s'était développée. Ces installations très prisées se contentaient pour la plupart d'exploiter les sources naturelles de chaleur de la Terre (géothermie) comme les geysers ou autres sources chaudes des régions volcaniques. Des siècles plus tard, cette idée continuait d'inspirer les hommes. Comme à Chaudes-Aigues (littéralement « eaux chaudes »), en Auvergne, où l'eau qui jaillit des profondeurs de la Terre (entre 4 000 et 5 000 m) est brûlante dans plus de 30 sources. L'une d'elles, la source du Par, est la plus chaude d'Europe (température de l'eau à la sortie : 82 °C). Cela explique probablement qu'elle ait vu naître, dès 1332, le premier réseau de chauffage urbain, reposant sur la circulation d'eau chaude dans des tuyaux en bois. Ce n'est que bien plus tard, vers 1800, qu'on eut l'idée de forer le sous-sol pour en faire jaillir l'eau chaude. C'est ainsi qu'en région parisienne de nombreux logements sont chauffés grâce au puits artésien de Grenelle, foré en 1833 à 548 m de profondeur, d'où l'eau sort à 30 °C.

Dans les régions plus désavantagées en géothermie, les Romains n'étaient cependant pas en reste et avaient inventé un système très sophistiqué de chauffage par le sol : sous la pièce à chauffer s'en trouvait une autre, l'hypocauste (du grec *hypocauston*, chauffage en dessous), dans laquelle un four permettait de chauffer l'air ambiant. La pièce était équipée de tout un système de couloirs de rangées de briques carrées permettant à l'air chauffé de circuler de façon homogène dans toute la pièce et de chauffer ainsi la pièce du dessus. ■

...ouse de vache

bouse s'évapore : celle-ci sèche et devient dure. La raison en est que, constituée de matière organique, elle contient une bonne quantité de méthane, un équivalent du gaz de ville. D'ailleurs, de nouveaux projets en Inde prévoient la construction d'usines utilisant ce combustible pour produire du gaz. L'utilisation de la bouse de vache a aussi un autre intérêt majeur : dans les régions soumises à une déforestation importante ou à la désertification, elle permet d'éviter l'abattage d'arbres supplémentaires juste pour le chauffage. Au Bangladesh, par exemple, où il reste aujourd'hui très peu d'arbres, la plupart des ménages emploient la bouse de vache pour satisfaire leurs besoins énergétiques. Les enfants sont chargés de ramener les déjections de vache à la maison pour la cuisine et le chauffage.

Matériau écologique s'il en est, la bouse de vache est toujours utilisée comme revêtement de sol, notamment en Inde, mais aussi moulée en briques pour construire des maisons. Et dans les pays où il n'y a pas de vaches ? Que l'on se rassure, les crottes de chèvre et d'âne font tout autant l'affaire ! ■

▶ Au Sri Lanka, on utilise depuis la nuit des temps la bouse de zébu séchée comme combustible.

▶ *L'égout principal de la ville de Paris a été bâti sous le règne de Napoléon III. Un autre avait été creusé au XVIIIe siècle ; très vite bouché, il n'était plus en fonction quand Victor Hugo décrivit les égouts de Paris dans les Misérables.*

Le tout-à-l'égout
est un confort moderne

Comme l'électricité, le raccordement au tout-à-l'égout a changé la vie des Occidentaux tout au long du XXe siècle. Mais était-ce si nouveau que cela ?

Dès l'Antiquité, chez les Romains, mais aussi chez les Assyriens et les Grecs, les architectes n'omettaient jamais de prévoir des égouts lorsqu'ils bâtissaient une ville, avec des canalisations y raccordant les habitations : le tout-à-l'égout antique permettait, dès 3000 av. J.-C., d'équiper de véritables toilettes les habitations des civilisations minoennes, comme le palais de Cnossos, en Crète, ou des civilisations de l'Indus, comme celles de la ville de Mohenjo-Daro, dans l'actuel Pakistan, ou encore l'antique Babylone. Certains égouts sont restés longtemps en activité : ainsi, le grand égout de Rome (Cloaca Maxima), construit aux alentours de l'an 600 av. J.-C., est resté plus de 2 000 ans en usage ! Au moment des invasions barbares néanmoins, de nombreux égouts, laissés à l'abandon, se sont engorgés et sont tombés dans

l'oubli. Dans les villes comme Paris, au Moyen Âge, les eaux croupies finissaient alors par être évacuées le long de fosses creusées à même les rues… Mais, face aux épidémies de peste ou de choléra, des égouts souterrains furent à nouveau construits en maçonnerie vers le XIIe siècle, sous le futur palais du Louvre, le quartier de l'université de Paris ou les établissements religieux de l'époque. Tous n'étant pas accessibles à l'homme, ils ont aussi fini par se boucher faute d'être nettoyés et ont été peu à peu abandonnés.

Les fosses d'aisances se sont multipliées dans les bâtiments, du château de Versailles aux immeubles citadins. Leur contenu (excréments) était régulièrement vidé par des compagnies spécialisées et mis à sécher au grand air jusqu'à ce qu'il se transforme en poudre (la poudrette), vendue comme engrais aux agriculteurs. Néanmoins, les problèmes sanitaires importants comme les épidémies de choléra demeuraient. Aussi, dès les années 1830, on pensa à un système de tout-à-l'égout qui aurait en plus l'avantage

d'irriguer efficacement les terres agricoles de la région parisienne. Sous l'impulsion d'Haussmann, puis d'Eugène Belgrand, la construction d'un réseau d'égouts de plus de 500 km de long a démarré en 1850.

Lorsque l'on a voulu raccorder les habitations au tout-à-l'égout, les compagnies chargées du nettoyage des fosses d'aisances ont fait croire, au nom de principes hygiénistes très récents (les travaux de Louis Pasteur), qu'arroser les champs avec des eaux sales allait propager des maladies en contaminant les aliments cultivés sur ces terres… Il n'en a jamais rien été, bien sûr, mais cela a permis à ces compagnies de maintenir quelque temps leur activité !

Si le tout-à-l'égout a été considéré au siècle dernier comme une grande conquête sociale, il est aussi à l'origine de la pollution de nombreux cours d'eau : toutes les eaux usées ne peuvent être recyclées et ce sont des millions de tonnes de produits contaminés qui se déversent chaque jour dans les fleuves, les nappes souterraines et les océans. ■

La métallurgie vient du Proche-Orient

Le XIXᵉ siècle a plongé la métallurgie dans l'ère industrielle, modifiant profondément la civilisation occidentale. Toutefois, il y a 5 000 ans, le premier âge du métal avait déjà bouleversé les sociétés préhistoriques.

La métallurgie est l'opération par laquelle on transforme un minerai en métal. Elle s'est d'abord développée dans les régions riches en minerais, comme le Taurus (en Turquie), l'Arménie et l'Iran. En Turquie, à Cayonu Tépési, entre 7250 et 6750 av. J.-C., des objets sont fabriqués en cuivre natif, c'est-à-dire ramassé à l'état naturel. Broyé pour en extraire le minerai, il était ensuite fondu en lingots pour le transport. L'orfèvre martelait le cuivre à froid, pour le rendre plus dur et moins malléable – mais plus cassant. Il pouvait aussi le chauffer jusqu'à 400 à 500 °C et le laisser refroidir lentement, pour qu'il devienne plus élastique et plus mou. On retrouve du mobilier en cuivre vers – 4000 en Égypte et en Bulgarie ; vers – 2700, dans le sud de la France ; puis vers – 2500, dans la vallée de l'Indus.

Progressivement, on ajoute de l'étain pour durcir le cuivre. À partir de 15 % d'étain, on obtient du bronze, apparu vers – 2500 en Mésopotamie. Le point de fusion du bronze est de 1 000 °C. Il faut donc aménager de grands fours avec des soufflets qui permettent d'augmenter la température rapidement. Le minerai est fondu dans un creuset d'argile chamottée (argile cuite broyée en petits morceaux, résistant à une plus grande chaleur que le bronze – jusqu'à 1 800 °C) placé sous des braises de charbon de bois. Puis des moules en chlorite (pierre réfractaire) recueillent le liquide en fusion. Autre technique : celle de la cire perdue. Des objets pleins en cire sont incrustés dans des moules en argile chamottée. Les moules sont ensuite cuits au four à une température de 600 à 1 000 °C, de sorte que la cire s'échappe par des trous aménagés, au travers desquels on verse ensuite le bronze en fusion. Le bronze emprunte la forme laissée par la cire, puis il est libéré par le bris du moule.

La troisième révolution est l'apparition de la métallurgie du fer. Le fer a cet avantage sur le bronze qu'il est plus résistant. Il s'utilise sans alliage et se travaille sans moule : seule la chaleur est nécessaire. Les spécialistes pensent que la métallurgie du fer ne dérive pas de celle du bronze, mais qu'il s'agit d'une adaptation des techniques de cuisson de la céramique ; c'est le fer natif, issu de météorites, qui est utilisé en premier. Les Hittites, vers – 1500, sont les pionniers de cette technologie, que l'on retrouve ensuite en Égypte, en Grèce et en Europe occidentale, au VIIIᵉ siècle. Vers – 1000, elle est déjà présente en Chine, où les forgerons fabriquent de la fonte en portant le minerai à plus haute température. Vers – 600, l'acier apparaît en Chine, en Inde, chez les Perses et les Étrusques.

Plus « démocratique » que le bronze, le fer ne tarde pas à équiper les outils agricoles et les objets de la vie quotidienne. Mais les armes aussi deviennent plus solides et d'une efficacité redoutable. Les Celtes sauront en user pour étendre leur domination sur l'Europe. ■

▲ Pièce en or de la tribu celte des Ambiani, qui a donné son nom à la ville d'Amiens, en Picardie. Frappée deux siècles avant notre ère, elle représente Apollon à la chevelure ceinte de laurier.

▲ Dans la province chinoise du Sichuan, on peut encore voir des petits ateliers de métallurgie comme il y en avait encore dans les grandes métropoles européennes au début du XXᵉ siècle.

Le synthétique, c'est tout nouveau

Les matériaux synthétiques sont une des innovations majeures du XXᵉ siècle. Il y a pourtant très longtemps que les hommes savent fabriquer de nouvelles matières.

L'homme ne s'est jamais satisfait de ce que la nature lui procurait. Il a toujours cherché à améliorer son sort en jouant à l'apprenti sorcier, en créant et mettant au point des objets et des matières qui n'existent pas à l'état brut. Ce tempérament, qui nous a conduits jusqu'à la bombe atomique, s'est manifesté bien plus tôt qu'on ne pensait : avec l'homme de Neandertal !

Notre proche cousin a peuplé l'Europe de − 150 000 à − 30 000 environ. Ce chasseur-cueilleur semi-nomade connaissait l'usage du feu et savait exploiter toutes les ressources de son environnement. Ainsi, il y a environ 50 000 ans, en Syrie, sur le site d'Umm el-Tlel, il s'est servi de bitume naturel pour fixer des pointes de silex sur des manches ou des lances. Il s'agissait là encore de recycler des ressources naturelles.

Mais Neandertal est allé encore plus loin : sur le site de Königsaue (Allemagne, vers − 80000), il s'est fabriqué une sorte de glu qui lui a servi d'adhésif pour emmancher les outils en pierre taillée ou les pointes de projectiles. Il lui a fallu pour cela chauffer de l'écorce de bouleau à température constante (entre 340 et 400 °C) jusqu'à obtention d'un résidu pâteux, issu de la distillation de la matière organique : le brai. Ce qui démontre des compétences techniques que nous aurions eu peine, il y a encore quelques années, à associer à ces époques reculées. En effet, ce n'est pas une invention due au hasard, obtenue à la suite d'une succession de coïncidences : il y a eu recherches et expérimentations de la part de Neandertal. Il a dû construire des fours et maîtriser les variations de température. Un travail d'ingénieur. Pas mal pour quelqu'un qui fait encore figure de brute pour la plupart d'entre nous. ■

L'âge d'or des vitraux, apparus au IIᵉ siècle, se situe au XIIIᵉ siècle, comme l'illustrent les vitraux de la cathédrale de Chartres. Traditionnellement, on fabriquait le verre à vitrail en aplatissant par une rotation rapide une boule de pâte de verre soufflé, ou en ouvrant un cylindre soufflé et en l'aplatissant alors qu'il était encore chaud. On employa aussi dans l'Antiquité et pendant le haut Moyen Âge en Orient (plus rarement en Occident) du verre coulé à plat, technique qui permet d'obtenir une grande unité de surface et de transparence. Au contraire, les verres soufflés traditionnels présentent des inégalités de matière et de couleur qui contribuent souvent à enrichir leur effet. Les verres à vitrail étaient généralement colorés dans la masse par l'addition de divers oxydes métalliques lors de la fusion de la silice. On a aussi fabriqué des verres « plaqués » avec plusieurs pellicules de couleurs différentes au moment du soufflage, ce qui augmente la translucidité des verres de couleur intense et permet des travaux de gravure. Inventé au XIVᵉ siècle, ce dernier procédé connut un grand succès au XVᵉ siècle et à la Renaissance. Les visages et les détails étaient peints ensuite puis cuits au four. Enfin, les morceaux de verre étaient taillés et fixés entre eux avec du plomb pour constituer des panneaux, qui étaient réunis par des barres de fer et encastrés dans les ouvertures. Cependant, dans les plus anciens vitraux occidentaux connus par des vestiges ou des textes, les verres n'étaient pas sertis au plomb mais dans des découpes de stuc, de pierre ou de bois – une technique de claustras encore utilisée dans l'art islamique.

▲ Malgré l'incendie qui, en 1194, consuma la cathédrale de Chartres, ses vitraux nous sont parvenus presque intacts, en particulier ceux de la façade occidentale. Ce sont les plus vieux vitraux du monde (1150).

Le verre a été découvert par hasard

Des perles orientales en pâte de verre aux rutilantes façades des immeubles modernes en passant par les vitraux de la cathédrale de Chartres, le verre a connu d'innombrables perfectionnements et utilisations.

Il existe des verres naturels – les tectites, formées par l'impact de météorites, les fulgurites, tubes creux créés dans le sable par la foudre, et surtout des verres volcaniques (obsidienne, basalte). Cependant, le terme désigne avant tout le matériau fabriqué par l'homme en faisant fondre, entre 1 200 et 1 500 °C, du sable (silice) avec un « fondant » qui abaisse la température de fusion (de la soude, présente dans le sel marin, ou du natron, servant à conserver les momies, et/ou du potassium, contenu dans les cendres de bois) et des colorants.

Les premiers verres ont été fabriqués au Moyen-Orient vers 3000 av. J.-C. Selon Pline l'Ancien, le verre aurait été découvert par hasard : des caravaniers phéniciens auraient jeté dans un brasier, sur une plage, du natron, et le sable et le natron auraient formé des perles de verre retrouvées dans le foyer. Mais sa découverte est plus probablement liée à la métallurgie (résidus vitrifiés apparaissant lors de l'élaboration des métaux) ou à la poterie (vitrification de la surface) ;

la plus ancienne recette de fabrication du verre, retrouvée sur des tablettes mésopotamiennes, date du VIIe siècle av. J.-C.

Les premiers objets sont des perles et des petites statuettes en pâte de verre. Vers 200 av. J.-C., on fabrique des plats creux verdâtres puis, au Ier siècle avant notre ère, les Syriens découvrent la technique du soufflage qui va multiplier les formes et les usages du verre. À la même époque apparaissent les premiers verres plats, ancêtres des vitres et des miroirs.

Au début de notre ère, Égyptiens, Syriens et Hébreux exportent la technique en Occident – notamment à Venise –, en suivant les légions romaines. Au cours des dix siècles suivants, on améliore le soufflage (verre plus fin et lisse, soufflé dans des moules aux formes complexes ou à reliefs), on ajoute du manganèse pour rendre le verre plus transparent et de la chaux pour le stabiliser par rapport à l'eau.

Dès le XIIIe siècle, le verre est couramment utilisé à des fins utilitaires. Le savoir-faire des maîtres verriers vénitiens se diffuse dans

toute l'Europe durant la Renaissance. Au XVIIe siècle, l'Anglais Ravenscroft découvre le verre au plomb : le cristal. Les trois derniers siècles révolutionnent l'art du verre, notamment avec le laminage (verre armé), le trempage, l'automatisation, le four continu de Siemens, le verre Pyrex et la fibre de verre. Le verre entre en force dans l'art et l'architecture avec Gallé, Lalique, Daum, l'Art nouveau puis l'Art déco. De la vaisselle aux meubles en passant par les façades d'immeubles et les pare-brise d'avions, il est omniprésent à l'époque moderne. ∎

LA FABRICATION D'UNE BOUTEILLE

La technique de fabrication d'un objet creux en verre tel qu'une bouteille a peu évolué jusqu'à la fin du XIXe siècle : on cueille le verre fondu au bout d'une canne, on ébauche sa forme à l'aide d'un outil, on le souffle à la bouche dans un moule, on détache la bouteille puis on forme la bague du goulot. Le moule en bois gallo-romain s'est juste transformé en un moule en céramique puis en métal, et a évolué d'une forme monocoque à deux demi-coquilles, ce qui permet le démoulage de formes complexes telles que des bouteilles à corps cylindrique et non plus conique. Vers 1895, les machines semi-automatiques, qui emploient de l'air comprimé, rendent le soufflage infiniment plus facile et rapide. Par soufflage à la bouche, trois hommes fabriquaient 500 bouteilles en huit heures. Avec la machine Boucher (du nom de son inventeur), les mêmes produisent 1 300 bouteilles de bien meilleure qualité dans le même temps.

CET ÉTRANGE ÉTAT VITREUX

Le verre est une matière fascinante. Contrairement à la plupart des substances que nous produisons, il ne cristallise pas en refroidissant. Il acquiert plutôt l'état d'un liquide ultrafroid dont les atomes sont, comme dans un liquide, disposés sans ordre les uns par rapport aux autres (alors que, dans un cristal, les atomes forment des motifs géométriques répétés à l'infini) mais dont la disposition est néanmoins rigide, comme dans un solide – c'est l'état vitreux, également

retrouvé dans les céramiques. Lorsqu'il est solidifié, le verre résiste donc à tout changement de la disposition de ses atomes. Mais si la température augmente, les chaînes d'atomes qui le constituent se désolidarisent et le verre passe, avant de se liquéfier, par un état pâteux qui peut être déformé. L'une des conséquences est qu'on peut modeler le verre quand il est chaud et mou et qu'il conservera cette forme en refroidissant. L'autre conséquence est sa très grande fragilité aux chocs – cela ne vous aura pas échappé : le verre casse !

Les lunettes datent du Moyen Âge

La nécessité de porter des lunettes est apparue avec l'allongement de la durée de la vie humaine. Depuis leur invention au XIIIᵉ siècle, les lunettes de vue ont beaucoup évolué avant d'avoir la forme que nous leur connaissons.

▲ *Lunettes à 24 facettes en cristal (1650).*

Tout homme a besoin de lunettes dans la seconde moitié de sa vie s'il veut continuer à voir de près. Et bien d'autres en ont besoin dès la naissance ou l'adolescence pour corriger leur myopie, leur astigmatisme ou leur hypermétropie.

La première forme d'aide à la lecture est une sorte de loupe réalisée en polissant des gemmes comme le béryl ou le cristal de roche. L'empereur Néron, au Iᵉʳ siècle de notre ère, aurait ainsi regardé les combats de gladiateurs à travers une émeraude (une forme de béryl). Ces premiers instruments sont encore le pur produit de l'empirisme : ce n'est qu'en 150 que le philosophe grec Ptolémée formulera les premières bases de l'optique sur la réfraction de la lumière, développées par le mathématicien et astronome arabe Ibn al-Haytham (Alhazen) vers l'an 1000. Sur la base de ces écrits, le moine franciscain Roger Bacon d'Oxford invente en 1267 des lentilles de verre polies en demi-sphère qui agrandissent l'écriture.

Les lunettes de vue seront mises au point à la fin du XIIIᵉ siècle, notamment grâce aux progrès des maîtres verriers vénitiens ; la fabrication du verre blanc est, en effet, une exclusivité des souffleurs de verre de Murano. Ces aides visuelles, nommées brils, consistaient en une lentille de verre convexe, cerclée de fer, de corne ou encore de bois et équipée d'un manche pour être tenue.

Les premières lunettes proprement dites – les bésicles clouantes – sont obtenues en rivetant deux brils. Elles doivent être maintenues sur le nez avec une main mais permettent de lire et d'écrire jusqu'à un âge avancé. C'est un luxe réservé aux érudits, comme l'attestent les nombreux tableaux d'époque.

C'est seulement vers la fin du XVᵉ siècle que les bésicles clouantes sont remplacées par des lunettes à montures – en fer, en argent, en bronze ou en cuir. Le problème principal des lunetiers est la bonne fixation de celles-ci sur le visage. Formes et modes de fixation varieront beaucoup jusqu'en 1850, où les lunettes prendront plus ou moins leur forme actuelle, avec deux branches latérales et un design anatomique.

Au XXᵉ siècle, les corrections optiques sont optimales et les formes et matériaux des lunettes ne connaissent pratiquement pas de limites. ■

Cro Magnon n'avait pa

Les premiers hommes l'avaient bien compris : il est essentiel de réparer les dents abîmées ou tombées suite à une carie, un choc ou tout simplement à cause de l'âge.

Quand des dents cariées ou cassées ne sont pas soignées et restaurées dans leur forme originelle, l'extraction d'une, de plusieurs et finalement de toutes les dents est inévitable. Or l'absence totale ou partielle de dents nous empêche de broyer correctement les aliments. Mal imprégnée de salive (qui contient une enzyme digestive), la nourriture est moins bien digérée, ce qui entraîne à plus ou moins long terme une détérioration de la santé.

La technique mise au point par les Phéniciens pour remplacer les dents a été introduite en Europe par le médecin arabe Abulcasis et reprise au XVIᵉ siècle par Ambroise Paré : on sculpte des prothèses dans des dents d'hippopotame ou de bœuf, des défenses d'éléphant ou de morse – voire des tibias de bœuf –, et on les perce pour y passer un ou deux fils d'or avec lesquels on les attache aux dents voisines. Certains praticiens du XVIIIᵉ siècle, tel Heister, les fixent avec du fil de soie et d'or de telle façon que cet ancêtre du dentier puisse être retiré la nuit pour être nettoyé.

La première dent sur pivot est mise au point au début du XVIIIᵉ siècle par Pierre Fauchard, considéré comme le fondateur de l'odontologie. C'est une dent humaine où l'on fore un trou rempli de mastic (un mélange de gomme-laque, de térébenthine de Venise et de poudre de corail) avant d'y glisser l'extrémité d'un tenon (pivot) en or ou en argent, préalablement chauffé pour faire fondre le mastic ; le pivot est fixé de la même façon dans la racine de la dent abîmée, préalablement sciée à ras de la gencive. Une telle fausse dent pouvait tenir

La poterie est née avec l'agriculture

L'historie est belle : pour conserver les graines, il fallait des récipients. Et c'est ainsi que l'agriculture inventa la poterie…

▲ *Comme le prouve cet ours de Dolni Vestonice, la poterie a été inventée au paléolithique. Elle a ensuite été redécouverte au néolithique.*

La révolution néolithique (l'apparition de l'agriculture et de l'élevage) fut longtemps associée à la pierre polie et à la poterie. Or il existe en Australie une très ancienne tradition de la pierre polie sans que jamais ni l'agriculture ni l'élevage ne s'y soient développés (avant l'arrivée des Européens, bien entendu). Et nous connaissons des cultures de chasseurs-cueilleurs qui possédaient de la poterie, comme au Japon avec l'ère Jômon. Mais le principe de la terre cuite est bien plus ancien. Il remonte au paléolithique supérieur.

À Dolni Vestonice, en Moravie (République tchèque), entre – 29000 et – 25000 environ, des hommes de la culture du Pavlovien ont réalisé de petites figurines en terre cuite : bisons, rhinocéros, félins, ours… Toutes semblent avoir été cassées au cours de cérémonies rituelles. Le plus extraordinaire est que ces hommes aient réussi à produire de semblables objets de façon aussi simple. Ne s'improvise pas potier qui veut :

il faut un four spécial qui produise une chaleur constante, mais, surtout, la simple argile ne suffit pas. Il faut lui adjoindre ce qu'on appelle un dégraissant, c'est-à-dire un élément supplémentaire (sable, calcaire broyé, paille, déjections animales…) qui donnera à la pâte une plasticité suffisante pour que l'eau que celle-ci contient puisse s'évaporer convenablement sans la faire exploser. Une chance pour les Pavloviens : il semble que le limon qu'ils utilisaient aient contenu naturellement du

dégraissant en quantité suffisante. D'autre part, la petite taille de leurs statuettes (inférieure à 5 cm en moyenne) a pu aussi limiter la casse. Quoi qu'il en soit, cette pratique disparut avec eux et resta sans lendemain. ■

le dentiste

quinze à vingt ans ! La technique a peu évolué depuis, seuls les matériaux ont changé.

Aujourd'hui, la fausse dent est en métal, le plus souvent recouvert de céramique imitant l'émail. Quand plusieurs dents contiguës manquent, elles sont remplacées par une prothèse dentaire fixe (un bridge, ou pont, fixé aux dents saines voisines) ou amovible (une prothèse coulée sur un squelette métallique qui s'appuie sur le palais et sur quelques dents par des bagues). En l'absence totale de dents, on fabrique un dentier (une

prothèse amovible qui se colle aux gencives), mais, si c'est financièrement et médicalement possible et que le patient est jeune, la pose rapide d'implants (voir encadré) permet d'éviter l'inévitable régression osseuse de la mâchoire.

Tout cela est évidemment un pis-aller : comme nous le savons bien, il faut avant tout conserver de bonnes dents – par un brossage régulier, une alimentation apportant phosphore, calcium, vitamine D et fluor et un suivi régulier par un dentiste… en attendant le futur vaccin anticarie. ■

QUAND IL N'Y A PLUS DE DENT, IL Y A L'IMPLANT

Un implant dentaire est une racine artificielle que l'on implante dans l'os de la mâchoire à la place de la dent manquante et sur laquelle on fixe une dent artificielle – ou un bridge (ou pont) s'il manque beaucoup de dents contiguës. Quel est l'intérêt d'une telle opération ? Pour une dent manquante ici ou là, elle n'est pas plus intéressante qu'une prothèse ordinaire. En revanche, en cas de perte totale des dents, elle est fortement conseillée.
En effet, sans les dents et la précieuse stimulation que leurs racines exerçaient sur les os de la mâchoire, le rythme du renouvellement osseux diminue et la mâchoire se résorbe peu à peu – sa hauteur diminue de 0,5 à 1 mm par an. Le dentier tient de moins en moins bien sur les gencives, entraînant gêne masticatoire, proéminence du menton

et malnutrition ; la mâchoire peut même se briser.
Jusqu'à présent, il fallait plusieurs mois, et donc plusieurs interventions, pour implanter une denture complète. Mais, grâce à un procédé belge, on peut désormais le faire en trente minutes à l'aide d'un programme informatique qui construit un modèle en trois dimensions de la mâchoire du patient édenté à partir de ses radiographies (effectuées avec le dentier). Le modèle aide le chirurgien à déterminer le meilleur emplacement pour les implants et dirige le coulage d'un guide de forage – un moulage de la mâchoire en résine perforé aux endroits prévus pour les implants. Il suffit au praticien de fixer ce guide sur la mâchoire du patient pour percer l'os aux bons endroits, insérer les implants, ôter le guide puis fixer les fausses dents.

Les machines à laver
peuvent se passer de lessive

Autrefois, les lavandières lavaient leur linge sans lessive, dans des lavoirs situés au bord de la rivière. Alors, pourquoi la lessive est-elle devenue indispensable ?

Si les lavandières battaient le linge avec autant de vigueur, c'est que ce traitement facilite le passage de l'eau entre les fibres et désincruste la saleté. N'avaient-elles aucun besoin de lessive ? Ce n'est vrai qu'en partie, car, pour enlever des taches grasses, les détergents s'avèrent indispensables…

Outre son indéniable pouvoir détachant, la lessive permet aussi d'éviter un traitement mécanique trop violent, susceptible d'user les fibres… Ainsi, les premiers dispositifs mécaniques mis au point pour alléger le travail des lavandières n'ont jamais prétendu s'en passer : dans la baratte du XVIIIᵉ siècle (une cuve qui peut être mise en rotation par une manivelle), on verse un bain de lessive chaude. Idem dans la lessiveuse du XIXᵉ siècle et dans l'autolaveuse du début du XXᵉ siècle, dont la cuve peut être chauffée par-dessous. L'électricité n'a rien changé à la question, qu'il s'agisse des premières machines à laver, qui datent des années 1930, ou des machines à laver à tambour modernes, qui fonctionnent selon le même principe, moteur et électronique en plus. Et même si le lessivage est aujourd'hui réputé plus efficace, puisque ce sont des programmateurs qui contrôlent parfaitement le lavage, le rinçage et l'essorage, les trois étapes essentielles du processus. Mais que l'on ne désespère pas de pouvoir un jour se passer de lessive : en 2002, en effet, un fabricant d'appareils électroménagers a mis au point le premier lave-linge fonctionnant par électrolyse, ce merveilleux procédé qui sait déjà nous épargner la corvée de nettoyage du four. Un lave-linge super-écologique qui permet de laver sans détergent, avec deux fois moins d'eau qu'un lave-linge classique… ■

Les lessives son

En matière de lessive, les rayons des supermarchés présentent souvent un choix faramineux… Mais qu'est-ce qui fait donc la différence entre toutes ces marques ?

Si toutes les lessives lavent, toutes ne se valent pas. Certaines agissent dès 30 °C, d'autres à 60 °C. Certaines blanchissent, d'autres préservent les couleurs… Il existe presque autant de lessives que de types de linge ! Du côté de la composition, elles contiennent pour la plupart cinq grandes familles d'ingrédients. Les agents tensioactifs, comme le savon, assurent le lavage. Les agents anticalcaires, tels les phosphates ou leurs substituts (zéolite, NTA, citrate de sodium), empêchent à la fois les incrustations de calcaire dans la machine et la formation de dépôts grisâtres sur le linge : ce sont les fameux agents « anti-redéposition » qui empêchent à la saleté de se refixer sur le linge… Entrent aussi dans la composition les agents de blanchiment,

On peut faire du savon chez soi

À ceux qui croient que le savon est né des progrès de la civilisation, et notamment de l'institutionnalisation de l'hygiène, il faut rappeler que le savon est connu depuis la plus haute antiquité, c'est-à-dire bien avant la révolution industrielle !

Que vous ayez ou non eu des travaux pratiques de chimie à l'école, la recette du savon est facile et tout à fait réalisable chez soi : de la graisse (huile, suif…) et un peu de cendres, chauffées et mélangées. Dès 2500 av. J.-C., des tablettes d'argile sumériennes décrivent la fabrication d'une sorte de savon, pâte molle d'huile et de cendres. À Rome, quelques siècles plus tard, certaines femmes venaient rôder autour des bûchers des condamnés à mort : le mélange de graisse et de cendres (*sapo*) était très réputé pour nettoyer le linge. Aujourd'hui, le savon résulte d'un mélange de graisse et de soude, plus aisée à utiliser que les cendres. Dès la fin du XVIIIe siècle, les savons deviennent des produits de l'industrie chimique puisque c'est cette dernière qui fabrique la soude. Même notre bon vieux savon de Marseille est loin d'être un pur produit naturel. Bien du temps a passé depuis les premières manufactures installées dès le XIIe siècle et l'édit de Colbert (1688) qui fixait des règles de fabrication strictes, avec notamment l'interdiction d'utiliser une autre graisse que l'huile d'olive. À présent, le terme de savon de Marseille n'est pas une appellation contrôlée et ne sert qu'à qualifier une méthode de fabrication et une composition à 72 % de matière grasse. D'ailleurs, il y a belle lurette que la plupart de ces savons ne sont plus fabriqués dans la cité phocéenne ! ■

outes les mêmes

tels que les perborates ou les percarbonates de sodium, ou bien encore les fameux « enzymes gloutons » supposés remplacer plus écologiquement ces produits chimiques agressifs. Les enzymes s'attaquent aux salissures en mangeant littéralement les taches de graisse. Il y a aussi ce qui permet de laver « plus blanc que blanc », entendez tous les azurants optiques, des substances chimiques qui s'accrochent aux fibres du linge et transforment le rayonnement ultraviolet en lumière visible. En effet, les UV sont des rayons lumineux situés au-delà du spectre de la lumière visible, qui se décompose progressivement du rouge au bleu. Les azurants transforment ses rayons invisibles en rayons visibles, du côté du bleu, d'où leur nom. C'est comme si le linge contenait plus de lumière, il paraît donc plus éclatant, plus blanc… Cinquième élément : les parfums, dont le rôle n'est plus à préciser.

D'autres différences notables existent, par exemple entre une lessive à la main et une lessive machine. Cette dernière contient en effet des agents anticorrosion pour protéger les pièces métalliques des lave-linge, ainsi que des agents antimoussants afin d'éviter les débordements et de contrôler le niveau de mousse. C'est ce qui explique qu'il vaut mieux ne pas utiliser une lessive à la main pour laver en machine !

Le conditionnement a également son importance : les lessives liquides ne contiennent pas d'agents de blanchiment, contrairement à la plupart des poudres et des pastilles. Agents de blanchiment qui peuvent décolorer le linge de couleur et endommager les textiles délicats…

Enfin, selon le type de tissu que l'on souhaite laver, certaines lessives sont à éviter : ainsi, la laine et la soie étant des fibres d'origine animale, il est préférable de ne pas les livrer à l'appétit des enzymes gloutons !

Cependant, en dépit des recherches permanentes d'amélioration dont elles font l'objet, il n'a jamais pu être vraiment établi que les lessives lavaient mieux qu'avant… ■

L'homme préhistorique
était vêtu de peaux de bêtes

Les peaux de bêtes cousues ont sans doute été les premiers vêtements de l'homme. Mais nos ancêtres s'habillaient aussi de vêtements en fibres végétales tressées.

Nous ne savons pas quand l'homme a commencé à se vêtir. Est-ce en quittant l'Afrique tropicale, pour se protéger des climats plus froids qu'il rencontrait sur sa route ? Quoi qu'il en soit, c'est avec l'arrivée de l'homme moderne en Europe, il y a quelque 40 000 ans, qu'apparaissent les premiers témoignages d'un souci vestimentaire. Des outils spécifiques voient le jour : le grattoir semble avoir été conçu pour travailler les peaux ; les poinçons en os devaient servir à percer le cuir, pour ensuite y passer des liens.

L'invention de l'aiguille à chas, vers – 20000, va faciliter le travail du tailleur préhistorique. Sur les parois de la grotte de Gabillou, en Dordogne, vers – 17000, une femme vêtue d'un anorak à capuche a été gravée. Les plaquettes gravées de La Marche, dans la Vienne, vers – 13000, nous montrent d'autres personnages vêtus de pagnes. Enfin, dans la grotte de Fontanet, dans l'Ariège, nous pouvons voir sur le sol l'empreinte du pied chaussé d'un enfant qui a marché là à la même époque, il y a 15 000 ans.

Mais avec quoi l'homme préhistorique assemblait-il ses vête-

ments ? Avec des tendons sans doute, mais aussi avec de la ficelle ou de la corde, obtenue à partir de plantes fibreuses comme le lin, le chanvre, l'ortie ou des graminées, ou bien du liber (tissu végétal) issu du tilleul, du saule ou du chêne. Des empreintes à Dolni Vestonice (Moravie), entre – 29000 et – 25000, et dans la grotte de Lascaux (Dordogne), vers – 17000, nous indiquent que Cro-Magnon savait fabriquer des cordes et des éléments tressés en fibre végétale.

La simple logique permet d'imaginer dès cette époque le développement de la vannerie. Mais, dans l'état des découvertes actuelles, une des plus anciennes traces de corbeille en osier que nous connaissons date d'entre – 7000 et – 6000, sur le site du Haut-des-Nachères, à Noyen-sur-Seine. La domestication du mouton, vers – 8000 au Proche-Orient, va modifier la donne. Désormais, l'homme dispose de la laine. L'avantage de celle-ci sur la fibre végétale, c'est qu'il suffit de la laver pour pouvoir s'en servir, tandis que la plante doit subir plusieurs opérations (rouissage) pour en extraire les fibres.

Deux techniques sont utilisées : le tissage et le filage. Le tissage consiste à former une étoffe en assemblant deux ensembles de fils, la chaîne et la trame (le plus vieux morceau de tissu, découvert à Fayoum, en Égypte, a quelque 7 000 ans). Très vite – il y a au moins 4 000 ans en Égypte – apparaît le métier à tisser vertical, formé d'une armature en bois, où sont suspendus les fils de laine, tendus par des poids formés de galets encochés. Ce sont ces poids

que l'on retrouve le plus souvent, car le bois et la laine, matières périssables, ont disparu. Quant au filage, il consiste à étirer la laine pour en faire des fils. Du fuseau, il ne nous reste également que les fusaïoles en terre cuite,

c'est-à-dire les poids qui servaient à tendre la laine. L'étape suivante sera l'apparition des motifs ainsi que des techniques de coloration des étoffes. Mais ceci est une autre histoire… ■

Le Nylon
a été une révolution

Saviez-vous que la découverte du Nylon avait été motivée par les maladies… des vers à soie ? C'est parce qu'il fallait à tout prix remplacer la soie, dont l'industrie avait été largement mise à mal, que les premières recherches sur les textiles ont pu avoir lieu.

Hudson Nylons

It's really Christmas . . . for Hudson hosiery made of Dupont nylon is back again! Lovely beyond your fondest memory . . . for they're sheer as shadow and shaped

SHEER WITCHERY

LES TEXTILES DU FUTUR

En l'an 2000 est apparue une nouvelle génération de textiles, dont les effets sur la santé humaine ne seront connus qu'à l'usage : les cosmétotextiles, qui désodorisent les pieds, ou encore tonifient ou amincissent les jambes de ceux qui les portent. Ces tissus contiennent des microcapsules réparties dans l'ensemble des fibres et sensibles à la température, à la lumière ou au frottement. En présence de ces facteurs, les microcapsules libèrent les produits chimiques qu'elles contiennent.

Selon le même principe, les texticaments sont promis à un bel avenir. Ils servent à confectionner des bandages délivrant des analgésiques ou des compresses diffusant un antiseptique. De même, des textiles antibactériens contenant des microdoses d'antibiotiques, des draps antimoustiques, des couvertures antiacariens, des vêtements faits de fibres à séchage ultrarapide s'ouvrant à la chaleur et se refermant au froid, équipées de capteurs piézoélectriques ou de microventilateurs, de capteurs photoniques, solaires ou infrarouges, anti-UV ou plus largement biomimétiques (capables de s'adapter à l'environnement, extérieur et intérieur, de celui qui les porte) devraient prochainement être disponibles.

◀ *Ce tissu lumineux Exel Ray© est composé de fibres synthétiques et de fibres optiques.*

Même si sa mise au point répondait à la nécessité de remplacer une fibre – la soie – à la production de plus en plus aléatoire, le Nylon a été une véritable révolution dans l'industrie textile. Il a notamment inauguré l'ère des fibres synthétiques, grâce auxquelles la fabrication de matériaux extensibles est devenue possible. Inventé dès 1936 par un chimiste américain, Wallace Carothers, employé par la firme Du Pont de Nemours, le Nylon est fabriqué à partir d'un acide (acide adipique) et d'une diamine (hexaméthylènediamine) qui, une fois assemblés, forment une chaîne de molécules, c'est-à-dire un polymère. Le Nylon (poly- amide 6-6) donne des cordes incassables qui résistent à la chaleur (les fibres fondent à 230 °C) et ont la résistance de câbles d'acier.

Dans la même lignée, le Kevlar, autre matériau fibreux synthétique mis au point par Stéphanie Kwolek – toujours pour Du Pont de Nemours – en 1965, est un descendant du Nylon. Il est constitué de longues chaînes moléculaires d'un polymère appelé polyparaphénylène-téréphtalamide. Cinq fois plus résistante que l'acier, cette fibre dite de polyara-mide peut servir à confec-tionner des cottes de mailles capables de résister à un coup de couteau ou à l'impact d'une balle. À côté de leur utilisation comme fibres, ces composés sont aussi d'excel-lents plastiques techniques. Ainsi en est-il du Spectra Fiber, constitué de fibres de polyéthylène tissées à angle droit et noyées dans une résine flexible avant d'être recouvertes d'un film stra-tifié. Un composé réputé dix fois plus résistant que l'acier, qui descend lui aussi en droite ligne de la révolution du Nylon. ∎

ET SI ON POUVAIT TISSER DU FIL D'ARAIGNÉE ?

Après plus de 400 millions d'années d'évolution, dont plus de la moitié passée à arrêter des bolides volants, l'araignée est une fileuse enviée. Œuvrant à température et à pression ambiantes, avec de l'eau pour tout solvant, elle fabrique un fil beaucoup plus résistant et bien plus élastique que les dernières fibres de polyamide comme le Kevlar de Dupont de Nemours.

Son secret de fabrication ? Il réside dans la structure anatomique particulière qu'elle possède : la filière. C'est dans cet atelier qu'elle va élaborer son fil, à partir de protéines qui ont la particularité d'être produites à l'état de cristaux liquides avant d'être transformées en milieu acide en une fibre extrêmement solide.

Ce principe a inspiré des spécialistes du génie génétique, qui ont tenté de faire produire cette protéine par des chèvres – car il va sans dire que l'araignée ne s'élève pas comme le ver à soie. En 2003, au Canada, ils sont parvenus à créer des chèvres transgéniques. Celles-ci parviennent à produire un lait riche en une substance qui, une fois filée, fournit une fibre capable de supporter un poids de plus de 45 tonnes par centimètre carré !

Liste des encadrés

Index

Les chiffres en maigre (24) renvoient aux pages où le mot est cité dans le texte. S'ils sont en italique *(24)*, ils renvoient aux illustrations et s'ils sont suivis d'un astérisque (24*), ils renvoient à un encadré. Les chiffres en gras **(24)** renvoient aux pages où le thème est largement développé.

Crédits

Couverture

hm : BSIP/Joubert ; hd : BSIP/Keene ; bg : D. CHARLIAT ; mg : GETTY IMAGES/TAXI/Joseph Yung ; hg : GETTY IMAGES/TAXI/Steve Bloom ; bd : GETTY IMAGES/TIB/Richard Ustinich ; bm : PHOTONONSTOP/Speos.

Pages

8 b : CORBIS/Denis Scott ; 10/11 : COSMOS/Science Photo Library/European Southern Observatory ; 11 : COSMOS/Science Photo Library/Space Telescope Science Institute/Nasa ; 12 : CORBIS/Archivo Iconografico S.A. ; 13 : ESA/S. Komossa/Institut Max Planck ; 14 : GETTY/PHOTODISC ; 15 : CORBIS/Nasa/R. Ressmeyer ; 16 : GETTY/PHOTODISC ; 17 : COSMOS/Science Photo Library/K. Veenenbos ; 18 : GETTY/PHOTODISC ; 19 : GETTY/PHOTODISC ; 20 : COSMOS/Science Photo Library/R. Gendler ; 21 : GOODSHOOT ; 21 : GOODSHOOT ; 21 : GOODSHOOT ; 22 b : CORBIS/D. Menuez ; 22 h : GETTY/PHOTODISC ; 23 : COSMOS/Science Photo Library/G. Sams ; 24 : GETTY/PHOTODISC ; 25 h et b : GETTY/PHOTODISC ; 26 hg : LEEMAGE/Heritage Images/British Library ; 27 b : CORBIS/Denis Scott ; 27 hd : CORBIS/NASA/© 1989 Roger Ressmeyer ; 27 m : COSMOS/Science Photo Library ; 28/29 b : COSMOS/Science Photo Library/B. Edmaier ; 29 h : COSMOS/Science Photo Library/GSHAP ; 30/31 b : BSIP/S. et D. O'Meara ; 31 : BSIP/S. et D. O'Meara ; 32 : CORBIS/S. Saustier ; 33 h : COSMOS/P. Maître ; 33 b : COSMOS/Science Photo Library/J. Baum ; 34 : GETTY/Image Bank/L. Isy-Schwart ; 35 : COSMOS/International ST/R. Brown ; 37 : CORBIS/Sygma/A. Nogues ; 39 : GETTY/PHOTODISC ; 41 : GETTY/PHOTODISC ; 42 h : MÉTÉO FRANCE ; 42 b : MÉTÉO FRANCE ; 44 : COSMOS/Science Photo Library/Nasa ; 45 : GETTY/PHOTODISC ; 46 h : COSMOS/P. Maître ; 46/47 b : Stéphane COMPOINT ; 48 : Benjamin FERRIER ; 50 : CORBIS/Bettmann ; 51 : BIOS/Phone/Cl. Thiriet ; 52/53 : BIOS/T. Crocetta ; 54 : CORBIS/Swin Ink 2/LLC ; 55 : Musée Condé, Chantilly, Archives SRD ; 57 b : BIOS/D. Delfino ; 57 h : CORBIS/J. Sohm/Chromo Sohm Inc, ; 58 : CORBIS/W. Forman ; 59 : CORBIS/Ed Kashi ; 60/61 : BIOS/J. Cl. N'Diaye ; 62/63 h : CORBIS/Stéphanie Maze ; 62 b : COSMOS/Science and Society Picture Library/Science Museum ; 63 m : CORBIS/Sygma/Thierry Orban ; 63 b : CORBIS/© Galen Rowell ; 63 hd : CORBIS/© Elio Ciol ; 64 : BIOS/Still Pictures/D. Woodfall ; 65 : CORBIS/Ch. Heller ; 66 : BIOS/Still Pictures/N. Dickinson ; 67 : BIOS/Still Pictures/UNEP/Chamnanrith ; 69 : BIOS/D. Halleux ; 70/71 : CORBIS ; 72 : INSTITUT PAUL-RICARD/Lelong ; 73 : Benjamin FERRIER ; 74 : BIOS/M. Harvey ; 75 : LEEMAGE/Costa ; 77 : LEEMAGE/Gusman/Ill. J.-P. Boireau ; 78/79 : CORBIS/Betteman ; 79 : CORBIS/Sygma/C. Blanc/Crii Rad ; 80 : SIPA/Laski ; 81 : CORBIS/C. Aurness ; 82 : BIOS/C. Ruoso ; 84 h : CORBIS/A. Morris ; 84 bg : CORBIS/M et P Fogden ; 86 : CORBIS/Brandon D. Cole ; 87 : CORBIS/Gallo Images/R. Patterson ; 88 : CORBIS/G. Marx Photography ; 89 : CORBIS/J. McDonald ; 90/91 : COSMOS/Science Photo Library ; 92 : LEEMAGE/Costa ; 93 : CORBIS/G. McCarthy ; 94/95 h : BIOS/Ch. Moullec ; 94/95 bg : CINEMATHÈQUE FRANÇAISE/ J. Marey ; 96 : CORBIS/Francis Latreille ; 96 fond : COSMOS/Science Photo Library ; 97 hd : CORBIS/© Bettmann ; 97 mg : LEEMAGE/Costa ; 97 b : LEEMAGE/Selva ; 99 : CORBIS/C. Ruoso ; 100 : CORBIS/Jeffrey L. Rotman ; 102 : BIOS/J. F. Mutzig ; 103 : CORBIS/J. Blair ; 104/105 : BIOS/C. Ruoso ; 105 : CORBIS/P. Robert ; 106 : CORBIS/J. Van Hasselt ; 107 : CORBIS/K. Schafer ; 108 hd : BIOS/Chin Fah Shin ; 108 bd : CORBIS ; 110 : BIOS/Phone/Cl. Thiriet ; 112/113 : CORBIS/U. Walz ; 114 : LEEMAGE/Bianchetti ; 115 : CORBIS/Jeffrey L. Rotman ; 116 : GOODSHOOT ; 117 : CORBIS/R. Tridman ; 118 : CORBIS/Bettmann ; 120 : CORBIS/Bettmann ; 121 : LEEMAGE/Costa/Bibliothèque Trivulziana, Milan ; 122 : BSIP/Pr K. Wood ; 124 : BRAND X PICTURES/Burke Triolo ; 126 bg : BSIP/Leoine ; 126 h : COSMOS/Science Photo Library/A. Pasieka ; 127 : BSIP/T. Spagna ; 128 : LEEMAGE/Marthelot ; 129 : CORBIS/J. Naughten ; 130 : LEEMAGE/Electa ; 131 : CORBIS/Sygma/P. Durand ; 133 b : BSIP/L. Lessin ; 133 h : LEEMAGE/Selva ; 134 : CORBIS ; 134/135 : LEEMAGE/Selva ; 135 b : CORBIS/Bettmann ; 135 md : COSMOS/Science Photo Library/Sheila Terry ; 136 b : COSMOS/Science Photo Library/Geoff Tompkinson ; 136 h : COSMOS/Science Photo Library/Mehau Kulyk ; 137 h : CORBIS/Charles et Josette Lenars ; 137 b : COSMOS/Science Photo Library/Nancy Kedersha ; 139 : CORBIS/R. McMahon ; 140 : BSIP/Laurent/Béatrice ; 141 d : PHOTOALTO/Jean-Blaise Hall ; 141 bd : RDA UK GB ; 142 hd : BSIP/May ; 142 b : CORBIS/K. Kasmauski ; 143 : CORBIS ; 145 b : CORBIS/Sygma/P. Parrot ; 145 h : LEEMAGE/Jemolo/Palazzo Abatellis/Palerme ; 146 : BSIP/Mendil ; 147 : CORBIS/G. Shelley ; 148 : BSIP/Cortier ; 149 : CORBIS/Bettmann ; 150 : BSIP/Biophoto Associates ; 152 : CORBIS/J. Sugar ; 153 : PHOTOALTO/I. Rozenbaum ; 154 : CORBIS/Rob et Sas ; 156/157 b : CORBIS/Sba/N. Feanny ; 156 : COSMOS/Science Photo Library/Prof, P. Motta/Dept of Anatomy/University, la Sapienza, Rome ; 158/159 : CORBIS/Bettemann ; 159 : BSIP/Biophoto Associates ; 160 : BSIP/M. Gratton ; 161 : LEEMAGE/Selva ; 162 : BSIP/H : Morgan ; 163 : COSMOS/Science Photo Library/S. Terry ; 165 : CORBIS/N. Schaefer ; 166 h : LEEMAGE/Selva ; 167 : GAMMA/Landmann ; 167 b : LEEMAGE/Fototeca ; 167 d : GAMMA/Landmann/École vétérinaire ; 168 : LEEMAGE/Heritages Images/British Library ; 168/169 : LEEMAGE/Selva ; 169 hd : BSIP/ATL ; 169 mg : CORBIS/SYGMA/Vo Trung Dung ; 169 md : LEEMAGE/Costa ; 170 : BSIP/Phototake/Donner ; 171 : CORBIS/T. Williams ; 172 : LEEMAGE/Eye Ubiquitous/G. Trotter ; 173 : CORBIS/Dave G. Houser ; 174 : COSMOS/Science Photo Library/Science Museum Library, Londres ; 175 : BSIP/S. Camazine ; 177 : CORBIS/Lester V. Bergman ; 178 : BIOS/Klein et Hubert ; 179 : CORBIS/A. M. Weber ; 180 : CORBIS/T et Dee A. McCarthy ; 183 b : CORBIS/K. M. Westermann ; 183 h : CORBIS/N. Desai ; 184 : RDA UK GB/Jules Selmes ; 185 : BSIP/VEM ; 186 : LEEMAGE/Selva/Ill. B. Monvel ; 187 : BSIP/IMA ; 188 : LEEMAGE/Costa ; 189 : CORBIS/Sygma/F. Astier ; 190 g : BSIP/Dequest ; 190 m : CORBIS/H. Sochurek ; 191 : CORBIS/Bettmann ; 192 : CORBIS/Sygma/K. Baldev ; 193 : RDA UK GB/Jules Selmes ; 194 : CORBIS/Brownie Harris ; 195 : CORBIS/T et Dee A. McCarthy ; 196/197 : CORBIS/Stapleton Collection ; 198 : CORBIS/S. Raymer ; 199 : CORBIS/M. Listri ; 201 : BSIP/Biophoto Associates ; 202 : CORBIS/Bettmann ; 204/225 : CORBIS/San Francisco Chronicle/P. Gladstone ; 205 : LEEMAGE/Selva ; 206 : CORBIS/M. Freeman ; 207 h : CORBIS/K. Kasmauski ; 207 b : LEEMAGE/Jemolo/Musée d'Égypte, Le Caire ; 209 : CORBIS/H. Davies ; 210 : CORBIS/© Howard Sochurek ; 211 h : CORBIS/© Bob Daemmrich ; 211 b : COSMOS/Science Photo Library/Dr Linda Stannard ; 212/213 mg : BSIP/Leca ; 212/213 : bd : CORBIS ; 212 bg : LEEMAGE/Heritage Images ; 213 hd : CORBIS/Gallo Images ; 214 h : LEEMAGE/Costa ; 214 b : LEEMAGE/MP/Bibliothèque nationale, Milan ; 215 : CORBIS/Bettmann ; 216 : CORBIS ; 217 : CORBIS ; 218/219 : CORBIS/Sygma/P. Pfister ; 221 : BSIP/MAY ; 222 : BSIP/Chaignon ; 223 : Lisa KOENIG ; 224 : BSIP/MBKL/N. Cole ; 226 : PHOTOALTO/F. Cirou, I. Rozenbaum ; 229 : BSIP/Chassenet ; 230 : PHOTOALTO/F. Cirou, I. Rozenbaum ; 231 : GETTY/PHOTODISC ; 232 : CORBIS/T et G Baldizzone ; 233 md : Guinness Archive, Diageo Ireland/Agence SH Benson/Artiste : John Gilroy, 1949 ; 233 hg : PHOTOALTO/F. Cirou, I. Rozenbaum ; 234 bg : GETTY/PHOTODISC ; 234 hd : LEEMAGE/Selva ; 236 : CORBIS/Ch. Savage ; 238 : BRAND X PICTURES/Burke Triolo ; 240 : BRAND X PICTURES/Burke Triolo ; 241 : BSIP/VEM ; 242 : © King Features Syndicate, Inc (extrait de Popeye, éditions Denoël 2005/Illustration Elzie Crisler Segar) ; 243 : Lisa KOENIG ; 244 h : BRAND X PÎCTURES/Burke Triolo ; 244 b : Cilin COOKE ; 245 : CORBIS/Hulton-Deutsch Collection ; 246 : CORBIS/Archivo Iconografico, S.A. ; 247 bg : BIOS/A. Thaïs ; 247 h : SRD/Didier Pavois ; 248 : BSIP/MBKL/N. Cole ; 249 : LEEMAGE/Selva/illustration E. Silvestre ; 250 h : CORBIS/Chris Rainier ; 250 b : LEEMAGE/Delius ; 251 h : BSIP/Kent Wood PR ; 251 md : CORBIS/Gianni Dagli Orti ; 251 mg : LEEMAGE/Selva ; 252/253 m : CORBIS/Fine Art Photographic Library ; 252 g : PHOTOALTO/F. Cirou, I. Rozenbaum ; 252 bm : PHOTOALTO/Jean-Blaise Hall ; 254 : PHOTOALTO/F. Cirou, I. Rozenbaum ; 255 : REIMAN ; 256 : PHOTOALTO/I. Rozenbaum ; 257 : PHOTOALTO/F. Cirou, I. Rozenbaum ; 258 b : BRAND X PÎCTURES/Burke Triolo ; 258 h : CORBIS/Lester V. Bergman ; 259 hd : BSIP/David M. Phillips ; 259 mg : CEDUS/J-L. Bloch Lainé ; 260 : Élisabeth WATT ; 261 : PHOTOALTO/Jean-Blaise Hall ; 262 : CORBIS/Royalty-Free ; 263 : CORBIS/Charles O'Rear ; 264 : CORBIS/R. T. Nowitz ; 266 b : CORBIS/B.S.I.P. ; 266 h : COSMOS/Visum P. Duddek ; 268 h : CORBIS/L. Manning ; 269 : CORBIS/Bettmann ; 270 : CORBIS/Sygma/H. Collard ; 272 : REA/Ludovic ; 273 : CORBIS/R.T. Nowitz ; 274 : CORBIS/Sygma/J.Van Hasselt ; 275 : CORBIS/R. Ressmeyer ; 276 : CORBIS/F.Vogt ; 277 : CORBIS ; 279 : CORBIS/Cover/X. Gomez ; 280/281 : CORBIS/Jonathan Blair ; 280 b : CORBIS/© Charles O'Rear ; 281 bd : CORBIS/© Hulton Deutch Collection ; 281 hg : LEEMAGE/Costa/Musée Correr, Venise ; 281 md : LEEMAGE/Costa/Musée national, Rome ; 282 : BIOS/G. Michel ; 283 : BSIP/Cortier/Musée de l'Hôpital Notre-Dame-à-la-Rose, Lessines, Belgique ; 284 : CORBIS/Ch. Lisle ; 286 : BSIP/Leca ; 287 : CORBIS/B. Krist ; 288 : CORBIS ; 289 : CORBIS/R.White ; 290 : COSMOS/Science Photo Library/Science Museum, Londres ; 291 : BSIP/Deloche ; 292/293 : CORBIS/Eye Ubiquitous/P. Field ; 293 : LEEMAGE/Selva ; 294 : CORBIS/Bettmann/Architecte Empire State Building : William Lamb, Shreve, Lamb & Harmon ; 296 : CORBIS/D. Muench ; 297 : CORBIS/Sygma/H. Noboru ; 298 : COSMOS/Science Photo Library/Science Museum Pictorial ; 299 : CORBIS/B. H. Ward et K. C. Ward ; 300 : CORBIS/D. Becus ; 301 : CORBIS/NASA/J. Ross ; 302/303 : CORBIS/J. Sugar ; 304 : COSMOS/Science Photo Library/Science Museum, Londres ; 305 : LEEMAGE/Heritage Images/British Library ; 306 : LEEMAGE/Costa ; 307 : COSMOS/Bibliothèque nationale de France, Paris ; 308 : LEEMAGE/Costa/Musée de la Science et de la Technique, Milan ; 309 : LEEMAGE/Selva ; 310/311 : CORBIS/Hulton-Deutsch Collection ; 312 : CORBIS/Archivo Iconografico S.A. ; 314 : CORBIS/Roger Ressmeyer ; 315 b : BSIP/Earl Roberge ; 315 h : CORBIS/Historical Picture Archive ; 316/317 : CORBIS/M.L. Sinibaldi ; 316 : COSMOS/Science Photo Library/Rosenfeld Images LTD ; 317 b : CORBIS/Charles O'Rear ; 317 h : CORBIS/Roger Ressmeyer ; 318/319 : CORBIS/Sygma/Horan Kevin ; 321 : CORBIS/Sygma/A. Nogues ; 322/323 : CORBIS/M. Freeman ; 324 : SRD/Bibliothèque nationale de France, Paris ; 325 : CORBIS/D. Degnan ; 326/327 : COSMOS/Visum/A. Krug/Architecte Norman Foster ; 328 : CORBIS/Archivo Iconografico S.A. ; 329 : CORBIS/Bettmann ; 331 b : CORBIS/Sygma/Kapoor Baldev ; 331 h : CORBIS/Vanni Archive ; 332 : CORBIS ; 333 b : CORBIS/P. Turnley ; 333 h : CORBIS/W. Forman ; 334/335 : SRD/R. Nourry ; 336 : COSMOS/Science Photo Library/Science Museum, Londres ; 337 : CORBIS/Archivo Iconografico S.A. ; 338 : LEEMAGE/Selva ; 339 : Colin Cooke ; 340/341 : REA/B. Decout ; 341 : LEEMAGE/Selva/Illustration Corday.

Illustrations :

Michaël BEAUCÉ : pages 102 et 255.
Jacqueline CAULET : pages : 220, 221 et 222.
Bernard COURTOIS : pages 62, 127, 235, 266 et 268.
Marc DONON : pages 104, 122, 138, 139, 170, 172, 227 et 244
Christelle FORZALE : pages 137, 167, 212, 250 et 313.
Sylvie GUERRAZ : pages 39, 43, 70 et 318.
Jean-Pierre LAMÉRAND : pages 21, 25, 26, 34, 36, 44 et 67.

À la découverte
du savoir de nos
ancêtres
est publié par Sélection du Reader's Digest

Première édition

Impression : Maury, Malesherbes
Reliure : Partenaires, Malesherbes
Achevé d'imprimer : octobre 2005
Dépôt légal en France : novembre 2005
Dépôt légal en Belgique : D2005-0621-120

Imprimé en France
Printed in France

Boutique TVA

imp ensemble [illegible]

(1) Mandoline avec récipient

Pour couper les tomates, patates, oignons, concombres, carottes

(2) Extracteur de jus de longue longue

imp Juice x tra

(3) DermaWand

soin rajeunissant

3 minutes le matin / soir

(4) Poignées (imp) manche porte

Handy Grasp

(5) Solution Jambes Lourdes

Pour [illegible] [illegible] bandage [illegible]

(6) Ceinture Pour femme à Longtemps

imp Mass N Slim

7 imp Ceinture [illegible] 140 physio

bandage pour ceinture contre la douleur au dos